Yr Hirdaith

Elvey MacDonald

Argraffiad cyntaf—1999
Ail argraffiad—2003

ISBN 1 85902 554 4

ⓗ Elvey MacDonald

Mae Elvey MacDonald wedi datgan ei hawl dan Ddeddf Hawlfraint,
Dyluniadau a Phatentau 1988 i gael ei gydnabod fel awdur y llyfr hwn.

Dymuna'r cyhoeddwyr gydnabod cymorth Adrannau Cyngor Llyfrau Cymru.

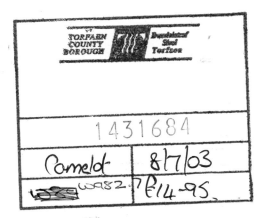
Argraffwyd yng Nghymru gan
Wasg Gomer, Llandysul, Ceredigion

I
DELYTH

Cynnwys

Mae penawdau Penodau 2 i 7 yn ddyfyniadau o areithiau ac ysgrifau Edwin Cynrig Roberts. Hen wireb ddadleuol – ond addas iawn yng nghyswllt y Cymro arbennig hwn – sy'n ffurfio'r ddau bennawd arall.

Diolch

Ni chafodd yr un awdur erioed cymaint o gymorth a thestun diolch. Breintiwyd fi â magwraeth ar aelwyd oedd yn credu mai 'melys ydyw cofio'r tadau' – eu cofio a'u mawrygu – a chlywn straeon yn feunyddiol am gampau a dyheadau, am lwyddiannau a throeon trwstan actorion drama fawr yr epig wladfaol. Doedd dim difyrrach i blentyn bach na chael eistedd o gwmpas bwrdd y gegin i glywed aelod hŷn o'r teulu neu un o'r ymwelwyr yn hel atgofion am yr arloeswyr a'u helyntion. O gymaint clywed sŵn eu henwau, yn esmwyth ac yn ddiarwybod i mi y digwyddodd y broses o ddod i'w hadnabod a'u hedmygu.

Ysgrifennwyd Yr Hirdaith gan y cymeriadau – y pwysig a'r dinod (os yw'r fath air yn addas i ddisgrifio aelodau cwmni gyda'r mwyaf mentrus yn hanes Cymru). Cofnodwyd llawer o'r hyn a ddarllenir yn nhudalennau'r gyfrol hon, a mwy, yn fanwl yn eu llythyrau. Ni ellir ddiolch digon i Michael D. Jones am ei benderfyniad i gyhoeddi cynifer o'r llythyrau mewn ymgais i gynnal momentwm ei ymgyrch ymfudol, nac i Thomas Jones, Glan Camwy; Richard Jones, Glyn Du; Richard Jones Berwyn; a Hugh Hughes (Cadfan Gwynedd) am gyfoeth y deunydd a adawsant ar eu hôl. Y trueni mawr yw iddynt beidio â dweud mwy yn eu cred gyfeiliornus mai gwaith i rywun cymhwysach na hwy fyddai ysgrifennu hanes eu harwriaeth, ac iddynt fethu â sylweddoli cymaint y byddai unrhyw ymchwilydd yn dibynnu ar eu tystiolaeth hwy. Llanwyd unrhyw fylchau gan wybodaeth a godwyd o fersiynau'r haneswyr 'swyddogol' yn eu plith, h.y. rhai a'u cyhoeddodd ar ffurf llyfrau – Lewis Jones, Abraham Matthews ac Edwin Cyrnig Roberts – ac o'r traddodiad gwladfaol a theuluol. Gosod y jig-so at ei gilydd fu fy nhasg bleserus i, a myfi yn unig sy'n gyfrifol am unrhyw nam yn y darlun a grewyd.

Nid all unrhyw ymgais ddifrifol i gofnodi'r hanes gwladfaol anwybyddu campwaith R. Bryn Williams, Y Wladfa, na chyfrolau ysgolheigaidd ei fab, Glyn Williams, eithr bwriad y gyfrol sydd yn eich dwylo yw eich cynorthwyo i glywed arwyr y fenter yn ei hadrodd â'u lleisiau eu hunain. Stori'r bobl a groniclais (a'r arwr mwyaf lliwgar ohonynt, yn bennaf), yn hytrach na hanes mudiad – er bod angen cyfeirio'n fynych at hwnnw a'i ddigwyddiadau difyr er mwyn deall ymateb yr arloeswyr iddynt.

Dymunaf gydnabod fy niolch i'r Athro Geraint Huw Jenkins am ddarllen y nodiadau a fu'n sail i'r gyfrol hon ac am ei anogaeth i'w hysgrifennu. Hefyd i Gwilym Tudur, am ei ddiddordeb, ac i'r Athro Gareth Alban Davies, a dynnodd fy sylw at darddiad y cyfenw Kendrick.

Rhaid diolch, yn ogystal, am wybodaeth, atgofion, lluniau a nifer o gymwynasau, i'r canlynol: Ceris Gruffudd a rhai o'i gydweithwyr ar staff Llyfrgell Genedlaethol Cymru (am gymwynasau aml); Sarah Jones de MacDonald (am gael pigo'i chof); Evelyn Vandervelde, Florida (am wybodaeth am deulu Edwin Cynrig Roberts yn Wisconsin); Elda Lorraine Jones de Ocampo, Trelew, (am chwilio'n ddyfal nes dod o hyd i'r unig lun sydd ar gael o'r Edwin ifanc); Ellis Roberts, Trelew (am drafod a chynghori); Eryl MacDonald de Hughes, Glyn Du, Neved Jones, Trelew ac Elan Jones, Lerpwl (am fanylion gwerthfawr); Edith MacDonald de Arnold, Gaiman (am ymchwilio, a gweithredu fel llygaid i mi ym Mhatagonia); Oscar Arnold, Gaiman (am fenthyg cyfrolau, cynnig cyngor, a gweithredu fel tywysydd hynod amyneddgar); Clydwyn ap Aeron Jones, Porth Madryn, ac Osian Hughes, Moriah (am wybodaeth am harmoniwm Robert Thomas); Harold Fuertes Rees, Viedma (am gymorth gyda'r ymchwil am John

Jones, Patagones ac am lun ohono); Albina Zampini, Gaiman (am fwrw golwg dros gynnwys Atodiad 1); yr hanesydd Virgilio González, Gaiman (am ei gyngor gyda'r ymchwil am gyfnod llywodraeth yr Arlywydd Bartolomé Mitre); Tegai Roberts, Amgueddfa Wladfaol Y Gaiman (am ganiatáu atgynhyrchu lluniau gwladfaol a gedwir yn yr Amgueddfa); Fernando R. Coronato, Y Ganolfan Astudiaethau Patagonaidd, Porth Madryn (am baratoi map llwyfan y digwyddiadau ac am gyfnewid safbwyntiau parthed glaniad y *Mimosa* ac 'ogofâu' Madryn); Omar Morón, Curadur Amfueddfa Rawson (am ganiatâd i ddefnyddio llun o furlun 'Sefydlu Tre-Rawson'); Uriena Lewis, Trelew (am gopïau o ddeunydd Richard Jones Berwyn); T. Gwynn Jones, Porthaethwy a Gwylfa Roberts (am fanylion ynglŷn â'r Seiri Rhyddion); Edward Williams, Cilcain; Susan Wilkinson, Canada; Huw Watcyn Williams, Ystradgynlais; Owen Tydur ac Eurgain Roberts de Jones, Trelew; a Fred ac Eric Green, Trevelin (am fanylion diddorol); Ann Griffiths, Abergwaun; Mair Davis, Dinas; Morys Gruffydd, Caerdydd; John a Margaret Parry, Moelfre; a Héctor MacDonald, Gaiman (am luniau ychwanegol); hefyd The Queen's Lancashire Regiment, Archifdy Amgueddfa Forwrol Glannau Merswy, Llyfrgell Stalybridge, The Museum of the Manchesters, a Llyfrgell Wigan (am eu cymorth parod).

Diolch i staff Gwasg Gomer: Dyfed Ellis-Gruffydd, Mairwen Jones, Bethan Matthews, am eu hamynedd a'u cwrteisi; i'r ffotograffydd Andrés Bonetti; i ddylunydd y clawr, Suzanne Carpenter; i Emyr Jones, am fapiau; i Geraint Llŷr MacDonald am ddarluniau; i Dewi Morus Jones ac Adran Olygyddol Cyngor Llyfrau Cymru, ac i Menna Davies a Meinir MacDonald am sicrhau cywirdeb ieithyddol a gramadegol y gyfrol. Fernando R. Coronato, Y Ganolfan Astudiaethau Patagonaidd, Porth Madryn (am baratoi map llwyfan y digwyddiadau, am gyfnewid safbwyntiau parthed glaniad y *Mimosa* ac ogofâu Madryn ac, ar gyfer yr ail-argraffiad hwn, am y wybodaeth parthed capten y *Mary Helen*.

Ni fuaswn wedi cwblhau'r cynllun heb anogaeth gyson Delyth, Camwy, Meleri a Geraint na heb eu hamynedd a'u cymorth diflino yn ymchwilio a chynghori gydol y cyfnod hir y neilltuais bob munud hamdden (a llawer o'u hamdden hwy) iddo.

Dymuna'r awdur a'r cyhoeddwyr gydnabod cydweithrediad y Llyfrgell Genedlaethol wrth ganiatâu cyhoeddi'r lluniau, mapiau a dogfennau a ymddengys ar y tudalennau canlynol: 2, 28, 36, 37, 38, 53, 83, 93, 118, 133, 176, 179, 187, 196, 198, 199, 200, 206.

Rhestr byrfoddau

RJB	Richard Jones Berwyn
AC	Américo Caamaño
FC	Fernando Coronato
ChD	Charles Darwin
DD	David Davies
DSD	D. S. Davies
LD	Lewis Davies
JDE	John Daniel Evans
CG	Hugh Hughes (Cadfan Gwynedd)
LH	Lewis Humphreys
EJ	Ellen Jones
EPJ	E. Pan Jones
JJ	John Jones – y mab, Aberpennar, Glyn Coch a Cheg yr Hirdaith (Patagones)
JSJ	Joseph Seth Jones
LJ	Lewis Jones
M ap H	Morys ap Hughes
MDJ	Michael D. Jones
MHJ	Matthew Henry Jones
RJ	Richard Jones, Glyn Du
TJ	Thomas Jones, Glan Camwy
WRJ	William Robert Jones
AM	Abraham Matthews
EP	Edward Preis
AJR	Ann Jones Roberts
BMR	Bernabé Martinez Ruiz
ER	Ellis Roberts
ECR	Edwin Cynrig Roberts
JKR	John Kendrick Roberts
DFS	Domingo Faustino Sarmiento
JCT	John Coslett Thomas
EV	Evelyn Vandervelde
RBW	R. Bryn Williams
RMW	Robert Meirion Williams
TCW	Thomas Cadivor Wood
VZ	Virgilio Zampini

Rhagair

Er dyddiau Cain, bu ymfudo'n ddigwyddiad cyffredin yn hanes dyn, ac yn ystod cyfnodau o gynyrfiadau gwleidyddol a dirwasgiadau economaidd, collodd Cymru, fel nifer o wledydd Ewropeaidd eraill, filoedd o'i thrigolion a wasgarwyd ledled ein planed fesul unigolion, teuluoedd a minteioedd.

'Y mae y Cymry', esboniai Richard Jones, Glyn Du, wrth y ddwy genhedlaeth gyntaf o Batagoniaid Cymreig a holai pam y cefnodd eu rhieni a'u teidiau ar yr 'Hen Wlad' y clywsent gymaint o sôn hiraethus amdani, 'yn bobl ymfudol'. Drwy ei brofiad ei hun a thystiolaeth ei gydnabod, gwyddai'r 'hen wladfäwr' fod mwy nag un rheswm dros yr ecsodus hwn. Dihangai llawer rhag tlodi a gormes meistri tir a barwniaid glo; hiraethai sawl un am ryddid i addoli ac am addysg Gymraeg i'w blant; ysgogid eraill gan y freuddwyd am Gymru Newydd annibynnol.

Ymsefydlodd carfanau niferus o Gymry yn sawl un o'r Taleithiau Unedig. Gwnaed ymdrechion i wladychu hefyd yn Awstralia, Canada a Brasil, a chrybwyllyd hyd yn oed Hong Kong a'r Dwyrain Canol. Tuedd y gwladychfeydd hyn, erbyn yr ail genhedlaeth, oedd ymdoddi i'r rhai cyfagos, mwy niferus eu poblogaeth, cyfoethocach eu heconomi, a Saesneg eu hiaith. Deallodd Cymry Philadelphia arwyddocâd hynny mor bell yn ôl â 1793(LJ), a mynnu na allai gwladfa Gymraeg ei hiaith flodeuo yn unman ond ar dir gwyryf lle nad oedd neb yn siarad yr iaith oedd gyda'r rymusaf ar wyneb daear – eithr a oedd paradwys felly i'w chael?

Nid oedd unrhyw bwrpas chwilio am dalaith i'r Cymry yng Ngogledd America ar ôl darllen ymateb llywodraeth yr Unol Daleithiau: 'Nid yw cyfansoddiad yr Unol Dalaethau yn caniatáu i'r Gyngres wneud cytundeb neilltuol ag unrhyw genedl pwy bynnag. Wele'r tir ac wele'r cyfreithiau.' (ECR) Edrychwyd yn ofalus ar y map ac ni fuwyd yn hir cyn penderfynu ar Batagonia – ym mhegwn deheuol a mwyaf anghysbell De America.

Un o'r rhai mwyaf brwdfrydig dros fentro i ben draw'r byd oedd llencyn o'r enw Edwin Cynrig Roberts. Adroddir yn y gyfrol hon hanes rhyfeddol ei fywyd a'i waith; ei freuddwydion; ei gampau; a'i ymwneud â Lewis Jones, ei gyfaill a'i arweinydd, ac â gwladfawyr eraill – weithiau'n llenwi'r llun, yn aml ar yr encilion, ond bob amser yn deyrngar i'w weledigaeth ac i'w gyfeillion – a'r cyfan wedi'i osod yn erbyn cynfas banoramig epig sefydlu'r Gymru Newydd.

EDWIN CYNRIG ROBERTS

28 CHWEFROR 1838 – 17 MEDI 1893

- un o gewri Gwladfa Gymreig Patagonia, arloeswr y 'Gymru Newydd' a'r 'mwyaf beiddgar ac eofn o'r arloeswyr'. (Matthew Henry Jones)

'. . . gwelai y datblygiad a oedd ymlaen pan nad oedd eraill yn gweld dim ond rhwystrau a methiantau . . . Maent yn dweud nad oes yr un dau ohonom yr un fath yn union, ond yr oedd mwy o wahaniaeth na hynny rhwng Edwin Cynrig Roberts a dynion yn gyffredin.' (Abraham Matthews)

'Dyn o galon fawr Gymroaidd a Chenedlgarol . . . wedi treulio yn agos i ugain mlynedd mewn bywyd o hunanaberth er mwyn ei gydgenedl . . . Bu y gŵr hwn am ddwy flynedd heb un crys ar ei gefn, er mwyn cael gwladfa i'r Cymry . . . bonheddwr yng ngwir ystyr y gair.' (John Davies)

'Yr oedd . . . Edwin Cynrig Roberts yn un o'r rhai mwyaf ei ddylanwad yn ei areithiau; yr oedd ei huodledd fel dŵr, a chanodd un bardd iddo fel hyn:

> O Edwin, O Edwin, amdanat mae sôn,
> O waelod Sir Benfro i ben ucha Sir Fôn;
> Dy lais sydd fel trydan, a'th araith fel tân,
> Mae trais ac mae gormes yn crynu o'th fla'n.' (Thomas Jones)

'Esaiah y Mudiad Gwladfaol' (J. Caerenig Evans)

'Os bydd amgylchiadau, gyfaill, yn dy yrru o'th hen wlad, cymer galon; dos dros y môr i Patagonia, gwlad y mae'th frodyr wedi ei dal drwy y tew a'r tenau . . .' (Edwin Cynrig Roberts)

'Gorau Cymro . . .'
(1838-1860)

Alltud

Dychwelodd Edwin Cynrig Roberts i hen wlad ei dadau ar fore oer o Ragfyr 1860 wedi absenoldeb o dair blynedd ar ddeg. Teimlai'r dadleuon fu'n cronni gydol y fordaith o America fawr yn gwrthdaro'n ffyrnig yn ei ben a'i galon. Edrychai ymlaen at gael cyfarfod â'i geraint yn Nannerch ac – yn fwy eiddgar fyth – at gael ymuno â'r gwŷr mawr a dewr fyddai'n arwain meibion a merched ei genedl tua'r Gymru Newydd. Serch hynny, nid oedd yn gwbl argyhoeddedig ei fod wedi gwneud y penderfyniad cywir drwy newid ei nod ar y funud olaf yn Efrog Newydd. Er cymaint ei gariad at Gymru, gwyddai nad yma oedd ei ddyfodol ef, ac nad oedd obaith yn ei thir ychwaith i'w genedl a'i hiaith yn wyneb gormes a difodiant. Mynnai ei atgoffa'i hun mai dros dro yn unig yr oedd ef yn ôl yng ngwlad ei febyd. Ar adegau, buasai'n dda ganddo pe na bai erioed wedi derbyn ei berswadio i newid ei docyn, ac ni fedrai weld y dydd yn dod yn ddigon buan pan fyddai'n ymgartrefu o'r diwedd ar beithdiroedd porfaog Patagonia. Credai'n gydwybodol ei fod ar fin gwireddu breuddwyd ei blentyndod, a rhoddai'r sicrwydd hwnnw sbardun i'w ddiffyg amynedd a'i rwystredigaeth. Ei ofn mawr oedd ei fod yn gwastraffu ei amser, yn ogystal â'i arian prin. Dau ateb yn unig a dderbyniasai i'w apêl am gefnogaeth yn y wasg Gymreig ychydig fisoedd ynghynt. Pa hawl oedd ganddo i obeithio am well ymateb y tro hwn? Pa mor benderfynol mewn difrif oedd Michael D. Jones i gyfeirio ymfudiaeth o Gymru tuag at yr unig le yn y byd lle medrai'r Gymraeg fyw yn rhydd o'i chadwynau?

O Gilcain i Wisconsin

Nid oes cofnod fod genedigaeth Edwin, cyntaf-anedig John a Mary Kendrick, ar 28 Chwefror 1838, wedi creu unrhyw gynnwrf y tu allan i gylch teulu bach fferm y Bryn, Cilcain, ger yr Wyddgrug, yn Sir y Fflint, na sôn am yr un broffwydoliaeth parthed arwyddocâd y foment i hanes ei genedl. Ymhen canrif a hanner ni fyddai honno'n cofio dim am ei fodolaeth nac am hanes ei fywyd nodedig – fel pe na bai erioed wedi troedio wyneb y ddaear.

Yn fuan wedi genedigaeth ail fab, John, yn Ionawr 1839, bu farw'r penteulu yn ŵr deg ar hugain oed. Ailbriododd y weddw ifanc ymhen y rhawg ag amaethwr o'r fro, David Roberts ac, wedi geni dau fab arall – Thomas a Josiah – ymfudodd y teulu i Daleithiau Unedig Gogledd America ym Mai 1847 ar y llong hwyliau *Soberano*, yng nghwmni pum teulu arall o'r gymdogaeth. Erbyn hyn roedd Edwin yn naw oed a John yn wyth.

Wedi taith o saith wythnos dros y môr i Quebec, ymlwybrodd y fintai fechan tua Thalaith Wisconsin. Yn Prairieville, llwythwyd eu dodrefn ar wagen fawr gaeëdig, a chludodd David Roberts ei deulu mewn wagen arall oedd yn ysgafnach ac yn agored. Yn y modd hwn, gyrrwyd y cymal olaf o'r daith hir i wladychfa Gymreig newydd Winnebago – siwrne 'fythgofiadwy' bedwar ugain milltir a gymerodd bedwar diwrnod yn Nhachwedd i'w chwblhau, er iddynt gael tywydd da gydol y daith.

1

Pentre Cilcain, nid nepell
o fferm y Bryn

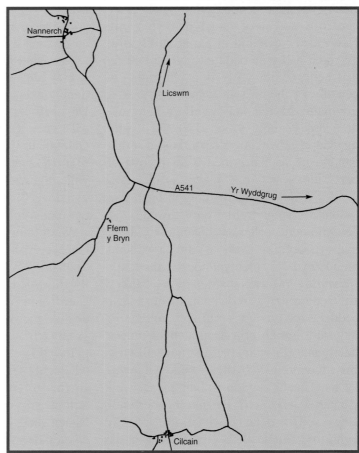

Fferm y Bryn, y man lle
'oeddwn gynt yn chwarae o
gylch bwthyn fy nhad'.

2

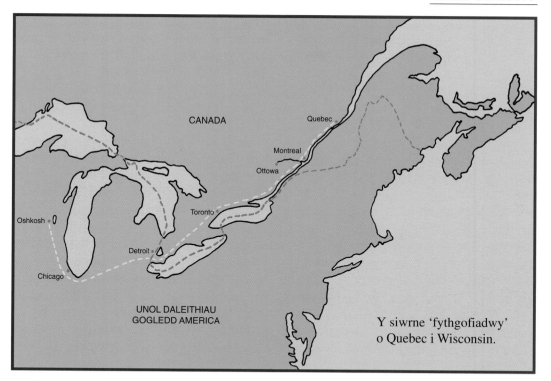

CANADA

Quebec

Montreal

Ottowa

Toronto

Oshkosh

Detroit

Chicago

UNOL DALEITHIAU
GOGLEDD AMERICA

Y siwrne 'fythgofiadwy'
o Quebec i Wisconsin.

Dyma sut y mae John yn adrodd y stori:

'. . . Fy nhad oedd y gyrrwr. Eisteddai ar ben blaen y wagen, a'r chwip a'r awenau yn ei ddwylo; eisteddai fy mam ar sedd esmwyth tua chanol y wagen, a'r ieuengaf o'r plant ar ei chlun. Wrth ei hymyl eisteddai Jane Jones, y forwyn, gyda'r plentyn arall yn ei chôl, a 'mrawd [Edwin] a minnau yn eistedd ar un o'r cistiau y tu ôl iddynt. Yr oedd fy nhad yn gryf ac iach, fy mam yn siriol a llawen, ac yn llawn o ymddiddanion buddiol a difyrrus. Hi a ddysgodd ac a gynghorodd lawer ar ei phlant bach ar y daith.' (JKR)

Wrth agosáu at y man oedd i fod yn gartref iddynt, gwelsant fwg yn codi uwch y coed. Roedd llwyth o Indiaid lleol wedi rhoi'r gwair ar dân mewn ymgais i'w brawychu a'u hatal rhag ymsefydlu ar eu tir, ac estynnai'r fflamau tuag at y cangau. Daeth y tŷ yr oeddynt i ymgartrefu ynddo i'r golwg yn raddol rhwng y dail a'r mwg ac, yn wyrthiol, nid oedd yr adeilad anorffenedig wedi dioddef o effeithiau'r ymosodiad. Ddeunaw mlynedd yn ddiweddarach, byddai'r cof am y digwyddiad hwn yn peri i Edwin wneud penderfyniad dewr ond diangen.

Ymgartrefodd y teulu ar wastadedd coediog a chorsog ym mhlwyf Eldorado, Swydd Fond du Lac, tua deng milltir i'r de-orllewin o dref Oshkosh, ar lannau llyn Winnebago. Roedd hon yn un o nifer o wladfeydd Cymreig Talaith Wisconsin, talaith a boblogid gan Almaenwyr ac Isalmaenwyr yn bennaf. Adwaenid gwladfeydd Cymreig wrth enwau'r capeli a adeiladwyd gan yr ymfudwyr: Bethesda, Soar, Peniel. Yn yr olaf y magwyd y pedwar brawd, ynghyd â'r ddau fab arall a aned wedyn i Mary a David Roberts – Peter a David – ac, o'r diwedd, y chwaer

3

fach hirddisgwyliedig a fedyddiwyd â'r enw Eidaleg-Americanaidd, Anna Bella. Ac yno y dechreuodd Edwin ymddiddori yn hen, hen hanes ei famwlad bell.

Gofalodd ei fam, a ddisgrifir fel gwraig ddewr, ddiwylliedig a chrefyddol, fod y plant yn cael eu magu yn sŵn hanesion am Gymru a'i harwyr, a swynwyd Edwin ganddynt. Hanes Madog a'i dair llong ar ddeg, a ddangosai'r Cymry fel cenedl anturus a blaengar, oedd ei ffefryn, a chredai'n gwbl ddiffuant mai'r tywysog hwnnw a haeddai'r clod am ddarganfod yr Amerig. Yn ei farn ef, rhoddai hynny gymaint o hawl i'r Cymry ag i unrhyw genedl arall feddiannu tiroedd y cyfandir newydd. Treuliai oriau'n bodio drwy gyhoeddiadau megis *An Enquiry into the Truth of the Tradition Concerning the Discovery of America by Prince Madog ab Owen Gwynedd, about the Year 1170* a *Further Observations on the Discovery of America by Prince Madog* . . . Cyn gynted ag y darllenodd yr honiad fod olion geiriau Cymraeg i'w gweld yn iaith y llwyth Mandan, manteisiai ar bob cyfle i daeru – yn wyneb gwên wawdlyd y rhai a wyddai'n well – bod hynny'n brawf nad chwedl oedd y stori am ei hoff arwr.

Syml oedd eu bwyd, ac ymgeleddu, yn hytrach na harddu, oedd prif swyddogaeth eu gwisgoedd. Byddai Mary, fel y mamau eraill, yn gwneud dillad ei phlant â defnyddiau nad oedd angen arian i'w prynu: cap o groen cwningen yn disgyn dros y clustiau i'w cadw'n gynnes, gyda llinyn dan yr ên i'w ddal yn dynn yn nannedd y gwynt (neu wedi'i glymu ar gorun y cap mewn tywydd teg). Ni freuddwydiai'r un o'r plant am wisgo esgid na hosan yn ystod yr haf ond, yn y gaeaf, gwisgent fotasau o ledr garw a wnaed gartref, a gwthid y llodrau i goesau'r botasau i rwystro'r eira rhag eu gwlychu. Math o hugan a daenid dros yr ysgwyddau a wisgid yn niffyg cot fawr.

Ond er gwaetha'r tlodi, ymdrechai pawb i gynnal y safonau a ddysgwyd iddynt yn yr Hen Wlad. Golygfa gyffredin oedd gweld Mary a'i chyfeillion yn tywys eu plant i'r Ysgol Sul yn droednoeth er mwyn arbed esgidiau a sanau, ac yna'u gwisgo'n lân wedi cyrraedd y capel.

Hyd nes y gellid prynu ychen a gwneud car llusg, cerdded a wnâi meibion a merched y ffermydd ar neges i dref Oshkosh, gan gludo nwyddau trymion i'r farchnad ar eu hysgwyddau. Oherwydd bod arian yn brin a graddfeydd llog yn cyrraedd deugain y cant, nid oedd y mwyafrif o'r ffermwyr yn berchen ar offer amaethyddol, 'dim ond cryman neu bladur i dorri gwair ac ŷd; y ffust i ddyrnu, a'r gogr-llaw i nithio'. Byddai pawb yn cynorthwyo'i gilydd i gyflawni pob tasg 'mewn cariad a chydymdeimlad'. (DD)

Wedi i'r teulu gyrraedd Oshkosh, clywodd Edwin gyfeiriadau cyson at yr angen am wladychfa i'r Cymry, ac ymddiddorodd yn fawr yn y pwnc. Iddo ef, roedd i Gymro golli ei wlad yn fater i'w gymryd o ddifrif. Gwelai'r tlodi o'i gwmpas ac nid oedd yn anodd iddo ddeall fod y gymdogaeth gyfan yn byw mewn caledi. Daethai'r mwyafrif ohonynt yno heb wybod dim am y wlad nac am amaethyddiaeth, a heb arian wrth gefn i'w cynnal hyd y cynhaeaf. Yn wir, gorfu i rai fenthyca arian i dalu am eu cludiant i ben eu taith, ac oherwydd na fedrent brynu ych nac aradr, bu raid bodloni ar gaib, rhaw a nerth braich. (DD) Cynhyrfai ei waed wrth glywed ei rieni'n adrodd hanesion am y gorthrwm a'r dioddefaint a'u gwthiodd allan o'u gwlad i ganol y cyfwng hwn, a chrëwyd ysfa yn ei galon am uno'r Cymry yn un genedl gref o dan faner y Ddraig Goch. Ar dir fyddai'n eiddo iddynt heb ymyrraeth – yn enwedig gan bobl a siaradai Saesneg – gallent sefyll ysgwydd wrth ysgwydd â phob cenedl arall.

Eithr nid oedd gan Edwin fawr o amser i freuddwydio. Roedd angen dyfalbarhad ac ymdrech i glirio cerrig a llwyni o'r tir cyn y gellid ei drin, torri coed a chodi gwrychoedd i amgylchynu'r caeau, agor ffosydd mawr i draenio'r corsydd, codi pontydd dros afonydd a nentydd, clirio llwybrau yn y coedwigoedd, a llifio pren ar gyfer adeiladu tai a chodi ysguboriau. (DD)

Disgwylid i'r plant gynorthwyo gyda'r gorchwylion hyn ond, er difyrred y câi Edwin y gwaith o helpu'i dad, rhaid oedd i hogyn bach fynychu'r ysgol hefyd, ac i Ysgol Cowham, a adeiladwyd â choed a dorrwyd gan ei lystad a'i gyd-wladfawyr ym 1848, yr aeth Edwin, John a'r plantos iau yn eu tro.

Anaddasrwydd yr Unol Daleithiau

Y flwyddyn honno, cyrhaeddodd gweinidog ifanc o Gymro yr Unol Daleithiau, y Parchedig Michael Daniel Jones a oedd yn perthyn i enwad yr Annibynwyr. Roedd newydd orffen ei gwrs yng ngholeg Highbury ac wedi dewis cymryd blwyddyn i weld y byd cyn setlo i lawr. Yn fuan ar ôl cyrraedd Cincinnati, âi i lanfeydd glannau'r afon i gyfarfod â llongau'n cludo mewnfudwyr, a sylwodd y byddai'r Cymry uniaith yn cael eu hanfon i gefn y rhes yn ddi-ffael nes i'r swyddogion ganfod rhywun i gyfieithu'r holi a'r ateb. Yn wyneb yr annhegwch hwn, ac ar ôl gweld llwyddiant gwladfeydd Gomer a Vanwert, cytunai â barn yr ymgyrchwyr Americanaidd y gellid cynnal gwladychfa Gymraeg ei hiaith ar wahân i'r rhai Saesneg.

Ni fedrai Michael D. Jones – a gredai'n angerddol yn yr arwyddair a fabwysiadodd yn ei ddyddiau coleg yn Highbury: Rhyddid, Cenedlgarwch a Chydraddoldeb (amrywiad diddorol ar dri phen rhyfelgri'r Chwyldro Ffrengig – *Liberté, Egalité, Fraternité*; arwyddair a

fabwysiadwyd hefyd gan fudiad cyfrin y Seiri Rhyddion) – eistedd yn ôl a gwneud dim wrth weld ei gyd-Gymry'n cael eu cam-drin. Aeth ati yn ddiymdroi i chwilio am waith a lletty i gynifer ohonynt ag yr oedd o fewn ei allu, a chyn pen deufis yr oedd wedi sefydlu Cymdeithas y Brython gyda'r nod o warchod buddiannau'r newydd-ddyfodiaid tlawd o blith y Cymry. Ymledodd y gymdeithas honno dros y wlad ac agorwyd canghennau yn Middle Granville, Pittson, Efrog Newydd, Pittsburg, Paddy's Run, Big Rock, Vermont, Brownville, Racine, Utica, Oshkosh, ac ymhle bynnag arall yr ymsefydlodd Cymry. (ECR)

Treuliodd y ddwy flynedd nesaf yn pregethu'r efengyl i Gymry'r cyfandir newydd ac yn eu cynorthwyo i oresgyn anawsterau ieithyddol a diffyg gwaith mewn gwlad estron. Ymhell cyn iddo ddychwelyd i Gymru, yr oedd yn llwyr o'r farn nad oedd 'symud y Cymry i blith Iancis yn lleihau dim ar yr anfanteision yr oeddynt danynt ymhlith y Saeson . . .' ac nad oedd dim i'w wneud ond anfon ymfudwyr yn un garfan gref i wlad lle medrent ffurfio cnewyllyn y boblogaeth (yr 'elfen ffurfiol' fel y'i galwai – gydag ymfudwyr lleiafrifol o wledydd eraill yn ffurfio'r 'elfen ymdoddol' ac yn troi yn Gymry eu hunain). Yno, byddai'r Gymraeg yn ben a'r Cymry'n cael eu trin gyda pharch. (EPJ)

Troi yn Iancis

Erbyn iddo gyrraedd ei ddeuddegfed pen-blwydd ym 1850 roedd hi'n amlwg i'w gydnabod fod Edwin yn fachgen effro a chwilfrydig, yn awyddus i ddysgu am y byd o'i gwmpas ac am ddiwylliant gwlad ei febyd. Ynghyd â thri o'i gyfeillion ifainc, sefydlodd gymdeithas lenyddol gyntaf y fro, a thrwy gyfrwng y darlleniadau a'r dadleuon gyda chymdeithasau eraill yn yr ardal, datblygodd nifer ohonynt yn siaradwyr cyhoeddus da. Adroddir stori amdanynt yn derbyn her gan ieuenctid tref Oshkosh i gystadlu mewn gornest areithio ar destun o'u dewis – ac yn eu curo'n hawdd (awgrymir mai ystryw i ennill mantais dros lanciau'r dre oedd dewis testun yn ymwneud â rhagoriaeth amaethyddiaeth). Gyda'r ymarfer cyson hwn, cynyddodd hyder Edwin a'i allu i feddwl yn eglur a chwim, a daeth ei ddawn fel siaradwr cyhoeddus, yn ogystal â'i ysbryd anturus, yn destun edmygedd.

Wrth iddo dyfu'n laslanc, tyfodd Edwin hefyd yn fwy ymwybodol o'i genedligrwydd ac o'r dirywiad brawychus o gyflym yng nghyflwr y Gymraeg ymhlith ei gyfoedion. Roeddynt yn prysur 'droi yn Iancis', achwynai. Cyhoeddodd wrth ei deulu un dydd ei fod yn bwriadu Cymreigio'i gyfenw i Cynric[1] (sy'n awgrymu y gwyddai mai llygriad yw Kendrick o Cynwrig, un o enwau teuluol hynaf Sir y Fflint), gan ychwanegu ato gyfenw ei lystad. Yn ei dyb ef, byddai hynny'n ei uniaethu â theuluoedd Cymraeg eu hiaith, a byddai cario'r un cyfenw â'i frodyr iau a'i chwaer fach yn arwydd allanol o'i Gymreictod. Cytunodd John i ychwanegu'r Roberts ond heb newid y Kendrick, a gwnaed y ffaith yn hysbys i'r ardal gyfan. Rheswm da arall dros y newid oedd eu parch a'u cariad tuag at eu llystad, David Roberts, tad gofalus a thyner na wnaeth unrhyw wahaniaeth erioed rhwng ei blant ei hun a meibion hynaf Mary. (EV, ER)

Dechrau ymgyrchu

Datblygiad naturiol i Edwin yn ystod ei arddegau oedd camu ymlaen o'r gornestau areithio i'r ymgyrch wladfaol. Nid cystadlu neu chwarae gêm fyddai traddodi

araith bellach, ond brwydr y câi ymdaflu iddi â'i holl egni hyd nes 'sylweddoli breuddwyd bore oes'. (DD) Gwahoddwyd ef i areithio ar lwyfannau Oshkosh a'r ardal gyfagos ar destun yr oedd wedi dadlau drosto droeon yng nghyfarfodydd y cymdeithasau trafod, sef 'Yr angenrheidrwydd sydd ar y Cymro am Wladychfa' ac, yn raddol, dechreuodd ehangu cylch ei ddylanwad. (ECR)

> ### Beth ddaw o'n hiaith annwyl?
> Dywedai nad oedd gan y Cymry wlad iddynt eu hunain: '... Prydain, cartref ein hynafiaid, wedi ei darostwng gan estroniaid ... oedd ... am ladd ein hiaith a thaflu ein henw o fodolaeth ...' Tra ymfudai'r Cymry wrth y miloedd i bedwar ban byd, roedd y genedl yn gwanhau a'r Gymraeg yn diflannu, ond pe ceid 'rhyw gynllun i'r Cymry fyned i'r un lle, buan y deuem yn bobl rymus a nerthol; ond nid felly y mae. Beth ddaw o'n hiaith annwyl? Tyn ei thraed rhyw ddiwrnod i'r gwely i farw.' Yna byddai'n galw ar bawb i uno 'yn un fintai gref' na ellid ei rhwystro gan neb, cyn cloi gyda'i cri de coeur: 'Awn a meddiannwn y tir!'

Cyhoeddwyd adroddiadau yn *Y Drych a'r Gwyliedydd* (papur newydd Cymry Gogledd America) am gyfarfodydd a gynhaliwyd ar hyd a lled Wisconsin, a gwelir enw Edwin Cynric Roberts ymhlith y siaradwyr. Roedd y syniad yn destun trafod brwd ymhlith Cymry taleithiau eraill hefyd a denwyd ef i deithio ymhellach ar hyd a lled y wlad i annog ei gyd-wladwyr i ymfudo gyda'i gilydd i'r wladychfa newydd. Ynghyd â nifer o haneswyr gwladfaol eraill o ddyddiau R. J. Berwyn ymlaen, mae Matthew Henry Jones yn *Trelew: Un desafío Patagónico*[2],

---

[1] Defnyddiai'r ffurf 'Cynrig' hefyd, ac fel Edwin Cynrig Roberts y cofir amdano heddiw.

[2] 'Trelew: Her Batagonaidd'

yn adrodd yr hanes amdano'n teithio, cyn cyrraedd ei ddeunaw oed, ar draws y cyfandir i Galiffornia, meca'r mudiad gwladfaol ar y pryd. Cynhaliodd ei hun drwy weithio gyda Chymry oedd yno yn chwilio am aur – profiad fyddai'n ddylanwad tyngedfennol arno.

Edwin oedd y siaradwr ifancaf ymhlith y rhai taer eu perswâd dros sefydlu'r Gymdeithas Drefedigol Gymreig, yr hyn a wnaed wedi llawer o drafod yn Camptonville, Swydd Yuba ym 1855. Meddai mewn araith rymus (a ymarferasai droeon ar lwyfannau mwy cyfarwydd iddo) wrth y dorf enfawr a gasglodd ynghyd y diwrnod hwnnw: 'Wyddoch chi beth, bobl? Byddai yn well gennyf fi gael fy nghladdu yn fyw tra yn siarad Cymraeg na byw bedair ugain mlynedd a'm claddu yn Ianci main. Mae yn y gorllewin yma ddeng mil ar hugain o Gymry. Gwerthwch eich ffermydd, bob copa walltog, a dewch gyda mi i Batagonia yn un fintai gref – does allu yn y byd saif o'n blaen. Awn yn llu i chwilio am le i osod sylfaen gwlad a thref.'

Troes y wên wawdlyd ar wynebau'r rhai a holai wrth ei weld yn dringo ar y llwyfan, 'Beth sydd gan lencyn di-farf fel hwn i'w ddysgu i ni?' yn fonllefau o gymeradwyaeth yn ystod ei araith ac ar ei diwedd. Atseiniwyd ei frawddeg olaf gan y dorf: 'Awn a meddiannwn y tir!'

Crëwyd cryn ddiddordeb yn y gorllewin yn y syniad o sefydlu gwladychfa, a chyhoeddwyd yn *Y Drych*, rhifyn 4 Medi 1857: 'Mae y Cymry oll yng Nghaliffornia yn ddeiliaid ffyddlon i'r Wladychfa ac yn eiddgar iawn dros y symudiad.' Anfonwyd adroddiad dros y môr i'r wasg Gymreig hefyd i wahodd cefnogaeth yn yr henwlad. Byddai'r alwad honno yn ysbrydoli saer gwladgarol o Gaernarfon i sefydlu cymdeithas wladychfaol yn y dref ac i wneud yr un peth eto yn Lerpwl pan fyddai'n symud i fyw yno ychydig flynyddoedd yn

ddiweddarach. I gwblhau'r cylch, byddai Cymdeithas Wladychfaol Lerpwl yn chwarae rhan bwysig yn hanes Edwin.

Wrth i'r diddordeb ymhlith gwladfeydd Cymreig y taleithiau gynyddu, ceisiai aml un ymorol â threfniadau ymarferol. Clywodd Edwin am ddigwyddiad a enynnodd ei chwilfrydedd a pheri iddo bendroni am anghenion nad oedd wedi croesi'i feddwl ynghynt, sef bod Cymry Middle Granville, Talaith Efrog Newydd, wedi ffurfio cwmni milwrol a'u bod yn cynnig hyfforddiant mewn trin arfau 'at fod yn barod i gadw trefn ar Indiaid Patagonia'. Eithr llithrasai tair blynedd heibio er penllanw Camptonville a thueddai'r undod a enillwyd bryd hynny i ymwahanu unwaith eto'n garfanau taleithiol. Clywodd hefyd ym 1858 fod y cymdeithasau gwladfaol wedi anfon cais ar y cyd at ei ewythr[3], y Parchedig Michael D. Jones, oedd bellach yn Brifathro Coleg y Bala, i ddod drosodd i'w hannerch ynglŷn â'i syniadau am wladychfa Gymreig, a chynnig ei arweiniad a chadernid ei weledigaeth iddynt.

Cydnabyddid y prifathro fel arweinydd a sylfaenydd y mudiad gwladfaol byth er pan alwodd cefnogwyr yr achos yng Nghymru at ei gilydd yn ysgoldy'r Methodistiaid yn y Bala a chodi'r drafodaeth ar y pwnc i lefel genedlaethol, a gobeithiai arweinyddion gwladychfaol yr Unol Daleithiau y byddai'n llwyddo i ailadrodd ei gamp ar dir America.

Yn ôl E. Pan Jones, pryderai Michael D. Jones fod yr 'Americaniaid' yn rhuthro'r ymgyrch gyda'r perygl o'i thagu yn ei babandod, a chynghorodd hwy i ymbwyllo. Gwyddai mai tasg amhosib oedd cyfarwyddo mudiad mor wasgaredig drwy lythyru, a synhwyrai mai'r

---

[3]Er bod Edwin weithiau'n cyfarch Michael D. Jones fel 'annwyl ewythr', nid yw'r cysylltiad teuluol – a arddelir gan rai o'i ddisgynyddion – yn eglur.

gwahoddiad hwn oedd ei gyfle i roi trefn arno. Cafodd ganiatâd yr eglwysi a phwyllgor Coleg y Bala i dreulio tri mis yn y Taleithiau Unedig i'r perwyl hwnnw.

Ddeng mlynedd wedi iddo lanio yno y tro cyntaf, yn ufudd i'r cais, dychwelodd Michael D. Jones i'r Unol Daleithiau. Hysbyswyd yn *Y Drych*, 4 Medi 1858, fod 'Gwron y Wladychfa Gymreig' wedi cyrraedd y wlad ers rhai wythnosau er mwyn anfon mintai i ymsefydlu ym Mhatagonia. Ond ymddengys bod tybiaethau'r gohebydd yn symud ynghynt na bwriadau'r ymwelydd hyglod. Ceisio arafu'r ymgyrch oedd ei amcan, nid ei gwthio ymlaen.

Roedd un manylyn bach heb ei setlo serch hynny. Er gwaethaf yr honiad yn *Y Drych*, ymddengys nad oedd M. D. Jones yn gwbl argyhoeddedig mai Patagonia oedd y lle i fynd iddo, a chredai fod angen edrych ar diroedd yng ngwledydd De America – a thu hwnt, efallai – cyn cytuno'n derfynol ar safle. Roedd Paraguay, Uruguay, Brasil a gogledd-ddwyrain Taleithiau Afon Arian yn uchel ar ei restr fer o safleoedd, ynghyd â rhai parthau pellennig eraill.

Doedd dim amheuaeth ym meddyliau arweinyddion y mudiad gwladychfaol yn yr Unol Daleithiau parthed eu dewis hwy. Cynhaliwyd cyfarfod gwladgarol ym Merlin, Wisconsin, 3 Tachwedd 1859, dan gadeiryddiaeth gŵr lleol o'r enw John Evans, i'r diben o benderfynu yn derfynol ar y mater. Gwahoddwyd côr ardal y coed i ganu, 'a chawsant hwyl neilltuol', meddai Edwin – oedd yn un o'r tenoriaid! Cynhaliwyd cyfarfodydd cyffelyb ledled nifer o daleithiau.

'Onid yw yn resyn meddwl fod tiroedd breision ddim yn cael eu trin, a chenedl ddewr y Cymry yn gwasgaru dros y byd . . .'

Ffurfio cwmni

Ni allai neb gyhuddo Michael D. Jones o ddiffyg ymdrech. Dywed Edwin ei fod, cyn diwedd y flwyddyn 'wedi traddodi rhai ugeiniau o ddarlithiau. Cynllun Mr M. D. Jones, y pryd hwn, oedd ffurfio cwmni yn ôl cyfraith y *Joint Stock Company Limited*. Dywedir iddo lwyddo i gasglu addewidion am dros bum cant o gyfranddaliadau pum punt yr un. Mae'r Parch. M. D. Jones yn dychwelyd yn ôl i'r Hen Wlad, wedi bod yn offerynol i wneud daioni mawr i'r achos gwladfaol yn America.'

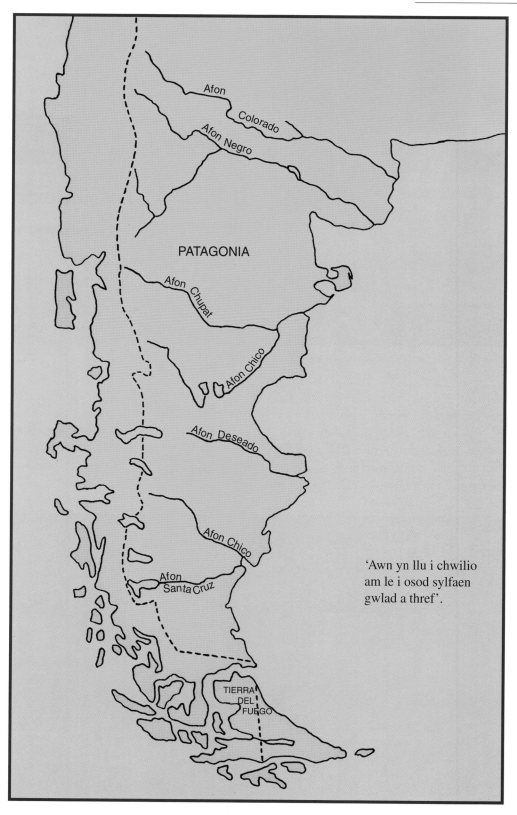

Afon Colorado

Afon Negro

PATAGONIA

Afon Chupat

Afon Chico

Afon Deseado

Afon Chico

Afon Santa Cruz

TIERRA DEL FUEGO

'Awn yn llu i chwilio
am le i osod sylfaen
gwlad a thref'.

'. . . dyffrynnoedd breision, ac afonydd yn eu dyfrhau ar bob llaw . . .'

Byddai Edwin yn cofio araith John Evans am weddill ei oes, ac ni phetrusodd rhag ail-adrodd rhannau ohoni yn ei areithiau ar lwyfannau mwy. Pan ddaeth ei dro ef i siarad y noson honno, bodlonodd ar ddweud yn syml ond yn effeithiol ei fod yn bwriadu mynd allan gyda'r fintai gyntaf. Canodd y côr unwaith eto '. . . ac ni bu erioed y fath ganu yn Berlin. Golygfa deimladwy oedd gweled ugeiniau o'r gynulleidfa ar eu traed a'r dagrau yn treiglo dros eu gruddiau . . .'

Cyn diwedd y cyfarfod, cytunwyd yn unfrydol ar y pwyntiau canlynol:
'1. Ein bod o'r farn mai Patagonia yw y lle cymhwysaf i wneud Gwladychfa Genedlaethol Gymreig.
2. Ein bod yn galw ar ein pobl yn y gorllewin yma i'n cynorthwyo hyd eithaf eu gallu i roddi cychwyniad i'r symudiad.
3. Ein bod yn ystyried mai ym mis Medi y flwyddyn 1860 yw'r amser gorau i gychwyn allan.
4. Ein bod yn cytuno â Cadben Evans i fyned â'i long sydd ganddo yn Boston i Patagonia, ac hefyd gwneud pob darpariaeth ar gyfer cludo cant o ymfudwyr, pris y cludiad i fod yn gan' dolar yr un.
5. Ein bod yn dymuno ar Mr. Edwin Roberts ddanfon cais i'r Faner at Gymry yr Hen Wlad i ofyn a oes rhywun yn meddu ddigon o galon i ddyfod gyda ni i Patagonia yr amser a nodwyd, ac hefyd a oes yno foneddwr cyfoethog wnaiff gynorthwyo mewn arian gyda'r anturiaeth hon.' (ECR)

Beirniadwyd arweinwyr yr ymgais hon am beidio ag agor trafodaethau gyda llywodraeth Ariannin parthed yr hawl i ymsefydlu ym Mhatagonia. Eithr, fel y dangosir yn y gyfrol hon, perchenogaeth honedig yn unig oedd gan y wladwriaeth ifanc ranedig ar y tiroedd i'r de o afon Negro, ffaith a roddai hyder i'r sawl a gredai eu bod yn rhydd i'w gwladychu.

Ymddangosodd llythyr Edwin yn rhifyn 20 Mehefin 1860 o'r *Faner*, dan y pennawd 'Y Wladychfa Gymreig', fel a ganlyn:

Foneddigion,

Mae llawer o sôn yn yr ardal hon am gael ryw lannerch o'r ddaear i genedl ddewr y Cymry ymsefydlu, yn lle eu bod yn gwasgaru dros bedwar parth y byd, heb fod ganddynt un man neilltuol iddynt eu hunain, ond ymgymysgu â chenhedloedd estronol. Mewn cyfarfod a gynhaliwyd yma i ddadlau yr angenrheidrwydd am wladychfa – a bod digon o diroedd yn Neheubarth America i'w cael, dyffrynoedd breision, ac afonydd yn eu dyfrhau ar bob llaw, a honno yn wlad iach, a'i hinsawdd yn dymherus – penderfynodd amryw ohonom, os oes modd, i roi un cais am wladychfa, a hynny yn ddi-oed.

Y cynllun sydd fel hyn, sef bod 20 i 100 yn ymuno yn gwmni, ac i gychwyn mor fuan ag y bo modd. Yr ydym yn meddwl mai Patagonia ydyw y lle mwyaf manteisiol. Y mae hon yn wlad 800 o filltiroedd o hyd, ac o 300 i 400 o led. Dywed un Cadben Evans, yr hwn a fu gyda glannau'r wlad, fod yno amryw o afonydd mordwyol i lestri am lawer o filltiroedd i'r wlad, ar lannau pa rai y byddai lle da i ymsefydlu. Y mae y gŵr hwn ar gychwyn i Boston i brynu llong, ac y mae yn addo myned â llwyth yna.

Meddyliwch fod llwyth ohonom yno, a'n bod yn dewis man yno, ac yn adeiladu lle digon cyfleus i ni oll i fyw, a'n bod oll fel teulu mawr – fod rhai ohonom yn amaethwyr, a'r lleill i wneud pethau angenrheidiol at y wladychfa. Y cynllun hwn a gymerwyd i sefydlu amryw fannau yn Wisconsin yn y dechrau. Deuem yn raddol i drefn, a buan y caem wlad gref o Gymry yn y lle sydd yn awr yn anghyfanedd, ac yno y bydd dinasoedd heirdd. Onid yw yn resyn meddwl fod tiroedd breision ddim yn cael eu trin, a chenedl ddewr y Cymry yn gwasgaru dros y byd heb un man i fyned, ond dan iau cenhedloedd eraill – pa rai sydd gymaint fyth am lyncu ein hiaith, a thaflu ein henw o fodolaeth. Onid buddiol fyddai cael gwladychfa lle caem fwynhau cysuron sydd i'w mwynhau mewn undeb.

A oes rhywun yng ngwlad ein genedigaeth yn meddu digon o wroldeb i ddyfod gyda ni? Os oes, hysbysed hynny yn ddi-oed yn Y Faner, a chydgyfarfyddwn yn New York os llwyddir i gael llong, gwnawn ninnau hysbysu pa bryd y bydd yn cychwyn. A oes yna ryw fonheddwr yn teimlo rhywbeth am lwyddiant ei genedl fel y gwnâi anrhegu y cwmni ag arfau, neu rhyw bethau eraill at y wladychfa? Beth y mae cymdeithasau gwladychfaol sydd yng Nghymru yn ei wneud? Terfynaf gan ddisgwyl clywed rhywun yn anfon gair i'r Faner ar y pwnc. Os bydd rhywun eisiau danfon atom yn gyfrinachol, cyfeiried fel isod, a chaiff ateb buan:

Edwin Roberts, Bethel, Fond-du-lac Co., Wisconsin, North America.

Anfonwyd adroddiadau a llythyrau niferus i'r *Drych a'r Gwyliedydd*, *Y Cyfaill o'r Hen Wlad*, a'r *Cenhadwr*, yn ogystal. Gellid dibynnu ar Michael D. Jones i ledaenu'r neges yng Nghymru. Byddai Edwin yn cyfrannu ambell air hefyd o bryd i'w gilydd, a dichon nad sefyllfa ddamcaniaethol y mae'n ei disgrifio yn y paragraff canlynol: 'Mae y syniad gwladychfaol wedi cyrraedd y Gorllewin pell, ac aml i fachgen o Gymro fagwyd ymhlith estroniaid pell o'i hen wlad [sydd] yn sythu ar ei draed wrth feddwl am yr amser dedwydd hwnnw pan welid yr hen Gymry yn myned i'r un wlad ac i'r un lle; myn'd yn llu i sefydlu gwlad a thre, yna melus fydd trigo o frodyr ynghyd mewn gwlad hollol Gymreig. Mae yn wir fod y Cymro heddiw, tra yn trigo ymysg estroniaid, yn teimlo fod yn hawdd ganddo ddweud lawer pryd a'i ddagrau ar ei rudd: "Wylasom pan feddyliasom am Gymru". Os yw'r hen Gymru rhy lawn, a thithau yn gorfod myn'd ar led y byd i chwilio am gartre yn rhywle, cymer galon. Mae'th frodyr yn America wedi penderfynu cael gwladychfa . . .' (ECR)

Y 'fintai gyntaf'

Denodd Edwin (fel y gwnaeth arweinyddion eraill) lu o'i gyfoedion i ymuno â'r fintai arfaethedig, eithr, erbyn dydd yr ymadael, perswadiwyd y darpar ymfudwyr brwd i dynnu eu henwau'n ôl. Dichon na helpwyd yr achos gan fethiant anesboniadwy Capten Evans i ddarparu llong mewn pryd.

Pan dorrwyd iddo'r newyddion am y penderfyniad i ddileu'r daith, credai Edwin na châi fyth wireddu ei uchelgais, a cheisiodd yn ofer ailennyn cefnogaeth. Perswadiwyd ei gyfoedion mai doethach fyddai aros yn y Taleithiau i fwynhau amgylchiadau mwy cyfarwydd eu cartrefi diogel a'u ffermydd – oedd yn dangos arwyddion o lewyrch erbyn hyn – yn hytrach nag anturio fel y gwnaethai eu tadau genhedlaeth ynghynt, i ganol ansicrwydd a pheryglon gwlad ddieithr arall eto. Wedi'r cyfan, roedd nifer ohonynt wedi'u geni yn y Taleithiau Unedig a honno oedd eu gwlad. Ac roedd ychydig o Saesneg yn fwy o gymorth nag o fygythiad i'w dyfodol.

Hefyd, clywsent fod y Sbaenwyr yn taenu hanesion gwaedlyd am gewri cedyrn ac anwar a drigai ar anialdiroedd diderfyn Patagonia, ac onid oedd Darwin wedi datgan bod yr hinsawdd yn ddigroeso a'r tir yn ddiffrwyth?[4]

Eithr gwyddai Edwin yn well. Er pan ddychwelsai o Galiffornia clywsai sôn fod y Gymdeithas Drefedigol Gymreig yr oedd ef a'i gyd-ymgyrchwyr wedi gwthio mor galed i'w sefydlu, wedi derbyn adroddiadau oedd yn disgrifio Patagonia fel 'gwlad iach a thoreithiog, manteisiol i'r genedl wladychu ynddi, trwy ei bod yn awr heb fod yng ngafael unrhyw lywodraeth, nac yn feddiannol gan neb ond ychydig Indiaid' [*sic*]. (RBW) Er rhwystredigaeth anghymesur i Edwin, roedd rheswm arall llawer cryfach gan lawer o'i gyfoedion dros newid eu meddwl ynglŷn ag ymfudo.

Cyffrowyd Cymry ifainc yr Unol Daleithiau gan y sôn di-baid am yr ymgyrch wrth-gaethwasiaeth yn nhaleithiau gogleddol yr Undeb. Cyn i 1860 ddod i'w therfyn, byddai Abraham Lincoln wedi ei ethol yn Arlywydd Gweriniaethol cyntaf y Wladwriaeth, a'r siarad yn daer yn y strydoedd a'r meysydd am ryfel cyfiawn anorfod – yn arbennig pe gwireddid bygythiad taleithiau'r De i ymwahanu ac amddiffyn eu harferion a'u buddiannau gormesol. Clywid eisoes o bulpudau'r capeli Cymraeg, cyn amled ag o bulpudau eraill, mai dyletswydd pob gŵr ifanc iach

---

[4] 'The curse of sterility is on the land . . . these plains are pronounced by all most wretched and useless.' (ChD)

o gorff a meddwl oedd ymbaratoi ar gyfer cymryd rhan yn yr ymgyrch fawr i ryddhau ei gyd-ddyn croenddu, a chreu'r amodau fyddai'n galluogi 'America' i weithredu'r cymal o'i Chyfansoddiad sy'n gwarantu hawl pob dinesydd i fod yn gydradd â'i gymydog. Gwyddai Edwin fod hwn yn destun a apeliai'n gryf at ei lysfrawd Thomas – yr hynaf o feibion David Roberts, ac yntau yn dal yn ei arddegau – er gwaethaf anghymeradwyaeth bryderus a llafar Mary Kendrick Roberts.

Doedd y testun newydd yn gwneud dim i hyrwyddo achos y wladychfa, er gwaethaf gobeithion Edwin i'r gwrthwyneb, a theimlai'n unig a diobaith ynglŷn â dyfodol ei gynllun. Achos ei genedl orthrymedig oedd y grym a'i gwthiai ymlaen, ac ni fedrai wyro oddi wrth ei nod, er gwaethaf yr hyn a haerai ei gyfeillion oedd amcanion uwch y diddymwyr. Ei ofn mawr oedd bod y cyfle wedi'i golli am byth.[5]

'Rhywfodd neu gilydd, darfod yr oedd pob siarad mewn gwneud dim', meddai Edwin. Siarad, a dim gweithredu. Siomwyd ef eto gan yr ymateb i'w lythyr yn *Y Faner*: 'Dau yn unig yn Hen Wlad ein Tadau wnaeth sylw o'r cais hwn . . .'[6], ac meddai'n goeglyd, 'Ymddengys mai ychydig o ysbryd Gwladfaol oedd yng Ngwlad ein Tadau y pryd hwn.' Ofer fu pob apêl. Roedd yr ymgyrch drosodd ac yntau ar ei ben ei hun.

Mentro, ac yna ailfeddwl

Collodd Edwin ei amynedd. Nid oedd ei gyfeillion agosaf yn barod i'w ddilyn, ddim hyd yn oed John, nad oedd eto ond yn un ar hugain oed ac, yn fab da i'w fam,

---

[5] Collwyd arian mawr yn ogystal. Erbyn diwedd y rhyfel methdalodd y banc lle cedwid symiau sylweddol a gasglwyd gan gefnogwyr y wladychfa. Yn ôl Edwin, collwyd hefyd £2,000 a gasglwyd gan Gymdeithas Califfornia.

[6] Morgan Page Pryce, Aber-nant a Gutyn Ebrill, Brithdir.

â'i lygaid yn dynn ar yrfa fel gweinidog gyda'r Methodistiaid Calfinaidd. (Roedd y pump arall yn rhy ifanc i fentro ar y fath antur – er gwaethaf erfyn di-baid David ac Anna Bella!) Felly cyhoeddodd ei fwriad i ymfudo i Batagonia 'ar fy mhen fy hun – i ffurfio Gwladfa Gymreig Annibynnol'. Aflwyddiannus fu pob ymgais i'w berswadio i aros nes iddo ddenu darpar ymfudwyr newydd i ymuno yn yr hyn a alwai pawb, bellach, yn 'fenter ffôl'. Roedd ei benderfyniad yn ddiwyro.

Cynhaliwyd parti mawr yn Oshkosh – 'cyfarfod ymadawol y Cymro cyntaf gychwynnodd tua Patagonia' – (ECR) 10 Tachwedd 1860 i ffarwelio ag ef ac i ddymuno'n dda iddo. Efallai, hefyd, fod bwriad gan rai i brofi iddo mai yn Oshkosh yr oedd ei bobl, a bod angen ei gymorth arnynt i gynnal fflam Cymreictod ynghynn yn eu plith. Daeth degau o'r ffrindiau hynny a ddewisodd beidio ag ymuno yn ei antur fawr ynghyd i'w gyfarch; pawb naill ai'n rhyfeddu at ei ryfyg neu'n edmygu ei ddewrder – ac ambell un braidd yn eiddigeddus. Cafwyd sawl golygfa emosiynol pan ddaeth yr adeg iddo gychwyn – ei deulu'n ofni na welent ef byth eto, a'i fam yn dal i obeithio na wnâi ymfudo. Roedd ei ffrindiau agosaf dan deimlad a deigryn ar ruddiau rhai o'r merched ifainc. Hebryngodd dyrnaid o'i gyfeillion ef i ddal ei long yn Efrog Newydd.

Ar ôl prynu ei docyn galwodd Edwin a'i gyfeillion yn swyddfa'r *Drych*. Barn y golygydd oedd bod hwn yn 'ddyn ieuanc calonnog a hynod benderfynol' (LJ), a cheisiodd ei berswadio i ailfeddwl. Roedd ganddo un darn o newyddion o ddiddordeb arbennig: clywsai fod Michael D. Jones yn sôn am uno'r cymdeithasau gwladychfaol Cymreig yn un mudiad i ymgyrchu dros wladychu Patagonia. Awgrymai hyn nad oedd yr Athro'n pledio achos llefydd fel Oregon, Vancouver a Wisconsin mwyach, a'i fod yn derbyn syniadau mudiad gwladfaol y Taleithiau.

Rhwng brechdan a phaned, awgrymodd Richard Horne, Cymro ifanc oedd wedi gwneud ei ffortiwn yn yr Amerig ac a oedd ar ei ffordd i'w mwynhau yng ngwlad ei febyd, y dylai ymuno â'r cwmni Cymreig. Er syndod i'w gyfeillion, a oedd wedi methu ei ddarbwyllo gydol y siwrne o Oshkosh, dyna a wnaeth. Newidiodd ei docyn, ac ar y *City of Manchester* yng nghwmni Richard Horne, croesodd yr Iwerydd tua'r Hen Wlad 'i weled a oedd yno ddim nifer o rai oedd o'r un feddwl ag ef fuasai yn myned allan i ddechrau Gwladfa yn Patagonia'. Roedd 1860 yn tynnu at ei therfyn, ac yntau'n ŵr ifanc 22 mlwydd oed, chwe throedfedd namyn modfedd o daldra, 'yn lluniaidd a syth ei agwedd, ac o gerddediad milwraidd, ac o bryd a gwedd hardd a golygus'. (AM) Llosgai ei Gymreictod yn ei galon, a synnai pawb at ei wrthwynebiad i gael ei gyfarch â'r 'Mr' arferol ac at ei gymhelliad iddynt gyfeirio ato fel 'Y Bonwr' Edwin Cynric Roberts.

Ar fôr tymhestlog

Dywed Edwin iddo gael mordaith ystormus i wlad ei febyd. Er iddo honni nad llenor mohono, gall fynegi ei deimladau'n effeithiol. Yn y disgrifiad canlynol, mae'n newid cywair bedair gwaith, gan gyfleu hiraeth, diflastod, arswyd a hiwmor sy'n amlygu, drwy ddoniolwch y sefyllfa, ei allu i chwerthin am ei ben ei hun. Mae'r llinellau agoriadol yn dangos yn eglur mai bachgen ifanc, wedi'r cyfan, yw'r darpar arloeswr eofn ac egnïol.

Yn unol â'i arfer, edrydd y stori yn y trydydd person. Gwêl 'tir America yn cyflym gilio o'r golwg ... am byth yn ymbellhai'. Mae hiraeth am ei wlad a'i geraint yn dechrau gwasgu arno ac â i'w wely i 'wylo dagrau yn lli wrth feddwl am dad a mam, brodyr a chwiorydd, a llu o gyfeillion hoff a adawodd ar ei ôl. Gadawa yr ardal lle bu'n chwarae pan yn fachgen; gadawa'r bechgyn a'r genethod – cyfoedion boreuol ei oes, a'i cartref tawel oedd ynghanol y coed. O! fel yr wylai wrth feddwl am wlad Oshkosh'.

Mae amgylchiadau'r daith yn ei sobri: 'Mae'r nos yn dynesu, y gwynt yn chwibanu, a'r môr yn terfysgu; y llong fel meddwyn ar wyneb y lli, a'r Bonwr yn sâl gan hiraeth a chlefyd y môr ... mae yr ymborth oll yn dyfod i fyny, chwelu'r cyfan i ganol y môr.'

Cynyddodd y storm yn ystod y nos, a'r gwynt yn cynddeiriogi'r tonnau. Roedd taclau'r llong 'yn rowlio o'r naill ochr i'r llall mewn sŵn mawr. Noswaith y cofir amdani yn hir i'r teithwyr oedd y gyntaf hon'. Er gwaethaf pob gweddi, cododd y gwynt yn uwch y bore canlynol, yn chwipio'r tonnau yn amlach ar draws y bwrdd ac yn rhwystro'r teithwyr rhag edrych ar eu brecwast. Yr ail noson dinistriwyd y cychod achub. Erbyn y trydydd bore, 'mae popeth yn dweud mai gwaelod y môr fyddai ein rhan ... Mewn amgylchiad fel hwn mae oes dyn o flaen ei lygaid; pryder beth fydd o pan yn glanio mewn byd tu draw i'r llen.'

Ynghanol yr argyfwng, gall werthfawrogi digrifwch y sefyllfa: 'Mae Richard Horne ar wastad ei gefn yn y gwely yn canu 'Ar fôr tymhestlog teithio'r wyf" ac mae Edwin yn ei annog i newid ei gân er mwyn cynorthwyo'r teithwyr i 'anghofio'u gofid'. Byddai'n llawer gwell ganddo ef glywed ei hoff faled – 'Y Blotyn Du'. (ECR) Yn fuan wedi i'r storm dawelu glaniodd teithwyr y *City of Manchester* yn ddiogel yn nociau Lerpwl.

'I'r un wlad ac i'r un lle . . .'
(1860-1865)

Ni wastraffodd Edwin amser yn Lerpwl. Cyrhaeddodd fro ei febyd ar 14 Rhagfyr 1860 i dderbyn croeso twymgalon ei berthnasau yn hen gartref ei deidiau – Josiah ac Elisabeth Hughes, rhieni ei fam, Mary – yn Nannerch. Eithr llugoer oedd eu hymateb i'w syniadau ymfudol. Pam dewis Patagonia o bobman, 'gwlad yr Indiaid creulon a'r bwystfilod rheibus; gwlad yr eira oesol'? Dichon fod digon o wledydd gwell i'w cael yn y byd.

Ond os oedd dadleuon ei dylwyth yn taflu dŵr oer dros ei frwdfrydedd, cafodd achos gan eraill i lawenhau. Ychydig dros bythefnos wedi iddo gyrraedd ei famwlad, derbyniodd wahoddiad gan Michael D. Jones, dyddiedig 28 Rhagfyr, i ymuno â'i ymgyrch ef.

Roedd yr Athro'n cofio gwrando ar yr areithiwr ifanc yn yr Unol Daleithiau ddwy flynedd ynghynt; yr oedd wedi rhannu llwyfan ag ef o leiaf unwaith, ac wedi cyfnewid sgwrs frysiog neu ddwy. Credai y gellid defnyddio'i huodledd a'i ddawn berswadio i hyrwyddo'r ymgyrch wladfaol yng Nghymru, ac aeth ag ef i un o gyfarfodydd Pwyllgor Lerpwl.

Pwyllgor Lerpwl

Croesawyd y newydd-ddyfodiad yn frwd gan arweinyddion y pwyllgor, yn arbennig gan yr ysgrifennydd gweithgar, y saer Hugh Hughes (Cadfan Gwynedd), ymgyrchwr unllygeidiog a digyfaddawd dros yr achos. O'r holl bwyllgorau fyddai'n cyfarfod i drafod y freuddwyd wladychfaol, Pwyllgor Lerpwl oedd yr un mwyaf gweithgar a blaengar – oherwydd egni a sêl ei sylfaenydd yn anad neb arall. Cadfan, sefydlydd Cymdeithas Wladychfaol Caernarfon rai blynyddoedd ynghynt (mewn ymateb i lythyr Cymdeithas Wladychfaol Califfornia yn *Y Faner* yn dilyn cynhadledd Camptonville), a sefydlodd grŵp Lerpwl hefyd ym 1859 – lai na blwyddyn wedi iddo symud i fyw a gweithio yno – gyda chefnogaeth y brodyr John ac Owen Edwards, Williamson Square.

Darllenai Cadfan bopeth a gyhoeddid am Batagonia, gan ddiystyru pob sylw anffafriol a chanolbwyntio'n arbennig ar sylwadau canmoliaethus yn adroddiad Capten FitzRoy yn dilyn mordaith hwnnw ar yr *H.M.S. Beagle* – taith y cofir amdani yn bennaf oherwydd bod y gwyddonydd Charles Darwin ar fwrdd y llong.

Canmolai Fitzroy '. . . y tir bras a ffrwythlawn wedi ei orchuddio â thyfiant a choedwigoedd talgryf. Yr oedd y coedwigoedd hyn o bobtu yr afon yn dew ac uchel, a chymwys at unrhyw waith . . . [Roedd] y wlad oddi amgylch yn ymestyn yn wyrdd ysblennydd o'n blaenau, yn enwedig ar yr ochr ddeheuol lle y gellid sefydlu Gwladychfa dra manteisiol. Rhed yr afon drwy y doldir hwn mor belled ag y gallai y llygaid weled, a heidiai yr anifeiliaid yn y porfeydd gwelltog.' (CG)

Ac meddai'r swyddog J. C. Wickham, yn dilyn yr un daith, 'Wrth edrych arnynt o'r de, mae'r afon a'r ardal o'i chwmpas yn ymddangos yn wlad hynod ddymunol . . . Gyda'r afon hon wrth law, buasai ochr ogleddol y Bae Newydd yn safle ardderchog ar gyfer gwladychfa'. (VZ)

Roedd molawdau Fitzroy a Wickham, oedd mor wahanol i gondemniad diamwys honedig eu cyd-deithiwr o wyddonydd, yn cadarnhau gobeithion a rhagfarnau Edwin. Teimlai'n gartrefol yng nghwmni Cadfan ac ni fu'n hir cyn penderfynu mai Pwyllgor Lerpwl oedd y llwyfan i'w waith a'i ddadleuon ef, a dychwelodd yno yn ystod yr haf i ymdaflu ei hun yn egnïol i'r ymgyrch.

Nid oedd diben iddo ymuno â chymdeithas drafod arall eto, ac adleisiodd yn daer hen ddadleuon Cymry California dros sefydlu cymdeithas wladychfaol. Gallai corff felly weithredu. Pan wahoddwyd ef ymhen ychydig ddyddiau i annerch cyfarfod a gynhaliwyd yn Hope Hall, Lerpwl, 9 Gorffennaf 1861, dywedir iddo 'ymfflamychu'r' cynulliad bychan gydag araith egnïol a gorlawn o obaith a delfrydiaeth, a'u perswadio i bleidleisio dros ei gynnig.

Ymhlith ei wrandawyr, eisteddai aelod diweddara'r pwyllgor, sef Lewis Jones, argraffydd pedair ar hugain oed o Gaernarfon oedd, yn dilyn cyfnod yng Nghaergybi, newydd symud ei argraffdy i'r ddinas ym 1860 lle'r ailymunodd â'i hen gyfaill a chyd-ymgyrchwr, Cadfan Gwynedd. Gan wybod o brofiad pa mor anodd ydoedd i ŵr ifanc deimlo'n gartrefol mewn dinas ddieithr, closiodd Jones at 'y llanc gwritgoch di-farf', ac ni fu fawr o dro cyn deall bod hwn yn un y medrai gydweithio ag ef. A dechreuwyd cyfeillgarwch fyddai'n goresgyn sawl storm ac yn para oes.

Teimlai'r saer a'r argraffydd wrth eu bodd gyda'u cyfaill newydd afieithus oedd mor barod i weithio'n galed i wireddu'i freuddwydion gwladychfaol. Roedd ganddo un fantais amlwg drostynt hwy, sef ei brofiad o arloesi, a byddai ei adroddiadau am yr ymgyrch yn y Taleithiau yn cyffroi eu gwaed. Dichon hefyd eu bod wedi'i glywed yn adrodd am ei gyfraniad i'r gynhadledd a ysbardunodd sefydlu eu cymdeithas hwythau. Cafodd ei araith yn Hope Hall ddylanwad tyngedfennol ar agwedd y ddau. Ymhen ychydig dros bythefnos wedi'r noson honno, ysgogwyd hwy i gyflawni gweithred feiddgar fyddai'n torri ar draws patrwm gwaith pwyllog-ddisgybledig y pwyllgor ac yn taflu cysgodion dros eu perthynas ag arweinydd y mudiad gwladychfaol.

Conffederasiwn Taleithiau Ariannin

Cytunai Hugh Hughes a Lewis Jones yn frwd â dadl y newydd-ddyfodiad nad oedd siarad mewn cyfarfodydd nac ysgrifennu llythyrau i'r wasg yn cyflawni dim ar eu pennau eu hunain, a bod angen dwysáu'r ymdrechion a gweithredu. Beth oedd yn gyfrifol am ddistawrwydd hir Michael D. Jones? Doedd dim ôl llewyrch ar ei drafodaethau â llywodraethau Conffederasiwn Ariannin a Thalaith Buenos Aires[1] – y ddau fel ei gilydd yn hawlio perchenogaeth dros y rhanbarth – er gwaethaf ei fynych ymweliadau â swyddfa Conswl y Conffederasiwn yn Llundain.

Ni fedrai'r triawd ddirnad y rheswm dros yr arafwch oherwydd, wedi darllen hysbyseb Llywodraeth Talaith Buenos Aires yn y *Times,* 8 Medi 1856, gwyddent yn dda fod llywodraethau Afon Arian yn hysbysebu'n daer ledled Ewrop am fewnfudwyr i boblogi'u tiriogaethau eang, a bod miloedd yn croesi'r Iwerydd i ymsefydlu yno a manteisio ar y telerau hael. Nid oedd dewis ond symud ymlaen heb sylfaenydd y mudiad. Fore 25 Gorffennaf 1861, pythefnos wedi cyfarfod Hope Hall, brasgamodd Cadfan tua swyddfa S. R. Phibbs, Conswl y Conffederasiwn yn Lerpwl, i ofyn iddo gyflwyno cais i'w lywodraeth ym Mharaná. A fyddai'r Conffederasiwn yn fodlon trosglwyddo Patagonia – yr holl

---

[1] Am fwy o fanylion am y cefndir hanesyddol, gweler Atodiad 1.

ffordd o afon Ddu (ffin ddeheuol Talaith Buenos Aires) hyd at Gulfor Magellan, y ffin naturiol rhwng y cyfandir ac Ynys y Tân, 'yn feddiant bythol i'r Cymry, fel y gallent sefydlu llywodraeth annibynnol ar bob un arall yn y byd'? (Cadfan)

Deffrowyd chwilfrydedd Phibbs. Credai y byddai llywodraeth y Conffederasiwn yn amharod iawn i ollwng gafael ar gymaint o dir, ond ni ragwelai rwystrau pe gellid perswadio'r Pwyllgor Gwladychfaol i dderbyn statws talaith Gymreig o fewn y Conffederasiwn – 'a byddai hynny mewn ymarferiad yr un peth â bod yn annibynnol'. Anogodd Hughes i lunio deiseb fanwl, a'i hanfon ar unwaith drwy ei swyddfa ef at y llywodraeth. Ni wyddai Hughes nad oedd gan y cyfryw lywodraeth y gallu ymarferol i ymateb yn gadarnhaol, a bod llywodraeth Buenos Aires yr un mor analluog, er ei bod yn hawlio perchenogaeth dros y tiroedd dan sylw. Gwyddai Phibbs er ei ddyddiau fel masnachwr o Sais ar lannau afon Arian gymaint oedd awydd y Conffederasiwn i boblogi'r fewnwlad, a chredai fod hynny'n sail iddo annog y Gymdeithas i symud ymlaen, er gwaethaf ei amheuon parthed y priodoldeb o ddewis Patagonia. Synhwyrai, yn ogystal, na fyddai gweld criw o Brydeinwyr yn gosod troedle yng nghanol gwacter Patagonia, dim ond ychydig gannoedd o filltiroedd o Ynysoedd y Falklands, yn ennyn gwrthwynebiad swyddogion Coron Lloegr ychwaith.

Cytunodd pwyllgor y Gymdeithas ag awgrym y Conswl, ac ar 5 Awst, anfonwyd y ddeiseb i Paraná. Disgwylid ateb erbyn dechrau Rhagfyr, eithr parodd digwyddiadau annisgwyl ar lannau afon Arian na fyddai'r ddogfen, ynghyd â holl obeithion Cadfan Gwynedd, byth yn cyrraedd pen ei thaith[2].

[2]Am fwy o fanylion am y cefndir hanesyddol, gweler Atodiad 1.

Creu cysylltiadau

Gwysiwyd Cadfan i swyddfa Phibbs un bore ym mis Hydref 1861 i glywed newyddion da o lawenydd mawr. Er bod y Conffederasiwn wedi'i ddiddymu, a'r trafodaethau â'i lywodraeth wedi profi'n ofer, roedd Ariannin ar ei ffordd i undod; roedd plaid fwy rhyddfrydol mewn grym, a Buenos Aires yn ben (yr hyn a gelai'r Conswl oedd na fyddai'r llywodraeth genedlaethol gyntaf yn cael ei sefydlu yn ffurfiol cyn blwyddyn gron wedi hynny). Yn ogystal, roedd y Bonwr Thomas Duguid, 'tywysog-fasnachwr Buenos Ayres', drosodd ar faterion busnes. Clywsai hwnnw Phibbs yn sôn am y bwriad i sefydlu gwladychfa Gymreig ym Mhatagonia; hoffai'r syniad yn ddirfawr a theimlai'n awyddus i drafod ymhellach ag aelodau'r pwyllgor. Drwy gyd-ddigwyddiad ffodus, lleolid swyddfa'r Bonwr Duguid yn yr un adeilad â swyddfa'r Conswl, a byddai'n hawdd trefnu cyfarfod – tybed a oedd 7 Tachwedd yn dderbyniol gan y pwyllgor?

Syfrdanwyd Pwyllgor Lerpwl gan y datblygiadau, a oedd yn groes i batrwm sydêt eu trafodaethau, a theimlwyd mai'r corwynt o Americanwr a ddisgynasai i'w plith oedd yn gyfrifol am gyflymu tempo gweithrediadau'r arweinyddion. Ystyrid ei gred mai yno i'w goresgyn yr oedd anawsterau, yn arwydd o ddiffyg aeddfedrwydd ac yn brawf o gywirdeb barn Michael D. Jones fod tuedd fyrbwyll ymhlith aelodau cymdeithasau gwladychfaol ochr arall yr Iwerydd i geisio cyflawni popeth ar unwaith.

Tybed sawl un a deimlai'n anghysurus yng nghwmni gŵr oedd mor wahanol i bobun arall: o ran ei wisg – waeth faint y canmolai Lewis Jones y wasgod wen a'r dillad *American cut* – ac o ran dieithrwch ei acen a'i ffordd o siarad. Pam roedd angen iddo ateb y cyfarchiad 'Sut ydych chi heddiw, Edwin Roberts?' gyda'i

'Campus i'r byd mawr' neu arfer ei 'Myn gafr' a 'Gafr am sbio' yng ngŵydd pobl ifainc oedd nawr yn dechrau ei efelychu?

Hefyd, daethai Edwin a'i ewythr Robert James – marsiandïwr glo llewyrchus yn Wigan a gyfarfuasai yn Nannerch – i un o gyfarfodydd y pwyllgor, gan honni bod ar y gymdeithas angen cyngor rhywun â phrofiad o redeg busnes! Mae'n wir bod hwnnw'n Gymro pybyr a bod ei bresenoldeb wedi cryfhau'r pwyllgor, ond dichon nad mater i aelod newydd oedd dweud pwy ddylai gael ei dderbyn i'r rhengoedd.

Sylwyd hefyd na fedrech chi byth lwyddo i'w adnabod yn iawn. Ar yr wyneb, ymddangosai'n fachgen rhydd ac agored, ac enillodd ei agwedd siriol, galonnog (a chellweirus) gyfeillion niferus iddo, er bod Lewis Jones yn gresynu at ei duedd i gilio rhag pob cynnen. Gallai rhywun fod yn ei gwmni am beth amser gan feddwl ei fod wedi dod i'w adnabod yn dda ond, yn ôl Abraham Matthews, byddai'n ffarwelio ag ef heb wybod dim amdano nac am ei deimladau a'i feddyliau – fel pe na bai erioed wedi'i gyfarfod. A fedrid ymddiried yn rhywun fel'na?

Goruchafiaeth y sylfaenydd

Daeth yr hanes am gysylltiadau Pwyllgor Lerpwl â Phibbs i glyw Michael D. Jones, ac ysgrifennodd ar fyrder at y Conswl (nid at y pwyllgor, yn arwyddocaol iawn) i'w holi ynglŷn â'r trafodaethau. Wedi i Phibbs gadarnhau ei fod mewn cysylltiad ag arweinyddion y mudiad, trefnodd y Prifathro i gyfarfod â'r pwyllgor yn un o ystafelloedd y Concert Hall, Lerpwl. Ni fedrai ddeall y datblygiad annisgwyl hwn. Pam, tybed, yr oeddynt wedi penderfynu symud ymlaen heb ei arweiniad ef, a phwy oedd yn gyfrifol am ysgogi'r fath gam? Onid oedd perygl bod y weithred o drafod â chynrychiolydd swyddogol llywodraeth y Conffederasiwn gystal â chydnabod hawl y wlad honno dros Batagonia? Rhaid oedd gosod trefn ar bethau ar fyrder, neu byddai'r pwyllgor hwn eto yn rhedeg yn wyllt tua dibyn difodiant fel y gwnaethai pwyllgorau America.

Ffurfiol ac oeraidd fu'r cyfarfod rhwng Michael D. Jones a'r pwyllgor ond cerddodd y Prifathro allan yn fodlon ar ei lwyddiant. Er mwyn cadw'i afael ar y trefniadau, mynnodd fod y pwyllgor o

---

Pwyllgor Gwladychfaol Lerpwl (dan arweinyddiaeth M. D. Jones, y Bala)

John Edwards; Owen Edwards; Hugh Hughes (Cadfan Gwynedd)*; Lewis Jones*; John Roberts*; R. Roberts; Eleazer Pugh; Peter Williams; Owen Williams; Watkin William P. Williams, Penbedw*; Edwin Cynrig Roberts*; Robert James, Wigan.

Aelodau a gyfetholwyd i ffurfio'r Pwyllgor Cenedlaethol

Morgan Pryce, Aberdâr; John Peters (Ioan Bedr), Caergybi; Thomas Davies, Dowlais*; Mathew Williams, Castell Nedd; Thomas Hopkins, Aberpennar; William Thomas, Llanelli; D. Richards (Calfin), Llanelli; William Jones, Aberystwyth.

Aelodau a ymunodd yn ddiweddarach: Maurice Humphreys*; John Thomas (y Paentiwr); John Gruffydd, Hendrefeinws, Chwilog; Thomas Cadivor Wood; William Dolben; a dau saer, brodyr o'r cyfenw Jones.

* Aelodau o'r fintai gyntaf.

ddeuddeg yn cyfethol wyth enw o restr a gyflwynodd i'w sylw i gynrychioli cymdeithasau gwladfaol Cymru, a throi Pwyllgor Lerpwl yn gynulliad cenedlaethol. Gan fod ei aelodau newydd yn byw mewn canolfannau mor bell wrth ei gilydd â Dowlais, Llanelli ac Aberystwyth, ni fyddai mor hawdd iddynt gyfarfod yn aml ac ni fyddid yn rhuthro i benderfyniadau o hynny ymlaen. A phan âi'r ddirprwyaeth i gyfarfod â Phibbs, y sylfaenydd fyddai'i harweinydd.

Barnwyd mai'r defnydd gorau y gellid ei wneud o ddoniau Edwin Cynrig Roberts fyddai ei anfon i apelio am arian a chefnogwyr yng Nghymru (a lladd dau aderyn â'r un garreg drwy ei gadw draw o gyfarfodydd y pwyllgor?) a phenodwyd ef yn ysgrifennydd teithiol. Fel ymhob dim a wnâi, ni wastraffodd amser cyn bwrw ati i gyflawni ei ddyletswydd newydd gyda sêl angerddol. Rhoddwyd swm o arian iddo brynu pâr o esgidiau, a £7 i'w gynnal ar y daith. Nid oedd adnoddau prin y gymdeithas yn caniatáu gwario mwy na hynny ar yr ymgyrch, eithr doedd diffygion o'r fath ddim yn rhwystro'r areithiwr rhag cychwyn ar ei ymdrech fawr wedi'i arfogi â'i frwdfrydedd a'i agwedd gadarnhaol arferol. Un modd o dorri ar gostau fyddai lletya mewn tai capel. Roedd ei fagwrfa yn Wisconsin hefyd yn gymorth iddo fyw yn rhad. Cerddodd yn droednoeth ar draws Cymru, gan gario'i esgidiau (neu 'esgidiau Pwyllgor y Wladychfa' fel y'u galwai'n chwareus) ar ei ysgwyddau, yn union fel y gwnaethai flynyddoedd ynghynt yn ardal y coed a glannau llyn Winnebago.

Thomas Duguid a'i gwmni

Ar 7 Tachwedd croesawyd Michael D. Jones, Robert James a Lewis Jones yn wresog i swyddfa'r Conswl. Ysgydwodd Duguid law yn seremonïol â phob un

ohonynt yn eu tro ac, wedi gwrando'n eiddgar, cadarnhaodd ei gefnogaeth bersonol i'r anturiaeth. Credai fod sefydlu gwladychfa Gymreig yn syniad rhagorol ac mai Patagonia oedd y dewis perffaith ar gyfer y fenter. Byddai ef yn falch iawn o gynorthwyo mewn unrhyw fodd ymarferol. Cynigiai gludo deiseb ar ran y pwyllgor yn nodi'r holl anghenion a'i chyflwyno i sylw'r llywodraeth newydd ar ei ddychweliad i Afon Arian.

Dichon mai calondid i'r ddirprwyaeth oedd deall na fyddai angen arian ar eu pwyllgor tlawd i gydnabod gwasanaeth y masnachwr – byddai'n fwy na bodlon derbyn tiroedd ar lannau'r Chupat yn eiddo parhaol iddo ef pan eid ati i rannu'r dyffryn ymhlith yr ymfudwyr. Tybed a sylwodd Duguid na dderbyniodd yr awgrym groeso gwresog?

Byddai ei gwmni hefyd yn falch iawn o gyflenwi'r wladychfa â nwyddau heb frys am ad-daliadau. Gobeithiai y gellid sefydlu perthynas fasnachol broffidiol i'r ddwy ochr. Roedd llwyddiant y wladychfa o'r pwys mwyaf i gwmni Thomas Duguid a'i bartner, J. H. Denby, fel yr oedd i'w gyn-gydweithiwr, y Conswl. Wrth ffarwelio, ailfynegodd ei awydd i gynorthwyo 'ac ymhob modd arfer ei ddylanwad er hyrwyddo'r amcan'. Wythnos yn ddiweddarach, derbyniodd y masnachwr Eingl-Archentaidd y ddeiseb yn brydlon i'w ofal. (CG)

Dechrau'r ymgyrch ac ennill cefnogaeth

Cerddodd Edwin Cynrig Roberts yn ddi-oed tua'r de nes cyrraedd Morgannwg. Cynhaliodd gyfarfodydd ar y ffordd yn Aberystwyth, Castellnewydd Emlyn, Llandeilo, Llangadog, Llanddeusant, Llansadwrn, Aberhonddu a Merthyr Tudful. Fesul tipyn ar y dechrau, ac yn llifeiriant diderfyn cyn bo hir, daeth adroddiadau'r ymgyrch i sylw'r pwyllgor.

Barnai Lewis Jones fod teithiau cenhadol ei gyfaill yn bennod fawr yn hanes y Wladfa. Yn ei lyfr *Cymru Newydd: Y Wladfa Gymreig yn Ne Amerig*, tystia fod arddull gartrefol a thanbeidrwydd ei areithiau yn ennill 'calonnau y glowyr wrth eu cannoedd'. Sylwodd Abraham Matthews fod ei lefaru llithrig a dyfnder ei argyhoeddiad yn llwyddo i ddeffro cefnogaeth eang – ymhell y tu hwnt i ddisgwyliadau'r pwyllgor.

Dichon fod paragraff agoriadol ei anerchiadau yn gymaint o ymgais at leddfu unrhyw ymosodiadau arno ef a'i achos ag yr oedd i blesio'i gynulleidfa: 'Annwyl Genedl y Cymry; pobl wrol a phenderfynol [pob un yn torsythu yn ei sedd], dyma fi wedi dod yma o wlad bell i geisio dweud tipyn wrthych am y Wladychfa, ond peidiwch â disgwyl am araith drefnus a da. Gwelwch mai bachgen ydwyf, ond nid bachgen a fagwyd ynghanol manteision y wlad hon. Nage, un a fagwyd ynghanol y coed; ond mae dan fy mron galon Cymro . . .' Byddai'r gymeradwyaeth a dorrai'n frwd ar draws y geiriau hyn yn atgyfnerthu'i hyder.

Llwyddai i danio cynulleidfaoedd ledled y wlad a denu miloedd i gefnogi ei alwad am ymfudo yn un garfan gref a dylanwadol. Byddai pobl yn cynhyrfu, curo dwylo ac yn ymateb i'w gri derfynol drwy atseinio: 'Awn a meddiannwn y tir!' Nid enillodd ei ddulliau gymeradwyaeth unfrydol aelodau pwyllgor Lerpwl, oherwydd yn ôl Lewis Jones, doedd pob un ohonynt ddim 'yn barod i ruthrwynt o fath hwnnw . . . ac yr oedd croesgad Edwin Roberts yn mynd â'u hanadl'.

Ond roedd ei neges yn eglur: 'Carwn weled ein pobl pan yn ymfudo yn myned i'r un lle. Rydwyf yn gwybod beth yw sefyllfa llawer o'n cenedl sydd heddiw'n wasgaredig yng Ngwlad y Gorllewin o berthynas i'r cysuron hynny sydd i'w cael mewn undeb. Yr ydwyf wedi dod yma i geisio dangos i chwi mor ffôl yr ydym gyda'n hymfudiaeth; dim llun na threfn, pawb yn wysg ei drwyn yn mynd i rywle, heb gofio am y bendithion daionus a ddeilliai i ni trwy gael Gwladychfa.'

Pwysleisiai nad oedd yn dod i geisio diwreiddio neb: 'Cofiwch mai nid dyfod yma yr wyf i geisio creu ymfudiaeth; nid oes gennyf eisiau i neb sydd yn gallu byw yn weddol gysurus yn ei hen wlad byth feddwl am fyned i ffwrdd. Wrth y bobl hynny sydd wedi penderfynu ymfudo y dywedaf: Dewch gyda ni y Gwladfawyr i'r un wlad ac i'r un lle . . . os ymfudo, ymfudo i'r Wladychfa.' (ECR)

'Sŵn yr aradr ar gae . . .'

Yn Aberpennar, 2 Tachwedd 1861, cynhaliwyd ei gyfarfod cyntaf yng nghymoedd Morgannwg. Mae lle i gredu bod John ac Elizabeth Jones ymhlith ei wrandawyr y noson honno, ynghyd â'u meibion John a Richard, a'u merched Mary, Marged ac Ann – yr olaf yn bedair ar ddeg ac wedi'i swyno'n lân gan yr hyn a glywodd gan yr areithiwr: 'Fe ddywedodd un dyn wrthyf, 'Pe câi Patagoniad ond lwmpyn o fenyn ar dy ben, fe'th lyncai o'r golwg ar unwaith'. Dywedais innau mai nid mor hawdd â hynny y gellid llyncu Cymro. Beth, tybed, oedd o yn ei feddwl fuaswn i yn ei wneud tra buasai yr Indiad yn rhoddi y lwmp menyn ar fy mhen? Anghofiai mai nid rhai llwfr fel yna yw bechgyn Cymru, wrth lwc, ac nid mor hawdd â hynyna yw eu llyncu.' (ECR)

Apeliai'r stori fach hon yn arbennig at y rhai ifancaf yn y gynulleidfa, a'i ddisgrifiad o'r wlad fyddai'n gartref i'r wladychfa arfaethedig yn eu hysgogi i geisio perswadio Dad a Mam i lofnodi eu henwau ar y gofrestr ar ddiwedd y cyfarfod. Roedd ganddo fantais y tro hwn gyda'r to hŷn, yn ogystal – glowyr tlawd, nid ffermwyr llewyrchus y Taleithiau, oedd ei wrandawyr astud.

Gwyddai fod yn eu plith bobl o argyhoeddiadau crefyddol dwfn, a thynnai o'i brofiad i ddwyn i'w sylw anfanteision ymdoddi i genhedloedd estron o'u cymharu â rhinweddau amlwg y syniad o ymfudo i wlad lle nad oedd gormes gwleidyddol na chrefyddol. Ymhlith cenhedloedd eraill, meddai, tueddai ieuenctid i ymdoddi i arferion 'llygredig' yr estroniaid, gan anghofio'u crefydd ac addysg yr Ysgol Sul, ond gallai rhieni ollwng eu plant i ofal y wladychfa yn hyderus y byddai honno'n eu cynnal yn y traddodiadau Cristnogol.

Er gwaetha'r pellter, ni fyddai hon yn wlad estron. Byddai popeth yno yr un mor gyfarwydd a chartrefol ag oedd yng Nghymru – ond hefyd yn well. Byddai calonnau'r ymfudwyr ifainc yn cynhesu tuag at eu cartref newydd. Wrth edrych tua'r wawr, gwelent y môr sy'n golchi traethau Cymru hefyd yn sïo cregyn mân glannau Patagonia. Yr un fyddai ei sŵn, a Chymraeg fyddai ei iaith. Byddai'r adar a'r ceiliogod yn canu yr un ffunud 'ag oeddynt pan oeddwn gynt yn chware o gylch bwthyn fy nhad'. Nid y Ddraig Goch ar fastiau llongau'r afon fyddai unig arwydd eu Cymreictod – Cymraeg fyddai iaith y morwyr hefyd.

Clodd yr adran hon o'i araith gyda disgrifiad rhamantus-fugeiliol o'r dyffryn sy'n gweld y 'Chupat yn dolennu trwy ddyffryn gwyrddlas, gan waeddu yn Gymraeg, 'Môr, môr i mi'. Tai gwynion yr amaethwyr Cymreig welir yma a thraw, defaid a gwartheg yn pori ar y caeau gleision, sŵn yr aradr ar gae glywir yma a thraw, a'r bechgyn yn canu 'Pa wlad dan dywyniad haul sydd mor braf â'n gwladychfa ni?'

Ymfudo mewn trefn

Câi'r Gymraeg safle anrhydeddus yn y wladychfa, yn ôl Edwin Roberts. Byddai croeso yno i holl Gymry'r byd, lle caent

'Siarad yn Gymraeg, canu yn Gymraeg' oherwydd mai'r Gymraeg fyddai prif iaith y wlad.

'Wyddoch chi beth, bobl? Mi ddylech fel un gŵr ddyfod allan i gynorthwyo'r gwladfawyr, pa rai sydd yn amcanu am symudiad mor ddymunol i'n cenedl. Pob pen teulu sydd yma yn fy ngwrando heno, yr ydwyf am ddweud wrthych yn blaen ac yn onest mai eich dyletswydd fel pennau teuluoedd – os ydych yn caru llwyddiant a chysur eich teulu – yw pledio y Wladychfa, bobl . . . Pan fydd eich cymdogion am ymfudo, treiwch ganddynt ddyfod gyda ni i'r Wladychfa. Dangoswch iddynt y cysuron sydd i'w mwynhau mewn undeb, fod yn well byw ynghanol eich pobl na chydag estroniaid.'

Nid oedd y posibilrwydd ei fod yn camarwain ei wrandawyr wrth ganmol gwlad na welsai erioed mohoni wedi croesi'i feddwl. Onid oedd pob adroddiad a ddarllenasai ac a glywsai yn canmol y lle? Dywedai ei brofiad wrtho yn ogystal fod modd troi anialdir yn Eden, fel y gwnaethai ei dad a'i gydnabod yn Wisconsin gynt.

Cyn y diwedd, byddai'n taro'r tant crefyddol unwaith yn rhagor, er mwyn sicrhau nad oedd neb yn anghofio'r neges – i'w hailadrodd wrth eraill os oedd modd – a bod pob cydwybod yn gwbl glir: Dylai athrawon Ysgol Sul, sy'n ymdrechu i oleuo'u disgyblion 'a'u hyfforddi ym mhen eu ffordd', eu perswadio mai'r wladychfa yw'r man i ymfudo iddo, 'lle y cânt Ysgol Sul a phob cysuron crefyddol yn iaith eu Hen Wlad'. Byddai'n cloi ei araith gydag apêl ar i'w wrandawyr fyfyrio ar ei eiriau, trafod ei neges ar eu haelwydydd, ac ystyried pa un ai ymfudo yn ddi-drefn sydd orau, ynteu 'ymfudo mewn trefn gyda'n gilydd i'r un wlad ac i'r un lle?'

Bu trafod mawr ar y ffordd adre hyd strydoedd culion Aberpennar y noson honno ac, ymhen y rhawg, byddai John

21

Jones (y mab) yn ymuno â'r ymgyrch fel Ysgrifennydd Pwyllgor Gwladychfaol Aberpennar, a'r teulu cyfan yn cytuno i ymfudo.

Ymhlith Cardis

Dywed Lewis Jones fod Edwin wedi rhoi Morgannwg ar dân, cyn anelu trwy Sir Gaerfyrddin a Sir Benfro i fyny tua Cheredigion, a chyffroi'r holl wlad. Ar ei ffordd, anerchodd dorf yn nhref Aberteifi. Yn unol â'i arfer, holodd ar ddiwedd y noson pwy oedd am ymfudo gyda'r fintai gyntaf. Edrydd Richard Jones, Glyn Du, iddo ddenu cefnogaeth niferus ac i hen wreigan godi'i llais i ddatgan:

> Rwy'n awr yn bedwar ugain oed,
> Ac ni welais long erioed,
> Ond os y caniatâ fy Nuw,
> Af finnau i Batagonia i fyw.

Yn wyneb croeso twymgalon, oedodd Edwin yn hirach na'i fwriad yng ngwlad y Cardis. Yn ôl Abraham Matthews, treuliodd yno y rhan fwyaf o'i daith genhadol a derbyniodd gefnogaeth hael y Methodistiaid lleol. Llwyddai ei areithiau dychmygus a'i huodledd i ' . . . ysgubo fel llifeiriant pob peth o'u blaen'. Yn rhinwedd ei boblogrwydd ymhlith pobl gyffredin y sir, fe'i perswadiwyd i dreulio'i Suliau yn pregethu o bulpudau capeli cefn gwlad Ceredigion.

Gweddill yr wythnos, byddai'n brysur yn darlithio yn Aberystwyth ac yn nhrefi a phentrefi eraill y sir. Ym mis Chwefror 1862 casglodd tua mil o lofnodion o blith y trigolion – pobl ifainc gan fwyaf. Roedd ganddo allu uwch na'r cyffredin i weithio'n gyflym. Dywedir iddo sefydlu deuddeg ar hugain o ganghennau a chofrestru dros fil a hanner o aelodau, yn ogystal â darlithio mewn pump ar hugain o ardaloedd yng Ngheredigion – y cyfan yn ystod mis Ebrill 1862 – record y byddai swyddog datblygu sirol unrhyw fudiad yn falch o'i chydnabod mewn adroddiad ar waith blwyddyn.

Yn dilyn cyfarfod llwyddiannus a gynhaliwyd yng nghapel y Tabernacl, Aberystwyth, ffurfiwyd cymdeithas wladychfaol yn y dref dan lywyddiaeth William Jones a John Parry, gyda David Phillips yn drysorydd a'r ysgolfeistr lleol, John Jones, yn ysgrifennydd. Perswadiodd Edwin yr awdurdodau dinesig i alw cynhadledd undydd ar 1 Mai 1862 'i gynllunio a manylu' a chyfarfod cyhoeddus y noson honno 'i ymfflamychu'. Cyfarfu swyddogion cymdeithasau gwladfaol lleol sir Aberteifi am ddeg o'r gloch y bore i drafod y rhaglen waith. Am un o'r gloch gorymdeithiodd cynrychiolwyr y cymdeithasau y tu ôl i faner y wladychfa at y Morfa i wrando ar Cadfan a dau siaradwr o'r sir – Evan Morris, Aberaeron a Thomas Harris, Llechryd – yn canmol manteision gwladychfa Gymreig. Yn ôl Lewis Jones, daeth cynulliad mawr o bobl Ceredigion ynghyd erbyn chwech o'r gloch i gyfarfod yr hwyr, i wrando a holi. Aeth y noson yn ei blaen yn hwyliog hyd un ar ddeg o'r gloch ac, er bod adroddiad yn rhifyn nesa'r *Cambrian News* yn dilorni'r achlysur, ymffrostiai Lewis Jones fod y rhai oedd yn bresennol yn honni nad oedd Aberystwyth erioed wedi gweld ei debyg.

Un o'r gwrandawyr mwyaf brwd ac astud oedd Dafydd Williams, prentis crydd dwy ar bymtheg oed o Aberystwyth. Gydag ef, eisteddai dau frawd ifanc o'r dref, sef Lewis a Thomas Davies, ynghyd â ffermwr ifanc gwladgarol o Ben-y-garn, John Morgan, Pwll-glas. Gwrandawai'r pedwar yn eiddgar ar yr anerchiadau a gwyddent y gallent ddilyn y siaradwyr hyn i bellafoedd y ddaear. Teimlent wrth eu bod yn gwrando ar areithiau deallus a chredadwy Lewis Jones a Cadfan Gwynedd, a hefyd ddadleuon heintus Edwin a'i atebion pendant i'r cwestiynau niferus o lawr y neuadd.

Cynigiai Edwin ateb rhwydd i bob cwestiwn a deflid ato:

'Pam fod angen gwladychfa Gymreig?'

'Ewch i wlad y mynnoch, cewch weled Cymro yno. Maent fel yr Iddewon, yn grwydriaid ar wyneb y ddaear . . . pe bai . . . y miloedd hynny sydd wedi myned i ffwrdd . . . wedi myned i'r un wlad, buasent heddiw yn Gymru fach tu draw i'r môr . . . ond . . . maent wedi eu colli am byth i'n cenedl . .; yr ydwyf yn meddwl mai ni, y Cymry, yw'r rhai ffolaf ar y ddaear . . . mae gan genhedloedd eraill eu Gwladychfa; ac, os yw Gwladychfa yn dda iddynt hwy, paham na fyddai yn dda i ninnau hefyd?'

'Onid anialdir yw Patagonia?'

'. . . mae modd ffurfio Gwladychfa, er i ni ddechrau mewn lle anial. Y mae dechreuad wedi bod i bob man. Dichon mai rhyw ychydig oedd yn dechreu y gwledydd mwyaf poblog. Pe baech ond meddwl am yr Unol Daleithiau; nid rhyw gyfnod maith sydd er pan ydoedd y wlad fawr honno ym meddiant yr Indiaid ac yn orweddfa i fwystfilod gwylltion; ond rhyw ddiwrnod dacw y celfyddydwr yn myned i'r coed gyda'i fwyell i'w torri a'u cymhwyso at adeiladu tai, a gwneuthur pethau eraill at ddechrau byw. Yna daw yr amaethwr gyda'i aradr yn dechreu troi y tir gwyllt i fyny. Fel yna bob yn dipyn daw y wlad i drefn, daw yr anialwch yn llawn tai, ac wedi ei gau i fyny gan gaeau, dinasoedd poblogaidd yn y lle oedd gynt yn orweddfa i geirw . . .'

'Mae fel hyn wedi bod yn Wisconsin, ac yr ydwyf finnau yn cofio hyn yn dda, er nad wyf ond lled ieuanc. Aethym yno gyda'm rhieni i ddechreu sefydlu yng nghanol y coed. Cofiwn Oshkosh yn lle di-nod. Ar lan y llyn pabellai yr Indiaid Cochion; erbyn heddiw mae yno ddinas a'i miloedd trigolion. Ar y llyn mae agerlongau yn tramwy o'r naill fan i'r llall! Paham, ynte, nad ellir gwneud yr un peth eto yn Patagonia? Cymerwch galon, bobl, mae yr hyn a wnaed yn dweud y gellir eto wneud yr un peth.'

'Ond beth wyddom ni, genedl fach a gorthrymedig, am wladychu?'

'. . . rhaid dweud ein bod ni y Cymry cystal ag unrhyw genedl dan dywyniad haul. Meddwn ein hamaethwyr profiadol, y rhai sydd wedi newid gwedd hen Gymru fynyddig, – cystal amaethwyr ag sydd gan unrhyw genedl pwy bynnag, dynion cryfion a pharod i waith. Dyma y bobl fydd yn dechreu aredig Patagonia rhyw ddydd a ddaw, – ie, newidiant wedd y wlad wyllt honno, gwnânt yr anial hwnnw yn dir llafur, codant wenith ar y dyffrynoedd sydd heddiw yn orseddfa i'r ceirw. Nyni yr amaethwyr Cymreig ddaw â Phatagonia yn un o'r gwledydd ffrwythlonaf a harddaf ar wyneb y ddaear . . . Bydd rhyw ddydd a ddaw ddinasoedd heirdd yng ngodre'r Andes wen fawr. Mae yn ffaith amlwg ein bod fel cenedl mewn angen gwladychfa; yr ydym hefyd yn ddigon galluog, ond cael undeb a chydweithrediad i ddechreu gwladychfa mewn gwlad fel Patagonia.'

Wrth i'r sôn amdano fynd ar led, agorwyd drysau iddo hefyd yn siroedd y gogledd. Yn ystod ei arhosiad yn Arfon, cafodd lety gan y Parchedig D. W. Thomas, offeiriad yn Eglwys Loegr, a ddaeth wedi hynny yn gyfaill mawr iddo ac yn ddylanwad arno ac ar ei syniadau crefyddol. Dichon mai dyma pryd y perswadiwyd Edwin mai'r Hen Eglwys Frytanaidd – neu 'yr Eglwys Gymreig ers amser yr Apostolion', chwedl R. J. Berwyn – oedd gwir gartref ysbrydol y Cymry[3]. Roedd y Saeson wedi meddiannu'r Eglwys a'i hawlio'n eiddo iddynt, yn union fel y gwnaethant ganrifoedd ynghynt ag Ynys Prydain, cartref y Cewri Cedyrn. Os nad oedd modd adennill y tir, nid oedd angen ildio'r ffydd – ym mha le bynnag yr ymgartrefai Cymro.

O ddydd ei dröedigaeth, bu Edwin yn ffyddlon i'w gredo newydd a gweithiodd drosti gydol ei oes. Ni fedrai Lewis Jones goelio'i glustiau pan glywodd y newydd. Sut y medrai'r gwladgarwr tanbaid gysoni ei Gymreictod â'i ffydd newydd oedd yn ymgorfforiad o orthrwm Lloegr dros ei gyd-wladwyr?

Cymaint fu llwyddiant yr ymgyrch wladychfaol, nes i'r pwyllgor deimlo angen cynnal diddordeb y cefnogwyr a enillasid, a chytunwyd i lansio cylchgrawn i drafod materion gwladfaol ac i hybu'r syniad o ymfudo i Batagonia. *Y Ddraig Goch* fyddai'i enw; Michael D. Jones fyddai'r cyhoeddwr, Lewis y golygydd, a byddai Cadfan, Edwin, a chefnogwyr eraill yn cyfrannu erthyglau a newyddion iddo.

Codi gobeithion

Trosglwyddodd Phibbs ateb Duguid, dyddiedig 27 Ionawr, i Cadfan Gwynedd ar 5 Mawrth 1862. Nododd fod Rhaglaw Talaith Buenos Aires, y Cadfridog Bartolomé Mitre, bellach yn rheoli'r wlad o ganlyniad i'w fuddugoliaeth yn erbyn lluoedd y Conffederasiwn[4]. Addawsai Mitre gyfarfod â Duguid i drafod y pwnc ar y cyfle cyntaf, pryd y câi'r masnachwr gyflwyno'i neges. Crybwyllasai hwnnw'r syniad hefyd wrth nifer o 'wŷr dylanwadol', a chytunodd y rheiny nad oedd rhwystr rhag trosglwyddo'r tir i'r cwmni.

Pwy, tybed, holai Cadfan a Lewis, oedd y gwŷr dylanwadol hyn oedd mor hyderus eu honiad parthed y tir? Rhaid bod Duguid yntau'n ŵr o ddylanwad nid ansylweddol ei hun os llwyddasai i gyfarfod â'r Arlywydd i drafod mater na fedrai fod o'r pwys mwyaf i'r gwron hwnnw, a chael addewid ganddo y byddai'n cynnal trafodaeth bellach. Yn ddiarwybod iddynt hwy, nid oedd Mitre hyd yn oed wedi ei ethol yn Arlywydd y Weriniaeth ar y pryd, heb sôn am gael ei urddo, eithr, oddi ar ei fuddugoliaeth ar faes y gad yn erbyn Justo José de Urquiza, Arlywydd y Conffederasiwn, gwisgai Rhaglaw Buenos Aires y fantell arlywyddol *de facto* yn ddiwrthwynebiad. Ac roedd y sôn am sefydlu gwladychfa ym Mhatagonia yn cynnig i Mitre gyfle deublyg na fedrai mo'i wrthod – i feddiannu Patagonia ar y naill law, ac agor y drws i drafodaethau a allai arwain at adennill y Malvinas ar y llall.

Colli tir

Cynghorodd Duguid y pwyllgor i beidio â gofyn am fwy o dir nag y gallent ei boblogi ar unwaith – gellid ymestyn y diriogaeth yn ôl y galw wrth i'r wladychfa ddatblygu. Gofynnodd hefyd iddynt anfon deiseb fanwl arall yn nodi'r gofynion, yr hyn a wnaed ymhen tridiau (8 Mawrth 1862), yn cydnabod nad oedd y wladychfa i fod yn annibynnol, ond yn gofyn am iddi gael ei heithrio o gyfrifoldeb trethiant i'r llywodraeth genedlaethol hyd nes y

---

[3]Credai Berwyn fod hynny wedi digwydd flwyddyn yn ddiweddarach, tra ymgartrefai Edwin Cynrig Roberts yn Lloegr.

[4]Gweler Atodiad 1.

rhoddid iddi'r hawl i gynrychiolaeth yn senedd y Weriniaeth. Roeddynt hefyd yn dal at y cais am gael meddiannu Patagonia gyfan er mwyn sicrhau eu gafael ar y rhanbarth a rhag 'peryglu'r heddwch cyffredinol. Ond, yn ad-daliad, ninnau a ymrwymwn i boblogi ac amaethu rhannau penodol mewn ysbaid benodol o amser.' Mynegwyd yn eglur nad menter pobl ariannog oedd hon, ac nad oedd neb i berchenogi tir yn y wladychfa heb ymfudo yno – hyn er mwyn sicrhau bod y tir yn cael ei drin, a bod unrhyw elw'n cael ei ddefnyddio o fewn y wladychfa. (CG)

Yr angen am greu cronfa ariannol

Derbyniwyd newyddion calonogol ym misoedd Awst a Medi 1862, sef bod llywodraeth Buenos Aires yn mynegi parodrwydd i dderbyn telerau'r pwyllgor cenedlaethol. Hysbyswyd y Conswl Phibbs fod y pwyllgor yn dilyn ei gyngor ac yn anfon dau gynrychiolydd i brifddinas Ariannin i drafod eu cynlluniau â'r llywodraeth. Byddai angen cyllido'u taith a'u cynhaliaeth a phenderfynwyd ceisio ennill cydweithrediad pwyllgorau cymdeithasau gwladychfaol lleol Cymru. Trefnwyd taith arall i Edwin – i'r de yn unig y tro hwn, gan fod Cadfan yn awyddus i deithio'r gogledd. Michael D. Jones a Lewis Jones fyddai'n cynaeafu'r winllan gyfoethog lle gwelsai Edwin ffermwyr a fyddai, yn ei farn wrthrychol ef, yn gwneud y gwladfawyr gorau, sef Ceredigion.

Edrychai Edwin ymlaen at ailgyfarfod â'r cymdeithasau glofaol a roddodd dderbyniad mor gynnes iddo bron i flwyddyn ynghynt. Deffroai'r rhain deimladau cymysg yn ei galon. Er mai prin oedd y rhai yn eu plith a feddai ar brofiad amaethyddol, gwyddai eu bod yn weithwyr heb eu hail a bod amodau tlawd eu bywydau wedi'u caledu ar gyfer y fenter fawr oedd o flaen y fintai gyntaf –

ond sut yn y byd mawr y gallent dalu a'u cynnal eu hunain hyd y cynhaeaf cyntaf? Llwyddodd eto i ennyn brwdfrydedd a chefnogaeth, ond methodd yn ei ymdrech i gasglu arian ymhlith ei gefnogwyr tlawd. Roedd union achos eu hangen i ymfudo yn rhwystr iddynt rhag cyflawni'u dyhead. Methiant ariannol fu ymdrechion y tri arall hefyd yn eu rhanbarthau hwy.

Llunio cytundeb drafft

Yn wyneb methiant Edwin, Lewis, Cadfan a Michael D. Jones i grynhoi cronfa i dalu am gludiant y prwyadon – sef y cynrychiolwyr – cynghorodd Phibbs hwynt i ystyried camau gwahanol:

Yn gyntaf, cryfhau'r Gymdeithas Wladychfaol drwy ethol nifer o ymddiriedolwyr derbyniol i'r cylchoedd llywodraethol yn Llundain ac yn Buenos Aires. Etholwyd pedwar gŵr dylanwadol i arwain y trafodaethau gyda Michael D. Jones: David Williams, Uchel Siryf Meirionnydd; y Capten Love Jones-Parry, Madryn; G. H. Whalley, Aelod Seneddol Meirionnydd, a Robert James, y marsiandïwr ariannog o Wigan.

Ail awgrym Phibbs oedd i'r pwyllgor lunio cytundeb drafft y gallai ef ei anfon at ei lywodraeth. Ond wedi paratoi'r ddogfen, nid at lywodraeth y Weriniaeth y'i cyfeiriwyd eithr at lywodraeth Buenos Aires! Lluniwyd y cytundeb ar y seiliau canlynol:

a) Llywodraeth Buenos Aires i ddarparu tir rhwng lledredau 41 a 44 (nid Patagonia gyfan, mwyach) naill ai'n rhad neu am dreth isel (£10 y flwyddyn y lîg betryal) dros gyfnodau o 7, 14 neu 21 mlynedd (i'w ymestyn ar ddiwedd y cyfnod penodedig – gyda'r hawl i'r wladychfa brynu'r tir pe dymunid). Y pwyllgor i sicrhau cyflenwad digonol o ymfudwyr ac i gael y cyfle cyntaf ar unrhyw diroedd cyfagos cyn iddynt gael eu cynnig i dramorwyr.

b) Y wladychfa i 'ffurfio a chario allan fesurau er nodded a llywodraethiad ei haelodau . . . er llesiant y gwladychwyr, ac heb niweidio llywodraeth Buenos Aires', a llywodraeth y dalaith i groesawu'r ymfudwyr 'yn yr ysbryd caredig ag a ddangosir i dramoriaid bob amser gan lywodraeth Buenos Aires' gan warantu rhyddid crefyddol i'r gwladfawyr, a diogelwch i'w bywydau a'u heiddo.

c) Llywodraeth 'ddinesig a morwrol' y wladychfa i gael ei rheoli ar seiliau cyfiawn gan y gwladychwyr eu hunain, 'naill ai fel rhan gyplysedig o (Dalaith) Buenos Aires, neu ynteu yn Dalaeth annibynnol, fel bo amgylchiadau y pryd yn dangos'. Byddai Buenos Aires yn darparu cyflenwad o arfau, 300 o geffylau, 200 o dda corniog, a 3000 o ddefaid i'r fintai gyntaf. Awgrymodd Phibbs osod cymalau ychwanegol i ymrwymo'r ymfudwyr i addewid i beidio â 'smyglio' ac i gadw at ddefddau Ariannin. Gwelir ôl llaw Edwin yn y cymal oedd yn diogelu hawl y gwladfawyr i 'ymuno i amddiffyn yn y lles cyffredinol' yn wyneb ymosodiadau gan Indiaid. Byddai'r amod hon yn egluro i'r Archentwyr 'y gwna'r Cymry ofalu amdanynt eu hunain gyda'r brodorion', meddai Cadfan.

Wrth amddiffyn y cytundeb drafft yng nghyfarfodydd y pwyllgor cenedlaethol newydd, pwysleisiodd Hughes Cadfan y gellid newid unrhyw gymalau annerbyniol. Credai nad oedd yr ail gymal yn bradychu'r bwriad i gael gwladychfa hunan-lywodraethol. 'Rhaid i'r Cymry gofio nad gwiw gofyn yn haerllug am i dalaeth Buenos Ayres roddi i ni ddarn o'i thiriogaeth [*sic*] i sefydlu ynddi lywodraeth Gymreig. Hwy chwarddent am ein pennau . . . Am hynny, doeth yw i ni sicrhau ein gofynion am le yn gyntaf, a gofalu am gymaint o allu llywodraethol ag a fo'n ddigonol i sicrhau hamdden i gasglu nerth, nes bod mewn cyflwr i fanteisio ar amgylchiadau.' Honnai fod y cytundeb yn diogelu hawl y wladychfa

i ymuno â'r Undeb Gweriniaethol, pe dymunai, 'ond, wrth gwrs, y mae hynny yn gadael rhyddid i beidio, hefyd', esboniodd, heb arlliw o wên ar ei wyneb.

'Mae'r Pwyllgor yn Llynlleifiad yn teimlo mai un o'r gorchwylion anhawsaf o gwbl yw gofalu am drosglwyddiad priodol y sefydlwyr i'r Sefydliad. Y mae anfon cannoedd o bobl gyffredin i wlad annhrigiannol heb nemawr gyfleusterau, ac edrych na bônt yn cael cam ar y daith nac wedi eu glaniad, a gwneud hynny am bris fo o fewn cyrraedd gweithiwr diwyd, yn beth sydd yn gofyn y craffder, yr arafwch, a'r doethineb mwyaf. Ac nid yw Pwyllgor Llynlleifiad heb deimlo hynny; oblegid y maent ers misoedd lawer wedi bod yn ymchwilio a chynllunio, er dod o hyd i'r cynllun mwyaf manteisiol', ychwanegodd, megis yn codi tarian rhag ymosodiad Michael D. Jones ar yr hyn yr honnai hwnnw oedd eu diffyg pwyll.

Nid oedd Cadfan yn fodlon dangos rhwyg cyhoeddus. Aeth yn ei flaen i ganmol Michael D. Jones ac egluro'i absenoldeb o'r trafodaethau cychwynnol gyda Phibbs. Nododd fod y Prifathro wedi bod yn brysur yn ceisio sefydlu cwmni *joint stock*, ac iddo ennill cefnogaeth rhan-ddalwyr ond bod cyfreithwyr wedi 'oedi ac oedi nes oedd cyfeillion eraill wedi anesmwytho, a'r Parchedig M. D. Jones yn cael ei orfodi i fod yn ddistaw, a dioddef y gost. Gwasanaethed hynyna fel eglurhad . . .' am ddistawrwydd gŵr fu hyd hynny 'mor flaenllaw ac egnïol gyda'r achos', a phwysleisiodd fod Michael D. Jones yn gefnogol i'r 'pwyllgorau presennol'. Roedd rheswm teilwng dros frysio hefyd, gan fod cynifer o ddarpar ymfudwyr dan yr argraff fod y fintai gyntaf i gychwyn y flwyddyn honno, ac eisoes wedi rhybuddio'r tirfeddianwyr eu bod yn gadael eu tyddynnod ac wedi gwario ar flaendal a pharatoadau'r daith. Mewn ysbryd cadarnhaol, penderfynwyd cyhoeddi *Llawlyfr y Wladychfa Gymreig*, a olygwyd gan Cadfan, i ddenu cefnogaeth ac i adrodd am y trafodaethau a gafwyd hyd at hynny gyda Llywodraeth Buenos Aires. (CG)

Colli amynedd

Siomwyd y pwyllgor cenedlaethol pan ddeallwyd y byddai angen dod o hyd i'r swm anhygoel o £12,560 i brynu llong. Byddai angen 360 o deithwyr yn talu £35 yr un. Prin y medrai neb yn ei gynulleidfaoedd ef, dadleuai Edwin, dalu hanner y pris hwn. A fyddai nawr yn gorfod dioddef yr hunllef o ail-fyw ei brofiadau Americanaidd? Go brin y gwireddid y cynllun ac anawsterau newydd yn ymddangos ar bob llaw, ac yntau'n

' . . . i ddysgu milwra . . .'

methu ymateb iddynt ond drwy siarad a phwyllgora ar yr un patrwm ag ymgyrch y Taleithiau. Gwelai ei hun yn bradychu ymddiriedaeth y tlodion oedd wedi cefnogi ei ymgyrch ledled Cymru – yn enwedig ym Morgannwg a Cheredigion.

Nid oedd ganddo fwy i'w gyfrannu i'r trafod diderfyn. Gwell na dioddef syrffed y pwyllgorau fyddai cyflawni gweithred ymarferol dros y wladychfa, a chyhoeddodd ei fwriad i ymuno â'r 'gwirfoddolwyr' (a ddewisodd yn hytrach na'r *militia*, oherwydd mai'r *volunteers* fyddai'r rhai olaf i gael eu hanfon i ymladd dramor.) 'i ddysgu milwra erbyn y byddai angen ar y Wladychfa'. (ECR) Derbyniodd wahoddiad taer Robert James i ddod i weithio ato i lofa Ince Hall, a chafodd groeso cynnes ar ei aelwyd yn Wigan. Felly, am y tro, i ffwrdd ag ef i Sir Gaerhirfryn i geisio hyfforddiant gyda'r *Lancashire Rifle Volunteers*. Nid oedd y datblygiad hwn wrth fodd y sawl a gredai nad oedd y fath ddarpariaethau'n angenrheidiol wrth drafod ymgyrch Gymreig eithr, flynyddoedd yn ddiwedd-arach, cafodd y Wladfa gyfle i ddiolch droeon fod Edwin wedi rhag-weld yr angen am feistroli arfau.

Gwyddai'r pwyllgor fod sail i'w feirniadaeth, ac astudiwyd dulliau o ddileu'r rhwystr. Cytunwyd â'r angen am gynllun arbennig ar gyfer cludo'r fintai gyntaf yn unig, i gydnabod ei gwerth arloesol a'i gallu i ddenu cyhoeddusrwydd llesol, a phenderfynwyd llogi llong – ateb fyddai wrth fodd calon Edwin. Amcangyfrifwyd y byddai'r gost yn £14 y pen, a gorbris o £2 y pen i wynebu costau'r cyfnod agoriadol di-incwm yn y wladychfa.

Rhoddwyd hwb i obeithion y pwyllgor a hysbyswyd y Conswl Phibbs eu bod yn anfon dirprwyaeth i Buenos Aires i drafod â llywodraeth Gweriniaeth Ariannin.

Cytunwyd mai Lewis Jones, oedd yn prysur ddatblygu'n arweinydd penderfynol, a'r capten deg ar hugain oed T. Love David Jones-Parry, Barwn Madryn – teithiwr profiadol a 'dyn y byd', chwedl ei gydymaith – fyddai'r prwyadon. Ar wahân i'w gymwysterau diplomyddol, a ystyrid yn hanfodol ar gyfer y dasg, roedd gan yr ail reswm cryf arall dros hawlio'i le ar y daith; cyfranasai £750 tuag at gostau'r fenter. Michael D. Jones aeth i'w boced i dalu'r £300 oedd yn weddill.

Mae'r hyn ddilynodd yn destun syndod ac yn ddirgelwch nad yw fyth wedi'i ddatrys. Gadawodd Lewis am Buenos Aires ganol Tachwedd, ond ni fyddai Madryn yn ei ddilyn am fis arall. Pam,

tybed, eu bod yn teithio ar wahân ar fusnes mor bwysig?[5] Gwyddai Edwin nad oedd ei gyfaill yn rhy hoff o'r barwn, ond prin fod hynny'n ddigon o reswm. Efallai mai'r ateb symlaf yw'r mwyaf credadwy. Gwyddai'r pwyllgor ymlaen llaw na fedrai Madryn gyrraedd Buenos Aires tan droad y flwyddyn. Ar y llaw arall, meddai Edwin, oni fyddai cynrychiolydd yn hwylio gyda'r llong oedd yn gadael ar 9 Tachwedd, ni allai'r Conswl addo 'ddal cynyg y Llywodraeth yn agored ddim yn hwy'. Dichon mai'r bwriad oedd anfon Lewis Jones i Buenos Aires i gadw'r drws yn agored hyd nes y cyrhaeddai'r barwn.

Llifai'r Cymry allan o'u gwlad wrth y degau i chwilio am fywyd gwell bob wythnos, a'r mwyafrif ohonynt yn ymateb i'r hysbysebion niferus a gyhoeddid yn y papurau, megis y canlynol, a oedd ymhlith nifer o rai tebyg a ymddangosodd yn *Y Faner* yn y 1860au:

[5] Esboniai Edwin fod Llywodraeth y Weriniaeth wedi gosod 9 Rhagfyr fel y dyddiad olaf i gychwyn y trafodaethau ac na fedrai Madryn gyrraedd Buenos Aires hyd droad y flwyddyn, eithr nid oedd Lewis Jones ei hun wedi glanio erbyn y dyddiad gosodedig hwnnw.

Yn alltud eto

Yn ei alltudiaeth yn Wigan, suddodd calon Edwin wrth iddo ddarllen yr hysbysebion, a theimlai'n hynod rwystredig o feddwl am y miloedd o Gymry oedd yn gadael eu gwlad yn annibynnol ar ei gilydd, yn ddi-drefn, ac yn sicr o gael eu colli i iaith, arferion a chrefydd Cymru am byth. Am ba hyd, gofynnodd i Robert James, y byddid yn dioddef y fath waedu? Nid amser i'w wastraffu yn siarad oedd hwn.

Lleddfai ei rwystredigaeth drwy ysgrifennu erthyglau a llythyrau ar y testun gwladfaol i'r wasg, a chyfansoddi geiriau a allai fod yn addas, dybiai ef, ar gyfer anthem genedlaethol y Gymru Newydd. Hyd y gwyddai, doedd neb arall wedi meddwl am y fath angen.

Fel y digwydd yn aml, dilynwyd diflaniad yr aflonyddwr gan deimlad o wacter ymhlith y rhai a adawyd ar ôl. Er nad oedd y cyfarfodydd wedi rhedeg yn esmwyth pan oedd ef yn eu plith, nid oedd y fenter yn gyflawn mwyach heb ei egni a'i safiad. Ymhen ychydig fisoedd, teimlai rhai o'r aelodau mai camgymeriad oedd colli cyfraniad gŵr o'i gymwysterau, a chytunwyd i ofyn iddo ailymuno â'u rhengoedd. Gwahoddwyd ef i fynychu cyfarfod oedd i'w gynnal yn Lerpwl i drafod adroddiadau Lewis Jones a Parry Madryn ar eu trafodaethau yn Ariannin. Cyraeddasai'r ddau yn ôl o'u taith anturus ar 5 Mai 1863, ac roeddynt yn barod i adrodd yn ôl i'r pwyllgor. Edrychai Edwin ymlaen yn eiddgar at gael cyfarfod Lewis eto a chael hanes ei anturiaeth, a gweddïai na châi ei siomi.

Rawson yn agor y drws

Nid oedd ansefydlogrwydd gwleid-yddol Ariannin yn destun gofid i Lewis Jones wrth iddo wynebu ei dasg ddiplomyddol gyntaf. Cawsai ei rybuddio cyn gadael Cymru i bwyllo ac i beidio ag

arwyddo unrhyw gytundeb hyd nes y dôi Jones-Parry i'w gefnogi. Er gwaethaf ei brinder blynyddoedd, teimlai'n hyderus yn ei allu i gyrraedd y nod yn llwyddiannus. Ei obaith mawr oedd y byddai'r cynyrfiadau fu'n gymaint o rwystr rhag undod cenedlaethol y weriniaeth ifanc yn cadw meddyliau ac egnïon ei llywodraeth wir genedlaethol gyntaf yn rhy brysur i ganfod gwendidau yn y ddeiseb a gyflwynodd Duguid iddynt ar ran Pwyllgor y Gymdeithas Wladychfaol fisoedd ynghynt. Ni fyddai'n methu oherwydd diffyg ymbilio ac ymresymu.

A hithau'n brynhawn Llun, 15 Rhagfyr 1862, roedd pethau wedi dechrau'n addawol iawn. Nid oedd wedi bod yn Buenos Aires ond er dydd Sadwrn ac wele, yn dilyn ei ymweliad plygeiniol y bore hwnnw â swyddfeydd y llywodraeth yng nghwmni Thomas Duguid, ddarn papur yn ei law yn cadarnhau trefniant iddo gyfarfod yn ddiymdroi â'r Gweinidog Cartref, Guillermo Rawson. Ni fyddai Parry Madryn, gyda'i holl brofiad a dylanwad, wedi llwyddo i symud ynghynt. Beth feddyliai'r Pwyllgor Cenedlaethol o hynny, tybed?

Ychydig a wyddai'r gŵr ifanc am diriogaethau Ariannin a'i phobl – ddim mwy na'r hyn yr oedd wedi'i glywed o enau ei gyfaill Cadfan. Rhoesai hwnnw fraslun iddo o gefndir hanesyddol y wlad, a gair neu ddau am ei therfysgoedd a'i rhaniadau diweddaraf, a'r ymgiprys cyson am bŵer rhwng Buenos Aires a'r tair talaith ar ddeg arall a ffurfiai'r Conffederasiwn Archentaidd. Eithr byddai angen cof aruthrol ar un nad oedd yn hanesydd i gofnodi'r holl gymhlethdodau hanesyddol a gwleidyddol a adroddodd Hughes Cadfan wrtho yn ei sgyrsiau brysiog ar y pwnc[6].

---

[6]Am fwy o fanylion am y cefndir hanesyddol, gweler Atodiad 1

Bargeinio ac archwilio

Ni chychwynnodd y trafodaethau yn arbennig o esmwyth, er gwaethaf parodrwydd Dr Guillermo Rawson i gyfarfod â Lewis Jones yn fuan. Llusgodd tair wythnos heibio ynghanol haf llaith Buenos Aires, heb unrhyw gytundeb rhwng y ddwy ochr oherwydd amharodrwydd y llywodraeth i gyd-ymffurfio â dymuniadau'r Cymry, a diffyg profiad diplomyddol yr unig un o'r ddau ddirprwy oedd yn y wlad ar y pryd. Nid oedd Lewis Jones ond pump ar hugain oed ac, fel sawl un arall mwy profiadol a fentrodd i safn y llew arbennig hwnnw, ni ddaeth oddi yno yn ddianaf. Dylid cofio ei fod yn delio â gŵr dysgedig[7] o allu anghyffredin.

Amlygwyd yn weddol fuan nad oedd y cwmni'n debyg o ennill hanner y breintiau a geisid. Dywedodd y Gweinidog Cartref yn gwbl eglur na fyddai Ariannin yn ildio gronyn o sofraniaeth dros unrhyw ddarn o anialwch mawr Patagonia. Ni wyddai Lewis Jones mai cyfyngedig fu ymdrechion y Weriniaeth – er gwaethaf cyrchoedd gwaedlyd parhaus – i ryddhau'r taleithiau o afael llwythau brodorol y Salineros, y Ranqueles a'r Puelches, ac i weithredu awdurdod o fath yn y byd dros Mapuches balch Gwlad yr Afalau yn y gorllewin, a thros deyrnedd crwydrol eangderau'r deheudir – y Pampas a'r Tehuelches. Rhwystrwyd pob ymgais ar ran tirfeddianwyr i wladychu am filltiroedd lawer i'r gogledd o afon Colorado, a pheryglwyd diogelwch y brifddinas. Eithr ymfalchïai'r llywodraeth yn ei gallu i amddiffyn treflan Nuestra Señora Del Carmen de Patagones ar lan ogleddol afon Ddu. Yr afon hon a ffurfiai ffin ddeheuol Talaith Buenos Aires a'r wladwriaeth. Gwelai Mitre a'i lywodraeth gynllun y Cymry yn gyfle da i osod troedle i'r weriniaeth y tu ôl i ragfur y brodorion, ac yn gyfrwng i brofi ei sofraniaeth dros ranbarth eang a strategol bwysig a ystyrient yn rhan annatod o'r eiddo a etifeddid o Goron Sbaen.

Ni chyrhaeddodd y Capten T. Love David Jones-Parry – yr unig un o'r ddau gynrychiolydd a wyddai'r ffordd ar hyd labrinth coridorau pŵer – Buenos Aires tan 14 Ionawr 1863. Wedi glanio, efallai iddo ymollwng i demtasiynau'r ddinas a neilltuo gormod o'i amser i ymarfer ei ddoniau amlwg wrth y byrddau gamblo a'r neuaddau dawns. Sut bynnag y bu, gorfu iddo gydnabod bod y trefniadau wedi'u cwblhau gan Lewis Jones, 'fel y gorffenasom delerau'r cytundeb mewn ymgynghorfa gyda'r Gweinidog Cartref'. Canfu fod Lewis – yn ei hiraeth am ei wraig ac am Llywelyn, y mab bychan bregus ei iechyd na châi ef ei weld byth eto, yn ei frys i ddychwelyd atynt, ac yn ei ysfa i sicrhau cytundeb buan am y tir cyn gadael y wlad – wedi derbyn amodau'r llywodraeth. Ymddengys mai unig gyfraniad Parry Madryn fu ychwanegu ei lofnod ar waelod y ddogfen. Er nad oedd gan Weriniaeth Ariannin y grym i orfodi unrhyw benderfyniad ynglŷn â thiroedd Patagonia, derbyniwyd pob un o'i hamodau. O ganlyniad, dyna chwalu'r freuddwyd wladfaol yn deilchion. Nid yn unig ni fyddai'r wladychfa arfaethedig yn wlad annibynnol, ond ni châi ei chydnabod, ychwaith, yn dalaith hunan-lywodraethol. Eithr fe gâi ei rheoli fel trefedigaethau eraill oedd y tu allan i'r pedair talaith ar ddeg. Rhoddid iddi statws talaith cyn gynted ag y byddai nifer yr ymfudwyr yn cyrraedd ugain mil. A châi'r Cymry'r hawl i ddewis eu llywydd eu hunain.

Hon oedd y gyntaf mewn cyfres o weithredodd swyddogol fyddai'n rhoi hawliau cyfreithiol, moesol ac ymarferol

---

[7] Yr unig un o feibion Talaith San Juan i dderbyn 'addysg deilwng o genedl ddiwylliedig'. (DFS)

> ### Dr Guillermo Rawson yn egluro'i safbwynt:
>
> 'Nis gallwn gymeradwyo gweled nifer o bobl yn ymuno gyda'i gilydd i ffurfio cenedl newydd o fewn y tiriogaethau Archentaidd, ac yn ymneilltuo oddi wrth y corff cyffredinol gyda'r diben o aros yn neilltuedig felly yn barhaus, yr hyn mewn amser a allai achosi cynnen ac ymrafael. Gwelwn yr anghyfleustra hwn os ystyriwn mai mantais ymfudiaeth i wlad newydd yw cenhedlu ysbryd cenedlaethol yn yr ymfudwyr, y rhai gyda'u hiliogaeth a ddaw, mewn amser, yn ddeiliaid Archentaidd. Byddai gwladychfaoedd o genhedloedd gwahanol yn rhwystr anorfod i ymdoddiad ac unoliaeth arferion, teimladau, ac egwyddorion, yr hyn yw y moddion effeithiolaf at gadarnhad cenedlaethol, drwy roddi iddynt un argraff gyffredin.' (CG)

dros Batagonia i lywodraeth gwlad oedd yn dal yn ei babandod ac yn ymdrechu, gydag adnoddau prin iawn, i sefydlu ei hygrededd ymhlith gwledydd y byd. Credai Lewis Jones ei fod wedi gwneud digon i agor cil y drws ac yr enillid mwy o hawliau wrth i'r wladychfa dyfu. Dywedai'r profiad a enillasai yn ystod ei drafodaethau cyntaf yn y brifddinas mai cam wrth gam a thrwy gydweithredu a chyfaddawdu â'r llywodraeth hon yr oedd canfod y ffordd ymlaen. Roedd yn ffyddiog fod i'w weithredoedd gefnogaeth Michael D. Jones a'r pwyllgor cyfan – ac eithrio ei gyfaill Edwin Roberts, efallai.

Dilynwyd y trafodaethau gan weithred hynod ddewr ar ran y ddau ddirprwy, a phenderfyniad mentrus gan bwyllgor cenedlaethol Michael D. Jones.

Ar 18 Ionawr hwyliodd Lewis Jones a Parry Madryn o Buenos Aires tua Patagones – a gyfrifai ymysg ei phoblogaeth nifer o Ewropeaid, cyn-filwyr a masnachwyr Seisnig yn eu plith – a chyrraedd yno ymhen naw diwrnod. Croesawyd hwy gan y pennaeth milwrol lleol, y Teniente Coronel Julián Murga, a gyfarwyddwyd gan Rawson i ddarparu ceffylau, gosgordd, arweinwyr a lluniaeth i'r dirprwyon ac i hyrwyddo'u menter. (LJ)

Cyfarfuasent hefyd â Jorge ac Enrique Harris, meibion James Harris – '*an*

Englishman', ebe Charles Darwin (a gawsai ei gwmni i farchogaeth o Patagones i Bahía Blanca yn 1833). Efallai na wyddai'r gwyddonydd mai brodor o Ben-y-bont ar Ogwr oedd ei gymwynaswr, a ymsefydlasai yn y dref fechan lle'r oedd ei feibion yn rhedeg busnes llewyrchus yn y diwydiant halen, a lle daethai'r tri yn gyfarwydd iawn ag arfordir Patagonia.

Gan orchfygu – neu anwybyddu – pob math o anawsterau a pheryglon, aed ymlaen â'r trefniadau i archwilio bro'r Chupat. Eu bwriad oedd marchogaeth dri chan milltir tua'r de i lannau'r Golfo Nuevo a'r tiroedd o amgylch aber afon Chupat, eithr perswadiodd Murga hwy nad oedd modd croesi'r paith anial a di-ddŵr ynghanol yr haf. Ni wyddai'r archwilwyr fod gan y Teniente Coronel gymhelliad dirgel dros arafu eu cwest a'i fod am ddargyfeirio pob ymgais at ymfudo i'r de o Buenos Aires tuag at lannau afonydd Negro a Limay.[8]

---

[8]Ymdrechodd Murga i berswadio'r prwyadon i ymsefydlu ar lannau afon Ddu ac i ystyried Gwlad yr Afalau, wrth odre'r Andes. Eithr celai fod y diriogaeth honno yng ngafael tyn yr arweinydd brodorol Sayhueque (yr olaf i ildio, maes o law, i rym milwrol Ariannin). Roedd gwrthwynebiad diweddarach Rawson i gynlluniau Murga, ynghyd â'i gynlluniau gwleidyddol i adennill y Falklands, yn cadarnhau nad oes amheuaeth ynglŷn â'i gefnogaeth i'r dewis o safle a archwiliwyd gan Lewis Jones a Madryn ar lannau afon Camwy.

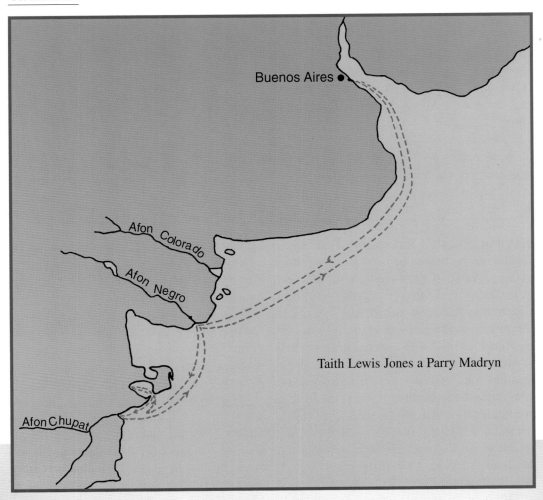

Buenos Aires

Afon Colorado

Afon Negro

Afon Chupat

Taith Lewis Jones a Parry Madryn

'Yr oedd y gweryd yn atgoffa i mi am
diroedd y gwin ar lannau'r Douro . . .'

Daeth Jorge Harris i'r adwy. Llogodd sgwner fechan iddynt, ac yn honno yr hwyliasant dan gapteiniaeth Benjamin Summers ar ddiwrnod olaf Ionawr. Gwelodd Murga na fedrai atal y Cymry ac, er nad oedd yn fodlon cyflogi criw profiadol i drin y llong, rhyddhaodd nifer o garcharorion lleol i lenwi'r bwlch. Chwythodd awel gref hwy tuag wyth milltir i'r gogledd o'r Chupat mewn pedwar diwrnod ond gorfu iddynt droi'n ôl tua'r Golfo Nuevo. (LJ)

Disgrifiwyd yr olygfa gan Parry Madryn: 'Cainc ysblennydd o tua 50 milltir ar ei draws, a dim ond 7 m. yn ei fala . . . Yr oedd y gweryd yn atgoffa i mi am diroedd y gwin ar lannau'r Douro, yn Portwgal. Dim coed, ac ni welsom ni ddŵr croew, er fod Fitzroy yn dywedyd fod yno lynnoedd. Gwelsom eryr, a diadell o ddefaid gwylltion, ac estrysod, ond nis gallem ddod o fewn cyrraedd ergyd iddynt. Anifeiliaid prydferth yw y defaid hyn, o rywogaeth y lama, ac o ran lliw a llun yn debyg i geirw, ond heb gyrn, a'u gwisg yn wlanog. O'u gwlân y mae'r Indiaid yn gwneud mantelli buddiol, ac anrhegwyd fi ag un ohonynt gan Col. Murga. Y mae angorfa dda ymhobman ar y caincfor godidog hwn, a chysgod rhag pob gwynt.'

Hwyliodd y ddau i fyny i'r Chupat ar 10 Chwefror. Wrth sylwi ei bod yn afon droellog, bedyddiodd Lewis Jones hi â'r enw Cymraeg Camwy, heb wybod ar y pryd mai dyna un ystyr a roddid i'r enw Indiaidd hefyd (eithr 'llachar' yw'r dehongliad cywir, meddir). O'u blaenau, ymestynnai anialdir llychlyd a diderfyn Patagonia, llwm ei dyfiant a phrin ei law yn yr haf crasboeth, ond tyfai gwair uchel a choedydd byrion ar lawr y dyffryn, yn arbennig ar lannau'r afon.

Wedi archwilio'r tir am wythnos gyfan, dychwelodd y ddau i Buenos Aires a hysbysu Rawson bod aber y Chupat yn fan cymwys gogyfer â chartrefu'r wladychfa Gymreig. Eithr erbyn hynny, ni theimlai'r Gweinidog Cartref mor hyderus yn ei allu i berswadio'i lywodraeth i dderbyn y cytundeb, a gadawodd y cynrychiolwyr y wlad heb dderbyn unrhyw sicrwydd y byddai'r Gyngres yn ei gadarnhau.

Gwrthwynebiad seneddol

Cynyddai gwrthwynebiad ffyrnig nifer o seneddwyr i gynlluniau Mitre i awdurdodi sefydlu gwladychfa 'Seisnig' ar lannau'r Chupat (roedd Prydain a Lloegr yn gyfystyr iddynt bryd hynny fel y mae i lawer heddiw, ac ni wyddent am y gwahaniaeth rhwng Cymro a Sais). Yn ironig, o gofio cymhellion cenedlaethol sylfaenwyr y mudiad gwladychfaol, ofnent nad oedd hyn yn ddim mwy na cham arall ar y llwybr fyddai'n arwain at ildio Patagonia i Loegr, fel y collwyd y Malvinas iddynt tua deng mlynedd ar hugain ynghynt (1833). Nid anghofiasant, ychwaith, ymosodiadau llynges Lloegr ar Buenos Aires yn negawd cyntaf y ganrif (1806 a 1807) a gwyddent am ddylanwad hollbresennol y Swyddfa Dramor Brydeinig ar fasnach a gwleidyddiaeth eu gwlad[9]. Yn eu golwg hwy, rhan o'r un cynllwyn mawr parhaus oedd y fenter wladychfaol orffwyll hon, ac ymosodai'r papurau cenedlaethol yr un mor ffyrnig ar y syniad. Ni fedrai Lewis Jones guddio'i bryder yn wyneb y fath ragolygon. Eithr pwysleisiai'r brodyr Harris yn Patagones a Duguid yntau yn y brifddinas nad oedd angen gofidio: roedd y Gweinidog Cartref yn gydweithiwr agos â'r Arlywydd ac onid oedd y ddau wedi pledio'u cefnogaeth yn gytûn i fenter wladychfaol y Cymry?

Cynnig bargen

Nid oedd Guillermo Rawson yn llusgo'i draed. Dangosai mapiau De America ffiniau

---

[9]Am fwy o fanylion am y cefndir hanesyddol, gweler Atodiad 1.

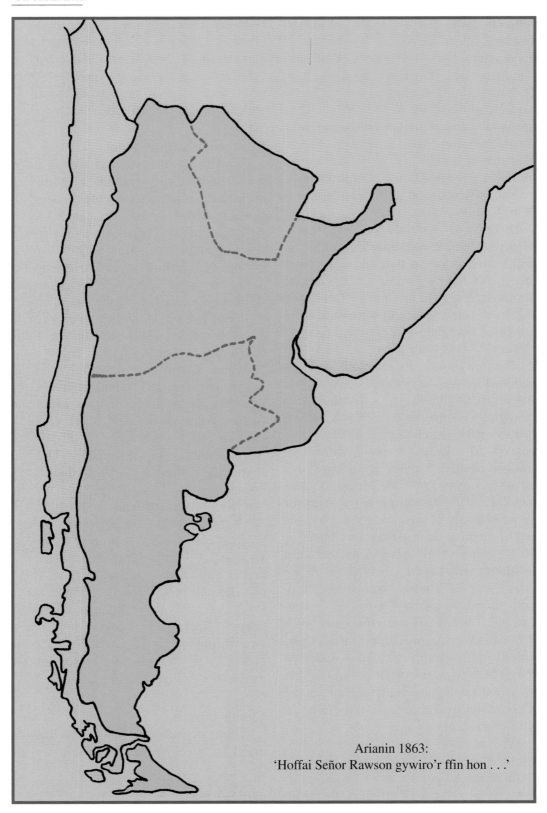

Arianin 1863:
'Hoffai Señor Rawson gywiro'r ffin hon . . .'

Talaith Buenos Aires yn ymestyn hyd at dreflan Patagones ar lannau gogleddol y Río Negro. 'Hoffai Señor Rawson gywiro'r ffin hon, a bod yn abl i ddangos gwladychfaoedd llwyddiannus yn blodeuo o dan nawdd Ariannin, fel prawf fod y wlad [Patagonia] yn perthyn i'r Weriniaeth . . .' ebe'r Llysgennad Prydeinig, Francis Clare Ford, mewn llythyr at Iarll Clarendon yn y Swyddfa Dramor.

Nid oes amheuaeth bod cymhelliad cryfach yn sbarduno Mitre a Rawson. Yn ychwanegol at y nod o gydio Patagonia wrth y Weriniaeth, coleddid gobaith o gyflawni camp fu'n uchelgais i lywodraethau Ariannin hyd heddiw – adennill y Malvinas.

Ysgrifennodd Edward Thornton, Ysgrifennydd y Llysgenhadaeth yn Buenos Aires, at Iarll Russell yn nodi mai sail gwrthwynebiad aelodau'r Gyngres i'r cytundeb a arwyddid gan Lewis Jones, Parry Madryn a Guillermo Rawson oedd agosrwydd Patagonia at yr ynysoedd. Pe gwelai Prydain ei ffordd yn glir i'w dychwelyd, medrai'r Gweinidog Cartref warantu pleidlais gadarnhaol yr aelodau seneddol dros y wladychfa. Roedd hynny'n amlygu penderfyniad y llywodraeth i chwarae rhan weithredol, waeth beth fyddai'i safiad cyhoeddus, i hybu'r wladychfa arfaethedig ar lannau'r Chupat – a gorchmynnwyd Phibbs i warchod llwyddiant yr ymgyrch yng Nghymru.

Adrodd yn ôl

Cyflwynodd y cynrychiolwyr eu hadroddiadau yn fuan wedi glanio ar 5 Mai 1863. Llongyfarchwyd y ddau ar eu gwaith, ond nodwyd siom y pwyllgor o ddeall eu bod wedi dychwelyd yn wybodus ond yn waglaw. Teimlai Edwin yn arbennig o benisel. Er mor addawol oedd yr adroddiad ar y Chupat, doedd dim cynnydd yn y sefyllfa wleidyddol-

ddiplomyddol ac ni fedrai annerch cynulleidfaoedd heb wybod nad twyll oedd addo gwladychfa iddynt. Oedi yn Wigan i ymestyn ei hyfforddiant milwrol fyddai orau iddo, a dychwelyd pan wireddid yr holl addewidion.

Cytunodd y pwyllgor fod angen cylchredeg yr adroddiadau – ynghyd ag ychydig o gefndir gwaith y pwyllgor a chopi o'r cytundeb drafft – yn eang ledled Cymru ac yn enwedig i bob un o'r cymdeithasau gwladychfaol, a chomisiynwyd Cadfan i baratoi *Llawlyfr y Wladychfa Gymreig*. Ychwanegwyd cyfeiriad at bresenoldeb morfilod a morloi oedd i'w canfod wrth y cannoedd ar arfordir Patagonia, a bod y rheiny'n cael eu hela'n 'enillfawr' gan longau Americanaidd a ddôi i Ynysoedd y Falklands i fasnachu. Byddai gorsaf agosach ar y Chupat yn sicr o apelio'n fwy atynt na'r daith hir i lawr i'r deheudir oer, er budd economaidd mawr i'r ymfudwyr. Cynghorodd y pwyllgor y darpar wladychwyr i ofalu bod ganddynt gyllid digonol i dalu am eu cludiant i'r wlad newydd ac i oroesi yno am flwyddyn hyd nes y ceid y cynhaeaf cyntaf. Yn wahanol i honiadau diweddarach am ddiffyg cyngor ac arweiniad, rhoddodd y pwyllgor rybudd pendant: dylai pob ymfudwr wybod cyn cychwyn beth fyddai ei waith wedi iddo lanio a dylai baratoi yn ofalus yn unol â'i fwriad – tra oedd yn gyfleus iddo wneud hynny. Rhybuddiodd Cadfan Gwynedd: 'Ffoledd fyddai myned heb amcan yn y byd, a disgwyl i rywbeth droi i fyny. Os amaethwr, cofier am ei raw, pladur cryman, ei gêr (a'i beiriannau, os mynn), ei hadau, etc . . . Os crefftwr, cofier am ei arfau priodol . . . Boed i bawb feddwl a myfyrio drosto'i hun, ac fe ofala'r Pwyllgor am y lluaws.' Methiant y pwyllgor yn ddiweddarach fyddai anghofio'i gyngor ei hun.

35

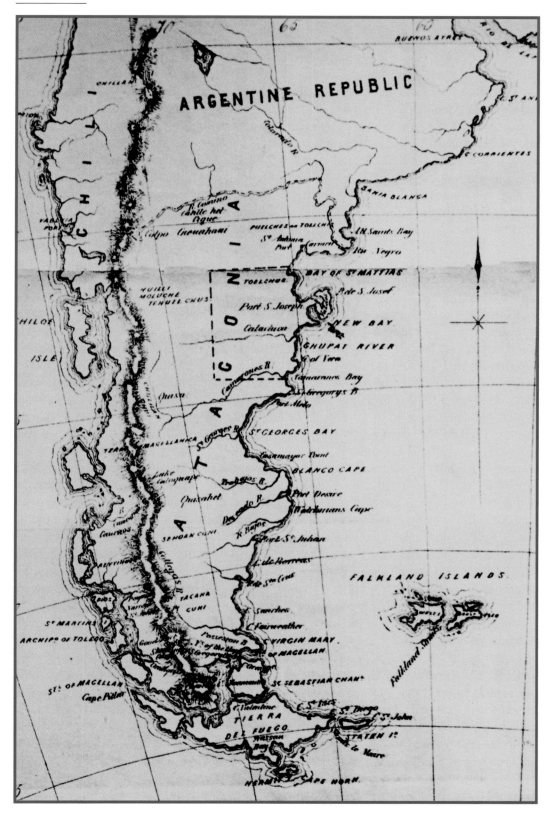

LLAWLYFR

Y

WLADYCHFA GYMREIG

YN CYNWYS SYLWADAU AR YR

ANGENRHEIDRWYDD A'R POSIBLRWYDD
O'I SEFYDLU,

HANES PATAGONIA, YN EGLURO EI HA-
DDASRWYDD I'R SEFYDLIAD,

Y DRAFODAETH A BUENOS AYRES AM
DROSGLWYDDIAD Y TIR,

BRAS-GYNLLUN O DREFN YR YMFUDIAD,

YN NGAYDA
DARLUNLEN O PATAGONIA.

GAN HUGH HUGHES,
YSGRIFENYDD CYFFREDINOL.

LLYNLLEIFIAD:
ARGRAFFWYD GAN L. JONES & CO., 44, HANOVER STREET
1862

Adroddiadau Lewis Jones a Parry Madryn

Honnwyd droeon fod yr adroddiadau a gyflwynodd y ddau i sylw'r pwyllgor yn annibynnol ar ei gilydd wedi bod yn sail gamarweiniol i'r ymgyrch o hynny ymlaen, eithr go brin na fedrai'r cyfarwydd adnabod yr afon a'r ardal o'i chwmpas o'r disgrifiadau hynod wrthrychol canlynol: 'Gwastadedd mawr yw'r wlad o bobtu'r afon, wedi ei gylchynu gan resi o ucheldir . . . o'r fan hon gwelem yr afon yn ymdroelli ymlaen yn dra chwmpasog, gan wneud parthau o dir gwyrddlas . . . siomwyd ni yn ymddangosiad salw'r coed a dyfai ar y glannau . . . eithr y mae'n rhaid fod amgen coed yn uwch i fyny'r afon mewn cyflawnder . . . ond oddi ar ucheldir ar ba un safem, ni allem drwy ein gwydrau weled dim coed, oddi gerth i'r lwyfen denau ar lannau'r afon.' Eu hunig gamgymeriad oedd cyfeirio at ddiadell o wanacos fel 'defaid gwylltion', ond disgrifiodd Madryn yr anifeiliaid mor fanwl gywir fel nad oes modd eu camgymryd, a byddai darllen gofalus wedi hepgor unrhyw gamddealltwriaeth a beirniadaeth annheg ar y prwyadon. Ym mis Mawrth 1866, byddai John Jones, Aberpennar, wrth ysgrifennu am wair yn tyfu 'yn gyflawn a thew uchder fy mrest. Ni welais well gwair erioed yng Nghymru ei hun', yn cadarnhau geirwiredd Lewis Jones.

Dywedir, yn ogystal, eu bod wedi disgrifio dyffryn afon Ddu wrth adrodd am Gamwy, eithr hawdd profi mai annheg ac anghywir yw'r feirniadaeth honno hefyd. Cwbl annhebyg i aber eang y Río Negro yw disgrifiad morwr profiadol fel Parry Madryn o nodwedd unigryw a berthyn i aber y Chupat: '. . . mae'r arfordir a'r ucheldir (ar y tu deheuol) mor wastad ac isel, fel y mae'n anodd iawn ei chanfod, yn wir o fewn hanner milltir i'r lan ni welir dim o'r afon . . .' Argymhellir yn ddiamwys ar derfyn ei adroddiad na ddylid ystyried dyffryn afon Ddu oherwydd y gallai'r wladychfa, o'i lleoli yno, ddioddef ymosodiadau mynych gan y brodorion.

Gwrthod y cynllun

Unwaith eto, ddechrau Hydref, derbyniwyd newyddion drwg o Buenos Aires. Fel yr oedd Rawson wedi rhag-weld, gwrthododd y Senedd y cytundeb gwladychfaol ar 27 Awst 1863, ac nid oedd y Gweinidog Cartref mewn sefyllfa, mwyach, i awdurdodi'r mewnfudiad.

37

Yn eu cyfwng, collodd aelodau'r pwyllgor lawer o amser oherwydd eu hansicrwydd ynglŷn â'r camau y dylid eu cymryd. Ai dyma ddiwedd y freuddwyd wladychfaol? Galwyd cyfarfod brys o'r pwyllgor cenedlaethol i drafod y mater ar 10 Tachwedd 1863, pryd y cynigiodd Michael D. Jones: '1. Nad ydym yn rhoddi i fyny y syniad o Wladychfa Gymreig; 2. Yn gymaint â bod Cymdeithas y Wladychfa Gymreig wedi mynd i draul fawr i gario y mudiad ymlaen hyd yma, a hynny wedi myned yn ofer oblegid gwaith y Senedd yn gwrthod y cytundeb wnaethid [â Rawson], fod cais i'w wneud at y Weinyddiaeth i ofyn pa beth all hi wneud i gynorthwyo'r Cymry ped ymsefydlent fel ymfudwyr cyffredin ar yr afon Chupat.' (LJ) Eiliwyd hyn gan y Parchedig D. Lloyd Jones.

Ailddechrau

Nid am dalaith nac am wladychfa y gofynnid i'r Weriniaeth nawr, dim ond am dir ar gyfer cartrefu carfan o ymfudwyr Cymreig. Ar ei awgrym ef ei hun, anfonwyd y Conswl Phibbs i Buenos Aires i drafod gyda Rawson, ac er iddo deithio ar fusnes ei lywodraeth ei hun, talodd y pwyllgor tlawd gyfran sylweddol o'i gostau! Ysgrifennodd ar 18 Mehefin 1864 gan nodi'i brysurdeb; ei fod wedi siarad a gohebu droeon â Rawson, a bod y Gweinidog Cartref yn hyderus o gael cytundeb y Gyngres yn ystod Gorffennaf. 'Ni wiw brysio'r wlad hon', meddai Phibbs, gan addo'i bresenoldeb a'i gefnogaeth pan âi'r cais drwy'r Gyngres. Roedd wedi newid rhai cymalau o'r drafft er mwyn hwyluso'i ffordd drwy'r Tŷ ac erfyniai ar y pwyllgor i beidio â thynnu sylw at y mater yn y wasg. Dymunai Rawson gadw'r cynllun allan o sylw'r gwrthwynebwyr, yn wyneb ofnau (nid di-sail) aelodau'r Gyngres parthed amcanion llywodraeth 'Lloegr' (fel y'i galwent).

Crochlefai penawdau'r papurau wrthwynebiad di-baid i wahodd 'Saeson' i gymryd 'traean o'r wlad' drosodd. Yn gam neu'n gymwys, teflid cysgodion amheuaeth dros gynlluniau cudd buddiannau estron gan ddarlunio senario nid anghyfarwydd i'r Archentwyr.

Dychwelodd Phibbs i Lerpwl ym mis Awst. Ni ddatgelodd ei fod yn cario gwŷs y llywodraeth i hybu'r ymudiad (a dichon na wyddai yntau, yn ei dro, am ymdrechion dirgel Rawson i daro bargen hanesyddol â'r Goron Brydeinig parthed y Malvinas) ond pwysleisiodd fod Rawson wedi addo hybu'r achos 'hyd yr eithaf'. Serch hynny, derbyniodd lythyr dyddiedig 26 Hydref 1864 gan y Gweinidog Cartref yn nodi bod tymor y Senedd wedi dod i ben cyn iddo gael cyfle i gyflwyno mater y cytundeb am wladychfa Gymreig Patagonia i'w sylw. 'Barnai'r llywodraeth mai annoeth ar hyn o bryd fyddai eto beryglu llwyddiant y mudiad hwn: oblegid mae yn awyddus hyd eithaf ei gallu i sicrhau llwyddiant y tro hwn ... Ond y mae'r Arlywydd yn fy awdurdodi i gyflwyno i chwi y cynigion canlynol yn y cyfamser ...'

Yn yr hinsawdd honno, barnai'r Gweinidog Cartref mai oedi fyddai ddoethaf. Roedd wedi chwilio'n ddyfal am ddeddf y gellid ei defnyddio i wthio'r maen i'r wal er gwaethaf gwrthwynebiad aelodau'r Gyngres. Nid oedd ei lythyr yn cynnig addewid bendant er ei fod yn amlygu parodrwydd i ddefnyddio deddf 11 Hydref 1862, oedd yn awdurdodi'r llywodraeth i drosglwyddo rhoddion o dir cyhoeddus (a chyflwyno *fait accompli* fyddai'n tanseilio awdurdod senedd ei wlad ei hun) '... yn ôl 25 cuadras [tua 100 erw] i bob teulu sefydlent arno, yn feddiant, yn unrhyw ran o'r diriogaeth. Rhoddai'r llywodraeth dir felly ... i bob teulu hoffent sefydlu ar lannau'r Chupat – yn y rhagolwg y byddai i'r Senedd y flwyddyn nesaf ganiatáu yn helaethach i'r ymfudiaeth Gymreig . . .' (LJ)

Er gwaethaf rhybudd diamwys Rawson, aeth y pwyllgor yn ei flaen â'r trefniadau heb ystyried mai doethach aros hyd nes y gellid clymu llywodraeth Ariannin i gytundeb cadarn a chyfreithiol. Hysbysebwyd mordaith o borthladd Lerpwl i Batagonia a gwahoddwyd darpar ymfudwyr i gofrestru am £12 y pen, gan roi terfyn ar rwystredigaeth Edwin a'i alltudiaeth wirfoddol yn Wigan.

Dychwelyd i'r tresi

Ac yntau heb le i amau cywirdeb yr adroddiadau a glywsai o enau Robert James, ail-ymunodd Edwin â'r ymgyrch, a llonnwyd ei galon pan ddywedwyd wrtho mai ef a ddewiswyd i fod yn gydymaith i Lewis Jones ar yr antur fawr nesaf.

Cyn gwireddu'r dasg fawr oedd o'i flaen, byddai angen mynd allan i'r priffyrdd a'r caeau unwaith eto. Nid oedd hynny'n rhwystr iddo. Ymdaflodd ef ac eraill i annerch cyfarfodydd niferus ledled Cymru i geisio denu darpar ymfudwyr. Aeth Edwin i ysbryd y darn drachefn, a llwyddai ei ddisgrifiadau paradwysaidd o 'wlad yr addewid' i berswadio'i wrandawyr unwaith yn rhagor mai'r wladychfa oedd y man i fyw ynddo. Dichon ei fod yn rhoi'r argraff iddynt ei fod yn dyst o'r rhyfeddodau a ddisgrifiai.

Mewn ymgyrch gyffrous, disgrifiodd ragoriaethau'r wlad fel y'u clywsai gan Lewis a Madryn, a gwyddai fod ei gyfaill ac eraill yn gwneud yr un modd '. . . ac yn portreadu gerbron y cynulliadau, addasrwydd, ehangder, rhagoriaeth a ffrwythlondeb y wlad', adroddai'r hen wladfäwr Thomas Jones yn ei atgofion dros drigain mlynedd yn ddiweddarach, 'nes creu ysbryd ymfudo yn y rhai mwyaf sefydlog a chefnog yng Nghymru, heb sôn am ddosbarth y gweithiwr cyffredin na feddai na thŷ na thwlc.'

Y WLADYCHFA GYMREIG.

100 ERW O DIR LLAFUR,
Ceffylau, Ychain, Defaid, Gwenith, &c., am ddim i Deuluoedd y Fintai Gyntaf.

SEFYDLIR y WLADYCHFA GYMREIG ar lanau yr AFON CHUPAT—afon pur fordwyol yn Neheudir America, lle y mae yr hinsawdd yn ddymunol, hyfryd ac iachus—mor dymherus fel y mae'r anifeiliaid allan drwy y flwyddyn; y tir yn fanteisiol a ffrwthlawn, yn magu anifeiliaid ac yn tyfu gwenith ar ei 40fed; a marchnad pur fanteisiol o fewn mordaith fer i'r lle.

Pris y cludiad yw £12 am rai mewn oed; baner pris am blant. ERNES:—Un bunt dros rai mewn oed, 10s. dros blant, i'w hanfon i'r trysorydd, Mr O. EDWARDS, 22, Williamson-square, LIVERPOOL, cyn y 1af o FAWRTH, 1865.

Rhoddir y flaenoriaeth o ddewis tir yn ol trefn derbyniad yr Ernes.

Am bob manylion ychwanegol anfoner at yr Ysgrifenydd, 28, Dinorben-street, Windsor, Liverpool.

Y Wladychfa Gymreig.

' Awdurdodir fi gan Arlywydd y Weriniaeth Argentaidd, o dan y dyddiad Hydref 10fed. 1864, i hysbysu Cynghor y Wladychfa Gymreig, fod y Llywodraeth yn barod i roddi 25 cuadra (tua 100 erw) o dir, ar lanau yr afon Chupat, yn feddiant rhydd i bob tri ymfudwr o ymsefydlo yno, yn ol gallu a roddir i'r Wrinyddiaeth gan Gyfraith y Tiroedd Cenedlaethol;* ac y caiff yr Ymfudwyr a dderbyniant y cynyg paratoawl hwn, bob cymhorth ac achles fydd yn ngallu y Llywodraeth i'w roddi.

(Arwyddwyd)   S. R. PHIBBS, Trafnoddwr.

Y Drafnoddfa Argentaidd, Liverpool, Tach. 30, 1864.

* Yn ol yr un gyfraith gellir ardrethu neu b·ynu a fyner o dir ychwanegol yn ol, dyweder 1s. yr erw.

100 Erw o Dir yn Feddiant Rhydd.
Ceffylau, Ychain, Defaid, &c., i Amaethu y Tir. Had i'w Roddi yn y Tir.

BYDDED hysbys fod Cynghor y Wladychfa Gymreig, ar ol dyfod i'r deallwriaeth uchod gyda Llywodraeth y Weriniaeth Argentaidd, yn bwriadu i'r fintai gyntaf o ymfudwyr gychwyn oddi yma yn mis Ebrill, 1865, fel ag i gyrhaedd Dyffryn y Chupat mewn pryd i fanteisio ar y tymor hau (Gorphenaf ac Awst.) Anfonir Prwyadur yn mis Ionawr nesaf i Buenos Ayres ac Afon Chupat i baratoi diddosrwydd, anifeiliaid, hadau, &c., yn erbyn glanio yr ymfudwyr, fel y gallont sicrhau cynauaf helaeth yn mhen pedwar mis wedi tirio.

Pris y cludiad yw £12 am rai mewn oed; haner y pris am blant. (Os bydd nifer yr ymfudwyr yn caniatau, gostyngir pris y cludiad i £11.) Ernes—£1 dros rai mewn oed, 10s. dros blant, i'w hanfon i'r Trysorydd, Mr O. Edwards, 22, Williamson square, Liverpool, cyn y 1af o Fawrth, 1865. Rhoddir y flaenoriaeth o ddewis y tir yn ol trefn derbyniad yr ernes.

Am bob manylion pellach, anfoner at yr Ysgrifenydd, 28, Dinorben street, Windsor, Liverpool.

H. HUGHES, Ysgrifenydd.

Crynodeb o Gyfrif y Trysorydd o Fehefin 30ain, 1861, hyd Mehefin 30ain, 1864.

Cyfraniadau o Gymru	...	...		152 12 7
,, o Wledydd Tramor	...	...		8 8 6
,, Cymdeithas Wladychfaol Llynlleifiad	...		165 5 2
Dosbarthwyr y ' Ddraig Goch.'				49 2 1
,, y ' Llawlyfr'		...		20 16 0
Dyledus i'r Trysorydd ac Eclwynwyr	...		...	260 12 10
				654 17 2
Traul Prwyadwyr i Buenos Ayres	...		...	420 0 0
Argrafiu a cludo y ' Llawlyfr'	...		...	25 10 0
Gyhoeddi y ' Ddraig Goch'	...		...	90 1 8
Goruchwylwyr a Chyurychiolwyr	...		...	39 10 4
Argraffwaith a Hysbysiadau	...		...	40 12 2
Ystafelloedd Cyfarfod, Llythyrau, Llyfrau, a Llogau				39 3 0
				654 17 2

Echwyn y Wladychfa Gymreig, 1864—5.

Y mae Cynghor y Wladychfa Gymreig yn barod i dderbyn Echwyn o £1,000, yn ol 7½ y cant o log blynyddol, mewn symiau o £1 ac uchod, ar Sicrhadau (Certificates) y Drefedigaeth, wedi eu seilio ar wystl tirol ac ymrwymiadau yr Ymfudwyr. Anfonir hwy i'r Echwynwyr ar dderbyniad Llythyr Ariandy, neu Archeb Llythyrdy, (yn daladwy ac yn gyfreidig i'r Trysorydd,) am y swm a dalwyd i mewn. Y llog yn daladwy bob blwyddyn ar y 1af o Ionawr.

M. D. JONES.

Dros Gynghor y Wladychfa Gymreig, Bala, Rhag. 1864.

CADEIRYDD Y CYNGHOR.

Hysbysebion Cyngor y Wladychfa Gymreig

'O Edwin, O Edwin ...'

Llwyddodd aelodau'r pwyllgor ambell dro i gamarwain eu cynulleidfaoedd yn gwbl anfwriadol. Cofiai Thomas Jones amdano'i hun yn grwtyn ifanc yn gwrando ar un ohonynt (Edwin, fwy na thebyg, gan mai yng nghapel Ebeneser, Aberdâr y clywsai Thomas Jones yr anerchiad) yn dweud 'fod Dyffryn y Camwy'n ymestyn am tua tri chant o filltiroedd (cywirach fyddai 60 milltir)'. Cyfeirio at hyd yr afon oedd y siaradwr neu, efallai, led y rhanbarth rhwng yr Iwerydd a'r Andes, sef y diriogaeth a geisid. Dichon mai dychymyg Edwin, drwy gof rhyfeddol Thomas Jones, sy'n gyfrifol am y disgrifiad wtopaidd canlynol o'r dyffryn: '... a'r afon yn fordwyol am ddegau o filltiroedd (prin un filltir), a bod coedydd ffrwythlon o afalau, aur afalau, gooseberries, currants, &c, yn dorraeth ar hyd glan yr afon ac, ar adeg aeddfedrwydd, byddai'r ffrwythau'n cwympo i'r afon ac yn cael eu cludo tua'r môr yn llwythi mor fawr nes cyffroi wyneb yr afon. Hefyd, fod yno heidiau o wartheg a'u lloi wrth eu traed yn pori'n dawel neu'n gorwedd dan goedydd cysgodol i gnoi eu cil, fel pe'n aros am rywun i'w godro, heb ymwylltio na chynhyrfu dim pan welent ddynion; ac, yn ychwanegol, bod gyrroedd o filoedd o ddefaid cochion yn y wlad hawdd eu dofi, a'u gwlân yn dra gwerthfawr.' Mae'r dyfyniad hwn yn adlais o un o anerchiadau Edwin – llawer ohoni wedi ei seilio ar yr hyn a glywsai gan Lewis, ond llawer hefyd yn sugno o'i brofiad yn Wisconsin a'i gred mai mater o drawsblannu sefyllfa o un wlad i un arall oedd y dasg i'w chyflawni. Yr oedd yn hollol ffeithiol gywir parthed y 'defaid cochion'; cyfeirio a wnâi at y gwanacos a welsai Parry Madryn.

Roedd addewidion Lewis Jones yn ddiffygiol hefyd, ym marn Thomas Jones a'i gyd-feirniaid. Arweiniwyd hwy i gredu '... bod cytundeb wedi ei wneuthur gyda'r Llywodraeth Archentaidd i bob teulu o dri pherson gael meddiant o gan (100) erw o dir (50 hectareas), a cheffylau ac offer at amaethu, gwartheg, defaid a moch, ynghyda bwydydd ddigonedd hyd nes cael cynhaeaf, a bod marchnad hefyd yn gyfleus i bob cynhyrchion ond croesi rhyw gulfor bychan mewn bywydfad i dref o'r enw 'Del Carmen' (Patagones – drichan milltir i'r Gogledd!). Dywedant y gallai'r gwragedd fyned â chynhyrchion y llaethdy yno nawnddydd Gwener a dychwelyd ddydd Sadwrn gydag angenrheidiau byw i'w teuluoedd. Yr oedd y gwragedd dan ddylanwad flaenau eu traed, ac yn perswadio eu gwŷr i ymuno i ffurfio mintai, ac i hwylio gwerthu'r ychydig gelfi na fyddai rhaid wrthynt (ac y mae dylanwad gwragedd yn fawr iawn). Wedi cael y gwŷr i gydsynio: 'Hwre! awn a meddiannwn y wlad!' ... Yr oedd ... Edwin C. Roberts yn un o'r rhai mwyaf ei ddylanwad yn ei areithiau; yr oedd ei huodledd fel dŵr, a chanodd un bardd iddo fel hyn:-

'O Edwin, O Edwin, amdanat mae sôn,
O waelod Sir Benfro i ben ucha' Sir Fôn;
Dy lais sydd fel trydan, a'th araith fel tân –
Mae trais ac mae gormes yn crynu o'th fla'n.'

A chenid y llinellau hyn ar yr heolydd ar y dôn 'Joanna'.

'Pa le dan dywyniad haul . . .'
(Mawrth-Gorffennaf 1865)

Rhagflaenu'r fintai

Yn sgil yr hysbysebion a'r disgrifiadau, adroddiadau ffafriol Jones-Parry a Lewis Jones, a'r ymgyrchu diflino, casglwyd enwau digon o ddarpar ymfudwyr ac addewidion am arian, i berswadio pwyllgor cenedlaethol y Gymdeithas Wladychfaol yn gynnar ym 1865 eu bod mewn sefyllfa i fwrw ymlaen â'u cynllun. Chwiliwyd am long addas ar gyfer cludo rhwng cant a hanner a deucant o deithwyr ac, wedi rhai siomedigaethau, sicrhawyd gwasanaeth yr *Halton Castle* ar gyfer taith fyddai'n cychwyn o ddociau Lerpwl ar 25 Ebrill. Awgrymodd Guillermo Rawson mai buddiol fyddai cael rhywun yn Buenos Aires i ofalu am drefniadau croesawu'r fintai gyntaf, a chymeradwyodd benodi Thomas Duguid a'i gwmni. Cytunwyd â'r angen, ond tybid mai gwell fyddai anfon dau o aelodau'r pwyllgor i ragflaenu'r fintai a goruchwylio'r paratoadau. Y tro hwn, gofynnwyd i Edwin, yr arloeswr profiadol, ymuno â Lewis Jones ac Ellen ei wraig, a hwyliodd y tri ar yr agerlong *Córdoba* ar 12 Mawrth tua'r de-orllewin, ar draws Môr Iwerydd am Buenos Aires. Ni fu'r daith hon heb ei hunllefau oherwydd bu raid iddynt deithio drwy storm arw, trwsio'r llong, a diffodd tân a gyneuodd yn ystafell y peiriannau.

Daeth y cenhadon ar draws anawsterau annisgwyl yn y brifddinas. Yn gyntaf, nid oedd Thomas Duguid ar gyfyl y lle gan ei fod wedi ei alw ymaith ar faterion busnes. Fe'u siomwyd yr eilwaith pan ymwelodd Lewis â swyddfa'r Gweinidog Rawson yng nghwmni partner Duguid, Sais arall o'r enw J. H. Denby. Roedd Ariannin ynghanol rhyfel gwaedlyd, dinistriol a hynod gostus yn erbyn Paraguay, ac ni fedrai llywodraeth Mitre roi unrhyw gymorth i'r wladychfa arfaethedig. Y cyfan y gallai Rawson ei gynnig y tro hwn oedd ei gydymdeimlad, a dywedodd na ddylent feithrin unrhyw obeithion am gymorth gan y Gyngres. Onid oedd y Gweinidog Cartref eisoes wedi rhybuddio'r pwyllgor nad oedd aelodau'r blaid lywodraethol yn ffafriol i'r fenter?

Teimlai Lewis ei fod wedi cael ei fradychu a bod hyn yn sarhad personol arno ef. Bu'n amlwg ers peth amser i'r rhai oedd agosaf ato fod y nodwedd hon yn hollbresennol yn ei gymeriad, gan wneud iddo ymddangos ar adegau fel pe bai'n teimlo mai ei gynllun ef ei hun oedd y wladychfa, mai ei gyfrifoldeb ef yn unig fyddai ei llwyddiant, ac mai dim ond ef fyddai'n gorfod ateb am bob camgymeriad. Nid peryglu dyfodol y wladychfa yn unig a wnâi Rawson nawr, ond siomi Lewis Jones yn ogystal.

Er ymgynghori'n ddyfal, ni chafodd y ddau gyfaill weledigaeth nac awgrym at bwy nac i ble i droi. A oeddent mewn pryd i atal taith yr *Halton Castle*? Oni lwyddent i wneud hynny, beth a ddeuai o'r fintai yn y Bae Newydd heb drefniadau i'w croesawu? Os na chadwai'r llywodraeth at yr hyn a ystyriai Lewis yn addewid bendant gan Rawson, byddai'n rhaid cyfaddef bod dau anhawster terfynol yn bygwth llwyddiant y fenter:

1. Nid oedd gan y ddau Gymro fodd i gyrraedd pen eu taith.

2. Ni fyddai cyflenwad digonol o luniaeth yn y wladychfa i gynnal ei thrigolion hyd at y cynhaeaf cyntaf.

Ond ymddangosodd angel gwarcheidiol ym mherson J. H. Denby. Fel cefnogwyr pybyr i'r fenter wladychfaol, ni fedrai Thomas Duguid a'i gwmni ganiatáu i'r cynllun mentrus fethu heb gynnig o'u hadnoddau i hyrwyddo'i lwyddiant – ac nid oedd y tu hwnt i'r gallu hwnnw i ddod o hyd i long i gludo'r ddau gennad i Patagones. Sicrhaodd Duguid a'i gwmni danysgrifiadau gan gyfeillion iddo ymhlith masnachwyr Eingl-Archentaidd Buenos Aires i siartio'r sgwner *Juno*. Câi'r wladychfa ei chadw ar les i gynnal cyfathrach fasnachol â busnesau'r brifddinas. Llogwyd ail long – y *Mary Helen*[1] – i gludo coed, i gasglu *guano* i'w allforio, ac i symud yr ymfudwyr at lannau'r Chupat.

Awgrymodd Denby hefyd mai ei gyfeillion Moore and Tudor fyddai'r cwmni gorau i ddarparu stoc o fwydydd i gynnal y fintai. Fel yr addawsai Thomas Duguid yn Lerpwl, ni fyddai brys i dderbyn tâl, ac nid oedd angen arian – byddai tiroedd yn gwneud y tro i'r dim. Dylai Lewis ac Edwin adael popeth yn ei ofal trefnus ef, a chaent gyrraedd pen y daith yn ddiofid. Er eu hanfodlonrwydd â'r sôn cyson am neilltuo tiroedd eu gwladychfa i'r cwmni Eingl-Archentaidd, gwyddent nad oedd llawer o ddewis

---

[1] *Mary Ellen* yn ôl Thomas Jones.

Un o draethau'r Bae Newydd

ganddynt a, heb ymrwymo i unrhyw gytundeb, derbyniwyd y gymwynas.

I wneud ei ran, ysgrifennodd y Gweinidog Cartref at hen gyfeillion i Lewis Jones yn Patagones, sef y brodyr Jorge ac Enrique Harris a'r Teniente Coronel Julián Murga. Anogodd y tri, ynghyd â masnachwr Archentaidd lleol o'r enw Aguirre (brawd i wraig Murga), i gynorthwyo Jones a Roberts i gyrraedd glannau'r Chupat. Addawodd hefyd ddwyn perswâd ar y weinyddiaeth i estyn cymorth hwyr i'r wladychfa – o leiaf digon o fwyd i'w cadw rhag newynu dros y misoedd cyntaf – ond, yn wyneb amgylchiadau truenus y wlad ar y pryd, ni fentrai warantu unrhyw lwyddiant.

Roedd Edwin yn ei elfen ac yn gweld pethau'n dechrau digwydd. Hwyliodd y *Juno* chwe chan milltir i'r de ar hyd yr arfordir, ac wedi taith bythefnos, cyrhaeddwyd tref fechan Patagones ar 24 Mai. Hon fyddai'r ganolfan am rai misoedd i gynnull anifeiliaid, nwyddau a bwyd, i'w hanfon y tri chan milltir i'r Bae Newydd dros dir neu fôr. Croesawyd hwy gan Murga a'r brodyr Harris ac, mewn ufudd-dod i gais Rawson, darparodd y ddau olaf yr holl anghenion ar gredyd. Ar ddiwrnod cyntaf Mehefin, tra oedd y dynion yn llwytho'r *Juno*, aeth Ellen am dro i weld y wlad, ac anafwyd hi'n ddifrifol pan daflwyd hi oddi ar y ceffyl heini a farchogai. Cafodd bob gofal gan feddyg-genhadwr o Sais, y Dr George Humble, a ofalai am braidd bychan eglwys Anglicanaidd y dref.

Yr wythnos ganlynol, nid oedd lle i'r holl anifeiliaid ar y llong, a phenderfynwyd

Y Bae Newydd

y byddai Edwin a thri brodor yn gyrru pum cant o wartheg a rhai cesig dros y tir. Y noson honno breuddwydiodd yntau ei fod yn gorwedd yn gelain ar y paith, a phan wawriodd hysbysodd Lewis Jones nad oedd angen ei gymorth ar y gweision. Cytunodd yr arweinydd i'r newid sydyn yn y cynlluniau heb ddeall sut y gallai Edwin ymollwng i'r fath goelion. Pe cawsai olwg ar y *gauchos* y noson cynt, dichon y buasai wedi deall braw ei gydymaith.

Ar 10 Mehefin ac Ellen heb fod yn ddigon cryf i deithio eto, cychwynnodd mintai fechan tua'r bae – Lewis Jones, Edwin Roberts, saith gwas a gyflogwyd yn y dref, ac arweinydd y rheiny. Cymeriad hynod a adwaenid yn syml wrth ei enw cyntaf Jerry[2], mab i wraig o Calcutta, a'i dad yn Wyddel. Cludid wyth gant o ddefaid, chwe mochyn, trigain iâr, chwe chi, chwe cheffyl gwedd, dau bâr o ychen, trol a thua dau ddwsin o erydr, tri chan sachaid o wenith, ugain sach o datws, chwe mil o droedfeddi o flancedi – a phedair magnel ar gyfer amddiffyn y wladychfa o'r pedwar ban. Hwyliodd y *Juno* i ben eithaf y bae, lle glaniodd y

ddau Gymro ar dir Patagonia ganol dydd 14 Mehefin 1865. Eu gofid pennaf oedd mai dim ond pythefnos oedd ganddynt i baratoi ar gyfer y fintai. Codasant wersyll wrth droed penrhyn yng nghilfach ddeheuol y traeth hir lle saif tref Porth Madryn ein dyddiau ni ac, yn y prynhawn, glaniwyd y defaid a'r ceffylau.

Braenaru'r tir

Syfrdanwyd Edwin gan noethni'r paith eang a'i anaddasrwydd, ar yr olwg gyntaf, ar gyfer cynnal gwladychfa a oedd i fod i ddibynnu'n drwm ar amaethyddiaeth am ei llewyrch a'i pharhad. Ond tawelwyd ei feddwl pan atgoffodd Lewis Jones ef mai dros dro yn unig y cedwid yr ymfudwyr yno, cyn symud ar draws y paith i'r dyffryn ar lannau afon Camwy tua deunaw[3] milltir i'r de – a bod i diroedd y lle hwnnw ansawdd ardderchog. Onid oedd Edwin yn cofio darllen yr adroddiadau?

---

[2]Mwriad, neu Negro, y dywed rhai adroddiadau gwallus seiliedig ar liw tywyll ei groen.

[3]Tri deg a saith milltir sydd o benrhyn deheuol y bae i'r afon, pedwar deg a thair o'r Fali Fawr. (FC)

44

Yn ôl Parry Madryn, hon oedd glanfa orau'r arfordir, a dichon bod cymeradwyaeth J. C. Wickham wedi dylanwadu arno. Cyfrifoldeb y ddau arloeswr oedd goresgyn unrhyw anawsterau a ddeilliai o'r dewis. Byddai angen ymgartrefu wrth y bae orau y gellid, hyd nes yr adeiledid tai yn y dyffryn i lochesu'r teuluoedd. 'Onid oes porthladd arall yn nes at geg yr afon?' gofynnodd Edwin mewn anghrediniaeth, ac esboniodd Lewis pa mor beryglus yw'r man lle mae dyfroedd Camwy yn ymollwng i'r môr.

Gwyddai'r ddau y byddai symud y fintai o'r bae i'r dyffryn yn orchwyl aruthrol, a chyflymai eu calonnau wrth rag-weld yr argyfwng oedd o'u blaen. Roedd brys i baratoi'r gwersyll a chasglu offer a nwyddau erbyn glaniad yr *Halton Castle* ymhen tua phythefnos. Edwin fyddai'n gofalu am y trefniadau lleol, a Lewis yn teithio yn ôl ac ymlaen i Patagones i ddelio â'r masnachwyr a threfnu'r cludo.

Ni fu'r ddau gyfaill yn hir cyn sylweddoli bod gwendid sylfaenol yn y cynlluniau, ac nad oedd eu pwyllgor wedi meddwl am anawsterau anfesuradwy trefnu ac arwain y daith gerdded dros anialdir twmpathog a charegog o'r bae i Ddyffryn Camwy.

Rheilffordd

Yng nghynllun trefnus Madryn, rhedai rheilffordd rhwng y lanfa a'r dyffryn cyn i'r fintai gyntaf gyrraedd! '. . . Os penderfynnir ar Afon Chupat fel man y sefydliad,' meddai yn ei adroddiad, 'rhaid i'r Porthladd fod yn New Bay . . . a chymhellwn i ar fod rheilffordd gael ei gosod rhwng y caincfor a'r afon, gan nad all llongau yn tynnu mwy na deuddeg troedfedd o ddŵr fyned i mewn i'r afon.' Dyma'r cyfeiriad cyntaf a wnaed erioed at yr angen am reilffordd i ateb anghenion cludiant a thrafnidiaeth Patagonia.

Nid oedd amser i'w wastraffu'n hel meddyliau nac yn cyhuddo neb. Ceid digon o gyfle i gynnal incwest ar ôl i'r fintai gyrraedd a setlo i lawr i batrwm rheolaidd o adeiladu tai, agor ffyrdd a thrin y tir. Gwneud y gorau o'r gwaethaf a hyrwyddo llwyddiant y cynllun oedd eu hunig ddewis nawr. Yn niffyg hynny, byddai'r mudiad gwladychfaol – a'u henwau hwythau – yn colli pob hygrededd a go brin y caent gyfle arall.

Y gwladfäwr cyntaf

Y gorchwyl cyntaf ar ôl dadlwytho'r defaid oedd eu corlannu ar y penrhyn – rhag iddynt ddianc i'r paith agored – â chloddiau amrwd o ddrain. Gadawyd Edwin yno i'w gwylio, y noson gyntaf honno, a dychwelodd Lewis a phawb arall i gysgu ar fwrdd y llong. Honnai'r gweision eu bod wedi gweld olion traed Indiaid ar y tir a'u bod yn ofni ymysodiad y noson honno! Doedd hwn ddim yn brofiad cysurus i'r arloeswr, a dyma sut y cofnododd ei brofiad yn ei ddyddiadur (eto yn y trydydd person): 'Y noswaith gyntaf ym Mhatagonia, roedd Edwin Roberts dan ei arfau drwy'r nos yn gwylied yr anifeiliaid. Noswaith stormllyd canol gaeaf y wlad hon.' Dichon nad yw'n hawdd i'r sawl sy'n anghyfarwydd ag eangderau Patagonia amgyffred mor enfawr oedd unigrwydd ac ofn y gwladfäwr cyntaf i gysgu ar ei thir, a chymaint mwy ei ddewrder, o'r herwydd, yn enwedig y noson gyntaf honno.

Cyn toriad gwawr, tybiodd iddo glywed pwma ar drywydd ysbail. Taniodd Edwin ei wn, dychrynodd ei geffyl a'i daflu yn boenus ar ddrain pigog. Testun syndod ac nid ychydig hwyl i'r arloeswr oedd darganfod mai llygaid llwynog, nid rhai pwma, oedd yn disgleirio'n wawdlyd arno yng ngolau'r lloer. Gorchwyl araf oedd casglu'r anifeiliaid at ei gilydd unwaith eto y bore canlynol, a chydnabu Edwin na

fuasai byth wedi llwyddo heb gymorth meistrolgar Jerry – gŵr oedd yn dra chyfarwydd â thrin anifeiliaid. Ddeuddydd yn ddiweddarach dadlwythwyd y gwartheg, ynghyd â choed ar gyfer adeiladu bythynnod. Treuliwyd y dyddiau nesaf yn gwarchod yr anifeiliaid ac yn dadlwytho'r gweddill o'r nwyddau a'r offer o'r llong. Anfonwyd rhai o'r dynion mewn ymgais ofer i chwilio am ddŵr – a rhoddwyd croeso mawr i'r glaw a ddisgynnodd ar yr ail ar bymtheg.

Adeiladu a chynllunio

Torrwyd meini *tosca* – math ar glai gwyn, meddal a gludiog – a'u cludo mewn trol (LJ)[4] i fan rhwng traeth y penllanw a'r twyni, a ddewiswyd ar gyfer codi'r stordy a rhes o un tŷ ar bymtheg i groesawu'r ymfudwyr. Ar 19 Mehefin 'gosodwyd sylfaen y tŷ cyntaf yn y Wladychfa', cofnododd Edwin gyda balchder yn ei ddyddlyfr. Rhwygodd dudalen, ysgrifennu neges gyffelyb arni a'i gosod ymhlith y meini cyntaf. Rhoddwyd y gorau i ddefnyddio'r *tosca* i adeiladu'r tŷ oherwydd arafwch y gwaith o gloddio, torri a symud y meini o'r penrhyn. Cyn nosi, cwblhawyd caban pren lle llochesodd Edwin a'r gweision.

Ar 20 Mehefin ataliodd y gweision eu gwasanaeth mewn protest ynghylch prinder y bwyd a ddognid iddynt (dwy ddafad y dydd – bwydlen wastrafflyd ym marn y Cymry!); esiampl a ddilynwyd gan yr ychen nad oeddynt yn gyfarwydd â llusgo pynnau ar dir tywodlyd. Rhoddwyd y gorau i bob ymdrech pan ddisgynnodd glaw trwm.

Y bore canlynol, ar sail eu llwyddiant gyda'r caban pren, penderfynwyd cyflymu'r broses drwy adeiladu tai o goed

---

[4]Dywed Edwin fod y cerrig *tosca* yn cael eu llwytho ar groen bustach, ac un o'r gweision yn clymu rhaff wrtho a'r pen arall ar ei gyfrwy, er mwyn eu llusgo i ben eu taith.

yn unig, gan ddefnyddio'r pren a ddaethai o Batagones (ynghyd â choed a dynnwyd ar y nawfed ar hugain o long a orweddai'n ddrylliedig ar y traeth). Yn ddiweddarach y bore hwnnw, gwelwyd adar yn hofran uwchlaw safle tua thair milltir i'r gogledd. Wedi ymchwilio, canfuwyd dŵr mewn pantle a alwyd wedi hynny yn Fali Fawr (yn y man lle saif tref Porth Madryn heddiw, yn ôl Edwin). Symudwyd y defaid i'r fan honno, a rhoddwyd un dyn i'w bugeilio. Adeiladwyd lloches ar ei gyfer ger y llyn bas. (ECR, LJ, TJ, RJB) Gadawyd y gwartheg a'r ceffylau'n rhydd ger y penrhyn.

Pan gododd y gwynt disgynnodd y muriau *tosca* a godasid gyda chymaint o ymdrech, gan adael y dynion yn ddiymgeledd i wynebu llid yr elfennau. Dioddefwyd trafferthion pellach ar 2 Gorffennaf wrth ddadlwytho'r sachau ŷd, pryd y dymchwelodd eu cwch, a chanfu'r Cymry a'u gweision eu hunain hyd at eu canol yn nŵr y môr.

Teimlai Edwin fod y ddarpariaeth yn gwbl annigonol a gwyddai fod Lewis o'r un farn. Pe bai hwnnw'n anghytuno ambell dro ac yn amddiffyn yr anhrefn, gallai yntau fynegi ei anfodlonrwydd a'i rwystredigaeth. Gwingai wrth gofio am amharodrwydd y pwyllgor cenedlaethol i drafod y manylion ymarferol sy'n hanfodol i lwyddiant menter mor fawr.

Dychwelodd Lewis Jones i Batagones ar 5 Gorffennaf i gasglu rhagor o anifeiliaid, nwyddau ac offer, ac aeth â phedwar o'r gweision diocaf i'w ganlyn gyda'r bwriad o gael rhai mwy gweithgar yn eu lle. Gadawodd Edwin yng nghwmni Jerry a'r tri gwas arall i fynd ymlaen â'r gwaith o adeiladu stordy newydd, ac agor ffordd i'r dyffryn. Ysgrifennodd yntau fel hyn y dyddiau hynny:

'Dyma fi, yr unig Gymro ar dir Patagonia, mewn pryder ac ofn, yn dechrau adeiladu ystordy ar gyfer cadw'r bwydydd sy 'nawr yn llwyth ar y traeth. Ni wn a ddaw'r Indiaid i ymosod arnaf a'm lladd cyn dwyn y cyfan – ond ni fydd dewis ond ymladd; nid oes gennyf ofn eu cyfarfod hwy, ond pryderaf wrth feddwl am y fintai gyntaf a ddaw yma gan ddisgwyl fod paratoadau wedi'u gwneud ar eu cyfer, ac y bydd yma wartheg a bwydydd yn disgwyl amdanynt. Os bydd pethau'n wahanol, beth a ddaw o'r Wladychfa? Rwy'n ofni y bydd iddi fethu. A ffarwél wedyn i ail gyfle. Os daw Cymro o hyd i'r papur hwn, a minnau heb fod yma, gall fod yn siŵr fy mod i wedi brwydro hyd at waed . . .' (MHJ)

Gwyddai Edwin am bwysigrwydd amddiffyn y gwersyll, a chynhaliodd sesiynau i hyfforddi'r gweision. Bob bore, casglai hwy at ei gilydd i godi'r Ddraig Goch yn seremonïol ar bolyn uchel a godasai ar y bryncyn a ffurfiai wal gefn y stordy. Ar ddiwedd dydd, dringai dros y llethr i ben y to sinc (sych a chynnes yng ngwres ysgafn prynhawniau heulog y gaeaf Patagonaidd), ac eistedd arno i edrych allan i'r môr am arwydd fod y fintai'n agosáu, ac i gofnodi ei brofiadau, ei ofnau a'i freuddwydion yn ei ddyddiadur. 'Mae yn werth mynd trwy beryglon fyrdd er mwyn cael ond awr o eistedd tan gysgod hon wrth ddwys fyfyrio am a fydd,' ysgrifennodd.

Gyda'r machlud, ymgynullai'r gwersyll yr un mor ddefodol i dynnu'r faner i lawr. Plygai Edwin hi'n ofalus a'i thaenu yn obennydd ar ei wely 'er mwyn breuddwydio am y dydd pan buasai'r Ddraig yn chwifio'n dalog dros dir a môr'. (ECR)

Diddanodd ei hun drwy gynllunio llu arfog cyntaf Patagonia, 'y Fyddin Gymreig', a oedd i'w sefydlu wedi'r glanio. Lluniodd lifrai briodol a phenwisg addas o grwyn cwningod. Dewisodd linyn coch hir o'r stordy, torri darnau o'r un hyd a gwnïo pob un gerfydd ei ddeupen wrth ochrau'r capiau crwyn.

Gyda'r nos breuddwydiai am laniad y fintai, a dychmygai weld llongau eraill yn cludo mintai ar ôl mintai o Gymry glân fyddai'n diwyllio'r anialdir ac yn creu cadarnle newydd dros Gymreictod yn Brythonfa (ei ddewis o enw i'r Gymru Newydd).

Datblygiadau

Cyrhaeddodd Lewis Batagones ar 10 Gorffennaf i ganfod bod Ellen yn gwella o effeithiau ei damwain. Nid oedd newyddion am yr ymfudwyr ond clywodd fod Indiaid wedi cipio'r gwartheg a anfonwyd dros y paith, a'r *gauchos* a'u tywysai wedi'u lladd. Cofiodd am freuddwyd Edwin a rhedodd ias i lawr ei gefn. Dyma'r gyntaf o'r colledion niferus a ddioddefwyd yn ystod y blynyddoedd cynnar oherwydd ymosodiadau, anwybodaeth a diffyg profiad (a difaterwch ar ran unigolyn, unwaith o leiaf).

Pan oedd ar fin codi angor i ddychwelyd i'r bae ar 18 Gorffennaf, derbyniodd lythyrau'n ei hysbysu bod y fintai ar ei ffordd – er nad ar yr *Halton Castle*. Cyrhaeddodd yn ôl i'r bae gyda'i gargo o ddefaid, gwartheg a cheffylau ar y pedwerydd ar hugain, ac edrychai ymlaen at dorri'r newyddion da i Edwin; ond roedd gan hwnnw hanes llawn mor gyffrous i'w adrodd.

Cloddio am ddŵr

Bu Edwin, Jerry a'r tri gwas yn ddiwyd yn paratoi ar gyfer diwrnod mawr glaniad y fintai. Er bod y gwaith o agor ffordd tri deg saith milltir ar draws y paith o ben isa'r bae i'r dyffryn wedi'i ddechrau, nid oedd amser o'u plaid. Roedd yr *Halton Castle* (hyd y gwyddai ef) a'i mintai eisoes wythnos yn hwyr.

Er nad oedd yn fardd, difyrrodd Edwin ei hun drwy ganu penillion fel hyn – oedd hefyd yn cofnodi ei ofnau:

Aeth Llew fy hen gyfaill
Am yr Afon Ddu,[5]
A'm gadael yn unig
Yng nghwmni rhyw dri
O blant y wlad newydd
A fuont i mi
Yn dda rhag unigrwydd
Yn hwyr ger y lli.

Ond ni fu'r gweision gymaint â hynny o gymorth iddo bob tro. Roedd angen iddo weithio'n eithriadol o galed a sydyn i baratoi'r gwersyll mewn pryd i groesawu'r fintai, a mynnai ymdrech gyfatebol gan bawb arall. Un diwrnod aeth Jerry allan i'r paith i chwilio am y llynnoedd dŵr croyw a welsai Fitzroy heb fod nepell o'r lan, a rhybuddiodd Edwin ef i beidio â dychwelyd hyd nes iddo lwyddo. Roedd y glaw wedi pallu, llyn bas y Fali Fawr yn sychu'n gyflym, a pherygl gwirioneddol na fyddai digon o ddŵr yn y gwersyll i gynnal bywyd dyn nac anifail. Rhoes bawb arall ar waith i dorri ffynnon.

Tyllai'r gweision bob yn ail, ac wrth i'r pydew ddyfnhau safai un ar y lan i godi'r pridd â bwcedi a rhaffau tra byddai'r llall yn tyllu. Ymhen wythnos nid oedd fawr o gynnydd ar y gwaith. Cynhyrfwyd Edwin gan arafwch y cloddio a neidiodd i'r ffynnon gan adael i'r dynion glirio'r pridd.

Gwelodd y gweision eu cyfle. Heb wagio'r bwced na'i daflu'n ôl i'r dyfnder, i'r stordy â hwy i yfed o'r gwin a gedwid yno. Yn rhydd o sŵn anogaeth y Cymro, caent anwybyddu'i wahardiad rhag yfed alcohol ac eithrio ar y Sul (rheol a osodwyd oherwydd y gred – nid di-sail – y byddai medd-dod yn llesteirio'u gwaith), a gadawsant Edwin yn y ffynnon dywyll, oer a gwlyb am ddwy noson, gan anwybyddu pob gorchymyn, apêl a bygythiad a waeddodd o waelod ei

---

[5] (Mae tref Patagones ar lan ogleddol y *Río Negro*).

garchar. Disgrifiodd yntau ei ofnau a'i anobaith yn ei ddyddiadur:

'Wel, wel, dyma fi wedi darfod, does obaith byth i mi weled y lan. Ysbanied [*sic*][6] creulon wedi fy ngadael yma i farw. Wedi fy holl areithio, teithio a dadlau am Wladychfa i'm cenedl, cael fy nghadw wrth deithio milltiroedd o fôr, glanio yn ddiogel yn y wlad. Wedi dyfod i Patagonia, dyma fy niwedd.' Ac mae ganddo neges i'r sawl ddaw o hyd i'w weddillion: '. . . cladder hwy, a doder estyllen ac arni fel hyn: Dyma feddrod Cymro – collodd ei fywyd mewn ymgais am Wladychfa', gan gyfansoddi darpar feddargraff cyntaf Patagonia!

Cred rhai mai bwriad y gweision oedd ei ladd a dianc i'r paith gyda'r anifeiliaid, ond iddynt fethu cyflawni'r anfadwaith oherwydd eu medd-dod. Haws credu mai baich y gwaith caled anghyffredin y disgwylid iddynt ei gyflawni oedd y rheswm gwirioneddol dros eu trosedd. Fel hyn y canodd Edwin:

Bûm yno am ddeuddydd a'm calon yn
brudd
Yn ofni na chawswn byth weled y
dydd,
Ond un oedd mwy tyner ei galon a
chraff
Un diwrnod i'm gwared a ddaeth gyda
rhaff.

Honnir bod un o'r gweision wedi gweld y *Juno* yn dynesu ar fore 24 Gorffennaf, ac wedi brysio i ryddhau Edwin cyn i Lewis lanio. Yn ôl y fersiwn mwyaf credadwy, dychweliad annisgwyl Jerry y bore hwnnw, ar ôl iddo ddarganfod dŵr rai milltiroedd tua'r gorllewin (yn Laguna

Blanca neu Lyn Aaron), a'i hachubodd. Holodd yr Hindŵ-Wyddel ble'r oedd y Cymro ac atebasant eu bod yn poeni am ei ddiogelwch gan nad oedd wedi dychwelyd o'i ymchwil am ddŵr! Neidiodd Jerry ar ei geffyl i chwilio am yr arloeswr ond dychwelodd yn ddisymwth a chanfu'r gweision ar ymyl y ffynnon yn taflu pridd dros Edwin – yn fyddar i bob ymbil o'i eiddo.

Roedd Jerry am ddienyddio'r troseddwyr, a gwrandawodd Lewis yn ddig ac yn astud ar ei ddadl dros wneud hynny, sef er mwyn gwneud esiampl ohonynt a rhwystro gwrthryfel. Nid oes sôn ai ystryw oedd y cyfan i greu argraff ar y gweision, ond yr hyn a glywsant drwy enau Jerry oedd bod Edwin wedi perswadio Lewis y byddai'r dihirod yn fwy gwerthfawr i'r wladychfa yn fyw, a gwaith caled yn fwy o gosb iddynt.

Daethpwyd o hyd i ddŵr y noson honno ond roedd yn rhy hallt i'w yfed, a bedyddiwyd y pydew yn 'Ffynnon Dŵr Hallt'. O hynny ymlaen, gweithiodd y gweision yn ddiwyd – naill ai i osgoi llid dialedd Lewis, neu mewn diolch i Edwin – a dwysawyd yr hyfforddiant milwrol nosweithiol. Diau bod sail i'r gred y buasai'n well ganddynt pe baent wedi eu dienyddio. Gyda'r digwyddiad hwn gwelir parodrwydd Lewis Jones i ddefnyddio pobl, oherwydd cyn gynted ag y daeth eu defnyddioldeb i ben, anfonwyd y tri yn ôl i Batagones.

Job Llety Llwm, y Twrch a Garibaldi

Tra oedd Lewis ac Edwin yn ymlwybro tua De America, a'r dyddiad i'r fintai gyntaf adael Lerpwl yn agosáu, dwysáu wnaeth y dadlau ffyrnig a hirwyntog yng ngholofnau'r wasg parthed rhinweddau a gwendidau honedig y fenter, a manteision neu beryglon y wlad y bwriedid ei meddiannu. Yng ngholofnau'r *Drych* rai misoedd ynghynt, lleisiwyd y gwrthwyn-

---

[6](Dau Almaenwr o Batagones a brodor yn ôl rhai adroddiadau.) Dywed Joseph Seth Jones fod Lewis Jones ac Edwin Cynrig Roberts wedi cyflogi tri Almaenwr oedd yn cysgodi yn ngweddillion hen long a orweddai ar y traeth.

ebiad difrifol cyntaf i'r fenter Batagonaidd, a chyrhaeddodd y frwydr ei phenllanw Cymreig yng ngholofnau'r *Faner*, yr *Herald* a'r *Chronicle* lle datganwyd gelyniaeth gwbl agored i'r fath ffolineb. Llechai'r gwrthwynebwyr dan ffugenwau; Job Llety Llwm, y Twrch a Garibaldi oedd y tri mwyaf blaenllaw a llafar, ac roedd yr olaf o'r drindod hon, John William Jones, golygydd y *Drych*, yn ffiaidd a hynod bersonol ei ymosodiadau ar Michael D. Jones, gan ei gyhuddo o arwain trueiniaid i ganol erchyllltra tlodi mwy na'r un a ddioddefent yn eu mamwlad. Dim ond newyn yn niffeithwch Patagonia a galanas waedlyd yn nwylo'i thrigolion anwar – 'bwytawyr dynion gwynion' – a ddisgwyliai'r anffodusion gwirion fyddai'n cael eu denu gan ddisgrifiadau Michael D. Jones a'i giwed i ymuno yn y fath fenter ffôl. Cymaint gwell fyddai ymfudo i Kansas, lle'r oedd perchenogion y *Drych* wedi prynu tiroedd eang a ffrwythlon rai blynyddoedd ynghynt ar gyfer sefydlu gwladychfa Gymreig mewn gwlad oedd eisoes wedi'i gwladychu. Ymgyrchid hefyd dros Missouri.

Colli cefnogaeth

Wrth agor y llythyrau niferus a ddisgynnodd drwy ddrws ffrynt 22 Williamson Square, Lerpwl, teimlai Owen Edwards, trysorydd y Gymdeithas Wladychfaol, ansicrwydd yn cnoi ei hyder. Yn wyneb yr ymosodiadau yn y wasg, ailystyriodd llawer o'r darpar ymfudwyr eu cynlluniau a phenderfynu mai aros yng Nghymru fyddai orau iddynt. O ganlyniad, wynebai'r gymdeithas argyfwng gwirioneddol. Dim ond tua hanner nifer gwreiddiol yr ymfudwyr oedd yn dal i fod ar y rhestr, a'r rheiny, bron yn ddi-ffael, yn dlodion na fedrent gasglu punt ar gyfer eu hernes. Dyna'r union fath o bobl oedd nawr yn ymuno â hwy yn Lerpwl i lenwi'r gwacter yn y rhengoedd, yn ymateb ar fyr rybudd i anogaeth y pwyllgor heb fawr mwy o eiddo na'u dillad prin a'u gobeithion lu. Ychydig iawn o ddodrefn oedd ganddynt, a'r nesaf peth i ddim offer. A phocedi gwag.

Dwysawyd trallodion yr arweinyddion gan broblem annisgwyl: ni fyddai'r *Halton Castle* yn cyrraedd yn ôl i Lerpwl mewn pryd i adael eto ar 25 Ebrill. Rhoddodd hyn y pwyllgor mewn cyfyng-gyngor. Roedd dros ddeucant o ddarpar ymfudwyr wedi cofrestru – llawer ohonynt eisoes wedi gorffen eu tenantiaeth neu adael eu swyddi, wedi gwerthu eu heiddo prin, ac wedi ymlwybro o Gymru benbaladr a rhai o ddinasoedd Lloegr tua Lerpwl. Sut y medrid darparu ar eu cyfer yn y ddinas fawr, eu lletya a'u bwydo, am o leiaf fis, hyd nes cael llong arall? Roeddynt mewn perygl o golli'r anffodusion hyn yn union fel y collwyd hanner y garfan gyntaf. Heb arian i'w wario, fe'u caethiwyd i'w llety llwm ac i'r dociau, lle'r aent bob dydd i gael newyddion am y llong. Collodd rhai darpar deithwyr di-Saesneg eu harian drwy dwyll i *sharpers* y ddinas (AE), a dychwelasant i Gymru wedi llwyr ddigalonni, yn dlotach na phan adawsant y wlad. Cytunodd y pwyllgor i drefnu llety a bwyd ar gyfer y rhai oedd ar ôl, ond nid oedd arian yn y coffrau.

Y Fintai Gyntaf

Ddydd ar ôl dydd, cynyddai'r gwaedlif ariannol ac, yn ôl Richard Jones, Aberpennar, ofnai'r swyddogion fod y fenter ar fin methu. Cyraeddasai ef Lerpwl yng nghwmni ei rieni, John ac Elisabeth (Betsan) Jones, ei frawd John, a chwiorydd y ddau, Mary, Margaret ac Ann. Roedd y teulu wedi tyfu er y noson honno yn Aberpennar yn Nhachwedd 1861 pan ddenwyd hwy i ymuno â'r mudiad gwladfaol gan sŵn hudolus anerchiad Edwin. Gyda hwy, teithiai

Mary, gwraig John; Daniel Evans (gynt o Bont-henri) gŵr Mary, a phlant y ddau, John Daniel (tair oed) ac Elizabeth (pump) – ynghyd â'r brodyr amddifad Thomas Tegai (dwy ar bymtheg) a William Awstin (un ar ddeg), a Thomas Harries Jones, a deithiai yng nghofal y pâr olaf. Roedd y gyntaf o'r gwragedd ifanc yn feichiog drwm yn cyrraedd y porthladd. Y teulu estynedig hwn o bedwar aelod ar ddeg oedd y mwyaf niferus ymhlith y fintai gyntaf.

Prinder arian

Cyhoeddodd Michael D. Jones ei barodrwydd i fenthyca'r swm angenrheidiol o gyllid personol ei wraig Anne. Pan drefnwyd wedi hynny i logi'r *Mimosa*, llong hwyliau fechan a ddefnyddid i gludo te o'r Dwyrain Pell, cynilion personol Anne Jones a ddefnyddiwyd i dalu am y cytundeb hwnnw hefyd, a thalwyd yn yr un modd am y gwaith o addasu'i chragen ar gyfer cludo teithwyr. Ni fyddai dyled y Gymdeithas Wladychfaol i Anne a Michael D. Jones yn llawer llai na £3,000 erbyn i'r fordaith gychwyn. Ymddengys nad oedd hwn yn arian y gallai'r benthycwyr hael ei sbario, a dioddefasant wasgfa ariannol ddifrifol (fyddai'n esgor ar fethdaliad) flynyddoedd wedyn yn dilyn methiant y gymdeithas i'w had-dalu oherwydd na dderbyniwyd y gweddill oedd yn ddyledus iddi gan yr ymfudwyr am eu cludiant.

Yn rhinwedd y llwyddiant i chwyddo nifer y rhai amyneddgar, cyrhaeddwyd cyfanswm o gant chwe deg un[7] o ddynion, gwragedd a phlant, tlawd a phrin eu profiad a'u sgiliau amaethyddol, oedd yn

---

[7]153, yn ôl Matthews, sy'n cynnwys Lewis Jones ac Edwin Cynrig Roberts – nad oedd ar y *Mimosa* – ond cydnebydd nad yw'r rhestr yn gyflawn. Ym marn ei ŵyr, Matthew Henry Jones, roedd 164 o ymfudwyr ar y llong. Gweler atodiad 2.

awyddus i ddechrau bywyd newydd y tu allan i Gymru. Gyda hwy hefyd, teithiai'r meddyg Gwyddelig un ar hugain oed, Thomas Greene, ar gytundeb blwyddyn i wasanaethu'r wladychfa.

> ### Dyma gasgliadau Richard Jones:
>
> 'Credaf y gellir mentro dweud fod mintai'r *Mimosa* yn gynrychiolaeth decach o werin Cymru na'r un arall mewn hanes; yr oedd pob sir yn y dywysogaeth yn ogystal â phrif drefi Lloegr a mannau eraill yn cael eu cynrychioli ynddi. Ceid yno'r amaethwr, y glöwr, chwarelwr, gof, seiri coed a maen, gwneuthurwyr priddfeini, groser, dilledydd, crydd a theiliwr, llenor ac argraffydd, bugail defaid a bugail eneidiau, meddyg a fferyllydd, hen ac ieuanc, crefyddol a rhai heb falio dim mewn na chapel na llan, yr Annibynnwyr, Methodist, Bedyddiwr, Wesley, Undodwr ac Eglwyswr, a'r oll yn gredwyr cadarn yn y syniad o Wladfa Gymreig.'
>
> Ni fyddai'n rhaid aros yn hir cyn i linyn mesur llawer llai caredig gael ei dynnu dros y cynulliad bychan a rhyfeddol hwn.

Teimlai Michael D. Jones gyfrifoldeb dros les materol ac ysbrydol ei braidd newydd, a bugeiliai hwynt bob dydd gyda chymorth Anne a phedwar o'i weinidogion ifanc, David Lloyd Jones, D. Rhys, Abraham Matthews a Lewis P. Humphreys – y ddau olaf wedi'u cofrestru i hwylio ar y fordaith. Eithr nid oedd y sylfaenydd a'i wraig (na neb o'u teulu ar y pryd) yn ymfudo eu hunain; credent, efallai, mai yng Nghymru, wedi'r cwbl, roedd y frwydr genedlaethol i'w hymladd – fel y dadleuai'r caredicaf o wrthwynebwyr y fenter.

<blockquote>
Diffyg Traul

'Ychydig ddyddiau cyn cychwyn cavodd un o'r vintai[8] llythyr oddi wrth ei ewythr – yr enwog Talhaiarn – yn ei vrolio'n fawr am anturio ei vywyd i'r fath le. "Ond", meddai "gan dy fod wedi penderfynu myned, does genyv ond dymuno yn dda i ti, ac os bwyteir di gan yr Indiaid, dymunav iddynt hwy y ddifyg treuliad tostav sy' bosib".'
(W. Casnodyn Rhys)

[8]Watkin W. P. Williams.
</blockquote>

Anthem Patagonia

Llwyddwyd i gael y *Mimosa* yn barod a llwythwyd y teithwyr a'r cargo ar 24 Mai. Un o'r gweithredoedd olaf i'r fintai ei chyflawni cyn ffarwelio oedd ethol Cyngor y Wladychfa, corff deuddeg aelod fyddai'n rheoli'r gymuned newydd. Enwebwyd pob un o aelodau'r pwyllgor cenedlaethol oedd yn ymfudo: Edwin, Cadfan (arweinydd y fintai), Watkin W. P. Williams, John Roberts, Maurice Humphreys a Thomas Davies, cynrychiolydd cymoedd y de ar y pwyllgor cenedlaethol, yn eu plith. Lewis fyddai'r llywydd.

Ar fore'r pumed ar hugain, cyhoeddodd George Pepperrell, y capten pump ar hugain oed 'bywiog a brwd', ei fod yn barod i godi angor, a chasglodd Cadfan Gwynedd y fintai ynghyd ar y bwrdd. Gwelwyd dynion yn cydio'n dynn ym mreichiau Parry Madryn i'w rwystro rhag taro'r Capten â'i ddyrnau pan aeth i ddadlau'n afreolus parthed y trefniadau munud olaf. Ynghanol y dyrfa oedd wedi ymgasglu ar y lanfa i dystio i'r achlysur, yr oedd hogyn deng mlwydd oed, Richard Fox, a sylwodd ar yr olwg bryderus-anghysurus oedd ar Michael D. Jones, 'yn cerdded yn ôl ac ymlaen ar y cei'.

Codwyd y Ddraig Goch ar yr hwylbren uchaf, gweithred a gythruddodd nifer o Saeson a safai ynghanol y dorf ac a fynnai y dylid ei gostwng. Bloeddiasant eu gwawd a'u casineb at y Cymry ond safasant mewn parch pan glywsant y teithwyr, dan arweinyddiaeth Cadfan, yn uno i daro nodau 'God Save the Queen' gydag arddeliad. Droeon a thro adroddwyd mai'r cyfieithiad Cymraeg 'Duw Gadwo'r Frenhines' a ganwyd, a cheisiwyd casglu wrth hynny fod yr ymfudwyr yn gefnogol i Brydain ac i'r frenhiniaeth, ac nad oedd cenedlaetholdeb ymhlith y rhesymau dros ymfudo. Eithr pobl ifainc iawn oedd y mwyafrif – yr union rai a deimlai eu gormes i'r byw ac a oedd wedi ymateb i syniadau gwladgarol a thân Cymreictod Edwin. Go brin y bydden nhw'n canu'n hiraethus ar i Dduw gynnal Victoria. Ac ni fyddai Cadfan fyth wedi'u harwain i ganu'r hyn a alwai ef yn 'anthem Lloegr'. Ni ellir profi nad oedd ychydig frenhinwyr ymhlith y teithwyr hynaf, efallai, ond dywed R. J. Berwyn – cofrestrydd y Wladfa wedi hynny – mai anthem y wladychfa a ysgrifenasai Edwin oedd y geiriau ('hen eiriau Cymraeg', yn ôl Joseph Seth Jones), a genid ar alaw 'God Save the Queen'. Pwy bynnag oedd eu hawdur, dim ond y di-Gymraeg allai fod wedi camddeall y teimladau a fynegid ynddynt:

Creawdwr daear lawr
Llywiawdwr bydoedd mawr,
  A'n cadarn Iôr;
Bydd di yn nawdd o hyd,
Ac amddiffynfa glyd
I Gymry dros y byd,
  Ar dir a môr.

Ni gawsom wlad sydd well
Ym Mhatagonia bell,
  Y Wladychfa yw;
Cawn yno fyw mewn hedd,
Heb ofni brad na chledd,
A *Chymro* ar y sedd;
  Boed mawl i Dduw.

Wedi'r ffarwelio, gorweddodd y *Mimosa* yn llonydd ar ddyfroedd afon Merswy drwy gydol y tridiau nesaf yn aros am wyntoedd ffafriol.

Codi angor

Am bedwar o'r gloch, 28 Mai 1865, codwyd angor yr eilwaith a llithrodd y *Mimosa* yn araf allan o afon Merswy tua'r môr mawr. Roedd y daith yn un helbulus o'r funud gyntaf. Oherwydd gwyntoedd cryfion a thonnau ffyrnig, torrwyd y rhaff a glymai'r llong wrth y tynfad er mwyn galluogi hwnnw i ddychwelyd i'r porthladd. Cododd storm nerthol ond gwrthododd y capten dderbyn unrhyw gymorth gan y bad achub a anfonwyd i'w cynorthwyo (rhag datgelu'r nwyddau anghyfreithlon a gludai i'w gwerthu yn Brasil ar y daith yn ôl), gan beryglu nid yn unig y bywydau ar y bwrdd ond hefyd y fenter fwyaf uchelgeisiol a gynhaliodd criw o Gymry Cymraeg erioed hyd at hynny. Gorchmynnwyd yr Albanwr ugeinmlwydd, Francis Mitchell[9], oedd ar ei fordaith gyntaf, i ddringo'r prif hwylbren er

mwyn sicrhau'r hwyliau ac, er iddo wrthwynebu ac wylo mewn braw, dringo fu raid. Anfonwyd y Cymry i grombil y llong er mwyn eu diogelu, a daeth terfyn ar firi'r dathlu a'r anturio. Nid oedd yr un ohonynt wedi byw profiad cyffelyb o'r blaen, a thueddai'r mwyafrif i anobeithio wrth deimlo'r gragen fechan yn siglo ar drugaredd y tonnau uchel a chlywed sŵn taclau rhydd ar y bwrdd yn cael eu taflu o'r naill ochr i'r llall. Chwythwyd y llong i gyffiniau Ynys Môn.[10]

Ynghanol rhyferthwy'r dymestl, cododd rhai o'r merched ifainc eu lleisiau mewn braw a chlywyd un yn gweiddi: 'O bobl, gweddïwch. Y mae ar ben arnom!' Yna gwaeddodd John Downes, y mêt (brodor o Ynys Manaw), arnynt: 'Byddwch i gyd yn Uffern cyn pen pum munud!' Ond cyn hir gostegodd y gwynt a gwaeddodd y mêt eto: 'Thank God – we have had a narrow escape.' (TJ ac RJ) Hwyliodd y *Mimosa* yn ei blaen tua'r de, ar ddyfroedd tawel a

---

[9]Gwyddel ifanc, ebe Thomas Jones, ond yr unig Wyddel ifanc ar ei fordaith gyntaf oedd y meddyg, Thomas Greene. Tri Sais oedd aelodau ifancaf y criw (dau yn bymtheg mlwydd oed ac un yn ddwy ar bymtheg).

[10]Amheuwyd cywirdeb gosodiad Thomas Jones bod y *Mimosa* wedi hwylio o'r Ferswy i gyfeiriad Ynys Manaw (gweler yr ail gymal ar y map ar dudalen 56). Eithr dengys siartiau yn Amgueddfa Forwrol Glannau Merswy bod llongau yn dilyn sianeli sydd yn arwain tua'r gogledd, gan osgoi peryglon glannau Môn, cyn troi tua'r de.

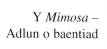

Y *Mimosa* –
Adlun o baentiad

phan gododd ail storm maes o law, ger glannau Brasil, roedd pawb yn barotach i'w hwynebu.

Bu cryn anghytuno rhwng Capten Pepperrell ac arweinyddion y fintai yn ystod y daith ynglŷn ag ansawdd y bwyd, yr hawl i gynnal gwasanaethau ar y Suliau, a safon y darpariaethau cyffredinol ar fwrdd y *Mimosa*. Ond mae'n rhaid nad oedd hyn i gyd yn poeni'r teithwyr cyffredin yn ormodol oherwydd, yn ôl Cadfan, bu'r daith yn un hwylus a'r berthynas rhwng y teithwyr a'r criw yn heddychol, a'r un yw barn Thomas Jones (ymfudwr pymtheg oed). Dichon nad oedd disgwyliadau teithwyr dibrofiad a thlawd y cyfnod hwnnw yn uchel, ac efallai bod cyfartaledd oedran isel y fintai wedi'i gwneud yn haws iddynt ddioddef yr amgylchiadau. Nid bod popeth yn berffaith, wrth gwrs ac, yn unfryd unfarn, achwynai'r teithwyr oll am y bara caled a gaent i'w fwyta. (TJ)

Llawenydd a galar

Roedd gofid llawer mwy na'r hyn a barodd y diffyg hwnnw i rai megis Robert a Mary Thomas, Bangor, rhieni Catherine Jane (fu farw'n ddwyflwydd oed ar 9 Mehefin); i Aaron a Rachel Jenkins (pan gollwyd James ar 11 Mehefin, ac yntau'n ddwyflwydd); i Robert a Catherine Davies, Llandrillo (pan fu farw John ar 28 Mehefin yn un mis ar ddeg); nac i Griffith ac Elizabeth Solomon (pan gipiwyd Elisabeth oddi arnynt yn dri mis ar ddeg ar 17 Gorffennaf). Trawyd y rhain i gyd yn wael yn ystod y daith gan drechu pob ymgais ar ran y meddyg Thomas Greene i'w hachub, a thaflwyd eu gweddillion i'r eigion. Yn ystod y daith syrffedus o araf a'r deufis erchyll hyn trawyd nifer o'r oedolion hefyd yn sâl, a bu rhai ohonynt yn ddifrifol wael.

Testun llawenydd i John ac Elisabeth Jones oedd ennill ychwanegiad i'w tylwyth yn ystod y fordaith. Ganed Morgan i Mary a John ar 11 Mehefin; a chysurwyd Aaron a Rachel Jenkins (Dowlais gynt) pan aned Rachel fach bedwar diwrnod ar ddeg yn ddiweddarach.

Ac roedd un pâr bach o leiaf wrth eu bodd. Dechreuodd William Hughes ac Anne Lewis (Abergynolwyn)[11] eu bywyd newydd ar fwrdd y *Mimosa* ddiwrnod cyntaf Mehefin, wedi i'r Parchedig Lewis Humphreys fendithio'u priodas ac i Gapten Pepperrell ei chofrestru.

Gwrthdaro

Un diwrnod clywodd y capten fod yr ymfudwyr yn fudr – yn enwedig y merched ifainc. Gorchmynnodd i un o'r morwyr ddod â gwellau i gneifio pennau'r genethod hyd at eu croen, a'u golchi'n lân â dŵr a sebon. Anelodd y morwr at Jane Huws, y gyntaf o'r merched iddo daro'i lygaid arni. Ond breintiwyd hon ag ysgyfaint rhagorol, ac atseiniodd ei bloedd frawychus dros y llong i gyd, gan achosi cynnwrf eithriadol. Safodd y morwr yn stond, heb wybod sut i ymateb.

Rhuthrodd nifer o rieni'r plant i'r bwrdd uchaf at y capten i ofyn am eglurhad, a chamodd yntau o'i gaban gan weiddi ar bawb i droi'n ôl. Nid oedd neb i ddringo ato byth eto, beth bynnag yr amgylchiadau, ac os teimlai yntau mai da o beth oedd torri gwallt pob merch ar y *Mimosa*, torri'u gwallt a wneid. Ond gwrthodai'r rhieni symud nes iddo ddiddymu'r gorchymyn. Unodd holl ferched ifainc y fintai yn un côr i gyd-lefain yn 'gynhyrfus eithafol', a cheisiodd Cadfan, arweinydd y fintai, ynghyd â Rhydderch Huws, tad yr 'ysglyfaeth', a gwg y duwiau ar eu gwedd, ddynesu at Pepperrell i ymresymu ag ef.

---

[11](Nid yw rhestr Abraham Matthews yn cynnwys enwau'r pâr hwn, ond cofrestrwyd eu priodas – y gyntaf un rhwng aelodau'r fintai ar ôl iddynt hwylio o lannau Merswy – gan Pepperrell, a nodir yr achlysur ar restr Berwyn: *Restriadau deng mlynedd allan o lyfr y Rhestrydd.*)

Mewn braw am ei fywyd, anelodd hwnnw ei lawddryll at fynwes Cadfan ond, ar yr eiliad olaf, dargyfeiriodd ei ergyd i'r môr. Wedi'i frawychu, disgynnodd Cadfan i'r bwrdd ond daliodd Rhydderch Huws i wyntyllu ei ddicter wrth y capten a gorchmynnodd hwnnw i'r ail swyddog Downes efynnu garddyrnau Huws, '. . . a dyna lle'r oedd Downes yn ysgwyd ac yn swnio'r gefynnau . . .' yn bryfoclyd.

Rywfodd (efallai oherwydd na feiddiai Pepperrell gosbi gŵr cyfiawn ar gam, yn enwedig yng ngŵydd cynulliad mor afreolus, ac am fod cydymdeimlad ei griw gyda'r ymfudwyr) llwyddodd Rhydderch Huws i osgoi caethiwed. Bodlonodd Pepperrell i beidio â thorri gwallt y merched pe cytunai'r teithwyr iddo ef a Thomas Greene archwilio **pob** pen – nid pennau'r merched yn unig – a chytunwyd i dderbyn ei amod. Afraid dweud na chanfuwyd un pen budr. (CJ)

A dyna ddiwedd y *mutiny* ar y *Mimosa*. Nid enillodd y capten lawer o boblogrwydd y diwrnod hwnnw, er gwaetha'r ffaith mai rhesymau glan-weithdra ac iechyd oedd y cymhelliad dros ei weithred hynod, yn ôl pob tebyg. Gobeithiai'r ymfudwyr mwyaf cymedrol fod y cythrwfl wedi dysgu i Pepperrell ei bod yn haws ennill cydweithrediad pobl drwy esbonio iddynt ymlaen llaw y rhesymau dros unrhyw weithred anarferol.

Mordaith y *Mimosa*

Er gwaetha'r tristwch a'r pryderon, cafwyd llawer o hwyl ar y daith, yn arbennig wrth weld penbleth y llongau eraill a ymlwybrai heibio nad oeddynt yn adnabod baner y Ddraig Goch. Un o'r cymeriadau amlycaf ar y bwrdd oedd Dafydd Williams, y crydd o Aberystwyth, bellach yn un ar hugain oed[12], a wnaeth ei

orau glas i ddifyrru'i gyd-deithwyr drwy gydol y daith. Edrydd Thomas Jones fod y fintai'n arfer ymgasglu ar y bwrdd i wrando ar Dafydd yn darllen rhannau o lyfryn clawr coch lle'r ysgrifenasai ei 'Holwyddoreg Wladfaol', ei 'Deg Gorchymyn i'r Cymro', ei weddi i arglwydd tra chyfarwydd i'w gyd-deithwyr ('Sais mawr, yr hwn wyt yn byw yn Llundain . . .'), a'i ddisgrifiad o'r wlad yr anelent ati fel 'paradwys y byd'. Roedd y bryniau a amgylchynai'r Bae Newydd wedi'u gorchuddio gan goed-wigoedd ffrwythlon, a rhedai afon fawr lifeiriol o'r llechweddau i ganol y môr. Yn y dyffryn gerllaw, tyfai popeth y byddai ei angen i gynnal y gwladfawyr.

Ni fyddai unrhyw un o'r cyfarfodydd adloniadol hyn yn gyflawn heb gyfraniad rhai o'r teithwyr eraill. Ymhlith y ffefrynnau roedd llencyn pymtheg oed, byr ac eiddil yr olwg ond gwydn ei gorff, sionc ei feddwl a thrwsiadus ei wisg, sef Thomas Jones, brodor o Geredigion a symudodd i Aberdâr yn ei blentyndod gyda'i rieni Dafydd ac Eleanor, ei frodyr Evan a David, a Lisa ei chwaer fach. Yn naw mlwydd oed, ar ôl colli ei dad, aeth i weithio i'r pwll glo. Ailbriododd ei fam â Thomas Davies, cynrychiolydd y de ar y pwyllgor cenedlaethol. Roedd gan hwnnw fab, David, a thair o ferched: Hannah, Ann ac Elizabeth. Ar fwrdd y *Mimosa*, teithiai'r cwbl, ynghyd â John Davies (nai i Thomas Davies) a'i wraig Cecilia, yn un teulu mawr o un aelod ar ddeg, y teulu unigol nesaf at y mwyaf ar y bwrdd o ran nifer (tri aelod yn llai na theulu estynedig John Jones, Aberpennar), wedi'u denu i'r mudiad gwladfaol – fel cynifer o'u cyd-deithwyr – o ganlyniad i ymgyrch Edwin. Dysgasai Thomas Jones doreth o alawon gwerin sir ei febyd a'i sir fabwysiedig ar ei gof a byddai wrth ei fodd yn eu canu â'i lais clir a phersain.

Gofynnid hefyd i Aaron Jenkins, Aberpennar, ganu emynau, gan fod ei

---

[12]36 mlwydd oed yn ôl rhai llythyrau, eithr 21 mlwydd oed medd Cofrestr Berwyn.

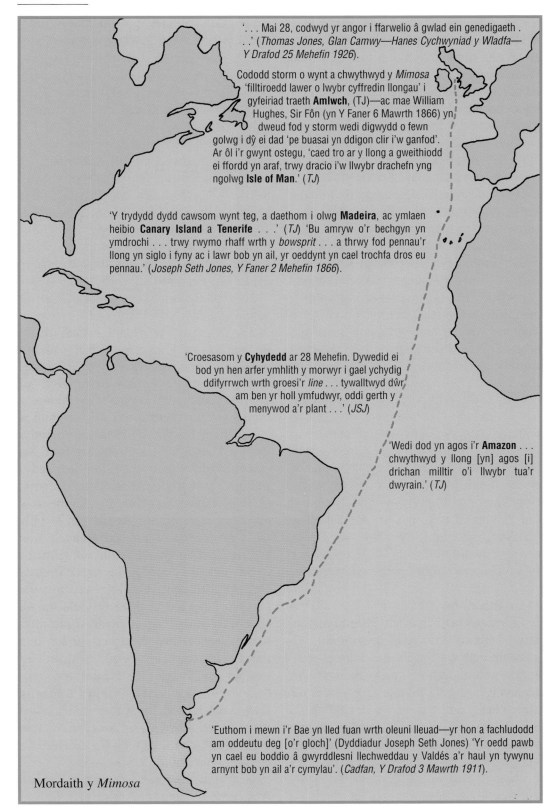

'. . . Mai 28, codwyd yr angor i ffarwelio â gwlad ein genedigaeth . . .' (*Thomas Jones, Glan Camwy—Hanes Cychwyniad y Wladfa— Y Drafod 25 Mehefin 1926*).

Cododd storm o wynt a chwythwyd y *Mimosa* 'filltiroedd lawer o lwybr cyffredin llongau' i gyfeiriad traeth **Amlwch**, (TJ)—ac mae William Hughes, Sir Fôn (yn Y Faner 6 Mawrth 1866) yn dweud fod y storm wedi digwydd o fewn golwg i dŷ ei dad 'pe buasai yn ddigon clir i'w ganfod'. Ar ôl i'r gwynt ostegu, 'caed tro ar y llong a gweithiodd ei ffordd yn araf, trwy dracio i'w llwybr drachefn yng ngolwg **Isle of Man**.' (*TJ*)

'Y trydydd dydd cawsom wynt teg, a daethom i olwg **Madeira**, ac ymlaen heibio **Canary Island** a **Tenerife** . . .' (*TJ*) 'Bu amryw o'r bechgyn yn ymdrochi . . . trwy rwymo rhaff wrth y *bowsprit* . . . a thrwy fod pennau'r llong yn siglo i fyny ac i lawr bob yn ail, yr oeddynt yn cael trochfa dros eu pennau.' (*Joseph Seth Jones, Y Faner 2 Mehefin 1866*).

'Croesasom y **Cyhydedd** ar 28 Mehefin. Dywedid ei bod yn hen arfer ymhlith y morwyr i gael ychydig ddifyrrwch wrth groesi'r *line* . . . tywalltwyd dŵr am ben yr holl ymfudwyr, oddi gerth y menywod a'r plant . . .' (*JSJ*)

'Wedi dod yn agos i'r **Amazon** . . . chwythwyd y llong [yn] agos [i] drichan milltir o'i llwybr tua'r dwyrain.' (*TJ*)

'Euthom i mewn i'r Bae yn lled fuan wrth oleuni lleuad—yr hon a fachludodd am oddeutu deg [o'r gloch]' (*Dyddiadur Joseph Seth Jones*) 'Yr oedd pawb yn cael eu boddio â gwyrddlesni llechweddau y Valdés a'r haul yn tywynu arnynt bob yn ail a'r cymylau'. (*Cadfan, Y Drafod 3 Mawrth 1911*).

Mordaith y *Mimosa*

wybodaeth emynyddol yn ehangach nag eiddo'r un o'i gyd-deithwyr. Teimlai hwnnw'n hynod falch y bore Sul cyntaf pan ofynnodd ei weinidog, y Parchedig Abraham Matthews, iddo godi canu yn y gwasanaethau. Cynhelid y rheiny'n gydenwadol fore a nos Sul gyda chyfraniad gan y Parchedigion Lewis Humphreys a Robert Meirion Williams. Cynhelid gwasanaeth Saesneg er budd y criw hefyd. Y capten fyddai'n arfer darllen y llith yn y rheiny, eithr wedi helynt torri gwallt y merched, pwdodd a chollwyd ei gyfraniad.

Wedi mynd heibio i ynysoedd Madeira a'r Canarias, edrychai'r ymfudwyr ymlaen yn eiddgar at gael croesi'r cyhydedd. Cafodd criw'r llong lawer o hwyl yn tynnu coes y diniweitiaf ohonynt a'u perswadio i edrych, yn ofer, am y llinell sy'n rhannu'r ddau hemisffer!

> ### Bedyddio
> Wrth groesi'r cyhydedd, 'bedyddiwyd' Francis Mitchell a rhai o'r ymfudwyr. 'Dywedid ei bod yn hen arferiad ymhlith y morwyr i gael ychydig ddifyrwch wrth groesi'r lein, sef dau forwr yn gwisgo barfau lleision . . . a thaflu tân gwyllt i fyny, hefyd taflu dŵr am ben yr ymfudwyr.'

Cadwodd rhai o'r teithwyr ddyddiaduron yn cofnodi'r hyn a welsant, ynghyd â'u hargraffiadau, eu hofnau a'u gobeithion. Un o'r rhain oedd Joseph Seth Jones, cyn-argraffydd gyda chwmni Gee, Dinbych. Yn ogystal â thristwch marwolaethau'r plant, y mae hefyd yn adrodd am y difyrrwch a gâi'r llanciau ar y llong. Clymid rhaff wrth ymyl y llong, gollyngid hi bron at y dŵr a byddai'r bechgyn, yn eu tro, yn clymu'r pen rhydd am eu gweisg. Bob tro y byddai'r llong yn siglo o dan y tonnau, gorchuddid hwy gan y dŵr ynghanol rhialtwch mawr.

> Wedi glanio yn y Bae Newydd, byddai Edwin yn benthyca dyddiadur Seth Jones er mwyn trosglwyddo'r cofnodion i'w ddyddiadur ei hun – ar gyfer y dydd pan eid ati i ysgrifennu hanes sefydlu'r wladychfa. Sylweddolai fod pennod newydd yn agor yn hanes yr hil ac mai cyfrifoldeb yr arloeswyr oedd cadw'r cof am y digwyddiadau yn eglur a chywir ar gyfer cenedlaethau i ddod, yn yr Hen Wlad ac yn y Gymru Newydd fel ei gilydd.

Ger aber yr Amazon, gorchmynnodd Pepperrell godi'r hwyliau dwbl i fanteisio ar yr awel gref, a dychwelodd i'w gaban. Pan welodd yr hwyliau – ac eithrio un – yn cael eu gostwng ar orchymyn Downes, rhuthrodd allan yn bloeddio ar y criw i'w codi eto, ac aeth yn ffrae gegog rhwng y capten a'r mêt. Ond tawodd y cyntaf pan lwyddodd Downes i egluro bod storm ar y gorwel. Siglwyd y *Mimosa* gan dymestl yr un mor enbyd â'r un gyntaf, a chwythwyd hi dri chan milltir allan tua'r dwyrain. (TJ)

Tir!

Ar ddiwedydd 25 Gorffennaf dywedodd y capten wrth yr ymfudwyr y caent weld tir y bore canlynol. Gyda'r wawr, dringodd William Jenkins, Aberpennar, i ben llath uchaf y prif hwylbren ac aros yno'n amyneddgar gan syllu'n hir tua'r deorllewin. Oddi tano, ymdroellai'r fintai ymysg ei gilydd, rhai yn siarad, eraill yn canu, ond pawb yn aros yn eiddgar am arwydd ganddo. Ymhen rhyw awr, clywyd y gwyliwr yn bloeddio 'Tir!' ac atseiniwyd ei gri gan ei gyd-wladwyr, er y bu raid aros am ryw hanner awr cyn i'r un ohonynt weld amlinelliad isel y tir newydd.

'Aethom i mewn i'r Bae Newydd cyn nos y diwrnod hwnnw,' meddai Cadfan. 'Yr oedd pawb yn cael eu boddio â gwyrddlesni llechweddau'r Valdés a'r haul yn tywynnu arnynt bob yn ail â'r cymylau.'

Roedd pawb yn eu hwyliau gorau, meddai Thomas Jones, yn 'holi ble mae coedwigoedd Dafydd Wiliam? O, dywedai yntau, mae'r 'llennyrch duon oedd ar y llechweddau' oeddynt. 'Maent yn fychan iawn', medd un arall; 'Y pellter sy'n achosi hynny', atebai yntau.'

Cyrhaeddwyd dyfroedd digyffro'r bae yng ngolau'r lleuad, ac aeth yr ymfudwyr a'r morwyr i gysgu yn llawn cyffro, gan adael Matthew Burgess, y trydydd swyddog, i lywio'r *Mimosa*. Bu hwnnw mor ddiofal â gadael i'r llong fynd yn rhy agos i'r lan dde-orllewinol, gan greu mwy o gynnwrf fyth, ond llwyddwyd i'w thynnu'n ôl mewn pryd i osgoi llongddrylliad.

Fore trannoeth, cododd yr ymfudwyr yn blygeiniol gan ddisgwyl gweld rhyw arwyddion o bresenoldeb Lewis ac Edwin, ond er iddynt syllu'n hir, ni welsant ddim na neb. Holai ambell un tybed a oedd y ddau wedi cyrraedd yno o gwbl a deffrowyd amheuon ym meddyliau'r rhai mwyaf ofnus. Tua hanner dydd troes pob llygad ac ysbienddrych tua gogledd y bae a bu cryn ddadlau ai llong ynteu ogof a

welid, nes i'r *Juno* droi ei hochr tuag at y *Mimosa*. Gollyngwyd cwch i'r môr a rhwyfodd Pepperrell a Watkin W. P. Williams drosodd at ymyl y *Juno*. Dychwelodd y cwch yn y man ac arno, yn wên o glust i glust, roedd neb llai na Lewis Jones. Roedd y fintai wedi cyfarfod â'i harweinydd o'r diwedd, ac yntau ar ei ffordd i gasglu llwyth arall o Batagones.

Mawr fu'r gorfoleddu, '. . . a chofleidiodd Cadfan a Lewis Jones ei gilydd. Yna, galwyd ar . . . Lewis Jones i annerch yr ymfudwyr, a gwnaeth hynny, gan fynegi pa bethau yr oedd efe wedi eu cludo iddynt i Borth Madryn. Yr oedd magnel y *Mimosa* wedi ei llenwi â phylor a phob tro y gwaeddai yr ymfudwyr 'Hwre', gollyngid ergyd allan yn arwydd o lawenydd a pharch i'r prwyadwyr [sef Lewis ac Edwin]'. (CG)

'Gwelaf wrth restr enwau'r fintai eich bod yn dyfod o wahanol siroedd Cymru, a bod yn eich plith grefftwyr o bob dosbarth, a chan fod y tymor yn rhedeg ymhell i allu paratoi tir a hau'n brydlon eleni, barnaf mai gwell fyddai ymgymeryd â gweithiau eraill a dybiaf dâl yn uniongyrchol, ac y bydd hynny'n help i bawb gael eu traed danynt i lafurio ein tyddynnod yn amserol y flwyddyn nesaf.

Y mae ar du gogleddol Madryn (ochr y Valdés) farmor du sy'n werth pum punt y dunnell. Gall y creigwyr weithio yno a sefyll arian da. Hefyd, y mae yn y Valdés amryw geffylau wedi eu gadael gan yr Yspaeniaid, a fydd dim wrth fodd y llanciau ieuanc yma'n fwy na myned yno i gasglu'r rhai hynny ynghyd a'u dwyn drosodd at wasanaeth y Gwladfawyr. Eto y mae'n agos i enau'r afon 'gregin a shingle' gwerthfawr tua dwy bunt y dunnell, lle cyfleus i'r bobl mewn oed eu casglu a pharatoi llwyth llong ohonynt. Yn nes i'r de y mae ynys yn llawn o guano, lle y gall y canol oed fyned am ychydig fisoedd i gasglu llwythi llongau. Y mae y guano yn werth pum punt y dunnell; a'r seiri ac eraill i adeiladu tai a gofalu am y teuluoedd, etc. Yna, ar ddiwedd y tymor rhannu'r elw rhwng y sefydlwyr fel y byddont gryf i weithio eu tyddynnod. Yn awr yr wyf fi'n dychwelyd i Patagones, er ceisio rhagor o ddarpariaeth ar eich cyfer. Y mae eisoes ar y lan stôr fechan, pedwar ceffyl, dwy drol, gwartheg, defaid a thai.' (TJ)

Bwrw angor

Ddydd Iau, 27 Gorffennaf 1865, ganol gaeaf gerwin, anobeithiai Edwin am ddyfodiad y fintai a oedd bedair wythnos yn hwyr. Cawsai ddiwrnod arbennig o flinedig yn clirio llwyni i agor ffordd tua'r Chupat, a theimlai'n betrusgar. Gadawsai Lewis am Batagones y bore hwnnw, prin tridiau ers ei ddychweliad. A fanteisiai'r gweision ar y cyfle i wneud ymgais arall i'w ladd?

Tuag un o'r gloch, cododd ei olygon a gweld dwy long yn dynesu – y *Juno* a *tea-clipper* fechan, a'i theithwyr ar y bwrdd yn chwifio'u breichiau ac yn bloeddio bonllefau o orfoledd wrth gyrraedd tir. Yn eu plith roedd Lewis, yn morio mewn llawenydd ac yn dal i ysgwyd dwylo a chofleidio teithwyr am yr ail dro a'r trydydd wrth eu croesawu i'r wladychfa, tra bod rhai o'r plant lleiaf yn cydio'n dynn am ei gluniau.

Dywed R. J. Berwyn fod yr arloeswr yn sefyll ar ben uchaf y penrhyn, yn gwisgo'i lifrai milwrol o dan y Ddraig Goch, ac wedi cyrchu Jerry a'r gweision i sefyll fel milwyr talsyth (pob un â'i benwisg o groen cwningen) i gyfarch y *Mimosa* a'i mintai wrth iddi fwrw angor.[13] Taniwyd magnelau o'r llong a thaniodd Edwin yntau fagnel o'r lan 'nes cynnau y brynie – y gwanacod a'r estrysod yn ffoi, yn methu â deall beth oedd yn bod'. (ECR) Rhwyfodd Edwin at y *Mimosa* i groesawu'r fintai. Ynghanol y dorf a bwysai'n eiddgar a swnllyd dros ymyl y bwrdd, safai Ann Jones, Aberpennar, bellach yn eneth ddeunaw oed. Troes at Mary, gwraig ei brawd John, a dweud, er mawr syndod i honno: 'Weli di'r dyn yna sy'n rhwyfo'r cwch? Hwnna fydd fy ngŵr i.' Mae union safle'r lanfa wedi ysgogi trafodaethau brwd ymhlith haneswyr Chubut ac o leiaf un traethawd

---

[13]Tua thri o'r gloch.

dadleuol.[14] Yn ôl T. H. Prior, prif swyddog Ymfudiaeth y goron, cawsai wybod gan Michael D. Jones mai'r Bae Newydd oedd y nod ac y byddai'r 'ymfudwyr yn glanio yng nghornel de-ddwyrain y bae', a lleolodd Berwyn y lanfa 'yng nghesail ddwyrain y gilfach'.

> '... a chyn machlud haul cyrhaeddodd y Mimosa i'r angorfa ar ôl mordaith gyflym [!] o ychydig dros wyth wythnos o Lerpwl. Y mae 54 mlynedd er yr adeg honno', dywedai Richard Jones ym 1919, 'ond yr wyf fel pe'n clywed sŵn rhugliad cadwen yr angor, ac yn teimlo cryndod yr hen long y foment yma.' A'r foment honno, collodd Thomas Greene y frwydr i achub bywyd Mary Ann, merch deirblwydd namyn wythnos i William Robert a Catherine Jones, y Bala, a fu'n wael er dechrau'r fordaith.

Cip ar wlad yr addewid

Darfu'r cyfarchion a'r areithio, ac aeth Pepperrell a Thomas Greene i gael golwg ar y wlad. Mynnodd tua hanner dwsin o'r dynion[15] ganiatâd i rwyfo'n ôl gydag Edwin a Cadfan i dreulio'r nos yn y gwersyll, pob un yn cystadlu am gael bod yr ail i roi ei draed ar y tir – cytunwyd ymlaen llaw mai ysbrydolwr mawr y mudiad ac arweinydd y fintai, Cadfan, a gâi'r fraint o fod y cyntaf. Llamodd y gŵr

un a deugain oed allan i'r dŵr cyn i'r cwch lawn gyrraedd y lan; rhedodd nerth ei draed ar draws tonnau mân y traeth, a phlygu i gusanu'r tir.

Gan anwybyddu bloedd o rybudd gan Edwin, gwthiodd Dafydd Williams, y crydd a'r diddanwr o Aberystwyth, ynghyd â Richard Jones a'r brodyr ap Gwilym, heibio iddo, er mwyn cael cip ar 'wlad yr addewid'. Rhedasant ar draws y traeth a dringo i bennau'r bryniau a amgylchynai'r bae. Galwodd Dafydd ar y dynion, a oedd wedi ennill y blaen arno'n fuan, i aros amdano, a dyna a wnaethant ar ôl cyrraedd pen y gwar.

Heb weld ond anialwch o'i gwmpas, dringodd Dafydd i ben bryn cyfagos, ac yna i'r nesaf, a'r nesaf eto . . . Roedd pob un o'r lleill wedi rhedeg allan yn ei gwmni gan weiddi a chwerthin mewn cynnwrf ond, a'r haul wedi llwyr ddiflannu y tu draw i'r ucheldir gorllewinol, troesant yn ôl yn y gwyll wrth sylweddoli nad oedd popeth fel yr oeddynt wedi ei dybio. 'Er ein dychryn, nid oedd Dafydd Wiliam i'w weled yn unman', ebe Richard Jones. Heb i'r un o'i gymdeithion sylwi ar y pryd, roedd Dafydd wedi mynd yn ei flaen ar ei siwrne faith yng ngolau gwelw'r lloer, ac nis gwelwyd yn fyw fyth eto. Er iddynt alw arno nes bod '. . . ein lleisiau yn diasbedain rhwng y bryniau . . .', ni chafwyd ateb, a dychwelodd y bechgyn i'r gwersyll gan obeithio bod Dafydd wedi cyrraedd yno o'u blaen. Ond doedd dim sôn amdano.

Galwodd Edwin y bechgyn a'r gweision at ei gilydd a rhannodd hwynt yn grwpiau o ddau a thri i fynd i chwilio am y colledig, ond yn aflwyddiannus. Dywed y llygad-dystion fod y coelcerthi a losgwyd drwy'r nos i'w gynorthwyo i ddychwelyd i'r gwersyll, yn goleuo'r holl fro. Chwiliwyd amdano am dridiau, ac un diwrnod crwydrodd Edwin ar ei geffyl am gryn bellter, ond heb lwyddiant. Teimlai'n

[14]'The first Welsh footstep in Patagonia: The primitive location of Port Madryn' gan Fernando R. Coronato, yn y *Welsh History Review*, cyfrol 18, rhifyn 4, Rhagfyr 1997.

[15]Lewis Davies, William Williams, Watkin Wesley ap Mair Gwilym a'i frawd Watkin William Pritchard. Os yw amseriad stori Thomas Jones yn gywir, rhaid bod Richard Jones a Dafydd Williams ar y cwch hefyd neu bod ail gwch wedi'i anfon o'r *Mimosa*.

sâl am amser maith wedi hynny wrth feddwl ei fod wedi colli aelod o'r fintai pan nad oedd hwnnw ond newydd roi ei draed ar ddaear Patagonia.[16]

Byddai dwy flynedd a hanner yn mynd heibio cyn y byddid yn dod o hyd i weddillion dynol yn gorwedd yng nghysgod llwyn ar lethr sy'n arwain tua Llyn Halen Mawr ar odre Dyffryn Camwy, ac o fewn ychydig lathenni i lyn o ddŵr croyw lle gallai Dafydd fod wedi'i ddisychedu ei hun ac achub ei fywyd. Credir ei fod wedi crwydro am tua thri diwrnod a thair noson, gan ddioddef o newyn a syched, cyn i'w ludded ei ladd. Credir hefyd nad edrychodd yn ôl tuag at y traeth unwaith yn ystod y noson gyntaf neu byddai golau'r coelcerthi wedi'i arwain yn ôl i ddiogelwch y gwersyll – pe byddai wedi dymuno hynny. (RJB)

Dywed Richard Jones fod un o'r chwilwyr yn cofio ei glywed '. . . yn dweud droeon ar fwrdd y llong mai efe fuasai y cyntaf un i gyrraedd yr afon a'r dyffryn os na ddelid ef gan Indiaid neu syrthio yn aberth i anifeiliaid rheibus . . .' Adnabuwyd ei weddillion drwy gyfrwng ei 'Holwyddoreg', papurau personol eraill, modrwy, a gwniadur crydd.

Testun gwawd yw Dafydd i'r 'hanesydd' Archentaidd Bernabé Martinez Ruiz am iddo 'golli'i ffordd' drwy fethu dilyn yr haul a chwilio am y môr i ddarganfod ei gyfeiriad. Eithr mae'n amlwg na ddeallodd gymhelliad (na gallu) y crydd. Yn sicr, nid 'crwydro'n ddiamcan' a wnaeth, fel yr honnwyd droeon flynyddoedd yn ddiweddarach. Dengys adroddiad y trengholydd (ac erthyglau diweddarach) yn eglur mai barn gyffredinol y gwladfawyr oedd bod Dafydd yn gwybod yn union i ba gyfeiriad yr oedd yn anelu, ac mai ei ewyllys yn hytrach na damwain (neu dwpdra, fel yr honnai W. R. Jones) a'i gwahanodd oddi wrth y fintai. Pe byddai wedi teithio '. . . dwy filltir ymhellach, gwelsai gyrrau'r dyffryn', meddai'r trengholydd. 'Bu farw yn y fan honno . . . yn ferthyr i'w gynllun ei hun . . .'

Gellir yn hawdd amgyffred y pryder torfol, yr ofn a'r siom a lethai'r criw bychan ar y traeth y noson gyntaf, a hefyd chwilfrydedd y fintai ar fwrdd y *Mimosa* wrth weld y coelcerthi annisgwyl a heb ddeall eu harwyddocâd.

Disgynnodd nifer o'r ymfudwyr y bore canlynol, dydd Gwener, 28 Gorffennaf 1865, heb amser ynghanol y cynnwrf, i boeni ynglŷn â diflaniad Dafydd Williams (nes iddynt sylwi'n bryderus ar absenoldeb y bechgyn a aethai i chwilio amdano), nac ychwaith i bwyso a mesur arwyddocâd hanesyddol eu gweithred. Roedd hi'n fore gaeafol, a'r glaw mân yn curo'n ddi-baid arnynt. Doedd dim cysgod iddynt ym mythynnod anorffenedig y gwersyll – bythynnod y mae llawer o drafod wedi bod ynglŷn â'u hunion leoliad – ond, yn eu

---

[16]Mae Edwin yn gosod y stori hon ar y seithfed ar hugain, a Thomas Jones, yn fwy manwl, yn union ar ôl cyfarchiad Lewis Jones (gan adael amserlen hynod dynn i'r gadwyn o ddigwyddiadau sy'n dilyn). Os traddodwyd yr anerchiad ychydig cyn bwrw angor y *Mimosa* tua thri o'r gloch, erbyn i Edwin gyrraedd y llong a dychwelyd, byddai'r criw ifanc wedi cael rhyw awr i grwydro rhwng y bryniau cyn iddi ddechrau tywyllu. Byddai'n haws derbyn amserlen Richard Jones sy'n dweud mai ar eu ffordd yn ôl i'r gwersyll yn cludo dŵr o'r Fali Fawr, taith dair milltir tua'r gogledd ac yna'n ôl, oedd y llanciau pan gollwyd Dafydd – ddeuddydd yn ddiweddarach. Ond pam byddai'r crydd wedi ychwanegu chwe milltir ddiangen at ei daith? Ar ddydd y glaniad yr aeth Dafydd ar goll, medd rhai (a dywed Cadfan mai'r diwrnod hwnnw y glaniodd yntau, gan wrth-ddweud y stori amdano'n glanio o flaen pawb arall); y diwrnod canlynol, yn ôl dyddiadur Lewis Humphreys; ond byddai angen cysoni hynny gydag amserlen gweddill digwyddiadau'r wythnos gyntaf (gweler pennod 4). Ac mae un gosodiad o eiddo Thomas Jones yn awgrymu mai ef sy'n gywir: 'Yr wythfed ar hugain, pan laniodd y rhai cyntaf o'r fintai, a'r bechgyn **yn absennol** yn chwilio am Dafydd William, parodd hyn bryder nid bychan.'

61

YR HIRDAITH

'Lle cymwys i
bysgod ddyfod
am dro pan fydd
y llanw i mewn,
bydd yno'r amser
hwnnw tua mydr
o ddwfr . . .' (TJ)

prysurdeb, nid oedd amser gan neb i gysgodi, o ran hynny. Rhaid oedd i'r dynion ddadlwytho'r cargo tra aeth y seiri i gwblhau'r siediau gan ddefnyddio pren a gludwyd o Lerpwl.

Fel y dengys y llythyrau a'r ysgrifau a ddyfynnir yn y gyfrol hon, sylwodd y gwladfawyr yn fanwl ar eu hamgylchfyd newydd, a chofnododd nifer ohonynt fanylion sydd, o'u gosod at ei gilydd, yn cynnig darlun manwl iawn o nodweddion a diffygion y darpariaethau a wnaed ar eu cyfer yn y Bae Newydd. Mae cytundeb cyffredinol ynglŷn ag union safle glaniad y *Mimosa*, fel y'i nodwyd gan Michael D. Jones. Ni ddadleuir ychwaith nad ar Benrhyn yr Ogofâu y safai Edwin a'i osgordd i'w chroesawu, ond nid oes un o blith y gwladfawyr sy'n cynnig unrhyw

dystiolaeth i gefnogi'r myth, sydd wedi'i ledaenu moe eang ond a wrthodir gan haneswyr gwladfaol, bod y fintai wedi llochesu yn ogofâu gwlyb Madryn sydd union oddi tano. Yn wir, y mae Thomas Jones yn gwadu hynny'n ffyrnig ac nid yw ei dystiolaeth yn cefnogi'r ddamcaniaeth am y defnydd a wnaed o'r 'ogofâu artiffisial' sydd i'w gweld hyd heddiw ger y fan. Lleolwyd y rheiny ychydig yn uwch na lefel y môr, lle mae olion i'w gweld o hyd, er gwaethaf effeithiau erydol dŵr a gwynt. Dadleuir mai dyna'r man hawsaf i'w amddiffyn rhag yr ymosodiadau a ddisgwylid gan y brodorion. (FC) O wybod a'm gefndir milwrol Edwin a'i gonsŷrn am ddiogelwch y fintai, mae'n anodd meddwl am safle mwy addas at y pwrpas.

Y tyllau yn y bryn *tosca*. Nid yw eu lleoliad, nifer a mesuriad yn cyfateb i rai'r gwersyll yn ôl disgrifiadau'r llygad-dystion

Penrhyn yr Ogofâu

Thomas Jones yw'r unig wladfäwr sy'n cofnodi bod rhai bythynnod ychwanegol wedi'u torri ymhen amser 'yn nhosga'r bryn i aros amser gwell' – (llochesau a agorwyd am y tro cyntaf ym 1867 – gweler penodau 6 ac 8). Dywed Edwin ei fod wedi adeiladu un bwthyn ar bymtheg mewn rhes, a chadarnheir hynny gan Berwyn ac Ellen Jones, gwraig y Llywydd, er bod Edward Preis yn honni eu bod wedi cael eu lleoli 'hwnt ac yma' a 'chymaint â thri o deuluoedd yn byw gyda'i gilydd ymhob un'.[17] Mae'n amlwg na ddaethpwyd â digon o goed o Batagones a hyd yn oed ar ôl ychwanegu'r rhai a dynnwyd o'r llong ddrylliedig nid oedd digon ar ôl ganddynt i osod toeau ar y tai. Mae pawb yn gytûn mai'r seiri a orffennodd y gwaith â choed a gludwyd o Lerpwl. Byddai tridiau yn mynd heibio cyn gorffen dadlwytho ac adeiladu, a gorfodwyd y teuluoedd i gysgu'r dair noson gyntaf wedi'r glanio 'mewn ystafell eang' (TJ) , ffaith y mae gwladfäwr oedd yn dyfynnu Thomas Greene yn ei chadarnhau mewn llythyr a gyhoeddwyd yn yr *Herald Cymraeg.*

<hr>

[17]Hyd at wyth unigolyn ymhob caban, yn ôl R. J. Berwyn – pedwar ymhob un, meddai Ellen Jones. Dichon fod yr olaf yn sôn am gyfnod diweddarach.

Nodai'r meddyg mai'r unig lety a baratowyd mewn pryd i'r glaniad oedd sied goed hir lle'r oedd gwŷr yn cysgu yn un pen a'r gwragedd (a'u plant, mae'n siŵr, er na ddywedir hynny) ar wahân yn y pen arall. Dichon fod Pepperrell wedi gweld y mamau yn wylo wrth baratoi lloches i'w plantos ynghanol y dodrefn a ddadlwythwyd ar y traeth (ECR) a chaniatawyd i nifer ohonynt aros ar y llong hyd nes y gorffennwyd y tai (RJB). Gorfu i bawb arall ymdopi orau y gallent yn yr awyr agored. Cofiai Thomas Jones gysgu yng nghysgod waliau'r tai anorffenedig – 'fel sibsiwn, yn yr oerfel', protestiai W. R. Jones – hyd nes y byddai'r seiri yn gorffen gosod y toeau ac i rai o'r dynion ymadael tua'r dyffryn a lleihau'r wasgfa am le.

Gorfodwyd pawb i goginio yn yr awyr agored, o flaen eu cartrefi. Codai unrhyw chwa o wynt gymylau o dywod a fyddai'n gorchuddio'r bwyd ac yn treiddio drwy'r dillad. Achwynai'r meddyg hefyd am ansawdd y dŵr prin, oedd yn wyn ei liw a mân bryfed yn arnofio arno.

Fel y gwelwyd eisoes, cofnododd Edwin leoliad yr ystordy yn y bryn *tosca,* ffaith a gadarnheir gan Thomas Jones (gweler **Y Stôr**). Ychwaneger yr 'ogof' hon at y rhai a naddwyd ym 1867 – o leiaf dair (gweler pennod 6) – ac ymddengys fod pwysau tystiolaeth y gwladfawyr yn ei gwneud yn amlwg nad agorwyd un ar bymtheg o 'ogofâu' ym 1865. Rhaid derbyn nad yno, felly, ond – fel y tystia Berwyn – 'yng nghesail ddwyreiniol y gilfach, rhwng traeth y penllanw a'r twyni tywod' gerllaw y lleolwyd un tŷ ar bymtheg y gwersyll. Ar ôl cwblhau'r broses o symud y fintai i'r Chupat, mae lle i gredu bod tyllau eraill wedi'u naddu yn y bryn *tosca* i lochesu gwarchodwyr y bae a'r ychydig eiddo a adawyd yno. Nid yw dweud nad yno y cysgododd gwladfawyr y *Mimosa* yn tynnu dim oddi ar werth hanesyddol yr 'ogofâu artiffisial', a fu yn llwyfan i ddigwyddiadau pwysig ar adegau allweddol yn hanes y wladychfa. Haeddant bob ymdrech a wneir heddiw i ddiogelu'r safle fel man o werth hanesyddol.

Ar un o'r cychod, erfyniodd Robert Thomas, Bangor, ar Richard Jones i gymryd gofal eithriadol o focs mawr o bren cryf oedd, meddai, yn cadw'i offer saer. Wedi ei dirio, ni lwyddwyd i'w berswadio i'w agor. Gwell fyddai cadw'r arfau gyda'i gilydd hyd nes cyrraedd y dyffryn, eglurodd. (Byddai dwy flynedd yn mynd heibio cyn iddo fentro agor y bocs i ddangos organ fechan, cymaint ei ofn y câi ei dinistrio gan y sawl a gredai mai offeryn y diafol ydoedd. (M ap H)

Harmoniwm Robert Thomas sydd heddiw yn nghartref ei or-ŵyr Osian Hughes (yn y llun).

Gorchwyl trist cyntaf R. J. Berwyn yn y wlad newydd oedd chwilio am fan addas i agor bedd – a dorrwyd gan Joseph Seth Jones – ar gyfer claddu gweddillion Mary Ann Jones. (Cyn pen mis, byddai ei chwaer fach, Jane, un mis ar bymtheg oed, yn marw o'r pas, a byddai W. R. Jones yn melltithio Patagonia. Collwyd dau blentyn arall ac un wraig yn ystod Awst. 'Dechreuodd y claddu yn gynnar yn hanes y Wladfa', yw sylw trist Seth Jones.

Nid oedd prysurdeb y glanio yn rhwystr i'r ymfudwyr rhag gweld prinned oedd y ddarpariaeth ar eu cyfer. Nid oedd dim yn yr unigedd a'u hwynebai ar y traeth anghyfannedd oedd yn ymdebygu'r mymryn lleiaf i'r darlun delfrydol a grëwyd ym meddyliau pob un ohonynt draw yng Nghymru gan ddisgrifiadau Edwin, Cadfan, Lewis a Michael D. Jones. Ac o dan y glaw mân di-baid yn y Bae Newydd, diffoddodd fflam gorfoledd.

Ond nid oedd diben ildio i grafangau digalondid, ac ymdaflwyd yn ddewr i'r gwaith o osod sylfeini gwladychfa. Ceisiodd aelodau'r Cyngor osod trefn ar y gweithgaredd eithr, yn fuan, dechreuodd rhai o'r ymfudwyr rwgnach yn erbyn y dewis o wlad a'r diffyg darpariaethau, a theflid aml gilwg beichiog o ddicter i gyfeiriad Lewis, Edwin a Cadfan.

Oherwydd yr ofnau hollbresennol am ymosodiadau tebygol gan Indiaid,

Y stôr

'Erbyn y prynhawn yr oedd pawb ar y lan, a'r naill yn holli'r llall b'le roedd y stôr! Wedi gadael y llong a chael eu traed ar dir unwaith eto, a hwnnw'n dir Patagonia, teimlent awydd bwyd, a thybient pe caent hyd i'r stôr y caent gyflawnder o bopeth at dorri angen a newyn, ond a'n helpo!! Pan ei cawsant nid oedd amgen na thwll yn y tosca wedi ei doi â brwyn glan y môr a sach yn ddrws,[18] ac oddi mewn bum sach o flawd, tair ham, ychydig siwgr, currants, raisins, ac ymenyn, etc, a beth oedd hynny rhwng cynifer.' (TJ)

Ac meddai Richard Jones: '...dechreuodd gofidiau a chaledi ein goddiweddyd yn aml a chyflym ...wedi ein rhoddi ar y lan mewn gwlad lom a phell oddi wrth gysuron gwareiddiad...degau o filltiroedd o anialwch sych i'w groesi...yr oedd y dafn agosaf o ddŵr croew ac addas i'w yfed ugeiniau o filltiroedd rhyngom ag ef.'

[18] Cymharer â disgrifiad Edwin Cynrig Roberts.

rhoddwyd ar Edwin y cyfrifoldeb o weithredu fel Swyddog Amddiffyn yn rhinwedd ei brofiad yn Wisconsin a'i hyfforddiant yn Wigan. Ei weithred gyntaf yn y swydd honno oedd galw'r dynion ifainc ynghyd i drefnu sesiynau ymarfer milwrol a oedd i'w dechrau ar ôl cyrraedd y dyffryn. I sawl un ohonynt hwy, fel y tystiai Twmi Dimol, 'Capten Roberts' fyddai Edwin o hynny ymlaen.

Noson olaf Gorffennaf, cytunodd y Cyngor ei bod yn bryd i'r dynion symud ymlaen, yn unol â'u cynlluniau, dros tua phedwar deg milltir o anialwch twmpathog, caregog, tywodlyd a sych i'r de tuag at ddyffryn afon Chupat. Nid oedd amser i'w golli. Penderfynwyd anfon tair mintai o'r bechgyn ifainc dros ddeunaw oed, ynghyd â'r dynion cryfaf, i lawr at yr afon, a'r

Swyddog Amddiffyn i arwain y garfan gyntaf. Meddai Richard Jones, 'Cofiaf yn dda y noson y darllenwyd enwau yr 19 ohonom oedd i gychwyn dros y paith am y dyffryn dranoeth er mwyn paratoi ychydig o ryw fath o gysgod i'r gwragedd a'r plant erbyn y deuent hwy druain drosodd. Cyn codiad haul y bore hwnnw yr oeddym oll yn barod i'r daith . . .'

Nid oedd yr un dyn gwyn – gan gyfrif Edwin a Lewis – erioed wedi gwneud y daith. Roedd Lewis wedi bod wrth geg yr afon ar fwrdd llong pan archwiliodd y lle ar ei daith feiddgar yng nghwmni Jones-Parry Madryn ym 1863, ond camp gwbl wahanol oedd yr un a'u hwynebai y tro hwn, ac roedd angen ymwroli ac ymbaratoi ar gyfer y gorchwyl.

(Ganol Medi, pan fyddai Pepperrell yn gorchymyn codi angor y Mimosa, byddai ei griw yn brin o un aelod. Er chwilio dyfal, ni fyddid yn dod o hyd i Francis Mitchell, oedd wedi cael hen ddigon ar fywyd morwr ac wedi hel ei draed. Llithrodd yr hwyl-long yn bwyllog allan o'r bae a chyn hir, diflannodd dros y gorwel gan adael yr ychydig wladfawyr oedd o hyd wrth y bae ar unigrwydd y glannau nid nepell o'r fan lle saif Porth Madryn heddiw. Eu tynged, mwyach, oedd wynebu bywyd yn eu gwlad fabwysiedig. Ofnai pawb y gwaethaf, ond, fel un, troesant eu cefnau ar y môr i ymroi yn egnïol i'r gwaith.)

Lewis Jones

'Awn, a meddiannwn y tir!'
(Awst-Medi 1865)

Tua gwlad yr addewid

Dihunwyd y gwersyll ddiwrnod cyntaf Awst gan brysurdeb y paratoadau i anfon deunaw o ddynion ifainc cryfaf y fintai ar eu ffordd i'r dyffryn dan arweiniad Edwin Cynrig Roberts, pob un yn cario'i wely, caib, rhaw, ychydig o ddŵr a deg pwys o fisgedi sych ar ei ysgwyddau – digon i'w cynnal nes iddynt gyrraedd pen y daith. Anfonid cyflenwad llawnach o fwyd i'r Chupat yn y bywydfad a brynwyd yn Lerpwl ar gyfer cario cynnyrch y wladychfa i Batagones. Cariai pob un o'r pedwar dyn ar bymtheg ddryll hefyd, a bidog arno. Cludai un ceffyl tenau yr offer trymaf a chyflenwad o ddŵr wrth gefn.

Ni fwriedid cychwyn tan bedwar o'r gloch y prynhawn. Er ei bod yn aeaf, teimlai Edwin mai gwell fyddai cerdded yn awel fain y nos, ac ni ellid anwybyddu'r posibilrwydd o ymosodiad gan yr Indiaid. Ond gobeithiai fod y rheiny, fel yr Indiaid Cochion y gwyddai ef amdanynt, yn amharod i frwydro wedi'r machlud.

Hen amddiffynfa[1], fel y cyfeiriai Lewis Jones ati, oedd y nod, tua chwe milltir i'r gorllewin o geg yr afon, a threfnwyd sut i gyrraedd ati, a'i meddiannu, gyda manylder militaraidd. Tri phrif gyfrifoldeb aelodau'r cwmni cyntaf oedd agor trywydd clir ar gyfer y minteioedd canlynol, sicrhau diogelwch yr amddiffynfa rhag ymosodiadau'r Indiaid, a

thorri coed ar gyfer y seiri coed a maen fyddai'n eu dilyn ddeuddydd yn ddiweddarach dan arweinyddiaeth William Davies, Lerpwl; criw a arweinid gan Daniel Evans, Aberpennar, fyddai'n gyfrifol am wneud priddfeini. Arweinid naw aelod y drydedd fintai, fyddai'n cychwyn ddiwrnod yn hwyrach eto, gan John Morgan, y ffermwr o Ben-y-garn. Amaethyddol fyddai eu cyfrifoldebau hwy: arwain diadell o chwe chan dafad, braenaru'r tir, hau ychydig o wenith a phlannu llysiau, i weld a dyfai rhywbeth o'r pridd – er iddynt gael ar ddeall mai Ebrill, Mai a Mehefin[2] oedd y misoedd hau ym Mhatagonia. Y bwriad amlwg oedd ceisio paratoi ar gyfer trosglwyddo'r teuluoedd i'r dyffryn, ac roedd brys i adeiladu'r tai cyn i'r gwragedd a'r plant hwylio ar hyd yr arfordir. Gwarchodwyr yr offer a gweddill yr anifeiliaid fyddai'n ffurfio'r orymdaith olaf i adael y bae.[3]

Croesi'r paith

Darllenir yn adroddiadau'r cyfnod fod Edwin a'r gweision wedi agor pum milltir cyntaf y ffordd yn ystod y deufis blaenorol, ond di-lwybr oedd y tri deg a dwy o filltiroedd eraill. Yn ôl Berwyn, credai Lewis Jones nad oedd y siwrne, fel

---

[1]Caer a godwyd ym 1853 gan gwmni Henry Libanus Jones, 'perthynas i Henry Jones, y Cymro a laddwyd yn y Crimea, ac yn rhyw berthynas i deulu Mostyn' (LH) at wasanaeth Llywodraeth Ariannin. Am fwy o fanylion gweler Atodiad 1.

[2]Daethant i ddeall yn well gydag amser. Medi yw'r tymor hau yn ôl Jonathan Ceredig Davies. Arferai ffermwyr Dyffryn Camwy hau rhwng Gorffennaf a Medi yn ystod hanner cynta'r ganrif hon ac, yn eithriadol, ym misoedd Mai a Hydref.

[3]Am flynyddoedd wedi hynny, byddai'r wladychfa'n cadw dynion i warchod y bae ac i hysbysu'r gwladfawyr am ymweliad annisgwyl. Eu lloches oedd yr 'ogofâu artiffisial'.

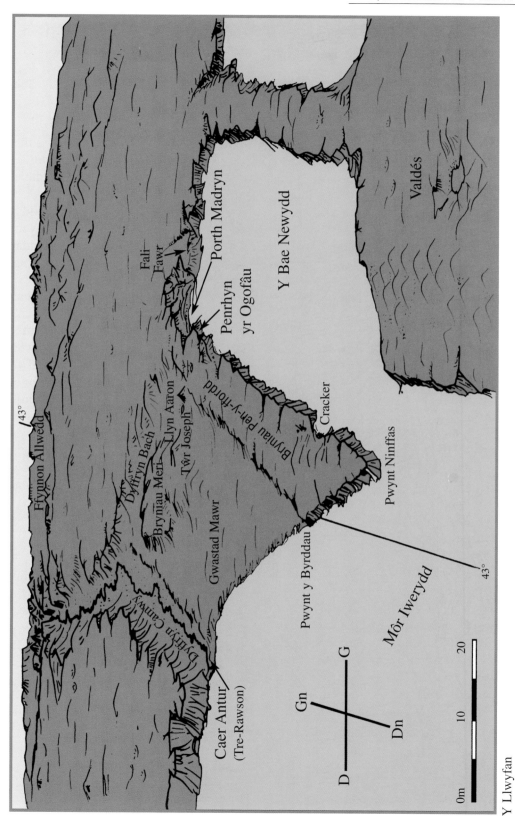

Ffynnon Allwedd

Dyffryn Camwy

Caer Antur
(Tre-Rawson)

Dyffryn Bach

Bryniau Meri

Llyn Aaron

Twr Joseph

Gwastad Mawr

Bryniau Pen-y-ffordd

Fali-
Fawr

Porth Madryn

Penrhyn
yr Ogofau

Y Bae Newydd

Cracker

Valdés

Pwynt Ninffas

Pwynt y Byrddau

Mór Iwerydd

43°

43°

G

Gn

Dn

D

0m

10

20

Y Llwyfan

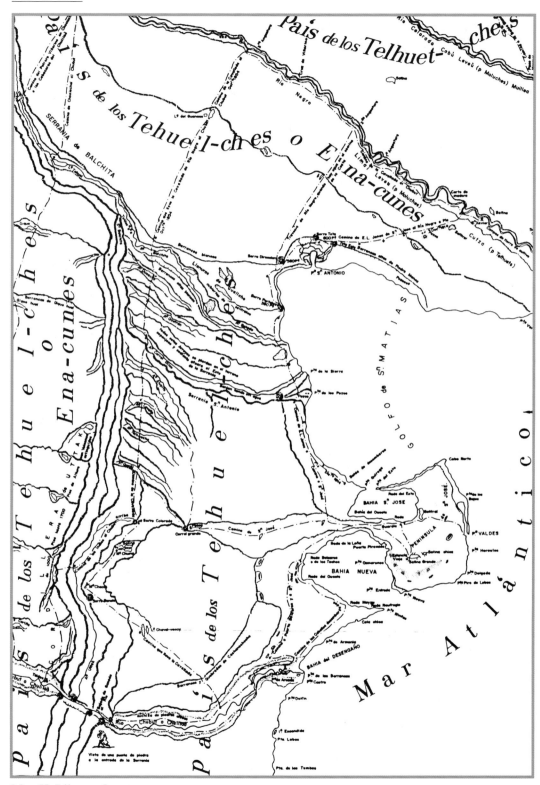

Map H. Libanus Jones

yr hed y frân, fwy na rhyw ddeunaw neu ugain milltir, a gobeithiai'r cwmni gyrraedd wedi toriad gwawr y bore canlynol. Mewn llythyr at Michael D. Jones dywed Edwin mai taith diwrnod a gredai Pepperrell oedd o'i flaen, eithr nid oedd y morwr wedi rhag-weld anawsterau cerdded anialdir cras, dreiniog a di-lwybr. Cyfarwyddyd y Swyddog Amddiffyn i'r minteioedd fyddai'n dilyn oedd: 'Os byddwch yn colli olion ein traed, cofiwch gadw o fewn golwg i'r môr, a'i gadw ar y chwith i chi.'

Flynyddoedd wedi hynny, crynhodd Edwin yr ofnau a'u hwynebai'r prynhawn hwnnw: 'Nid oeddem yn gwybod nad oedd y wlad yn llawn o Indiaid creulon. A chofiwch fod yn rhaid gwneud y daith ar droed. Roedd yn ofynnol cael calon ddewr i gychwyn y fath daith. Ond mi roedd yn rhaid ei gwneud.' Cafwyd seremoni fechan i ffarwelio â hwy, taniwyd magnel wrth i'r orymdaith gychwyn, a gwaeddodd pawb 'Hwrê' i godi eu calonnau. Dringodd y cwmni bychan i fyny yn araf ar hyd y llethr raddol oedd yn ymestyn ryw ddwy filltir hyd at ei chopa gwastad o tua thri chan troedfedd o uchder ar ochr ddeheuol y bae, a llygaid pryderus perthnasau a chyfeillion yn llosgi ar bob gwar ifanc hyd nes iddynt ddiflannu dros y rhimyn o olwg y gwersyll.

Ymlwybrasant tua'r de-ddwyrain dros wastadedd lled fyr. Roedd hi'n noson olau leuad a'r awyr yn glir. Dywed Richard Jones, mewn adroddiad manwl am y daith gerdded gyntaf o Borth Madryn i Ddyffryn Camwy, iddynt ddilyn y ffordd am rai oriau ar hyd y bryniau 'drwy leoedd anhygyrch, dreiniog, tywodlyd, nes oeddem wedi llwyr flino'. Disgynnai'r dirwedd yn raddol hyd nes cyrraedd man a fedyddiwyd ganddynt yn Wastadedd Chwe Milltir ac yno, pan fachludodd y lloer tua deg o'r gloch, y rhoesant eu gwelyau mewn rhes ar lawr i orffwys yng

nghysgod llwyni isel. Wedi cynnau tân, bwyta, ac yfed gweddill eu cyflenwad personol o ddŵr, gorweddodd pawb o dan y sêr i gysgu yn eu dillad 'wedi ymlapio mewn gwrthpan', meddai Berwyn. Eithr ni fedrai'r un o'u plith gau ei lygaid, er gwaetha'i ludded, ac er bod dau ohonynt yn arfog-warchod drostynt rhag ymosodiad gan elyn neu fwystfil. Hwn oedd profiad cyntaf y bechgyn oll o fod allan ar y paith ac ar wahân i'w teuluoedd, ac roedd braw yn gwasgu pob bron.

Cyn bo hir, galwodd un o'r gwylwyr arnynt, 'Codwch at eich arfau!' ac mewn dychryn mawr, ffurfiwyd cylch swnllyd a phob dyn yn cefnu ar y tân yn unol â chyfarwyddyd Edwin. Ond tawelwyd y gwersyll pan ddychrynwyd y creadur 'mawr a gwddf hir' – gwanaco, fwy na thebyg – gan y twrw, ac nis gwelwyd wedi hynny. Tarfwyd eilwaith ar gwsg anesmwyth y gwersyll, ond canfuwyd mai llwynog oedd yr aflonyddwr y tro hwn, ac nid pwma a oedd yn gymaint o fwgan iddynt â'r Indiaid.

Cyn ailgychwyn fore Mercher, gwelwyd gyda siom a braw fod twll yng ngwaelod y llestr dŵr yfed a'i fod bron yn sych. Rhannwyd yr ychydig ddafnau oedd yn weddill ymhlith y dynion, heb ddiwallu'u syched. Tua chanol y bore, ar ôl dringo llethr raddol tua chan troedfedd o hyd, yn llawn gobaith o weld y dyffryn wedi cyrraedd ei chopa, fe'u siomwyd pan welsant wastadedd mawr yn ymagor o'u blaen, a'i dyfiant yn union fel yr olygfa oedd y tu cefn iddynt – môr o dwmpathau drain cyn belled ag y gallai llygaid weld. Fe'u siomwyd droeon eto pan ddilynwyd golygfeydd cyffelyb gan wastadeddau twmpathog di-ben-draw ac unffurf am oriau meithion. Dechreuodd rhai o'r bechgyn amau a oedd y dyffryn a'r afon yn bod o gwbl y tu allan i ddychymyg Lewis Jones, a chlywyd rhai o'r ifancaf yn sôn am ddychwelyd i'r bae. Ganol y

prynhawn, gwelsant grib a godai ychydig yn uwch na'r gwastadedd, gan ymestyn o'r môr tua'r gorllewin. Daethpwyd i'r casgliad fod yr afon a'r dyffryn rywle'n agosach atynt na'r bryniau.

Y noson honno, ni fedrodd yr un ohonynt fwyta, cymaint oedd eu blinder a'u syched. Gosodwyd y gwelyau ar lawr unwaith yn rhagor yn un rhes y tu ôl i lwyni, a rhoddwyd eto ddau o'r llanciau i warchod cwsg y lleill. Oherwydd y blinder llethol, efallai, 'cysgasom yn ddigon tawel, a rhai ohonom yn breuddwydio eu bod yn cael dŵr, ac yn drachtio ohono. O! y fath siomedigaeth'. (RJ) Dywed R. J. Berwyn fod rhai o'r bechgyn mor sychedig y bore canlynol, nes iddynt 'yfed dŵr a fuasai drwyddynt o'r blaen'.

Prynhawn dydd Iau, 3 Awst, cyraeddasant ardal fwy pantiog, a chodwyd eu calonnau gan y newid yn y dirwedd. Mewn gwell hwyliau, ac i dorri ar undonedd y daith, aeth Edwin ati i geisio'u dysgu i hela, ond heb lwyddiant. Ar eu ffordd, daethant ar draws anifail bach dieithr a thlws, â dwy linell wen ar hyd ei gefn du, ond bod golwg fel pe bai wedi'i gythruddo arno. Chwythai a neidiai 'yn gwasgar yr arogl mwyaf ffiaidd'. Rhag ofn y gallai fod yn wenwynig, rhuthrodd William Jenkins yn feiddgar ato, a'i drywanu â'i fidog a'i godi i'r awyr yn fuddugoliaethus.

Arllwysodd y creadur ffyrnig gyflenwad o'i hylif yn syth i lygaid yr ymfudwr eofn a thros ei ddillad, a dilynwyd hwy am rai dyddiau wedi hynny gan y drycsawr mwyaf annymunol. Hwn oedd cysylltiad cyntaf y Cymry â *zorrino* (sgỳnc) Patagonia, a fedyddiwyd ganddynt yn 'drewgi'.

Cerddodd y cwmni yn ei flaen, ond ymhen ychydig roedd y bechgyn yn rhy flinedig i barhau'r daith, eu traed yn friwedig a'r syched yn llethol. 'Ond cerddai Edwin Roberts ymlaen yn wrol ac

egnïol ar y blaen, a'r lleill yn ei ddilyn yn llinell gryn filltir o hyd, a chyfeiriad y rhai olaf yn fynych oedd adlais. Edwin, ymhell o'r golwg yn canu'r hen alaw 'Llanfair':

Un peth a ddymunais gael
   Cyn fy marw,
Oddi ar law fy Arglwydd hael.
   Beth yw hwnnw?
Deued hindda, deued glaw,
   Mi obeithiaf
Weled Patagonia draw,
   Haleliwia.

'A dyma hi, fechgyn,' gwaeddai, tra safai i edrych sut yr oedd y fintai'n ymddangos, 'ac y mae y dyffryn mawr o'n blaen, lle y gwnawn ein *fortune* cyn sicred â'r byd. Dowch ymlaen.' (R. J. Berwyn)

Ni fedrai William Roberts, oedd wedi llwyr ddiffygio, ymateb i anogaeth Edwin. Troes William Jenkins ato i'w annog i daflu ei wely oddi ar ei gefn a rhannu gweddill ei lwyth rhwng ei gyd-deithwyr, ond ofnai William Roberts mai cael annwyd a marw fyddai ei dynged pe na bai gwely rhwng ei gefn a'r ddaear y noson honno. Gadawyd ef yno, yn gorwedd ar ei wely wrth fôn llwyn, yn y gobaith y medrai atgyfnerthu.

Aeth Edwin a'i garfan – bellach wedi gostwng i ddau aelod ar bymtheg – rhagddynt gan anwybyddu'u blinder. Llewygodd yr aelod ifancaf o'r cwmni, Thomas Tegai Awstin (dwy ar bymtheg mlwydd oed), a gosodwyd ef ar gefn y ceffyl a arweinid gan Edwin, Defi John a William Jenkins yn eu tro. Ymhen ychydig amser roedd y pedwar ar ddeg oedd yn weddill yn methu â symud gam ymhellach.

Ychydig cyn nos, gwelsant gyrrau'r dyffryn hirddisgwyliedig yn y pellter. Tra oeddynt yn ystyried pa gyfeiriad i'w ddilyn, cododd storm o wynt cryf ac edrychai fel pe bai'r wlad tua'r de i gyd ar dân. Cofiodd Edwin am ymgais brodorion Winnebago i ddychryn ei deulu. 'Myn gafr', meddai, 'y mae'r Indiaid yn yr amddiffynfa. Y peth gorau i ni ydyw dilyn y bryniau nes cael y môr. Yna bydd y môr a'r bryniau yn gefn i ni rhag yr Indiaid. Rhaid . . . dilyn yr afon i fyny, a'i chymeryd [yr amddiffynfa] oddi arnynt â blaen y bidog, costied a gostio.' (RJ ac RJB)

Chwyddodd eu gwefusau gan syched arteithiol, ac ni fedrent wthio'r bisgedi sych rhyngddynt er gwaethaf eu newyn. Yfodd rhai o ddŵr y môr gan waethygu'u cyflwr, a bu'n rhaid i Edwin, ynghyd â'r unig ddau o'i gymdeithion oedd yn dal ar eu traed, fynd yn eu blaenau a'u gadael yn y fan honno. Er i rai ymdrechu i'w canlyn, diffygio wnaent o un i un, heb nerth i ymgynnull na hyd yn oed daenu eu gwelyau, a gorweddasant yn wasgaredig a diymgeledd ar y tir sych ynghanol yr unigeddau.

Y Chupat

Ymhen tuag awr wedi iddi nosi, darganfu Edwin, Defi John a William Jenkins[4] ddyfroedd y Chupat, a neidiodd y tri a'u ceffyl i ganol y dŵr i ddiwallu'u syched. Ar ôl cynnau tân, cyfarwyddo'i gymdeithion i ferwi dŵr i baratoi crochanaid o goffi, a thrwsio'r jac a'i lenwi, dychwelodd Edwin ar y ceffyl – heb gael cyfle i ddadflino – i chwilio am y pymtheg llanc.

Roedd y rheiny'n ofni'r gwaethaf ac, er na chyfeiriodd yr un ohonynt ato, cofient am ddiflaniad Dafydd Williams ac roedd arswyd yn cnoi eu calonnau ifainc. Tua chanol nos, a'r pymtheg yn anobeithio, clywsant sŵn yn dod o bell. 'Ust! meddai

un wrth y llall, mae llais yn dynesu atom yn araf. Llais pwy debygwch ydoedd ond llais Edwin Roberts – wedi cael hyd i ddŵr, wedi rhoddi clai i lanw y twll oedd yn yr hen jac wedi ei lanw â dŵr ac yn dyfod i'n cyfarfod ar gefn yr hen geffyl gan lefain fel Ioan yn y diffaethwch: 'Digon o ddŵr, fechgyn, digon o ddŵr!' O! dyma'r geiriau hyfrytaf a glywais erioed. Neidiodd pob un ar ei draed fel pe bai wedi cael ysbryd newydd, a cherddasom yn araf i gyfeiriad y llais. Yr oedd yn noson dawel a'r lleuad yn ddisglair, a thrwy drugaredd fe ddaeth Edwin i'n cyfarfod a chawsom bob un gwpanaid o ddŵr.' (RJ)

Wedi canfod y pedwar ar ddeg yn y man lle'u gadawsai a'u disychedu, gofynnodd Edwin ymhle'r oedd William Roberts. Ni wyddai'r un ohonynt ddim amdano. Cyfeiriodd Edwin hwy tua'r dyffryn – 'Ewch yn eich blaenau am dipyn eto, cewch weled tân' – ac aeth i chwilio am yr aelod colledig, 'fe allai y caf hyd iddo' (RJ), ychwanegodd. Ond er chwilio'n ddyfal, troes yn ôl tua'r afon yn waglaw a phenisel.

Yn oriau mân bore Gwener, ymunodd y pymtheg â William Jenkins a Defi John yn y gwersyll, lle'r oedd hen grochan mawr o goffi ar y tân. Er bod y ddiod gynnes yn fendithiol, a'r bisgedi caled yn blasu'n dda, cytunodd pawb i beidio â bwyta gormod rhag mynd yn sâl. Er bod ganddynt achos i lawenhau, tawedog iawn oedd pawb, yn enwedig ar ôl i Edwin ddychwelyd tua phedwar o'r gloch ar ei ben ei hun.

Ond yna, gyda'r wawr, ac er rhyddhad iddynt oll, ymddangosodd William Roberts. Daethai o hyd i bwll glaw ac, wedi yfed a chysgu i adennill ei nerth, roedd wedi cerdded i'r gwersyll – yr hyn sy'n rhyfeddol o ystyried y gallasai yn hawdd, hyd yn oed o ddilyn ei drwyn tua'r de a throi gyda'r afon, fod wedi cyrraedd

[4]Efallai y dylid ychwanegu enw Thomas Tegai Awstin at y tri, er nad yw'n ymddangos yn yr adroddiadau. Gosodwyd ef yn ddiymadferth ar y ceffyl yn gynharach y diwrnod hwnnw, a go brin y byddai Edwin wedi ei adael ar y paith.

unrhyw bwynt arall ar hyd cyrion eang y dyffryn, fel y digwyddodd i grŵp diweddarach. Dynesodd atynt yn cario'i wely, yn crymu yn ei wendid dan bwysau'i bwn, a gofynnodd 'mewn llais bloesg, 'Ydach chi yma i gyd?'' (RJ) A bu dathlu mawr. Trofa Unnos oedd yr enw a roesant ar y man y lleolwyd y gwersyll cyntaf hwnnw ar lannau Camwy.

Caer Antur

Teimlai Edwin gymysgwch o ryddhad a balchder. Siomwyd ef gan noethni'r olygfa, ond camp fawr iawn oedd goresgyn cynifer o anawsterau heb golli bywydau. Eithr nid oedd y gwaith ond megis dechrau. Wedi dadflino ac atgyfnerthu yn niogelwch cymharol glannau'r afon, troesant tua'r gorllewin i chwilio am yr hen amddiffynfa. Yn ôl R. J. Berwyn, taith flinderus ac anodd fu hon gan fod hesg a glaswellt trwchus yn tyfu hyd at ysgwyddau'r talaf ohonynt mewn llawer man. Ar ôl gweld y cymylau mwg llwytgoch y noson cynt, credai Edwin fod yr Indiaid wedi'u gweld yn agosáu ac wedi gosod y gaer ar dân i'w rhwystro rhag cael lloches rhwng ei muriau – fel y gwnaethai Indiaid Winnebago flynyddoedd ynghynt. Cyfarwyddodd y llanciau i ymarfogi ac ymbaratoi ar gyfer brwydr. Roedd ei gynllun yn un syml, a dilynwyd ef yn fanwl.

Cerddodd y fintai'n ddistaw tuag at y cyrchle. O fewn golwg i'r adfeilion, ymlusgodd yr arweinydd a'i ddeunaw gŵr arfog a phryderus, mewn cylch nes amgylchynu'r gaer. Gwelent fod ffos tua metr o ddyfnder a dwy fetr o led yn rhedeg o'i hamgylch ac oddi wrthi i'r afon, ond ni wyddent a oedd dŵr yn ei gwaelod. Serch hynny, pan glywyd llais Edwin yn galw arnynt i ymosod, rhedodd pawb gyda gwaedd fawr i gau'r cylch, neidio i'r ffos, gan ddiolch ei bod yn sych, ac i fyny tua'r murddun. Rhuthrasant i ganol y muriau llwyd gan weiddi nerth eu pennau, a sefyll yn stond a distaw wrth ganfod y cyntedd yn hollol wag ar wahân i'r cylch hynod a ffurfient hwy o'i fewn. Yn dilyn un ochenaid dorfol o ryddhad, dechreuodd y 'gwŷr arfog' chwerthin, dathlu a chellwair. Maes o law, byddent yn darganfod mai llwch ac nid mwg a welsant y diwrnod blaenorol, yn codi o flaen gwyntoedd cryfion Patagonia. Yn yr hwyliau gorau, bedyddiwyd y fan â'r enw Caer Antur i gofio'r achlysur. Codwyd y Ddraig Goch a chanwyd 'Anthem Patagonia' – ddydd Gwener, 4 Awst 1865. Gerllaw'r man saif Rawson, prifddinas Talaith Chubut.

'Y diwrnod ar ôl ein dyfod i'r dyffryn [sef 5 Awst] cychwynnwyd ar unwaith i adeiladu bythynnod', meddai Edwin, a dichon mai'r dyddiad hwnnw (onid y diwrnod cynt) yw'r un y dylid ei ddathlu i gofio sefydlu'r dref, er mai pum bwthyn dros dro oedd yno ar gyfer lletya'r dynion. Tai 'palo pique' oedd enw'r gwladfawyr arnynt, am iddynt gael eu gwneud â phlanciau wedi'u plannu ar eu pennau yn y tir. 'Yr ail ddiwrnod, [dydd Sul 6 Awst] cyrhaeddodd William Davies gyda nifer o ddynion a golwg ddigalon ryfeddol arnynt. Nid oedd ganddynt fwyd ac nid oedd gennym ninnau fwyd ychwaith i'w gynnig iddynt.' Nid oedd sôn am y bywydfad.

Wedi archwilio'r traeth, a gweddillion hen long ddrylliedig a orweddai ar y tywod er dyddiau Libanus Jones, anfonwyd tri o'r bechgyn i gerdded hyd at geg yr afon i weld a oedd y bywydfad yn yr aber. Ni wyddent fod y cwch wedi dechrau gollwng dŵr yn fuan wedi gadael y bae a'i fod wedi'i lywio at y lan wrth y fan a elwid wedyn yn Pant y Llewod. Ni chollwyd y dynion na'r cargo, ond nid oedd modd symud ymlaen heb drwsio'r bywydfad.

Trowyd y cwch ben i waered ger y traeth i orchuddio'r nwyddau, a cherddodd

Caer Antur

y dynion[5] yn ôl i Fadryn gan gyrraedd yn flinedig a sychedig ymhen tridiau. Wedi dadflino am ddeuddydd, dychwelasant i drwsio'r cwch ac ailgydio yn y fordaith. Byddai pedwar diwrnod arall yn mynd heibio cyn iddynt fedru gadael Pant y Llewod, ac ymron i wythnos arall eto cyn cyrraedd yr aber – bythefnos yn hwyr. (RJB)

Yr ail garfan

Cychwynnodd William Davies a'i seiri coed a maen fore dydd Iau, 3 Awst, yn tywys dau geffyl yn cario dŵr, offer a

[5]Robert Nagle, Amos Williams, John Humphreys a David Jones.

bwyd. Gwelsant lyn fore Sadwrn, cyn dod, yn annisgwyl, at lan y môr – drwy iddynt wyro'n ormodol i'r de-ddwyrain. Yn ddiweddarach, gwelsant fwg mawr tua'r de-orllewin a thybiwyd mai'r grŵp cyntaf oedd wedi cynnau tân i'w cyfeirio. Cyn iddi nosi, gwersyllasant wrth lyn arall cyn ailgydio yn y daith fore Sul. Roedd yn ganol dydd arnynt yn cyrraedd yr afon i'r gorllewin o Gaer Antur, ac aethpwyd ati i gynnau tân ar gyfer coginio'r ychydig fwyd oedd yn weddill. Wedi gweld y mwg, daeth nifer o fechgyn Edwin i'w cyfarfod.

Ni chafodd mintai Daniel Evans gystal hwyl. Llwythwyd yr offer adeiladu ar drol a oedd i'w thynnu gan wedd o ychen, ond nid oedd yr olwynion yn troi ar y tir tywodlyd. Dadlwythwyd hi a'i thynnu tua chwe chan metr at dir caletach ger y 'ffynnon dŵr hallt'. Cludwyd yr offer trwm ati ar geffylau, a'r dynion yn cario'r rhai ysgafn, ond yn fuan wedi cychwyn y daith, gorfodwyd hwy i droi yn ôl i'r gwersyll pan fethodd yr ychen ddringo llethrau'r bryniau mawr.

Bu'n rhaid gwneud ymdrech enfawr i gludo'r llwyth i gyd yn ôl oddi yno i'r stordy. Methiant hefyd fu'r ymgais i gario ceibiau, rhawiau a mowldiau priddfeini ar ferfa oherwydd nad oedd olwyn honno ychwaith yn troi yn y tir meddal, a rhoddwyd y gorau i'r ymdrechion pan fachludodd yr haul. Llwyddwyd i adael y gwersyll gyda'r wawr y bore canlynol, y dynion yn cludo'r bwyd a'r deunydd gwersylla, a'r offer trymaf ar gefn ceffyl. (TJ)

John Morgan a'i amaethwyr

Tasg y drydedd garfan oedd gyrru'r chwe chan dafad a ddaethai ar y *Juno*. Pan ddechreuwyd y daith yn hwyrach na'r disgwyl ddydd Sadwrn, 5 Awst, dilynwyd ôl yr ail garfan hyd nes iddi nosi. Dihangodd hanner y ddiadell yn ystod y nos ac aeth saith o'r dynion i chwilio amdanynt, gan adael dau i warchod y gweddill. Collwyd y defaid hynny hefyd, ond gwelwyd hwy yn ddiweddarach yn dychwelyd i'r bae! Ymwahanodd y ddau fugail ar eu ffordd tua'r dyffryn – un ohonynt yn cymryd deuddydd, a'r llall pump. Daeth y saith o hyd i'w diadell hwythau ac ymlwybrasant tua'r dyffryn mewn niwl trwchus, ond, wedi deuddydd o grwydro, fe'u collasant yr eilwaith tra oeddynt hwythau'n paratoi pryd o fwyd ar lan llyn. Aeth dau i chwilio amdanynt, eu canfod, a'u harwain i Gaer Antur y diwrnod canlynol. (RJB)

Bu'r pump arall yn dadlau ai ymlaen ynteu yn ôl y dylent fynd, cyn cytuno i ddychwelyd i'r bae, heb wybod nad oeddynt ond tua phum milltir o'r afon a phen eu taith. Cofiodd William R. Jones, y Bala ei fod wedi gadael ei ddryll ar lan y llyn, ac wedi peth dadlau â'i gymdeithion, dychwelodd i'w gasglu. Yna troes tua glan y môr. Roedd yn newynog a sychedig ond achubwyd ei fywyd pan ganfu botel o win ar y traeth. Yfodd ei chynnwys ac, wedi cysgu ar y tywod, ymgryfhaodd a dychwelodd ar hyd y traeth yr holl ffordd i'r bae! Iddo ef, roedd yn bwysicach o lawer cael bod gyda Catherine i ofalu am Jane fach yn ei gwaeledd na phoeni am ddefaid anystywallt fyddai'n saff o ffeindio'r dyffryn – na wyddai a oedd yn bod ai peidio – heb gymorth ei arweiniad ef.

Profiad yr Is-lywydd

'. . . a thrugaredd na buaswn i ac Edward, a dau eraill, wedi colli wrth ddyfod o New Bay i Chupat, yr hon sydd yn daith dau ddiwrnod. Tra ar ein taith, cododd yn niwl a gwlaw arnom, a thrwy hynny, collasom y ffordd, ac yn lle dyfod i Chupat mewn dau ddiwrnod, buom am wyth niwrnod. Nid oedd gennym ond digon o luniaeth tridiau pan yn cychwyn o New Bay, felly, chwi a welwch mai treial lled galed arnom oedd cysgu allan yn y gwlaw a'r oerni, ac heb ddim bwyd. Yr oeddym wedi mynd ar gyfeiliorn yn lân, heb un man i gyfeirio ato, ond teithio yn galed bob dydd heb wybod i ba le yr oeddym yn myned; ond diolch am y diwrnod y daethom at lan y môr; ac yna deallasom ym mha le yr oeddym. Cyrhaeddasom y Chupat y bore dranoeth mewn gwendid mawr. Peth tra sobor yw bod allan yn yr anialwch am wyth niwrnod ac wyth noson, heb weled na thŷ na phobl yn unman . . .' (EP) Dioddefodd eraill yr un modd.

Newynu

Penderfynodd Edwin anfon rhai o'r dynion i hela, ond buan y darganfuwyd nad oeddynt yn gymwys i ymgymryd â'r gorchwyl yn llwyddiannus. Dychwelodd y cwbl yn waglaw ac eithrio un, a lwyddodd i saethu llwynog. Gofynnodd y Parchedig Abraham Matthews, wrth weld y sosban yn berwi, 'Beth sydd gennych ar y tân, fechgyn?' (RJ) Pan glywodd eu hateb, erfyniodd arnynt i aros hyd nes y cyrhaeddai John Morgan â'r defaid.

Oedodd y bechgyn ychydig amser ond trechwyd hwy gan yr ysfa i fwyta, a 'bwytawyd ef gyda blas', ebe Edwin. Eglurodd Richard Jones iddynt ei fwyta 'i dorri ein gwanc er cryfed oedd yr arogl arno, a dyna'r esboniad gorau a gefais i erioed ar y gair hwnnw – "i'r newynog, pob peth chwerw sydd felys."' A'i stumog yn troi, cefnodd Matthews arnynt, a cherddodd oddi wrth ddrewdod y cig i guddio'i ddagrau rhag y llanciau.

Wedi'r gwledda, bu trafod brwd sut i ddelio â'r argyfwng. Credai Edwin mai hyfforddi'r bechgyn i hela fyddai'r ffordd gyflymaf o gael bwyd, ond roedd llawer o ddynion yr ail garfan a'r drydedd wedi gadael eu harfau ar hyd y paith (er mwyn ysgafnhau eu pwysau) ac ni chanfuwyd hwy byth wedyn. Perswadiodd Matthews a Davies ef y gallai'r bechgyn ddysgu drwy ymarfer ar eu pennau eu hunain ac mai gwell fyddai i Edwin deithio i'r bae i gasglu cyflenwad arall o fwyd.

Yn ôl i'r Bae Newydd

Cychwynnodd Edwin am Fadryn yng nghwmni Rhydderch Huws ar 8 Awst, a chyrraedd yno ymhen diwrnod a hanner i ddarganfod mintai o ymfudwyr siomedig ac anfodlon eu byd. Nid oedd bywyd damaid yn haws i'r rhai oedd wedi aros ym Madryn a thasg anodd fu eu cadw'n ddiddig. Ond roedd yn gysur iddo ganfod bod y defaid a gollwyd ar y ffordd wedi dychwelyd i'r bae. Dychwelasai'r pum gyrrwr i Fadryn yn waglaw, ond medrai ef gyhoeddi fod y pedwar arall a hanner y ddiadell wedi cyrraedd pen y daith yn ddiogel.

Ymhen dwy flynedd, byddai adroddiad Llysgennad Prydain (yn dilyn ymweliad llong ryfel Brydeinig â'r wladychfa) yn beirniadu'r ymfudwyr am iddynt segura yn ystod eu cyfnod yn y bae, a thaenwyd y farn ddi-sail a chamarweiniol hon fel ffaith byth wedyn. Eithr, fel y pwysleisiodd Abraham Matthews (ac fel y cywirodd y llysgennad ei gamgymeriad yn ddiweddarach), bu'r fintai yn hynod ddiwyd gydol yr amser hwnnw fel y buont weddill eu hoes. Gwyddys fod eithriadau diog, achwyngar (a lladronllyd, yn ôl tystiolaeth W. R. Jones) yn eu plith, ond prin iawn fu'r rheiny. Gwaetha'r modd, mae Matthews (nad oedd yn dod o gefndir amaethyddol nac, efallai, wedi deall popeth a welodd), wrth geisio amddiffyn ei gyd-wladwyr, yn parhau'r myth sarhaus hwn (a ledaenir hyd heddiw) drwy beidio â dangos – fel y gwnaeth pob llythyr a anfonwyd i Gymru – bod y ffermwyr yn gwybod i'r dim beth dylid ei wneud.

Ymgais at amaethu

Teimlai'r ychydig deuluoedd amaethyddol yn y gwersyll yn dra rhwystredig. Gwyddent nad oedd pwrpas trin tir oedd yn anaddas ar gyfer tyfu grawn oherwydd prinder glaw. Gwyddent hefyd eu bod wedi glanio ddeufis yn rhy hwyr i drin y tir yn barod ar gyfer y tymor hau, ac nad oeddynt i aros yn y bae. Ond teimlent reidrwydd i beidio â gwastraffu mwy o amser. Byddai wythnosau'n mynd heibio eto cyn y cyrhaeddai llawer ohonynt y dyffryn, ac ni fedrent gyflawni dim o werth yma, ac eithrio rhywfaint o arbrofi, efallai.

Meddyliodd Thomas Davies mai gwell na segura fyddai hyfforddi'r mwyafrif dibrofiad sut i weithio gyda'r ychen rhyfeddol a ddygasid o Batagones. Awgrymodd ei wraig Eleanor – a faged, fel yntau, yng nghefn gwlad Ceredigion – y gallai hi, ynghyd â'i chyfaill Elisabeth Jones a'r ychydig wragedd fferm eraill yn y fintai, ddysgu'r gwragedd o'r dref i odro'r gwartheg. Aethpwyd ati yn eiddgar.

Ond ni wyddai'r Cymry nad anifeiliaid cyfarwydd â gwaith fferm oedd y rhain. Dygasid hwy o 'estancias' Talaith Buenos Aires, lle'u pesgid er mwyn eu cig, eu crwyn a'u braster, yn hytrach na'u magu er mwyn cynhyrchu llaeth, menyn a chaws. Mawr fu'r helbul a'r difyrrwch wrth geisio dod â dau wareiddiad gwahanol ynghyd. Ceisiodd Eleanor, â bwced yn ei llaw, ddenu ambell fuwch ati yn y dull cyfarwydd iddi hi, sef trwy alw arnynt yn fwyn: 'Dere di, 'morwyn i, dere di, 'morwyn fawr i', eithr syllai'r gwartheg arni'n amheus â'u llygaid tywyll gorlawn o syndod, a throdd ambell un yn dra gelyniaethus. Rhedodd y mwyafrif o'r anifeiliaid oddi wrthi ond safodd rhai yn fygythiol cyn i un ruthro ati'n ymosodol. Taflodd Eleanor ei bwced ati a dihangodd nerth ei thraed. 'O! dyma andros o wartheg. Dyn a'n cato ni, ma'r ysbryd drwg ynddyn' nhw!' meddai wrth ei ffrindiau.

Ni chafodd Thomas fawr o lwyddiant gyda'i ymdrechion yntau chwaith. Anwybyddai'r ychen ei orchmynion ac nid agorwyd ond ychydig gwysi cam (a hynny ar ôl iddo ef arwain y wedd ar gefn ceffyl). Cafodd ei gyfaill John Jones, Aberpennar, ddihangfa wyrthiol pan ymosododd un o'r gwartheg arno a'i daflu ar lawr. Llwyddodd i afael yn ei chyrn a chicio'i thrwyn yn ddidrugaredd nes iddi ddianc o'i afael. Dro arall, tra oedd yn cynorthwyo'i wraig i ddal buwch i'w godro, ceisiodd yr anifail ei osgoi. Estynnodd ei law i afael yn ei chyrn ond troes y fuwch yn sydyn a chydiodd llaw John yn ei chynffon. Claddodd ei sodlau yn y ddaear a thynnodd yn galed ond tynnodd y fuwch hithau yr un mor gryf a'i lusgo ar ei hyd dros y tir dreiniog. Gwaeddai Elizabeth nerth ei phen, 'John annwyl, fe gaiff ei ladd, fe gaiff ei ladd!' ac atebai John o'r llwch, 'Tewch â sôn, Betsan, tewch â sôn.' (TJ) Rhwygodd y gynffon o'r bôn a rhedodd y fuwch wyllt i ffwrdd a'i gadael yn hongian wrth law John Jones! (Daethpwyd o hyd i'r fuwch benderfynol hon ymhen dwy flynedd mewn man a elwid wedi hynny yn Pant y Gwartheg.)

Ceisiodd John Jones ddofi buwch unwaith eto. Wrth agosáu ati, dywedai, 'O 'mechan bach i, 'mechan bach glws'; ond rhuthrodd hithau ato a'i daflu ar wastad ei gefn. Wrth godi o'r pridd caregog, gwaeddodd mewn rhwystredigaeth, 'Beth sydd arnat ti, yr hen sguthan hyll?'

Gwyliai'r gweision y datblygiadau gyda diddordeb mawr. Pan gawsant ddigon ar yr adloniant annisgwyl, esboniasant i'r Cymry mai'u dull hwy o drin y gwartheg oedd cael dyn ar geffyl i daflu laso dros ben y fuwch, ei dynhau am ei gwddf a chlymu'r anifail yn dynn wrth bostyn – a rhwymo ei thraed ôl os oedd yn eithriadol o wyllt. Wedi deall y drefn, llwyddodd Eleanor a Betsan i odro, a chafwyd ychydig o laeth a menyn. (AM)

Nid oedd 'pobl y dref' yn teimlo bod pob un o'r gorchwylion amaethyddol yn dasgau y gellid yn rhesymol ddisgwyl iddynt hwy eu cyflawni. Goresgynnwyd y broblem drwy anfon rhai i ymestyn y ffordd a gychwynnwyd gan Edwin a'r gweision; gofynnwyd i eraill fugeilio'r anifeiliaid, ac anfonwyd nifer i glirio rhywfaint o'r tir ac amgylchynu'r 'caeau' â thwmpathau er mwyn i'r ffermwyr hau arnynt. Gwelwyd yn fuan na fyddai dim yn tyfu yno.

Camliwio

Hyd heddiw, dilornir yr ymdrechion olaf hyn gan haneswyr na ddeallodd fwriad y fintai. Er i Abraham Matthews amddiffyn yr hyn a wnaed, myn yntau mai diffyg profiad ac adnabyddiaeth o'r wlad a'i hinsawdd oedd yn gyfrifol am y methiant i amaethu ym Madryn, a lledaenwyd y farn hon gan y rhai a'i dilynodd. Mae'n wir na ddeallent nodweddion y lle ar y dechrau, eithr dengys y llythyrau a anfonodd yr ymfudwyr i Gymru yn fuan ar ôl cyrraedd y dyffryn yn blaen na fu'n fwriad ganddynt erioed ffermio tir y bae. Arbrofi ac ymarfer yn unig a wnaed, a cheisio hyfforddi'r crefftwyr a'r ymfudwyr o gefndir trefol yng nghyfrinachau amaethyddiaeth, gan gredu y byddai hynny'n fwy buddiol na chicio sodlau am ddeufis tra arhosent am eu cludiant i'r dyffryn. A gwerthfawrogent y difyrrwch a ddôi gyda'r prysurdeb.

Galar

Eithr os oedd digwyddiadau difyr yn ysgafnhau'r awyrgylch, nid oedd modd celu'r ffaith fod y sefyllfa gyffredinol yn un argyfyngus. Dywedwyd wrth Edwin fod John ac Elizabeth Hughes wedi colli Henry, ei fab deufis ar bymtheg, y Sul wedi i'r cwmni cyntaf gerdded tua'r dyffryn; a'r bore Llun canlynol, collwyd Margaret Ann, merch bymtheg mis oed Evan ac Ann Davies, Aber-porth. Roedd sawl plentyn arall ac ambell oedolyn yn wael iawn. Ac atgoffwyd ef droeon fod rhai o'r gwragedd wedi bod ar goll dros nos wrth fynd i chwilio am ddŵr i yfed, coginio, ymolchi a golchi dillad. Clywodd yr arloeswr y cwyno mynych yn ymchwyddo fel ton bob tro yr âi heibio i ddyrnaid o'r ymfudwyr; synhwyrodd y cyhuddiadau ymhob cilwg a deflid i'w gyfeiriad, a saethodd poen i'w fynwes pan lefodd un o'r gwŷr mewn rhwystredigaeth: 'Oni welwch chi'r dagrau ar wynebau'r mamau?'

Eithr, iddo ef, nid oedd amser i wylo nac i amddiffyn neu feirniadu. Unwaith yn rhagor, rhaid oedd symud ymlaen, dewis blaenoriaethau ac ateb y problemau mwyaf uniongyrchol. A'i fechgyn yn

newynu yn y dyffryn, nid oedd amser i'w golli. 'Yn union ar ôl fy nyfod i'r Porth, llwythwyd dau geffyl ag angenrheidiau ac anfonwyd hwynt yn ddigoll amser tua'r dyffryn, y rhai hyn hefyd gollasant y ffordd.' Anfonwyd llwyth arall eto yng ngofal R. J. Berwyn, Thomas Ellis a Maurice Humphreys. Yn dynn ar sodlau Edwin Roberts a Rhydderch Huws, dychwelodd William Davies a'i ddynion a golwg ddifrifol arnynt – yn newynog, a'u dillad yn garpiau. Canmolai Davies dir y dyffryn ond achwynai nad oedd ond cig ar gael i'w fwyta yno.

'Antur'

Daethai'r cyflenwad bwyd a gyrhaeddodd Gaer Antur gyda Morgan a Matthews i ben yn fuan. Anfonid y bechgyn yn eu tro i lan y môr yn ddyddiol, yn y gobaith o weld y cwch ac i gasglu ychydig o ddŵr hallt i flasuso unrhyw aderyn y llwyddid i'w saethu a'i goginio. Ond ni chrynhoid digon o luniaeth i bawb yn ystod unrhyw ddiwrnod, a dioddefid newyn dychrynllyd.

Yn ystod y dyddiau pan oedd y prinder bwyd ar ei waethaf, daeth ci bychan i'r golwg a hela gwanaco a rhai ysgyfarnogod, gan leddfu'u cyflwr dros dro. Rhoed 'Antur' yn enw arno. Ac fel y daeth, felly y diflannodd. Credai Richard Jones mai ' "Rhagluniaeth fawr y Nef" a'i hanfonodd atom pan oeddem ar fin marw o newyn, a dyna gredaf amdano tra byddaf fyw.'

Dychwelyd

Yn absenoldeb Edwin, trafodwyd beth i'w wneud. Dadleuodd ambell un dros ddychwelyd i'r bae, ond credai eraill nad oeddynt yn ddigon cryf i wynebu'r daith ac mai gwell fyddai gorwedd i lawr i farw yn y dyffryn. Ond, yn eu gwendid, hiraethai'r llanciau am deulu a chyfeillion, a phenderfynodd un ar ddeg ohonynt ymlwybro dros filltiroedd o baith anial, heb fwyd a heb fawr ddŵr yn eu costrelau.

Ymlusgodd y criw ifanc i fyny tua'r gogledd – y gweiniaid yn cynnal y gwannaf gydol y daith. Ar ddiwedd ail ddiwrnod eu crwydro araf a lluddedig, disgynnodd pawb ond William Jenkins ar eu gliniau, ac erfyniwyd ar yr unig un o'r criw oedd yn arddel crefydd, sef Richard Jones, i weddïo am achubiaeth. Yn ystod y weddi ymbilgar, gwelodd William aderyn yn hofran uwch eu pennau a llwyddodd i'w saethu. Torrodd ei ben i ffwrdd a, tra sugnai'i waed, clywyd sŵn ergyd gwn yn y pellter, a gwyddai'r un ar ddeg fod cymorth ar y ffordd. Taflodd pawb eu hunain ar y pridd i ddadflino a chysgu'r nos yn y sicrwydd bod y weddi wedi'i hateb.

Gyda'r wawr, saethodd William Jenkins ei wn i'r awyr, a chlywyd ergyd gwn arall yn ateb – yn nes y tro hwn. Cyn hir, cyrhaeddodd Thomas Ellis, R. J. Berwyn a Maurice Humphreys, ac arweiniodd y cyntaf hwy i ddiogelwch y gwersyll ar y traeth. Sylw ceryddgar Richard Jones flynyddoedd wedi hynny oedd taw '. . . dim ond tri o'r nifer a roddodd eu hunain i Dduw i'w wasanaethu a'i ogoneddu am y waredigaeth ryfeddol a gawsom'. Roedd clywed y bechgyn yn adrodd nad oedd yr un o'r llwythi a anfonwyd wedi cyrraedd Caer Antur cyn iddynt hwy adael, yn peri pryder mawr am gyflwr y gyrwyr, ond deallwyd yn ddiweddarach i'r rheiny golli'r ffordd am rai dyddiau cyn cyrraedd pen eu taith yn ddiogel.

Un a gollodd ei ffordd wrth ddychwelyd o'r dyffryn oedd Joseph Seth Jones, yr argraffydd o Abergele. Wedi diffygio a cholli ei synnwyr cyfeiriad, ymlusgodd i gopa bryncyn a godai megis pyramid isel ynghanol y gwastadedd mawr. Yno, canfu gorff barcud newydd farw. Torrodd yr aderyn yn ddau hanner, bwytodd un yn amrwd a chadw'r llall ar gyfer gweddill y daith. Wedi atgyfnerthu, ail gydiodd yn ei siwrne, cafodd gipolwg o'r môr, a chyrhaeddodd yn ôl i'r bae yn ddiogel. Hyd heddiw, Twr Joseff yw'r enw ar y bryncyn pigfain amlwg sydd ar ymyl y ffordd o Fadryn i Drelew. (TJ)

Clywodd Edwin y newydd am ymadawiad y llanciau o enau Maurice Humphreys ger Bryniau Meri. Ofnai'r gwaethaf gan nad oeddynt wedi croesi ei lwybr ar eu ffordd tua Madryn, ond yr hyn a barai'r poendod mwyaf iddo oedd eu penderfyniad annisgybledig i adael y dyffryn. Dychrynai wrth feddwl am eu hanallu i arbed eu bywydau eu hunain. Ceid cyflenwad hael natur ar dir, awyr a dŵr, eithr 'yr oedd pawb mor anhylaw gyda gynnau fel nas gallent saethu un gwylltfilyn', meddai, a phenderfynodd y dylid cywiro'r sefyllfa gwbl annerbyniol hon cyn gynted ag yr adferid cryfder corfforol ei 'wŷr arfog'. Cyn gynted ag y deuent yn ddigon cryf i drafod gwn, byddai'r 'Fyddin Gymreig' yn dechrau hyfforddiant saethu a chrefftau milwrol. Er ei fod yn llawn sylweddoli nad oeddynt namyn plant, gallai newyn godi'i ben eto. Rhaid oedd eu dysgu i hela, a'u caledu i fyw yn eu gwlad newydd.

Nid oedd pall ar y newyddion drwg. Yn fuan wedi i Matthews ddweud wrtho ei fod wedi gweinyddu priodas Thomas Jenkins a Mary Jones ym Mhorth Madryn – y gyntaf i'w chynnal ar dir Patagonia, 18 Awst 1865 – daeth y newydd trist am farwolaeth Jane, yr ail ferch i W. R. a Catherine Jones ei cholli wedi cyrraedd y bae. Ar 20 Awst bu farw Catherine, gwraig Robert Davies, Llandrillo, yn dri deg ac wyth mlwydd oed. Derbyniodd mynwent gyntaf y Wladfa, ar lain o dir a ddewiswyd gan dîm dan arweiniad Richard Jones Berwyn y bore wedi'r glanio i gladdu Mary Ann Jones, bedwar corff – Margaret Ann Davies, tri mis ar ddeg mis oed a Henry Hughes, dau fis ar bymtheg oed, oedd y ddau arall – i'w mynwes mewn llai na phedair wythnos yn ystod Awst o alar.

Y Mary Helen

Ddydd Sadwrn, 5 Awst, tra oedd yr amaethwyr ar eu ffordd tua'r dyffryn, ffarweliodd Lewis Jones â'r fintai unwaith eto a dychwelyd i Batagones at Ellen. Byddai yn ôl, meddai, wedi wythnos o waith llwytho ym Mhatagones. Eithr aeth

---

Bryniau Meri

Ar 10 Awst, ddeuddydd wedi i Maurice Humphreys a'i gymdeithion ymadael tua'r dyffryn, ganed merch i Elizabeth, ei wraig, a dewiswyd Mary yn enw arni er cof am ferch fach William a Catherine Jones, a gladdwyd yn y twyni ger y traeth fore'r glanio. Y diwrnod hwnnw, gwirfoddolodd carfan o'r dynion a ddychwelasai i'r bae i ymuno ag Edwin ar ail siwrne tua'r dyffryn. Ddeuddydd yn ddiweddarach, ar y llethrau sy'n arwain tua'r dyffryn, daethant ar draws Maurice Humphreys ac R. J. Berwyn – a arafwyd wrth gynorthwyo'r llanciau fu ar goll – a thorrwyd y newydd iddynt. 'O hyn ymlaen', meddai Edwin wrth amneidio tuag at y codiad tir tua'r gorllewin, 'eu henw fydd Bryniau Meri, i ddathlu genedigaeth plentyn cynta'r Wladfa' (MHJ), yn crafu am arwyddion o obaith yn y pethau lleiaf. A dyna eu henw hyd heddiw.[6]

Canfu Edwin sefyllfa druenus yn y dyffryn ac meddai, 'Pan gyrhaeddasom, yr oedd y bobl yno wedi bod wythnos gyfan heb fwyd, ac mor weiniaid fel o'r bron y gallent sefyll.' (ECR)

[6] Gresyn bod cynifer o drigolion Chubut – gan gynnwys rhai o dywyswyr Adran Dwristiaeth y dalaith – yn arfer yr enw 'Loma María' (Bryn Meri – sic) wrth gyfeirio at Ddŵr Joseff.

---

mis hir o fargeinio a phledio heibio – mis pryderus iawn i'w bobl a ddisgwyliai yn eiddgar am ei ddychweliad, heb unrhyw sôn amdano.

Gyda rhyddhad y gwelsant y *Mary Helen* yn cyrraedd dyfroedd y bae a'i chyflenwad o adnoddau a nwyddau.[6] Ymfalchïai Lewis Jones ei fod wedi taro ar 'gadben Americanaidd [sydd] wedi bod deng mlynedd yn casglu guano' ac yn hwylio ger glannau Patagonia. Roedd hon yn gymhwyster werthfawr o gofio am fwriadau masnachol y Gymdeithas Wladychfaol, ond byddai digwyddiadau'r wythnosau canlynol yn sicrhau bod enw Capten John Wood[7] yn destun trafod cyson ymhlith y fintai am resymau gwahanol.

Llywiodd Wood y llong tua'r de yng nghwmni llong arall, y *Río Negro*, dan gapteiniaeth hen 'gyfaill' i Lewis, Capten Summers, oedd yn cludo catrawd o filwyr a'u ceffylau i'r dyffryn ar neges swyddogol. Ar fwrdd honno, hefyd, y dychwelodd Lewis ac Ellen o Batagones, ac arni y byddai'r olaf yn byw gydol ei harhosiad yn y bae oherwydd nad oedd – yn ôl ei thystiolaeth ei hun – dŷ ar ei chyfer.[8] (MDJ)

Byddai'r *Mary Helen* yn parhau ei thaith ar 5 Medi – bron i chwe wythnos wedi i fintai'r *Mimosa* lanio yn y bae. Cludai tua hanner y merched a'r plant ar hyd yr arfordir at geg y Chupat. Nid oedd hon eto wedi'i chynllunio i gludo teithwyr ac nid oedd arian nac amser i'w haddasu,

ond teimlid y byddai'n gwneud y tro ar gyfer y daith fer i geg yr afon – siwrne diwrnod. Eithr byddai llawer mwy na hynny yn mynd heibio cyn y gwelid hi nesaf.

'Sefydlu' Gwladfa Gymreig y Chupat

Ar 12 Medi, rhedodd rhai o lanciau Caer Antur i hysbysu bod llwyth o Indiaid yn dod tua'r pentref, newyddion a greodd gryn gynnwrf. Gwelwyd nifer o farchogion yn dynesu o'r gogledd, ac un ohonynt yn cario baner las a gwyn. Deallwyd gyda rhyddhad mai catrawd fechan o wersyll Patagones ydoedd – un milwr ar bymtheg, ynghyd â'u harweinydd, Julián Murga, a Lewis Jones (gadawyd Ellen ar fwrdd y *Río Negro* yn aros ei thro am gludiant). Roedd y ddaear yn wlyb eithriadol yn dilyn y glaw cyntaf i ddisgyn er dydd y glanio, a thorrodd carnau'r ceffylau drywydd clir ac unionsyth ar hyd y milltiroedd hir rhwng y porth a'r gaer, gan gwblhau'r ffordd a ddechreuasai Edwin. Daethent i Gaer Antur i gyflwyno meddiant ffurfiol o diroedd y dyffryn i wladychfa'r Cymry yn enw llywodraeth Ariannin. Gyda hwy hefyd teithiai tirfesurydd fyddai'n gyfrifol am y gwaith o rannu'r dyffryn yn ffermydd bychain. Tynnwyd sylw'r ymfudwyr at y nifer mawr o geffylau a ddaethai gyda'r milwyr – llawer mwy nag yr oedd eu hangen arnynt i'w marchogaeth.

Cynhaliwyd defod filwrol ar 15 Medi 1865 na fu wrth fodd y gwladfawyr. Darllenodd Murga ddogfen swyddogol yn awdurdodi sefydlu'r wladychfa, ac arwyddwyd hi gan y dynion oedd yn bresennol. Cyfieithwyd hi i'r Saesneg gan gyfieithydd Murga, yr Albanwr Morrison, ac i'r Gymraeg gan Lewis Jones. Ai damwain, ynteu cefndir milwrol Murga, tybed, oedd yn gyfrifol am y ffaith mai enw Edwin Roberts, y Swyddog Amddiffyn,

---

[6]Dichon mai dyma pryd yr huriwyd y sgwner hefyd ac nid yn ystod misoedd cynharach y paratoi.

[7]Dyma'i gyfenw yn ôl Abraham Matthews ac eraill. Woods dywed Thomas Jones.

[8]Pe bai'r ogofâu wedi'u hagor cyn y glanio, a lle ymhob un ohonynt i wyth person, buasai hen ddigon o le i Ellen Jones (yn arbennig o gofio bod mwyafrif y dynion naill ai yn y dyffryn neu ar eu ffordd yn ôl ac ymlaen pan gyrhaeddodd y *Río Negro* y bae).

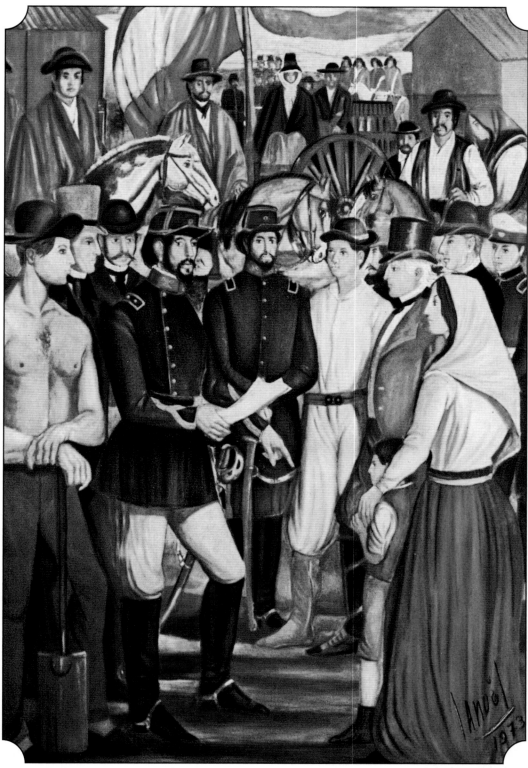

Llun: murlun gan Alejandro Lanoel yn dangos Murga a'r gwladfawyr yn 'sefydlu' Tre Rawson. [Mae'n dangos menywod yn y ddefod, er nad oedd yr un ohonynt wedi cyrraedd y fan ar y pryd!]

oedd yr un cyntaf i'w dorri ar y gyfryw ddogfen, ac nid enw llywydd y fintai? Ynteu ufuddhau i ddymuniad Lewis Jones a wnaeth Edwin, er mwyn perswadio'r gwladfawyr mwyaf milwriaethus i ddilyn ei esiampl? Beirniadwyd y ffaith mai dynion yn unig a lofnododd y ddogfen hon, eithr nid oedd yr un wraig wedi cyrraedd y wladychfa eto. Dylid cofio bod nifer o'r dynion yn absennol hefyd. Yn hynod ddiddorol, gofynnwyd i'r bechgyn ifancaf arwyddo hefyd (nid oedd Thomas Jones ond pymtheg oed, ei frawd David yn dair ar ddeg, a Thomas Tegai Awstin yn ddim mwy nag un ar ddeg) a thestun syndod mawr i Murga oedd gweld pob un o'r ymfudwyr yn llofnodi'r papur – ni fedrai'r un o'i ddynion ef efelychu'r fath gamp. (RJB)

Ar y ddogfen ac ar lafar, cyhoeddodd Murga (drwy gyfieithiadau Morrison a Lewis Jones) mai Pueblo de Rawson fyddai enw'r dref a sefydlwyd drwy'r ddefod hon. Dichon fod Lewis wedi gorfod defnyddio'i allu diplomyddol pennaf i bontio rhwng penderfyniad Edwin, Cadfan a Berwyn i gadw at yr enw a oedd wedi'i ddefnyddio gan yr ymfudwyr oddi ar iddynt gyrraedd, sef Caer Antur, ac awydd Murga i blesio'i feistr gwleidyddol. Llwyddodd Lewis i ennill cefnogaeth mwyafrif ei Gyngor i'w awgrym mai teilwng oedd i'r wladychfa anrhydeddu'r Gweinidog Cartref am ei gefnogaeth i'r wladychfa. Cysurodd Berwyn ei hun drwy feddwl am gyfieithiad i'r enw, ac arddelwyd Tre-Rawson gan lawer. Yn ddiddorol iawn, ni ddilynodd Murga gyfarwyddiadau ei lywodraeth ei hun. Yn unol â rheolau'r wladwriaeth, braint y weinyddiaeth ganolog oedd pennu enwau'r gwladfeydd newydd, ac mae'n annhebyg y byddai Rawson wedi ildio i'r demtasiwn i fedyddio'r dref â'i enw ei hun.

Codwyd baner las golau a gwyn Ariannin – gweithred lawer mwy arwyddocaol i'r Weriniaeth nag i'r wladychfa – mewn distawrwydd parchus, a siom yn llenwi calon sawl tyst. Saethodd chwech o'r milwyr eu drylliau i'r awyr – gan fethu â chyd-danio. Pan godwyd y Ddraig Goch, cyfarchwyd y faner gan griw o wyth ar hugain o Gymry ifainc a hyfforddwyd gan 'Capten' Edwin Roberts (fel y byddent yn ei gyfarch erbyn hynny). Rhoddwyd y gorchymyn i saethu gan John Roberts, a thaniwyd mor ddisgybledig ac unsain nes perswadio Murga mai milwyr oeddynt, wedi dod i feddiannu'r wlad. 'Muy bien!' cymeradwyodd, ond gwrthododd gredu Lewis Jones nad oedd y fintai yn gatrawd filwrol Seisnig: '. . . ni allai gweithwyr cyffredin byth roddi'r fath gyfarchiad', meddai. (TJ) Fe'i synnwyd hefyd gan egni a diwydrwydd y fintai. Cawsai ef a'i bartner Aguirre diroedd eang gan y llywodraeth ar lannau'r Río Negro ar yr amod eu bod i'w gwladychu. A hwythau newydd fethu yn eu hymdrech i ddenu mintai o Almaenwyr, gwelai'r milwr y criw hwn fel ateb i'w weddïau, a chynigiodd ddwy fil o bunnau i Lewis Jones i'w perswadio i symud i Batagones, cynnig a wrthodwyd yn gwrtais ond yn gadarn. Mae'n amlwg na fedrai Murga ddeall ei safiad, oherwydd ni roes ei obeithion o'r neilltu. Gofynnodd i Julio V. Díaz, y tirfesurydd, fynd yng nghefn y llywydd at bob un o'r ymfudwyr mewn ymgais i'w denu ato, ond ni fu'n hir cyn i ddylanwad hwnnw ennyn gwg Lewis Jones a'i gynghreiriaid.

Nid oedodd y milwyr yn hir ymhlith y Cymry, a dychwelsant i'r *Río Negro* ar 17 Medi a hwylio i ddiogelwch cymharol Patagones, yn falch o fod wedi osgoi cyfarfyddiad â'r Indiaid. Arhosodd Julio V. Díaz, y tirfesurydd, a'i gynorthwywyr i ddechrau ar eu gwaith. Sylwyd, eto gyda syndod, fod Murga wedi gadael nifer o'i geffylau 'sbâr' i Díaz a'i griw.

Ble mae'r *Mary Helen?*

Wrth i'r gwanwyn gyrraedd y tir, darfu'r glaw, ond er bod y dyddiau'n heulog braf, nid oedd modd cysuro'r un penteulu yng Nghaer Antur. Nid oedd sôn eto am y *Mary Helen*. Heb wybod beth oedd ei thynged, ofnent y gwaethaf, hiraethent am wragedd a phlant na fyddent yn eu gweld byth eto efallai. Bron â gwallgofi gan ofid, cerddai nifer ohonynt y chwe milltir at lan y môr yn ddyddiol yn y gobaith gwan o weld y *Mary Helen* yn agosáu.

Roedd y cyflenwad bwyd bron â darfod hefyd, er bod tuag wyth gant o ddefaid yn pori'r caeau; roedd y Cyngor wedi deddfu na ddylid eu bwyta nes y gellid eu dosbarthu i'r teuluoedd. Yn eu dryswch, dadleuai rhai dros ddychwelyd i Fadryn, ac eraill dros fynd i Batagones ar y bywydfad. Serch hynny, âi pob penteulu allan i hela er mwyn ceisio casglu digon o fwyd ar gyfer y dydd y cyrhaeddai'r gwragedd a'r plant eu cartref newydd.

Ganol dydd 20 Medi, bymtheg diwrnod wedi i'r *Mary Helen* adael Madryn, clywyd gwaedd gan un o'r gwylwyr a gwelwyd ef yn rhedeg fel gŵr gwallgof gan gyhoeddi bod llong yn y golwg.

Gwrthododd Wood ddod â'r sgwner i'r aber, ac angorodd ddwy filltir y tu allan iddi ar yr ochr ddeheuol, a chludwyd y teithwyr a rhai nwyddau i'r lan mewn cychod. Yn gyntaf dadlwythwyd cyflenwad o goed o'r sgwner ar gyfer gwneud drysau a byrddau, ond gorlwythwyd y cychod a chollwyd y cyfan ymron i'r môr. Pan gyrhaeddodd Lewis Jones a gweld yr olygfa, gorchmynnodd i ddau forwr profiadol, Capten Robert Nagle ac Amos Williams, ei gludo ef a rhai o'r dynion eraill at y llong, lle rhoddwyd croeso teimladwy i'r gwragedd a'r plant. Gwelwyd bod nifer ohonynt yn wael.

Wedi'r glanio, gorfu i'r dynion rwyfo'r cychod gorlawn o nwyddau ac offer i mewn i'r afon drobyllog ac ar hyd y lan ogleddol mewn proses hunllefus. Byddai'r llanw'n troi cyn y medrai'r dynion – yn wan gan newyn – symud fawr ddim o'r llwyth o'r llong i gwch ac yna lusgo hwnnw am chwe milltir i Gaer Antur. 'Ambell dro, byddai gwynt go lew, dro arall byddem yn ei lusgo â rhaff, weithiau â cheffyl, yr hwn a fyddai weithiau yn *struggle* enbyd,' ebe Joseph S. Jones.

Nid oedd lle yn y cwch i gludo'r gwragedd a'r plant o geg yr afon at Gaer Antur, a gorfu iddynt gerdded y chwe milltir dywodlyd i'r pentref. Achwynai W. R. Jones mewn llythyr fod Catherine – oedd yn feichiog eto – wedi cael drain yn ei choes, a bod honno wedi casglu a thorri mewn tri man, gan ei chaethiwo i'w gwely am dri mis.

Wrth geisio tawelu dicter y gwŷr a chyfiawnhau'r amser hir y cymerodd iddo gludo'r gwragedd, esboniodd Capten Wood fod y gwynt wedi chwythu ei long tuag at ynysoedd y *guano* lle y cysgodwyd rhag y storm. Honnai'r gwragedd fod y capten wedi eu gorfodi i dreulio wyth diwrnod yng nghrombil y sgwner, ac na welsant olau dydd hyd nes i'r gwynt ostegu – heb ddim ond ychydig bomcyn i'w fwyta a dim diod. Cawsant ddŵr yn yr ynys ac, ar eu ffordd yn ôl, darganfu'r gwragedd gyflenwad o fisgedi caled ymhlith y cargo. Ar hynny o ymborth y goroesodd y cwmni anffodus weddill y daith. Byddai i'r digwyddiad hwn ganlyniadau andwyol i'r wladychfa ymhen y rhawg.

Er gwaethaf eu cyflwr newynog, disgwylid i bob dyn gynorthwyo gyda'r dadlwytho a cherddodd nifer ohonynt y chwe milltir i'r traeth. Wedi oriau hir o waith blinedig hyd y machlud, deallwyd na ddarperid bwyd ar eu cyfer ar fwrdd y llong. Yn ysu am fwyd, arllwysodd y dynion ifancaf gynnwys un o'r sachau reis oedd ar y lan i lestri alcam a ganfuwyd gerllaw, a'i rhoi i ferwi ar y tân. Brasgamodd swyddog atynt yn awdurdodol i'w hatgoffa nad oeddynt wedi cael ei ganiatâd ef i agor y sach. Neidiodd Cadfan ar ei draed â'i fysedd wedi'u cau yn ddyrnau celyd a gwaeddodd, 'Sefwch draw, ddyn, neu fe'ch trawaf i'r ochr draw i'r wal ddiadlam!' Dychwelodd y swyddog i'r llong a chafodd y dynion dawelwch i fwynhau pryd haeddiannol. (RJ)

Mintai Eleanor a Betsan

Dychwelodd y *Mary Helen* i Fadryn i gasglu gweddill y gwragedd ac ail lwyth o nwyddau. Er eu bod wedi clywed am drafferthion y daith gyntaf, cytunodd y mwyafrif o'r gwragedd oedd yno i deithio ar fwrdd y llong, gan weddïo am well mordaith. Y tro hwn, cyrhaeddwyd mewn deuddydd.

Ond ni fedrai holl rymoedd daear ynghyd orfodi Elizabeth (Betsan) Jones i hwylio'r heli fyth eto. Doedd hi erioed wedi cael ei gwahanu wrth John er dydd eu priodas, ac ni fwriadai wneud hynny hyd nes y gwahenid hwy gan angau. Os cerdded wnâi John, cerdded wnâi hithau. Cofiai am drafferthion y cwch nwyddau, a'r salwch ofnadwy ar y *Mimosa*, ac os oedd ei hoes i ddod i'w therfyn ynghanol yr holl ddioddefaint enbyd a welai o'i chwmpas, roedd hi'n benderfynol o ffarwelio â'r hen ddaear yma pan fyddai John yn agos ati.

Nid oedd disgwyl i wreigan o'i hoedran hi, hanner cant a thair, gerdded y fath ffordd ar ei phen ei hun heb gwmni gwragedd eraill, felly byddai ei merched, Ann a Mary (a phlant yr olaf, John Daniel ac Elizabeth), a Cecilia, gwraig John E. Davies, yn cerdded gyda hi. Roedd wrth ei bodd pan ddeallodd fod ei chyfaill, Eleanor, i ymuno â hi, ynghyd â'i llysferch, Hannah – yr eneth ifanc yr oedd ei mab Richard mor hoff o'i chwmni. I'w

gwarchod, cerddai John Jones, Daniel Evans (gŵr Mary) a'r brodyr ifainc oedd yn eu gofal, William Awstin a'i frawd Thomas Tegai (un o'r un ar ddeg a ddychwelasai i Fadryn). Arweinid gyrr o wartheg, ynghyd â thri mochyn. Dim ond cyntaf-anedig y Wladfa, Mary Humphreys, yng nghwmni ei rhieni, Maurice (yntau wedi dychwelyd o'r dyffryn erbyn hynny) ac Elizabeth, fyddai'n aros yn y bae hyd nes y byddai'r olaf a'i baban yn ddigon cryf i deithio.

Damwain

Anfonasid y defaid ychydig ddyddiau ynghynt yng ngofal tri o'r dynion ifainc: John Hughes, William Richards a Thomas Jones (un o feibion Eleanor o'i phriodas gyntaf). Wrth Fryniau Meri, disgynnodd y nos arnynt a chytunwyd i wersylla tan y bore. Tra oedd Thomas Jones yn corlannu'r defaid, aeth y ddau arall i baratoi'r gwersyll. Wrth geisio cynnau tân i baratoi tamaid o fwyd, a'r fflamau'n gwrthod cydio, penderfynodd John daflu ychydig o bowdr dros y gwellt a'r gwreichion. Yn ddamweiniol, disgynnodd holl gynnwys y fflasg ar y fflam gan achosi ffrwydrad a niweidiodd law William yn ddrwg iawn. Ceisiwyd atal y gwaedlif â thybaco a phlastr, a rhwymwyd y briw, ond gwelwyd yn fuan nad oedd dewis ganddynt ond i Thomas fynd â'r claf tua'r dyffryn ar ei union gan adael John i warchod y defaid. Ar ôl cerdded rai milltiroedd teimlai'r ddau lanc yn flinedig a gorweddasant i gysgu. Roedd yr haul wedi codi cyn i Thomas Jones ddeffro a chanfod ei gyfaill yn welw 'fel dyn marw' a'i obennydd yn goch gan waed. Bu angen cymell cryn dipyn ar William ond llwyddodd y ddau i gyrraedd yr afon wrth Dair Helygen ac oddi yno ymlwybrasant ar hyd ei glannau tua Chaer Antur, lle cawsant bryd o reis wedi'i ferwi i'w hatgyfnerthu.

Mewn syndod gwelsant John Hughes yn cyrraedd y bore canlynol – heb ei braidd. Dihangodd ceffyl y bugail unig yn ystod y nos a gorfu iddo fynd i chwilio amdano. Dilynodd ei ôl yr holl ffordd tua'r dyffryn, gan adael y defaid i'w ffawd! Yn ffodus iddo ef ac i'r wladychfa, daeth mintai Betsan ac Eleanor ar draws y ddiadell a'i harwain i ddiogelwch y dyffryn.

Oherwydd cryfder ei hewyllys a'i chymeriad cadarn, ei gallu i godi calonnau pawb o'i chwmpas, a'i dawn naturiol i arwain ac ysbrydoli pa gynulliad bynnag y byddai'n rhan ohono, enw chwedlonol Eleanor yw'r un y cofir amdano yn Nyffryn Camwy mewn cysylltiad â'r daith hon, a sonnir am ei champ yn arwain yr anifeiliaid ar draws yr anialwch fel pe bai wedi'i chyflawni ar ei phen ei hun! Wedi dilyn trywydd mwy uniongyrchol o Fryniau Meri at yr afon, cyrhaeddodd

aelodau'r fintai hon y dyffryn fel y gwnaeth sawl un arall – eu dillad yn garpiog, gwadnau eu traed yn gwaedu a chroen eu coesau'n friwiedig gan bigiadau'r drain, a bu Ann yn sâl am fisoedd wedyn o ganlyniad i'r siwrne. Cysgasant y noson honno dan gysgod y tair helygen a roddodd i'r man ei enw, cyn ymlwybro'n lluddedig tua Chaer Antur gan ddisgwyl cael yno rywbeth i'w fwyta. Ond yn ôl Richard Jones, mab ieuengaf Betsan (a fu yr un mor sâl â'i chwaer yn dilyn ei deithiau ar draws y paith), 'fe'u siomwyd gan nad oedd ar eu cyfer yno ond tamaid o gig yn unig . . .' O hynny ymlaen, anelai pob teithiwr o Fryniau Meri at Dair Helygen ar hyd y ffordd honno – a elwid yn ffordd John Jones – mewn sicrwydd ei fod ar y trywydd cywir i'r wladychfa.

Gyda dyfodiad y cwmni olaf hwn i Gaer Antur, roedd y fintai i gyd, ac eithrio

Darlun o'r capel a adeiladwyd yn Nhair Helygen, y man yr anelai'r gwladfawyr cyntaf ato wrth chwilio am yr afon ar eu ffordd o Borth Madryn.

Maurice Humphreys a'i deulu bach, gyda'i gilydd unwaith eto – yn unedig yn eu siomedigaethau a'u hanhapusrwydd â'r wlad a roddwyd iddynt; yn flinedig, newynog, briwiedig, a heb ymgeledd gwerth sôn amdano heblaw eu cred yn eu Duw. Ond roedd yn rhaid wynebu'r gwaith o sefydlu cymuned a gosod trefn ar gyfrifoldebau pob unigolyn, a chymorth nid bychan i godi'r ysbryd oedd gweld glesni'r gwanwyn ar lannau'r afon, a'r awyr las uwchben a theimlo gwres yr haul ar eu cefnau. Dichon hefyd fod dyfodiad y gwragedd a'r plant i'r dyffryn yn ddiogel yn destun calondid mawr i bawb.

Ond ni fyddai terfyn ar eu galar. Ymhen wythnos wedi'r ddefod a gydnabyddir gan Wladwriaeth Ariannin yn weithred sefydlu tref Rawson, 22 Medi, tristawyd teulu mawr Aberpennar, a'r wladychfa gyfan, pan glywyd am farwolaeth Rachel, baban tri mis oed Rachel ac Aaron Jenkins, a aned ar fwrdd y *Mimosa*. Dyma'r cyntaf o nifer o fabanod a fu farw o ganlyniad uniongyrchol i daith enbyd y *Mary Helen*. Unwaith eto, wylwyd dagrau'n lli.

'Melys fydd trigo o frodyr ynghyd . . .'
(Hydref-Rhagfyr 1865)

Trallod

Pan gyrhaeddodd y *Mary Helen* a'i llwyth olaf o'r bae ar 25 Hydref, mynnodd Capten Wood – gŵr nad oedd y gwladfawyr wedi maddau iddo ei driniaeth o'r merched a'r plant ar y fordaith enbyd o Fadryn (ac y dywedai Thomas Jones amdano nad 'un d ... l [oedd] yn cartrefu ynddo, ond lleng') – angori unwaith eto ar y lan ddeheuol. Anfonwyd cwch at y llong i'w ddadlwytho dan ofal John E. Davies, Aberpennar gynt. Roedd hi'n noson dywyll ond braf, a'r llanw i mewn. Llusgwyd y cwch llwythog yn ôl tua'r pentref yn esmwyth ar wyneb y dŵr gan geffyl a dynnai'r rhaff ar y lan. Pan nad oedd ond tua phedwar can metr i ben y daith, clywodd Thomas Jones, a safai ar y lanfa, waedd frawychus. Troes ar ei union a rhuthrodd gydag eraill at y cwch. Dywedwyd wrthynt fod John Davies wedi boddi. Eglurodd Joseph S. Jones fod y ceffyl wedi rhoi plwc sydyn i'r rhaff gan daflu'r llywiwr dros ymyl y cwch. Dywedodd un arall o'r dynion wedyn fod y rhwyf hir y pwysai John arni i gadw'r cwch rhag taro'r lan, wedi glynu yn y llaid gan beri iddo ddisgyn ar ei ben i'r afon. Er chwilio am ddyddiau, ni chanfuwyd y corff. Roedd colli'r gŵr hwn yn ergyd drom i'r wladychfa oherwydd ei fod wedi chwarae rhan flaenllaw mewn nifer o gynlluniau er dydd y glaniad ym Madryn, meddai Thomas Jones. Ac, er na ddywedwyd hynny'n gwbl agored, credai sawl un mai Wood oedd yn gyfrifol am y golled hon eto oherwydd ei amharodrwydd i lanio ar y lan ogleddol.

Disgynnodd ton arall o dristwch dros y fro o ganlyniad i'r trychineb hwn. Roedd pawb yn awyddus i wynebu'r dyfodol – ynghyd â'r gwaith mawr y byddai hwnnw'n ei gynnig – yn galonnog, a dyma golli un o'u gweithwyr gorau. Sawl ergyd arall y byddai'n rhaid i'r wladychfa ei dioddef? A oedd melltith ar y tir? Hon oedd y drydedd farwolaeth ym mis Hydref yn unig. Ni chyrhaeddodd Mary Williams, Llwyni, Batagonia yn ddigon buan i fedru elwa ar yr awyr iach 'fyddai'n siŵr o'i gwella yn llwyr', a doedd fawr o obaith am Thomas, ei gŵr, yntau druan yn dioddef o'r darfodedigaeth ac o effaith damwain a gawsai tra oedd yn cerdded ynghanol niwl a glaw o'r bae i'r dyffryn. Ond baban iach fu John, y plentyn blwydd oed y galarai James a Sarah Jones amdano, hyd nes iddo fod ar y *Mary Helen*. Roedd Mary Ann, ei chwaer deirblwydd oed, yn dal yn ddifrifol wael, ac felly hefyd nifer o fabanod eraill. A oedd dyfodol i blant yn y wladychfa?

'Adeiladu gwlad a thref'

Cafodd pawb loches dros dro o fewn muriau'r amddiffynfa. Rhoddwyd y seiri coed a maen, a dynion eraill, ar waith yn codi tai yn y pentref – gwaith oedd wedi'i atal dros dro oherwydd effeithiau'r newyn, y pryder a'r anobaith – eithr nid oedd angen crefftwyr ar gyfer y gwaith adeiladu yr ymgymerwyd ag ef. Oherwydd y brys mawr i gael to uwchben pob teulu yng Nghaer Antur, suddwyd polion i'r ddaear, plethwyd gwiail rhyngddynt, a'u plastro â haenen denau o fwd. Felly y codwyd y mwyafrif o'r bythynnod. Mwd hefyd a ddefnyddiwyd i orchuddio waliau hesg a brwyn rhai bythynnod eraill. Byddid yn fwy uchelgeisiol pan eid ati i godi tai ar y tyddynnod. Gofynnwyd i'r seiri adeiladu'r stordy, a fyddai hefyd yn cael ei ddefnyddio fel capel ar y Suliau. Aeth eraill ati i glirio'r tir a'i drin. Nid oedd lle i segurdod oherwydd roedd y Cyngor wedi creu ysgogiad effeithiol drwy ddeddfu 'y sawl ni weithia, ni chaiff fwyta ychwaith'. (TJ) Telid cyflog o bunt yr wythnos i bob gweithiwr yn ddiwahân.

Cyfrifoldeb y gwragedd oedd godro'r gwartheg, a llwyddodd Eleanor ac Elisabeth a'u merched, ynghyd â merch ffarm arall, Louisa Williams, i ddysgu'r rhai dibrofiad sut i gyflawni'r dasg hanfodol honno, ac i wneud menyn a chaws; ond prin eu bod yn cynhyrchu digon ar gyfer pob teulu. Hyd nes y rhennid y ffermydd, cedwid y defaid a'r gwartheg mewn dwy gorlan gyffredinol, a gosodwyd John Humphreys (Ganllwyd gynt) a John Roberts (Ffestiniog) i'w gwarchod nes y gellid eu rhannu rhwng y teuluoedd. Yn wyneb y prinder bwyd, rhoddodd y Cyngor ganiatâd i ladd un ddafad y dydd, a rhennid un pwys o gig rhwng pedwar i'w ychwanegu at y dogn o wenith a gâi pob un at ei ferwi.

Yn unol â'r trefniadau amddiffyn a amlinellwyd gan Edwin, cytunwyd bod pob dyn rhwng deunaw a deg ar hugain oed i dderbyn hyfforddiant milwrol bob nos Fercher – fel milwyr traed, ac ar geffylau. Roedd y prinder adnoddau ar gyfer y dasg hon yn affwysol, ond llwyddai ei agwedd gadarnhaol a hwyliog i rwystro'r ymarferion rhag troi yn ffars. Ceisiai gadw'r sesiynau'n fywiog a difyr er mwyn cynnal diddordeb ei ddynion, ond mynnai hefyd eu bod yn deall pwysigrwydd y dasg oedd o'u blaen. Gan mai trychineb fyddai colli disgyblaeth, gorfodai bawb i fod yn brydlon a chymryd eu cyfrifoldebau o ddifrif, ac ni oddefai annibendod nac arafwch.

Ar derfyn awr o ymarferion, rhoddid dau o'r milwyr, wedi'u harfogi â gwn a chleddyf, i gerdded yn ôl a blaen o gwmpas y gaer ar wyliadwriaeth. Pe bai gelyn yn ymosod, roeddent i alw am gymorth trwy daro hen danc dŵr gwag a osodwyd yno i'r pwrpas hwnnw. Nid oedd gan neb arall hawl i'w gyffwrdd, meddai Thomas Jones, a dderbyniwyd i'r rhengoedd, fel ambell un arall, er gwaethaf ei oedran. Rhoid blaenoriaeth i'r gwaith o ddysgu'r dynion i hela yn ogystal, ac eid allan i'r paith bob pythefnos i'r perwyl hwnnw.

Er gwaethaf ei gred mewn disgyblaeth – neu efallai o'i herwydd – llwyddodd Edwin i ennill teyrngarwch ei 'wŷr arfog', a'u hysbrydoli. Treuliai oriau diddan gyda'r nosau yn eu cwmni yn adrodd straeon difyr a chellweirus am anturiaethau ei orffennol yn Wisconsin. Weithiau, byddai'r pentref cyfan yn ymlwybro'n araf allan o'u tai tuag at y goelcerth, gan ehangu'r cylch fyddai'n gwrando'n werthfawrogol arno'n traethu.

Yn ôl Abraham Matthews, 'Darluniai yn ddoniol sut y gwnelai'r Cymry goncro'r Indiaid os delai byth yn angenrheidiol ymladd a, thrwy hynny, ymlidiai ofnau a digalondid i ffwrdd . . . Ymladdodd lawer brwydr â'r Indiaid yn ei ddychymyg a gwelai hwy yn bentyrau yn eu gwaed, a'r Cymry yn dychwelyd tan floeddio 'Concwest', a beirdd y wlad yn canu'u clodydd.' (AM)

Llywodraethu

Nid adeiladu tai, na thrin y tir a'r anifeiliaid, na hyd yn oed ofalu am y trefniadau amddiffyn oedd unig angenrheidiau sefydlu cymuned newydd. Galwyd aelodau'r Cyngor at ei gilydd i osod trefn ffurfiol ar lywodraeth y wladychfa, a chychwynnwyd rhaglen o gyfarfodydd rheolaidd. Am y tro cyntaf er y glanio, roedd yr aelodau i gyd ar gael i fynychu'r cyfarfodydd, a'r Llywydd ei hun wedi cyrraedd, unwaith eto, o Batagones. Byddai tymor y deuddeg a etholwyd yn Lerpwl yn dal mewn grym am rai misoedd eto, er nad oedd hynny'n sicrhau iddynt gefnogaeth eu hetholwyr. Yn wir, synhwyrid bod teimlad ar led nad oedd pob un o'r cynghorwyr wedi gweithredu yn y modd doethaf, a pha hawl oedd ganddynt i weithredu o gwbl heb iddynt gyfarfod i wneud eu penderfyniadau? (TJ)

Y bunt wladfaol

Y Cyngor oedd unig awdurdod llywodraethol y wladychfa, a lluniai gyfreithiau yn ôl yr angen wrth i'r wlad ddatblygu. Y corff hwn hefyd a dalai am waith cyhoeddus, ac nid oedd angen i neb weithio am ddim dros y budd cyffredinol. Nid y bunt Brydeinig na'r peso Archentaidd fyddai'n cylchredeg o fewn ffiniau'r wladychfa, ond y bunt wladychfaol, a argraffwyd cyn gadael Lerpwl – ac roedd yna hefyd bapurau decswllt a phumswllt. Yr ysgrif arnynt oll oedd: 'Mae Gwladychfa Gymreig Patagonia yn cydnabod y nodyn hwn am un bunt [neu ddecswllt neu bumswllt] o arian cylchredol y Wladychfa Gymreig'. Roedd 'Y Wladychfa Gymreig' wedi'i stampio dros lofnod Thomas Ellis, trysorydd y wladychfa, gydag inc glas dros gornel dde isaf y darnau punt. Llofnod Lewis Jones oedd ar y lleill.

Cedwid y bwyd yn y stordy, ac oddi yno y byddai pawb yn prynu yn ôl eu hangen neu eu gallu. Hyd heddiw, mynd i'r *stôr* ac nid i'r *siop* y bydd siaradwyr Cymraeg Dyffryn Camwy. Gofalai'r mwyafrif beidio â gwario mwy na'u hincwm wythnosol, a chofnodid unrhyw ddyled gan reolwr y stordy. Ar ddiwedd yr wythnos, talai pob un ei wariant allan o'i gyflog. Dechreuodd gofidiau pan fethodd nifer o'r ymfudwyr dalu cyfanswm eu dyled wythnosol. Yn un o gyfarfodydd cynharaf y Cyngor adroddwyd nad oedd y wladychfa wedi creu elw, ac nad oedd gwerth i'r stoc o arian papur. O'r diwrnod hwnnw ymlaen ni dderbyniai neb dâl am ei waith – am y tro. Holwyd, yn sgil hynny, sut y byddai'r Cyngor yn ymateb petai ymfudwr yn dymuno gadael y wladychfa ac yntau mewn dyled. Cyhoeddwyd bod cyfrif manwl i'w gadw o bob gwerthiant yn y stordy, a phob ymrwymiad arall, ac na châi neb ymadael â'r wlad heb glirio'i ddyled.

Lledodd digalondid dros y pentref eto pan glywyd y newyddion, ond tynnwyd pobl at ei gilydd yn wyneb yr hyn nad oedd, ynghanol yr holl argyfyngau, ond yn un argyfwng arall eto. Byddai gweithio'r tir, adeiladu'r bythynnod, cynnal cyfarfodydd crefyddol ar y Sul, a'r ymarferion a'r seiadau nos Fercher, yn gyfrwng i godi calonnau ac i osod sylfeini bywyd cymunedol. Ac nid y wladychfa fyddai'n dysgu i'r mwyafrif ohonynt beth oedd tlodi.

Addysgu ac addoli

Gan fod digon o goed i'w cael yn y trofeydd ar lannau'r afon, dŵr honno'n llifo'n agos at y pentref, a phobl yn cynorthwyo'i gilydd, codwyd y 'tai' yn gyflym, mewn clystyrau teuluol ar ffurf cylch gerllaw'r hengaer – a rhai o fewn ei ffos . Er nad oeddynt ond bythynnod syml, prin ddigon mawr i gynnwys pedwar gwely, teimlai pawb eu bod bellach yn berchenogion eu cartrefi – heb angen talu na rhent na threth amdanynt, nac am y dŵr. Ceid tai o well ansawdd unwaith y gellid symud i'r tyddynnod. Y tu allan i'r tai y coginient, rhag i'r fflamau gydio yn yr adeiladau. 'Gan ein bod yn byw o fewn cylch tua chan medr, yr oeddem megis un teulu mawr', ebe Thomas Jones sydd, ynghyd â'i gyfaill Richard Jones, wedi rhoi inni ddarlun llawn iawn o fywyd yn y Wladfa gynnar. Ychydig y tu allan i'r cylch, nid nepell o'r afon, codwyd adeilad pren Ysgol Ddyddiol Caer Antur, a phenodwyd y Parchedig Lewis Humphreys i wasanaethu fel athro i'r plant. Dogfennwyd hyn yn glir mewn llythyr oddi wrth Lewis Humphreys ei hun ac mewn adroddiad gan Michael D. Jones

> Ar ol gorphen gyda'r tai, rhaid oedd codi ystordy i gadw y bwydydd hefyd, a buan yr aeth hwnnw i fyny, ac y cafwyd pobpeth i ddiogelwch a diddosrwydd, wedi eu gosod yn rhesi trefnus fel meinciau i eistedd ar nynt, gan fod y ystordy hwnnw i fod yn gapel i ni am yspaid beth bynnag. Daeth Mr. Matthews yno fin nos y Sadwrn i barotoi bwrdd bychan fel pwlpud a bocs bychan i eistedd arno yn lle cadair erbyn y Sul dilynol. Pan wawriodd boreu y Sabboth hwnnw, yr oedd pawb i fyny yn holliach a pharod i barotoi yn brydlon am y bregeth, a dyna amser braf oedd hwnnw—dim cymaint ac un yn cael ei flino gan yr hen afiechyd cas hwnnw a elwir "Clefyd y Sul," a ddaeth mor gyffredin yma ar ol hynny, ac sydd yn parhau i flino llawer yma o hyd ; edrychwch am foment! mor daclus yr ymdrwsiodd pawb, ac mor ddefosiynol yr olwg arnynt gyda'u llyfrau hymnau o dan eu ceseiliau tra yn cyfeirio am y deml i wrando y bregeth gyntaf draddodwyd erioed yn Mhatagonia yma, ac ar ol myned i mewn yn eistedd yn rhengau ar y sachau gwenith, blawd a reis yno—godent fel grisiau y naill uwch y llall nes cyrhaedd agos hyd y to. Ar ol i Mr. Matthews roddi emyn allan i ddechreu y gwasanaeth, gwelid yr hen Aaron—o fendig dig gofiadwriaeth, yn cyfrif ei fysedd er mwyn byd yn siwr o don gymhwys i'w chanu arno, ac wedi boddloni ei hun ar y pen hwnnw yn codi yn sydyn o'i le yn un o'r "seti" uchaf, wedi anghofio fod yn gofyn o leiaf fwy na rhyw lathen o le i ddyn o daldra cyffredin i allu ymunioni! modd bynnag, er yr anffawd syfrdanol honno i ben y dechreuwr canu, cafwyd oedfa nas anghofiwn mohoni byth. Testyn Mr. Matthews y boreu Sul hwnnw ydoedd "Israel yn yr anialwch," a phregethai gyda'r fath nerth a dylanwad nes oedd pawb yn teimlo fod a welai Duw a ni yma. A dyna i chwi ganu a fu ar yr hen emyn,—
>
> "O fryniau Caersalem ceir gweled,
> Holl daith yr anialwch i gyd."
>
> Y boreu hwnnw yn yr hen amddiffynfa i ddiweddu yr oedfa gyntaf yn holl hanes y Wladfa.

yn *Y Faner*, 10 Chwefror 1866: 'Mae ysgoldy o goed wedi ei godi, a Mr Lewis Humphreys yn cadw ysgol,' ymffrostiai'r sylfaenydd. Richard Jones Berwyn, serch hynny, gaiff glod haneswyr am fod yn athro cyntaf y Wladfa, er nad ymgymerodd ef â'r gwaith hyd nes i afiechyd orfodi Lewis Humphreys i ddychwelyd i Gymru ym 1867 am gyfnod o dros ugain mlynedd, ac i olynydd hwnnw – Y Parchedig Robert Meirion Williams – hefyd adael ymhen y rhawg. Ailagorodd yr athro newydd – trydydd athro'r Wladfa – yr ysgol ym 1868. Eithr, mae'n amlwg fod y gwladfawyr wedi ymboeni am addysg i'w plant o'r dechrau un.

Richard Jones Berwyn, Cofrestrydd cyntaf y Wladfa

Defnyddid y stordy a safai ynghanol y cylch fel capel ar y Suliau. Sachau gwenith a blawd wedi'u gorchuddio â sachliain ac ychydig blanciau plaen, a wnai'r tro fel seddau ynghyd â bocs i ddal y Beibl, oedd y dodrefn – yr un mor ddiaddurn â'r adeilad ei hun. Byddai'r Parchedigion Abraham Matthews a Lewis Humphreys yn pregethu yno bob yn ail ar foreau Sul; cynhelid Ysgol Sul yn y prynhawn, cyfarfod gweddi gyda'r nos, a chyfeillach nos Fercher ar ôl yr ymarferion, yn ôl Thomas Jones (nos Iau, meddai Joseph Seth Jones). Dywed nad oedd angen llawer o gymell ar neb i ddod i gydaddoli, cyn falched oeddynt o gwmni'i gilydd ar ôl bod ar wasgar cyhyd – a phob enwad yno ynghyd, ac eithrio un.

Nid yn y stordy y cynhaliai'r Parchedig Robert Meirion Williams ei wasanaethau ar gyfer ei gynulliad o Fedyddwyr – prin hanner dwsin ohonynt – ond yn ei gartref ei hun ac, er lleied y gynulleidfa, dewisai 'Am Iesu Grist a'i farwol glwy' i ddechrau pob gwasanaeth. Atseiniai ei fas rhagorol fel utgorn wrth iddo eilio'r gân. Ymhyfrydai yn llwyddiant ei achos, ac yr oedd wedi 'bedyddio un yma yn yr afon Chupat y Sul diwethaf, sef William Rees, Mountain Ash, a fu'n aelod yna [yng Nghymru] gyda'r Independiaid . . .' ebe Defi John mewn llythyr at ei wraig ddechrau Tachwedd, yn nodi ei lawenydd fod gweinidog o Fedyddiwr ar gael i'w gynorthwyo i adael yr hen ffordd o fyw.

Drwy ddŵr a thân

Dioddefwyd llawer o golledion yn ystod yr wythnosau cyntaf yng Nghaer Antur. Disgynnodd glaw trwm un noson a llenwyd y ffos gan orlifo pedwar o'r tai a godwyd ar ei gwely. Dihangodd Aaron Jenkins am ei fywyd gan gario Rachel ar ei gefn. Dychwelodd mewn pryd i achub Richard, ei fab pedair blwydd oed, a gysgai'n ddigyffro yn ei gawell bychan ar wyneb y dŵr, a'r gath yn ei ymyl.

Yn ystod y gwasanaeth un bore Sul, clywyd llais yn gweiddi, 'Tân, Tân! Tŷ Edward Preis ar dân!' Rhedodd hwnnw at ei dŷ, torri twll drwy'r pared, a gadael i'r

dŵr lenwi'r bwthyn. Pan ofynnwyd iddo esbonio'i weithred, atebodd fod siawns ganddo i achub rhywfaint o'i eiddo o'r dŵr, ond nid o'r tân. Teimlai pawb yn dorcalonnus wrth weld y llyfrau a'r dillad wedi'u difetha yn y dŵr, y llaid a'r fflamau. Ymledodd y tân i bedwar o dai y bore hwnnw cyn i'r dynion ei atal. Llwyddwyd i adfer y bythynnod, ond parodd y digwyddiad hwn eto i galonnau pobl suddo. Ofnid effeithiau tân yn arbennig, oherwydd bod y tai i gyd mor glòs at ei gilydd, a pherygl gwirioneddol i'r fflamau ymestyn o un adeilad i'r llall nes ffurfio cadwyn gyflawn o gwmpas y pentref.

Amaethu

Cynhaliwyd seremoni fach tua diwedd Hydref. Cytunodd y Cyngor i rannu'r ffermydd ymysg y teuluoedd cyn i'r tirfesurydd a'i gynorthwywyr ymadael. Yn raddol, ymwasgarodd y dynion i'w tyddynnod, gan adael y gwragedd, y plant a'r crefftwyr, ynghyd â'r llanciau nad oeddynt eto'n ddigon hen i hawlio'u ffermydd eu hunain, i gynnal bywyd y pentref hyd nes y dychwelai'r dynion adref i fwrw'r Sul.

Dechreuodd y dynion adeiladu tai ar eu ffermydd gyda chymorth y seiri. Y deunydd a gawsant at y dasg oedd coed a phriddfeini heb eu llosgi, a cheisiwyd codi tai o'r naill ddeunydd neu'r llall. To gwellt fyddai ar bob tŷ. Yr anhawster cyntaf a wynebodd yr adeiladwyr oedd bod y priddfeini a wnaed o glai glan yr afon yn hollti cyn gynted ag y byddent yn sychu. Sylwyd ymhen ychydig fisoedd fod Preis y gof yn anfon ei fab pymtheng mlwydd oed (hwnnw wedi'i fedyddio yn Edward hefyd) i gario dŵr o'r afon i lain isel llwydwyn rhwng y bryniau, lle'r oeddynt yn gwneud priddfeini meddai Berwyn – ac Edward Preis gaiff y clod am godi'r ystafell gyntaf o briddfeini yng Nghaer

Antur ('tŷ brics' Thomas a Rachel Davies) ac am ddangos y ffordd ymlaen i weddill yr adeiladwyr. Pridd o bantiau'r bryniau a ddefnyddid am flynyddoedd wedi hynny 'i wneud priddfeini, cymrwd, plastro a chalchu' ar gyfer bythynnod y dyffryn. Daniel Evans oedd y cyntaf i losgi brics ac adeiladu simnai, a mawr fu'r canmol ar ei lwyddiant. Nid yn annisgwyl, efallai, cartref un o'r seiri, Maurice Humphreys, oedd y cyntaf i gael drws pren.

Dyma pryd y dechreuodd yr ymfudwyr ymgynefino â'r wlad a dod i ddeall nodweddion ei hinsawdd. Cliriwyd dwy erw o gwmpas y pentref, a phlannwyd indrawn. Oherwydd prinder glaw, rhoed tri o'r dynion i'w ddyfrhau yn rheolaidd, a cheffyl yn llusgo casgen ddŵr o'r afon at y llain. Eginodd y grawn a thyfodd chwe modfedd cyn sychu a gwywo, gan beri poendod aruthrol yn wyneb prinder y bwyd yn y stordy. Dognid cynnwys hwnnw i bob unigolyn fesul wyth pwys a hanner o wenith bob wythnos – digon i wneud deg pwys o fara – dau bwys a hanner o reis, a dau bwys a hanner o gig rhwng chwech. Cwynai William R. Jones nad oedd hynny'n ddigon o bell ffordd ym Mhatagonia, gan fod yr awyr iach yn dyblu archwaeth pawb! Eithr dadleuai'r Cyngor fod y dogn hwn yn well na lwfans y Milisia Prydeinig.

Cafwyd cysur o ganfod bod y bechgyn yn dechrau mwynhau llwyddiannau cynyddol wrth hela cyflenwad diderfyn y paith o ysgyfarnogod, petris a hwyaid gwyllt, ynghyd ag ambell gornchwiglen a fflamenco. Gwelid gwanacos ('defaid brown' Parry Madryn) ac estrys hefyd, er eu bod yn symud yn llawer rhy chwim, a methwyd dal y naill na'r llall. Dysgodd y gwragedd hwythau i adnabod llysiau gwylltion bwytadwy, megis mathau ar seleri, moron, bresych (a fedyddiwyd yn 'cabej bach') a chloron (tatws) bychain – 'oll yn dda iawn', meddai R. J. Berwyn, y

gŵr amryddawn a benodwyd yn gofrestrydd y wladychfa.

Grwgnach yn ei ddull dihafal ei hun fyddai William R. Jones wrth ysgrifennu adref – am yr amodau byw, ac yn enwedig am Lewis Jones. 'Nid wyf yn cael y wlad yn gyfatebol i ddim a ddarllenais neu a glywais amdani erioed: a rhaid i mi ddywedyd fod Lewis Jones wedi dywedyd celwyddau dychrynllyd wrth ddisgrifio y wlad . . . Pan ddarfu i ni lanio yn New Bay, nid oedd y wlad ond bongciau tywodlyd, yn cael eu gorchuddio â thwmpathau – math o ddrain byrion, tebyg i'r rhai a welais yng Nghymru; golwg hen a diffrwyth [arnynt] . . .' achwynai. Yr un oedd byrdwn un neu ddau o ymfudwyr anfodlon eraill. Y Parchedig Robert Meirion Williams fyddai fwyaf llafar ei gwynion, a mynegai'n gyson ei barodrwydd i adael y lle. Ond yn y mwyafrif llethol o'r llythyrau niferus a anfonwyd i Gymru, mynegid boddhad y gwladfawyr â'r hinsawdd ac ag ansawdd y tir. Dywedent eu bod yn brysur yn plannu tatws, pomcyn, indrawn, pys a ffa, ac yn hau ychydig wenith a barlys, dim ond i weld a dyfent, oherwydd gwyddent yn dda eu bod wedi cyrraedd y dyffryn yn llawer rhy hwyr i'r tymor hau. Gwelodd y rhai a aethai ati gynharaf eu had yn egino am y tro cyntaf ar eu tiroedd newydd, a theimlai pawb falchder arbennig ynglŷn â'r argoelion calonogol.

Ffermio cydweithredol

Er bod pob penteulu i gael ei fferm ei hun (ac felly hefyd bob grŵp o dri dyn sengl), cytunodd y Cyngor i dderbyn awgrym Edwin i ddatblygu'r ffermydd yn raddol a hau yn gyntaf ar y fferm nesaf at y pentref a'r afon. Fferm Lewis a Rachel Davies, Aberystwyth gynt, oedd honno, a defnyddiwyd ei chaeau i hau grawn i weld a geid tyfiant. Byddai unrhyw gynhaeaf yn eiddo cyffredinol y wladychfa. Teimlai'r pâr bach hwn o ffermwyr newydd a dibrofiad yn llawen iawn â'r trefniadau. Gan fod eu tir mor agos at y pentref, ni fyddai brys arnynt i adeiladu eu tŷ brics arfaethedig nac i Lewis adael y cartref yn ystod yr wythnos a cholli cwmni Rachel a Tom bach. Yn ogystal, rhagwelent y byddai eu fferm, gyda chydweithrediad pawb, wedi'i chlirio'n llwyr o'r llwyni a'r cerrig oedd yn ei britho, cyn pen dim. Nid oedd peiriannau addas ar gael ond llwyddai'r dynion yn rhyfeddol â chaib a rhaw. Er gwaetha'r problemau, teimlai Lewis a Rachel fod hon yn wlad 'first rate' a, heb amheuaeth, roeddynt yn mynd i wneud eu 'fortune' yma.

Gwnaeth y tirfesurydd Díaz a'i gynorthwywyr brodorol argraff ddofn ar Lewis Davies. Teimlai fod y rhain yn bobl lawer mwy addas na'r Cymry i fyw mewn gwlad fel hon. Medrent ddal estrysod, er enghraifft, a dod o hyd i'w hwyau, ac roedd un o'r rheiny'n ddigon i wneud cinio rhagorol i un dyn. Roedd ystyriaethau felly yn bwysig iawn. Dim ond hanner pwys o flawd y dydd rhwng dau a rennid gan y Cyngor yn wyneb prinder y cyflenwad, ac nid oedd llwyth arall wedi cyrraedd eto.

Nid oedd dynion Díaz yn ddall i'r ffaith eu bod ar eu cythlwng. Wedi lladd ceffyl, daethant â darn mawr o gig i Rachel – digon iddi baratoi sawl pryd i'w theulu bach, ac yn wir roedd yn blasu'n ffein iawn. Profodd y Parchedig Lewis Humphreys o'u haelioni hefyd a chredai fod cig ceffyl yn blasu 'cystal â dim biff a fwyteais erioed'. Canmol wnâi Ellen Jones hithau. A deallwyd pam roedd angen cynifer o geffylau ar dîm y tirfesurydd!

Cafodd Edward Preis, y gof ac is-lywydd y Cyngor, yntau brawf o gymwynasgarwch yr Archentwyr. Dihangodd ei geffyl un dydd, a charlamodd dau o ddynion Díaz dros bedair milltir a'i ddychwelyd yn ddiogel ac iach i'w berchennog diolchgar.

Byddai'r gof hefyd yn mwynhau eu gweld yn rhostio'u cig yn araf wrth dân isel, heb unrhyw frys yn y byd wrth y paratoi na'r bwyta. A doedd dim blas rhy ddrwg ar y gwin coch y byddent yn ei arllwys yn gelfydd rhwng eu gwefusau allan o gwdyn lledr brown a basient o law i law o amgylch y tân mewn defod hynod lawen a chymdeithasol.

Symudodd rhai tyddynwyr eu teuluoedd yn gynnar i'w ffermydd ar ôl i ddarganfyddiad Edward Preis eu galluogi i godi anheddau mwy cysurus arnynt na bythynnod Caer Antur, eithr byddai haf 1866 drosodd cyn i'r rhai cyntaf lwyddo. Y tŷ cyntaf i'w gwblhau – a'r mwyaf o gryn dipyn – oedd Dyffryn Dreiniog, ar ddyddyn Thomas ac Eleanor Davies, ac roedd un teulu dipyn ar y blaen i bawb arall oherwydd eu bod wedi darparu'n feddylgar iawn cyn gadael Cymru. Cyn gynted ag y tynnwyd rhif eu fferm allan, roedd ganddynt enw iddi: Trifa. Ac yn Trifa, ar y llain tir nesaf at y môr, yr agorodd Louisa, Watcyn a Gwilym ap Mair Gwilym[1] becyn mawr a gludwyd ganddynt ar y *Mimosa*. Pabell fawr oedd hon, a charpedi trwchus yn leinio'i muriau mewnol ac yn gorchuddio'i llawr. Ymgartrefodd y ddau frawd a'u chwaer yn eu pabell glyd, ar 27 Hydref, ac roedd golwg bur gysurus arnynt, a'u cartref newydd yn destun cywreinrwydd ac edmygedd mawr ar ran eu cymdogion. Ymfalchïent eu bod wedi ennill y blaen ar bawb arall â'u gwaith amaethyddol hefyd, ond anwybyddent y ffaith fod llawer un yn gweithio fferm Lewis Davies mewn dull cydweithredol. Nid oedd ganddynt fawr o amynedd â'r achwynwyr, ac roeddynt yn hallt eu beirniadaeth o'r hyn a ystyrient yn arafwch di-alw-amdano: 'nid ydynt wedi mynd i'w ffermydd i'w datblygu . . . ni fedr neb godi ŷd heb iddo'i hau yn gyntaf. Nid

---

[1] Louisa, Watkin W. P. a W. Wesley Williams, oedd wedi mabwysiadu ffurf Gymraeg eu cyfenw wedi iddynt gyrraedd y dyffryn.

yw hwn yn lle i ddysgwyr, ond i'r diwyd y mae'n ddymunol dros ben.'

Newyn

Lleihâi cyflenwadau'r stordy o ddydd i ddydd heb argoel bod bwyd ychwanegol yn cyrraedd y glannau. Doedd dim tatws ar ôl, dim caws na menyn (ac eithrio'r ychydig a gynhyrchid yn lleol), na chig ar wahân i'r hyn y gellid ei hela. A'r newyn ar ei waethaf, ysgwyddodd Edwin y cyfrifoldeb am ddarparu bwyd. Wrtho'i hun, helodd ysgyfarnogod, estrysod a gwanacos i ddiwallu anghenion y gwladfawyr, a chyflawnodd 'wyrth', yn ôl R. J. Berwyn. Cynyddai effeithiolrwydd yr helwyr eraill yn ddyddiol ond, ar adegau, byddai'r fintai'n blino ar fwyta dim ond cig.

Dihangodd y defaid un noson oherwydd i John Humphreys, eu ceidwad, anghofio'u cau i mewn – gweithred esgeulus a gollodd iddo'i swydd gan nad oedd pwrpas ei gyflogi i warchod corlan wag. Teimlai llawer yn ddig tuag ato oherwydd bod y defaid y buwyd mor ddarbodus ohonynt pan oedd bwyd yn brin, bellach yn ysbail i'r Indiaid a'r pwmaod.

Roedd John Morgan wedi creu argraff dda iawn ar Edwin o'r cychwyn, er iddo yntau golli defaid ar y ffordd o Fadryn, a chredai ei fod yn weithiwr diflino. Hyd y gwyddai, eithriad oedd y camgymeriad hwn, nad oedd yn debyg o'i ailadrodd, a chynigiodd bartneriaeth iddo ef a Griffith Pryse, Ffestiniog – gweithiwr caled arall – i brynu cwch a rhwyd a mynd i bysgota yn y bae.

Gan fanteisio ar yr hawl i ddynion di-briod berchenogi tir fesul tri, ymunodd hefyd â John Morgan ac Iago Dafydd i weithio fferm, a rhoddwyd yr olaf i ofalu amdani. Ffurfiodd bartneriaeth arall â'r seiri maen James Berry Rhys a Richard Hughes, a rhaid bod honno'n un gref oherwydd ysgrifennodd yr olaf 'os daw rhywun ymlaen, fe ddeuwn ninnau . . .'

Estrys Patagonia, '. . . nis gallem ddod o fewn cyrraedd ergyd iddynt'.

Gwanacos ar y paith. 'Anifeiliaid prydferth yw y defaid hyn, o rywogaeth y lama . . .'

Ymlwybrodd y tri physgotwr tua'r gogledd, ac ymhen wythnos, gwelsant fod digon o gynhaeaf yn y bae i gyfiawnhau cynnig gwaith i ddau was, a chyflogwyd Joseph Seth Jones (oedd yno eisioes yn gwarchod eiddo'r wladychfa) a Defi John. Teimlai gwragedd y fintai yn hynod ddiolchgar am y cyfle i amrywio'u bwydlen. Yr unig anfantais oedd na fedrai'r mwyafrif fforddio talu am y pysgod, ac roedd dyledion llawer ohonynt yn cynyddu'n wythnosol. Roedd y gwaith yn galed a'r daith feunyddiol i'r dyffryn (i gludo'u cynnyrch dyddiol o tua phum can pysgodyn i'w gwerthu am ddwy geiniog a dime y pwys) yn hir a blinedig, er bod y ffordd wedi'i chlirio'n llwyr bellach, a bod modd i'w thramwyo mewn wyth awr o farchogaeth. Ond doedd y pysgod ddim yn ateb y broblem sylfaenol. Roedd y tlodi eithafol a ddioddefai'r ymfudwyr yn perygu nid yn unig fodolaeth y cynllun ond hefyd fywydau'r bobl.

Anfodlonrwydd

Nid grwgnach rhwng eu dannedd a wnâi'r achwynwyr bellach, ond edliw yn gwbl agored i'r tri a ddalient yn bennaf cyfrifol am eu tynged: y 'patriarch' Cadfan, a'r ddau ŵr ifanc, Lewis ac Edwin, sef y tri fu mor daer eu hapêl a'u canmoliaeth o'r wladychfa fondigrybwyll pan oeddynt draw yng Ngwalia Wen. Cyhuddid y llywydd yn gwbl agored o dwyll oherwydd iddo roi'r argraff fod llywodraeth Gweriniaeth Ariannin wedi addo anfon digon o nwyddau, offer ac anifeiliaid i'r wladychfa, ac eto câi bwyd ei ddogni. Y feirniadaeth ar Edwin oedd ei barodrwydd i gredu pob gair a leferid gan yr arweinydd a chyhuddid ef o ledaenu anwireddau am ragoriaethau'r wlad. Roedd pawb yn barod i gydnabod iddo wneud hynny'n gwbl ddiffuant, eithr sut y gallai barhau i ganmol y fath le ar ôl cyrraedd yno? Anelwyd llid ambell un at Cadfan yn ogystal, oherwydd ei barodrwydd i ochri gyda hwy ymhob dadl. Ac roedd gan Michael D. Jones le i ddiolch fod yr Iwerydd yn gorwedd rhwng ei groen ef a dicter ei wladfawyr.

Filoedd o filltiroedd o gefnfor i ffwrdd o wlad y gwelsant yn dda i gefnu arni oherwydd amgylchiadau trist eu bywydau ac amodau byw cwbl annerbyniol, ni chofiai rhai am na'r gorthrwm na'r tlodi. O'i chymharu â'r paith, ymddangosai'r henwlad lom a gormesol fel paradwys i'r cof, ac roedd eu hiraeth llethol am Gymru yn dwysáu gyda phob awr.

Cynyddodd yr anfodlonrwydd dan ddylanwad y tirfesurydd, Julio Díaz. Dichon nad oedd yn gamp eithriadol o anodd iddo berswadio nifer o'r gwladfawyr mai gadael y wladychfa fyddai orau i bawb. Nid oedd angen iddo ddweud mwy nag un gwirionedd amlwg, sef bod gwell tiroedd ac amgylchiadau haws i'w cael mewn rhanbarthau eraill, megis Santa Fe a glannau'r Río Negro, i enwi dim ond dau.

Pan ddeallodd Lewis, Edwin a Cadfan beth oedd yn digwydd, dadleuodd y tri yn ddewr dros aros yn y Chupat. Cefnogwyd eu safiad gan R. J. Berwyn – yntau'n datblygu i fod yn arweinydd ymhlith y garfan gefnogol i Lewis Jones – gan John Jones, Aberpennar (mab John a Betsan) a honnai ei fod yn siarad ar ran ei dylwyth oll, a chan Rhydderch Huws.

Efallai na wyddai Díaz yn well. Dichon y medrai ddadlau mai gwneud cymwynas â phobl yr oedd wedi dod yn hoff ohonynt oedd ei fwriad, ac nid tanseilio unrhyw weledigaeth am ryw Gymru Newydd na wyddai ef ddim amdani. Mynnai Lewis mai gwerthu aelodau'r fintai fel 'caethweision'[2] i dirfeddianwyr mawr talaith Buenos Aires oedd ei nod.

Disgrifiodd Lewis Jones y tirfesurydd fel 'enghraifft o Archentiad llyfn a moesgar, cyfarwydd â holl droellau a chelfyddyd swyddoga. Doder at hyn drachefn yr hen ysfa wasaidd Gymreig o ystyried pob dyn dieithr yn arglwydd, a chadwer mewn cof y briwiau a'r pryderon oedd ar bawb, a cheir rhyw syniad o'r anfoddogrwydd oedd yn cyniwair y fintai, ac o'r ymbleidio dyfodd o'r fath amgylchiadau.'

Nid oedd Morrison, cynorthwy-ydd a chyfieithydd Díaz, a Sgotyn fu unwaith yn ysgrifennydd i Henry Libanus Jones, ond a 'aethai yn aberth llwyr i'r ddiod', yn plesio ambell un, oherwydd ei dras – credent mai Sais ydoedd – yn gymaint ag am ei ymarweddiad, ac ni fedrent ymddiried yn ei air.

Eithr nid oedd angen dibynnu ar Díaz i ysgogi'r ymfudwyr i feddwl am eu dyfodol. Yr oedd llais newydd a chlir yn codi i arwain y farn gyhoeddus, sef neb llai na'r Parchedig Abraham Matthews, ac roedd ei safbwynt yn hollol eglur: 'Nid y dyffryn hwn yw'r lle i'r Wladychfa ac nid yw'r amodau hyn yn deilwng o'n pobl', meddai, ag awdurdod y nefoedd yn ei lais. Cawsai ef a Gwenllian lawer o gwmni'r tirfesurydd a oedd wedi addo mynd â'i brawd dwy ar bymtheg oed, John Thomas, gydag ef i Buenos Aires i gael addysg neu swydd, ac ymddengys mai'r gweinidog oedd y gwladfäwr y dylanwadwyd fwyaf arno gan ddawn berswadio'r Archentwr. Er gwaethaf ei anghytundeb ffyrnig, ni allai Edwin lai na theimlo edmygedd tuag at Matthews. Closiodd ato, a threuliodd rai oriau difyr gyda'r nosau yn cyfnewid syniadau yng ngolau fflamau'r tân prysgwydd – y naill yn ceisio darbwyllo'r llall drwy ddadleuon pwyllog a chwrtais pa ffordd oedd orau i symud ymlaen.

---

[2]O ystyried sut yr oedd rhai o *estancieros* y gogledd yn trin eu gweithwyr, nid oedd y fath fygythiad yn un afreal, waeth beth oedd bwriad Díaz. Byddai datblygiadau diweddarach ac agwedd Rawson tuag ato yn awgrymu'n gryf nad oes lle i amau ei gefnogaeth i ymdrechion Murga ac Aguirre i hyrwyddo trawsblaniad y wladychfa i'w tiroedd ar lannau'r Curu Leuvú (Río Negro).

Mentro i fyd masnach

Wedi dadlwytho cargo'r *Mary Helen* un noson, gofynnodd Capten Wood am gyfweliad â Lewis Jones. Efallai y cofiai'r llywydd ei adroddiad am yr hyn a welsai ar ynysoedd y *guano*. Ni chroesodd ei feddwl nad oedd modd i'r llywydd fyth anghofio'r straeon arswydus a glywsai am gaethiwed y merched a'u plant yng nghrombil y sgwner, heb gabanau, na gwelyau i orwedd arnynt, heb fwyd na diod am wythnos gyfan, tra oedd y Capten yn archwilio'r ynysoedd a'u trysor dan gochl yr angen i gysgodi a chwilio am ddŵr. Ond edrychodd gyda diddordeb ar y sachaid *guano* a osodwyd wrth ei draed, a gwrandawodd yn astud ar neges Wood. Tybed a fyddai Lewis Jones yn awyddus i ffurfio cwmni i gasglu'r *guano* a'i gludo i Buenos Aires? Roedd y capten yn sicr bod yno elw da i ddynion â gweledigaeth ac ag ychydig o fynd yn perthyn iddynt. Gallai elw'r cwmni ddod ag arian gwerthfawr y medrid ei fuddsoddi yn y wladychfa a sicrhau ei llwyddiant ariannol mewn ychydig fisoedd.

Ni wyddai Lewis a fedrai dderbyn y cynnig, er bod y posibiliadau'n mwy na deffro'i ddiddordeb. Ei broblem oedd bod y *guano* yn un o'r ffynonellau incwm y'u crybwyllwyd wrth y fintai pan soniwyd am gyfoeth daear a môr Patagonia. Beth fyddai ymateb ei gyd-wladfawyr i'r syniad ei fod yn rhedeg y cwmni ei hun, yn hytrach nag yn enw'r fintai – ac onid oedd wedi pwysleisio pwysigrwydd y *guano* i'r wladychfa yn ei araith groeso ar y *Mimosa*? Credai Wood na fyddai gan y gwladfawyr unrhyw wrthwynebiad i ychydig o fenter. Onid oeddynt yn croesawu'r cwmni preifat oedd eisoes yn pysgota yn y bae ac yn gwerthu'u cynnyrch am elw yn y dyffryn? Beth oedd y gwahaniaeth rhwng elwa ar bysgod ac elwa ar *guano*? Ac nid oedd dim amheuaeth ynghylch elw gyda *guano* o'r ansawdd gorau fel hwn; gellid gwerthu pob llwyth am £10 y dunnell. Roedd Thomas Duguid a'i gwmni yn gwarantu marchnad sicr a phroffidiol iddynt yn Buenos Aires, a byddai'r wladychfa'n elwa'n anuniongyrchol o'u llwyddiant hwy ill dau. Anogodd Lewis i feddwl am yr holl weithwyr y gellid eu cyflogi.

Pendronodd Lewis yn hir. Gallai hyn ddechrau busnes newydd llewyrchus i Gwmni Ymfudol a Masnachol y Wladychfa yn ogystal, ac roedd yn bwysig ystyried dyfodol y cwmni hwnnw. Rhoesai'r Parchedig Michael D. Jones lawer o'i obeithion arno fel ffynhonnell incwm, pe na bai ond i'w ddigolledu am ddyledion y wladychfa iddo. Ac roedd angen cadw buddiannau'r cyfranddalwyr eraill mewn cof, gan eu bod yn sicr o ofyn am enillion ar eu buddsoddiadau cyn bo hir. (JJ, TCW, LH, WRJ, RJB)

Byddai'r Cyngor yn cyfarfod eto ar 6 Tachwedd, ac ni fyddai ei adroddiad yn debyg o godi calonnau'r aelodau. Wedi ystyried yn ofalus a holi ychydig mwy, ildiodd i'r demtasiwn a derbyniodd gynnig Wood – cynnig a roddai ateb rhwydd i'r mynydd o broblemau a bwysai'n drwm ar ei ysgwyddau ifanc a blinedig. Trawyd bargen, dychwelodd Wood at ei ddyletswyddau ar y *Mary Helen* ac ymlwybrodd Lewis tua'r pentref.

A'i feddwl wedi ymgolli yn ei bryderon, gwelodd y llywydd lanciau'n mwynhau hoe o'u gwaith ger y traeth. Ceryddodd hwy yn ffyrnig am eu 'segurdod', a phwysleisiodd fod angen i bawb dynnu'u pwysau os oedd y wladychfa i lwyddo. Atebwyd ef yn hyf nad caethweision oeddynt hwy, na gweision hyd yn oed i Lewis Jones; bod mwy o ryddid i'w gael yng Nghymru nag yn y wladychfa, a bod hawl gan weithiwr i'w seibiant.

Gwrthdaro

Gyda'r nos ar 6 Tachwedd cyfarfu'r Cyngor, a gofynnwyd i'r llywydd gyflwyno'i adroddiad ar y cyflwr cyffredinol. Roedd y sefyllfa'n anobeithiol meddai wrth ei wrandawyr syfrdan. Pan archwiliwyd y stordy y diwrnod hwnnw, roedd cyflenwad o luniaeth ar gael am tuag wyth mis ar y gorau – os llwyddid i ddogni'r bwyd yn gynnil dros y cyfnod. O ystyried nad oedd gobaith am gynhaeaf yr haf nesaf, byddai angen bwyd am o leiaf flwyddyn a hanner.

Holwyd sut y byddai'r wladychfa'n goroesi'r misoedd digynnyrch. Beth am y cyflenwadau ychwanegol fyddai'n cyrraedd o dro i dro? A oedd y llywydd wedi ystyried y rheiny wrth wneud ei amcangyfrif? Nac oedd – am y rheswm syml nad oedd cyflenwadau i ddod eto.

Achosodd yr ateb hwn gryn gynnwrf. Gorfu i Berwyn ymbil am osteg, ac erfyn ar i bawb barchu trefn y cyfarfod, cyn clywed y cwestiwn nesaf: oni ellid prynu nwyddau ar gredyd gan fasnachwyr Buenos Aires a Phatagones? Oedodd Lewis cyn ateb bod y cyfan oedd yn y stordy wedi ei gael ar gredyd a bod dyled y wladychfa eisoes yn uchel. Nid oedd ganddo'r wyneb i ofyn am fwy o gredyd eto gan Thomas Duguid a'i gwmni yn Buenos Aires, na chan y brodyr Harris ym Mhatagones.

Siglwyd ei wrandawyr. Os ar gredyd y marsiandïwyr y cafwyd yr holl gyflenwadau, beth oedd wedi dod o addewidion y llywodraeth fel y'u clywyd drwy enau'r llywydd yng Nghymru ac ar y *Mimosa*? Cliriodd Lewis ei wddf ac, wedi ymwroli, atebodd nad oedd y llywodraeth erioed wedi cadarnhau ei haddewidion, a bod y Gyngres wedi gwrthod y cytundeb a wnaed rhwng Rawson, Jones-Parry ac yntau.[3]

Cafwyd ychydig funudau i'r cyfarfod ymdawelu cyn saethu'r cwestiwn nesaf ato: ers pryd y gwyddai'r llywydd am benderfyniad y Gyngres? Rhwng y cleddyf a'r wal, tyfodd ei hyder a chlywyd her yn ei atebion o hynny ymlaen. Cydnabu fod Rawson wedi'i hysbysu amdano pan ymwelodd â'i swyddfa yng nghwmni Denby fis Mawrth – wyth mis ynghynt. Pam celu hynny cyhyd rhag pawb arall, felly – hyd yn oed ei gyd-weithwyr agosaf? Oherwydd nad oedd am i neb arall gario pwysau'r gofid ac am ei fod wedi gobeithio ar hyd misoedd yr hirlwm y llwyddai Rawson i berswadio'r Gyngres i estyn cymorth. Ei farn onest ef oedd na fyddai'r llywodraeth am weld y fenter yn methu oherwydd eu hawydd angerddol i feddiannu'r rhan hon o'u gwlad, ac y cyfrannent yn ariannol tuag at ei pharhad.

Pan ddechreuwyd gweiddi arno nad oedd prawf yn y byd i gefnogi'r fath obaith di-sail, ceisiodd newid cwrs y drafodaeth: cawsai syniad a allai achub y sefyllfa, meddai, ac amlinellodd ei gynllun i fasnachu'r *guano* gyda Wood. Distawodd y cynulliad, nes i William Davies holi a fedrai'r llywydd gadarnhau mai yn enw'r wladychfa y bwriadai gychwyn y fenter hon. Pan glywyd ei ateb nacaol, neidiodd rhai o aelodau'r Cyngor ar eu traed i fynegi'u hanhapusrwydd â'i ddiffyg teyrngarwch. Clywyd Lewis yn bygwth ymddiswyddo ond nid oedd modd trafod y mater yn synhwyrol gan fod pawb wedi'u drysu gan bryder.

Awgrymir, mewn llythyr a gyhoeddwyd yn yr *Herald Cymraeg* ac yr honnwyd i Cadfan ei ysgrifennu at ei chwaer a'i gŵr yn Lerpwl, y gellir olrhain gwraidd yr anghydfod parthed y *guano* i gyfnod yn fuan wedi'r glanio. Dywed mai bwriad Lewis Jones o'r dechrau oedd gwneud ffortiwn gyflym a dychwelyd i Gymru. Seilid y gred ar ddwy weithred honedig.

---

[3] Roedd hyn yn hysbys i'r Pwyllgor Cenedlaethol cyn i Lewis ac Edwin adael Cymru.

Yn gyntaf, rhoes y llywydd gyfarwyddyd i beidio â dadlwytho'i ddodrefn oddi ar y *Mimosa*. Yn ail, ceisiodd berswadio Pepperrell i gludo'r *guano* a ddaethai ar y *Mary Helen* i'w werthu yn Lloegr. Dim ond ar ôl i hwnnw wrthod cymryd y cargo (ac i'r gwladfawyr, meddid eto yn yr *Herald*, wrthod ei lwytho) y dadlwythwyd y dodrefn.

Efallai mai un o'r 'llythyrau ffug' yr honnai Michael D. Jones fod yr *Herald Cymraeg* yn arfer eu cyhoeddi oedd hwn, ond ni welwyd gair gan deulu Cadfan yn gwadu ei ddilysrwydd yn yr *Herald* na'r *Faner*.

Rhwyg

Y bore canlynol roedd y wladychfa'n ferw, a'r holi a'r dadlau'n llenwi pob munud. Parai'r sefyllfa ofid mawr i Cadfan, Edwin a Berwyn, a rhagwelent rwyg trychinebus. Gwyddai Edwin fod y mwyafrif ar y Cyngor yn dra milwriaethus ac yn adlewyrchu barn y mwyafrif llethol o aelodau'r fintai. Nid oedd wedi mwynhau ei brofiadau gyda phwyllgorau yn yr Unol Daleithiau nac yng Nghymru, ac nid oedd y profiad hwn yn helpu dim i'w berswadio i newid ei feddwl. Ni fedrai ddeall yr angen i ymosod ar ei gyfaill, am ei fod yn credu na wnâi Lewis unrhyw niwed i'r wladychfa na gosod ei fudd personol o flaen ei weledigaeth. Serch hynny, ni fentrai ei holi ar y pwnc rhag ei frifo ymhellach, gan y gwyddai am duedd Lewis i gymryd y cwestiwn diniweitiaf fel ymosodiad personol arno'i hun. Credai Edwin mai ei ddyletswydd nawr oedd cefnogi a chymodi.

Y noson honno, galwyd y gwladfawyr ynghyd i gyfarfod cyhoeddus, ac i ystyried y ffordd ymlaen. Fel gyda nifer o nosweithiau tyngedfennol yn hanes y Wladfa, roedd hon eto'n noson gynnes olau leuad, ond roedd 'tywyllwch fel y nos wrth edrych ymlaen', meddai Thomas Jones. 'Yr oedd yno gyfarfod stormllyd, pob math o siarad ar hyd y nos hyd oriau mân y bore, neb yn meddwl am fynd i orffwys.' Aethpwyd dros yr un tir, holwyd yr un cwestiynau a chafwyd yr un atebion. A thaflwyd cyhuddiadau niferus a sylwadau sarhaus at y llywydd. Gwnaed sawl ymdrech i lacio'r tyndra. Pan gododd ambell lais i ofyn am gael ei symud o'r anialwch hwn, ac un neu ddau byr eu cof na wyddent 'am un lle gwell na'r Hen Wlad' am droi'r cloc yn ôl a dychwelyd i Gymru, gofynnodd Lewis i'r un mwyaf hyf o'r llanciau yng nghefn y stordy i ble'r hoffai ef gael ei gludo. 'I ynys Juan Fernandez, lle bu Robinson Crusoe!', a dyna chwerthin braf dros y lle.' (RJ) Ond buan y trodd y drafodaeth yn ôl i fod yn fôr o ymosodiadau cecrus ar Lewis.

Yn y sefyllfa argyfyngus hon dangosodd yr arweinydd ifanc anallu i ddelio â diffyg poblogrwydd. Dywedodd ei fod yn ymddiswyddo, na fedrai aros ymhlith pobl a wrthodai ei arweiniad, ac y byddai ef ac Ellen yn gadael ymhen deuddydd ar fwrdd y *Mary Helen*[4]. Y peth callaf i bob un arall ei wneud i osgoi newynu fyddai dilyn ei esiampl. Roedd y wladychfa ar ben.

Ymbiliodd William Davies yn daer arno i aros, ond yn ofer – roedd wedi penderfynu. Clywyd llais o'r cefn yn gweiddi 'Hwrê!', a phan ychwanegodd Lewis yn chwerw ei fod yn ei ddatgysylltu ei hun yn llwyr oddi wrth y wladychfa, gan ddweud nad oedd ei hangen arno ef ac y gallai wneud yn well iddo'i hun mewn mannau eraill, gwelwyd siom yn llygaid Cadfan, ond dechreuodd rhai ymhlith y dorf floeddio 'Gwynt teg ar eich ôl!' a 'Bradwr!' Ffrwydrodd y cynulliad, methwyd â pharhau â'r drafodaeth, a daeth

---

[4] Honnir mai R. J. Berwyn gynghorodd Lewis Jones i ymadael – tacteg wleidyddol a luniwyd i ddrysu ei wrthwynebwyr, ond a fethodd yn drychinebus.

cyfarfod cyhoeddus cyntaf y wladychfa i ben mewn anhrefn.

Ar fore 8 Tachwedd, ymlwybrodd Lewis yn blygeiniol tua'r *Mary Helen* i ailgydio yn ei drafodaeth gyda Capten Wood parthed cynlluniau masnachu'r *guano*. Roedd y capten yn brysur yn goruchwylio'r gwaith o ddadlwytho'r nwyddau olaf a ddygwyd o Fadryn. Nid oes cofnod o'r drafodaeth, ond dichon bod y llywydd, o ganlyniad i'r cyfarfod cyhoeddus y noson cynt, wedi hysbysu'r capten o farn y fintai, gan geisio'i berswadio i weithio'r *guano* yn enw'r wladychfa, er budd cyffredinol.

Cynhaliwyd cyfarfod arbennig o'r Cyngor y noson honno, ac roedd Lewis ar dir bregus. Dim ond lleisiau Berwyn, Maurice Humphreys ac Edwin a godasai i bledio'i achos drwy gydol y cyfarfod blaenorol, ac ni fedrai ddisgwyl mwy o gefnogaeth y tro hwn – ddim hyd yn oed gan ei hen gyfaill Cadfan. Synhwyrai fod hwnnw wedi ei siomi'n ddifrifol gan ei drefniant â Wood. Ond tybed a âi mor bell â phleidleisio yn ei erbyn? Dywedodd Lewis ei fod wedi ailystyried ei sefyllfa a'i fod yn barod i barhau i weithredu fel llywydd, ond pleidleisiwyd i dderbyn yr ymddiswyddiad a gynigiasai yn y cyfarfod blaenorol. Yna diolchodd William Davies iddo am ei wasanaeth diflino dros y wladychfa.

Yn ôl John Jones, Aberpennar, siomwyd Lewis yn arw gan y penderfyniad hwn, a ddaeth yn annisgwyl iawn iddo ef os nad i neb arall. Efallai mai dyna pam y beirniadodd y fintai i gyd o fod wedi achosi'r methiant drwy eu diogi – cyhuddiad oedd yn deg mewn cysylltiad ag ychydig unigolion, meddai Lewis Humphreys, ond yn 'gŵynion anwireddus' am y fintai fel uned.

Ar fore 9 Tachwedd, gofynnodd Lewis Jones am gael trafod â'r pwyllgor eto, a galwyd cyfarfod arbennig – a gynhaliwyd yn absenoldeb Edwin a oedd wedi

dychwelyd i'r bae at ei bysgotwyr yn y gred ymarferol fod bwydo'r fintai'n bwysicach na dadlau dros ei thynged. Gofynnodd Lewis a oeddynt yn unfrydol yn eu dymuniad i'w ddiswyddo. Pleidleisiodd naw yn ei erbyn, gyda Berwyn a Maurice Humphreys yn unig o'i blaid.

Pan ddywedwyd bod y Cyngor yn bwriadu anfon William Davies i Buenos Aires er mwyn apelio am gymorth y llywodraeth, cynigiodd Lewis Jones ei gynorthwyo a chyfieithu iddo gan ei fod wedi meistroli'r Sbaeneg. Ystyriai rhai fod y cynnig hwn yn arwydd o'i ymlyniad i'r fintai ac o ewyllys da tuag at ei gyn-gyd-bwyllgorwyr, ond credai eraill mai ystryw ydoedd i'w alluogi i gadw'i berthynas â Rawson a'i osod ei hun rhwng y Gweinidog a'r Cyngor, a cheisiwyd perswadio'r cynrychiolydd i wrthod cymwynas gan 'fradwr'.

Roedd cysgodion stormllyd yn hofran uwch dyfodol y wladychfa, ac ymchwyddodd lleisiau'r rhai oedd am ymadael â'r lle. Oherwydd bod rhai yr un mor bendant dros aros, holltwyd y farn gyhoeddus. Serch hynny, roedd rheidrwydd ar y Cyngor i wneud y gorau o'r gwaethaf tra arhosent yno, a rhoddwyd pwysigrwydd arbennig ar yr ymweliad â Buenos Aires.

Un newydd drwg a achosai bryder dirfawr i'r mamau yn bennaf, oedd bod meddyg y wladychfa, Thomas Greene, wedi penderfynu torri'i gytundeb blwyddyn ac ymadael yng nghwmni'r cyn-lywydd ac Ellen. O'i blaid, dylid nodi ei gred nad oedd y Cyngor wedi cadw at ei fargen mewn perthynas ag amodau gwaith a'i ddogn wythnosol o fwyd. Yr hyn achosai boendod i Edwin oedd bod chwech o'i 'wŷr arfog' hefyd wedi dewis canlyn Lewis i'w alltudiaeth: Stephen Jones, Caernarfon (yn ddealladwy iawn gan nad oedd am ymwahanu oddi wrth ei frawd hŷn); John Thomas, Pen-y-bont ar Ogwr;

William Jenkins, Aberpennar (dau o'r rhai dewraf a mwyaf mentrus – a'r olaf yn gymeriad hwyliog); William Williams, Lerpwl; William Richards ac Ioan Dafydd, y ddau o Aberpennar. Siomwyd pawb yn aruthrol wrth weld caban sinc fu'n lloches i Díaz yn cael ei gludo i'r llong, ond y testun gofid pennaf oedd gweld melin fechan a anfonasai Michael D. Jones ar fwrdd y *Mimosa* yn dioddef yr un dynged gan amddifadu'r wladychfa o'r unig offeryn pwrpasol at ddyrnu gwenith. Y cwestiwn ar wefusau pawb oedd: 'Eiddo pwy yw hwn? Onid rhodd Michael D. Jones i'r wladychfa ydoedd?'

Gan ei fod wedi mesur cant o ffermydd, roedd Díaz a'i ddynion yn barod i ymadael am y brifddinas, a bwriadent fanteisio ar daith y *Mary Helen* i gyrraedd Patagones.

Ar fore 10 Tachwedd, ffarweliodd y fintai fechan, a gwelwyd dagrau ar ruddiau hen gyfeillion oedd yn ymwahanu am byth, hyd y gwyddent hwy. Byddai Richard Hughes, Caernarfon, yn hiraethu am flynyddoedd wedi hynny am Stephen, cyfaill ei blentyndod. Cydnabu Ellen (oedd yn feichiog eto) wrth Michael D. Jones ei bod yn hynod o ddigalon wrth feddwl am ymadael – byddai hi wedi hoffi byw yno am rai blynyddoedd o leiaf. Hoffai'r 'romantic life', a chael pysgota â 'line' ar afon Camwy. Cyn iddynt hwylio ymaith, gofynnodd y Parchedig Robert Meirion Williams a fyddai Dr Greene garediced â chludo amlen fechan oddi wrtho i Montevideo, a chytunodd hwnnw'n llon. Yna cerddasant at yr aber lle'r oedd Capten Wood wedi angori'r *Mary Helen* – ar y lan ogleddol y tro hwn!

Yr anhawster cyntaf a wynebodd y cynrychiolydd newydd oedd bod y capten yn gwrthod cydnabod ei awdurdod ac yn anfodlon iddo osod ei droed ar y *Mary Helen*! Nid oedd modd ei berswadio bod William Davies wedi'i ethol yn ddemocrataidd; mai ef, mwyach, oedd llefarydd y bobl a'i fod yn cael ei anfon ar waith y wladychfa i brifddinas Ariannin. Ni fyddai'r capten yn derbyn gorchymyn gan neb ar wahân i Lewis Jones, cynrychiolydd y sylfaenydd a'r Pwyllgor Cenedlaethol, ac felly yn unig arweinydd y wladychfa – ac ni ddywedodd Lewis air i'w ddarbwyllo.

Nid oedd cysgod Murga wedi'i ddilyn i Batagones, a daeth cysur i William Davies o gyfeiriad annisgwyl. Cynigiodd Julio Díaz ei wasanaeth fel cyfryngwr rhyngddo a'r llywodraeth. Os awgrymasai unwaith yn ystod ei fynych sgyrsiau â'i gyfeillion newydd fod yn Ariannin well mannau i fyw nag ym Mhatagonia, awgrymasai ganwaith. Byddai Gweinyddiaeth y Fewnwlad yn sicr o wrando ar ei apêl iddynt symud y gwladfawyr i amgenach amgylchiadau. Cytunodd William Davies, a rhoddwyd i'r tirfesurydd awdurdod i weithredu ar ran y wladychfa.

Hwyliodd y *Mary Helen* tua'r gogledd heb gynrychiolydd y wladychfa, ond y noson ganlynol, etholwyd ef yn llywydd. Etholwyd Abraham Matthews yn aelod o'r Cyngor hefyd.

Pan oedd y sgwner gyferbyn â'r bae, gwelwyd llong fechan yn troi i mewn tua Madryn, a gorchmynnodd Lewis Jones i Wood ei dilyn. Canfuwyd mai Jorge Harris, Patagones, oedd yno, yn cludo llwyth (44 o wartheg godro, 32 llo, 11 ceffyl, defaid ac ymborth) yn ogystal ag amlen yn cynnwys addewid am £800 gan y llywodraeth. Nid oedd yn gyflenwad mawr ond roedd yn arwydd o ewyllys da, a byddai'r arian yn ddefnyddiol iawn. Dychwelodd Lewis Jones dros y tir yng nghwmni Jorge Harries i'r dyffryn ar 15 Tachwedd i dorri'r newyddion da ac i geisio adennill ei swydd yn eu sgil. Ond fe'i hysbyswyd bod y Cyngor wedi penodi William Davies yn ei le ers pedwar diwrnod. Dychwelodd y ddau ymwelydd i Fadryn fore'r unfed ar bymtheg, yng nghwmni aelodau'r Cyngor a nifer o ddynion a anfonwyd i gludo'r nwyddau i'r dyffryn – a'r diwrnod canlynol, yn dilyn trafodaeth â'r Cyngor, cytunodd Harries i gludo'r llywydd newydd i'r brifddinas, er mawr ryddhad iddo ef a'i gefnogwyr. Anfonwyd William Davies yn ôl ar frys i baratoi ar gyfer ei daith i Buenos Aires. Hwyliodd y *Mary Helen* hithau yn ei blaen. Ar ei bwrdd, cefnai Lewis Jones ar y wladychfa y breuddwydiodd gymaint amdani ac yr ymdrechodd mor hir i'w throi yn ffaith.

Roedd misoedd o dyndra wedi trechu arweinydd y Wladfa o'r diwedd a'i orfodi i droi ei gefn ar y fenter y gweithiodd mor galed i'w sefydlu. Barn John Jones oedd bod Lewis Jones yn 'gynlluniwr braf, ond ni allasai ddwyn un o'i gynlluniau i weithrediad. Popeth a gynigiai, nid oedd rhith o lwyddiant yn ei ddilyn . . . yr oedd yn dda gan bawb ei weld yn cefnu.' Cytunai eraill ag ef. 'Y mae popeth yn myned ymlaen yn gysurus yma yn awr ar ôl i Lewis Jones ymadael,' meddai William R. Jones, 'roedd y dyn hwnnw fel pe buasai yn rhoddi *engine* i droi o chwith', gan leisio'r math o sylw a barodd i Joseph Seth Jones ysgrifennu '[fod] yna ddrwg-deimlad ymhlith y bobl ers talwm yn ei erbyn'.

Yn ei lyfr *Y Wladfa Gymreig – Cymru Newydd yn Ne Amerig*, a gyhoeddwyd ym 1898, nid oedodd Lewis Jones yn hir uwch y problemau hyn, dim ond awgrymu eu bod yn niferus ac na fyddent o ddiddordeb i'r anghyfarwydd. Ond cydnabu bod 'yr helbulon a'r trafferthion a'r ymrafaelion wedi eu cordeddu yn rhefyn o ymbleidiau fu yn ffrewyll flin ar y Wladfa hir o amser, ac nad yw cleisiau oddi wrthynt wedi llwyr wella hyd y dydd hwn.'

Syllai aelodau'r Cyngor yn ddigalon ar ddwy gist a adawyd iddynt yn stordy Caer Antur: yr un lle cedwid yr arian papur diwerth, a'r un ddefnyddiai Thomas Greene i gadw'r meddyginiaethau. Ni thrafferthwyd i agor y gyntaf ohonynt ond rhoddodd Cadfan yr allwedd a dderbyniasai gan y meddyg yn nhwll clo'r gist feddygol a'i throi yn obeithiol. Agorodd ei chlawr, a chraffodd pob llygad yn ddisgwylgar ar ei chynnwys. Roedd enwau Lladin cwbl annealladwy – hyd yn oed i'r gweinidogion, i Berwyn ac i'r fferyllwyr, Rhydderch Huws a Thomas Ellis – ar nifer o'r poteli a'r blychau, ac ni ellid ystyried eu defnyddio. 'Yr oedd yno rai dealladwy, megis Sego, Tabioca, Arawt, ond yr oeddynt wedi myned – nid oedd yn aros ond yr enwau.' Ond ni thaflwyd y cistiau. Penderfynwyd 'eu cadw yn yr ystordy, fel dau ddodrefnyn gwerthfawr, gan feddwl y deuai rhywun rhyw dro a fuasai'n cyfieithu yr enwau Lladin i'r Saesneg, ond am y gist arall, nid oedd gobaith.' (TJ)

Mor anwadal yw torf. Cyn gynted ag yr ymadawodd Lewis, dechreuwyd hiraethu amdano a chanmol ei rinweddau – pa mor hwyliog oedd ei agwedd pan oedd yma; bu'n weithgar iawn ar hyd yr amser; ef oedd y cyntaf bob bore yn galw'r bobl at eu gwaith; ma' na rai anodd cydweithio â hwynt ar y Cyngor 'na; rhaid cofio bod y llywodraeth wedi'i siomi a bod awelon croes wedi chwalu'i gynlluniau; mae'r lle'n wag ar ei ôl e (er nad oedd wedi byw yno ond am gyfnodau byrion o ychydig ddyddiau ar y tro yn ystod ei bedwar mis yn y swydd!)

> 'Gwaith hawdd yw beirniadu, ond gwaith anodd yw gweithredu mewn amgylchiadau dyrus, a dyrus iawn ydyw hyd heddiw,' ebe Thomas Jones wrth gofio'r dyddiau hynny ym 1926, 'mae'n dywyll iawn ymlaen o hyd.'

Wynebu methiant

Mynnai Edwin beidio ag ymollwng i'w siom enfawr o golli cwmni un oedd wedi tyfu'n gyfaill agos iawn – yr agosaf yn y wladychfa hyd y foment honno – a cholli ar yr un pryd arweinydd naturiol 'y fenter fawr'. Ni wyddai am neb arall mwy cymwys i'r gwaith. Ac ergyd fawr oedd colli rhai o'i 'wŷr arfog' hefyd. Pwy a wyddai na ddeuai dydd pan fyddai angen pob un ohonynt i amddiffyn y wladychfa. Gyda'r nos y byddai dduaf arno, a'i gydwybod yn drwm dan bwysau. Mae'n wir na ddeallai ddim am feddyliau dirgel Lewis, nac am gyfrinachau ei drafodaethau â'r masnachwyr a'r llywodraeth, ond tybed a oedd ef, Edwin Roberts, wedi gwneud cam â'i gyd-wladychwyr wrth eu denu i wlad nad oedd ef ei hun wedi'i gweld erioed cyn glanio yma yng nghwmni Lewis? Onid oedd y trueiniaid hyn wedi cael gwell bywyd yn yr Hen Wlad na beth bynnag fyddai eu tynged ar y tir dieithr, anial a digroeso hwn? Oni fyddai eu byd – a'i fyd yntau, o ran hynny – yn well pe na bai erioed wedi gadael Oshkosh a'r 'bwthyn tawel rhwng y coed'?

Beth ddôi o Llew, tybed, ac yntau wedi cefnu ar ei Wladfa? Pam na fyddai wedi aros i ymladd ei achos hyd y diwedd? Pam roedd angen iddo fynnu bod yn ben bob tro? Oni wyddai fod modd i ddyn gael ei ffordd yn aml drwy ddylanwadu yn ddistaw yn y cefndir? Drwy fynd mor sydyn, a gadael popeth yn y fath gyflwr, roedd cystal â chydnabod bod y fenter ar ben – heb sôn am gydnabod bod y cyhuddiadau'n rhai cyfiawn. Ond ni fyddai ef, Edwin Cynrig Roberts, byth yn fodlon derbyn bod y fath drychineb yn bosibl. Er mwyn Llew, er mwyn Michael Daniel Jones, er mwyn ei freuddwyd fawr ei hun, ac er mwyn gwneud iawn am unrhyw gamarwain yr oedd yn euog ohono, penderfynodd Edwin na fyddai'n ildio i unrhyw fethiant ac mai Patagonia fyddai ei wlad hyd ei fedd.

Cofiodd y geiriau a lefarodd ei hun ar lwyfannau Cymru, ac ni fedrodd lai na gwenu'n ironig wrth edrych ar yr anialdir eang o'i gwmpas: 'mae modd ffurfio Gwladfa, er i ni ddechrau mewn lle anial. Y mae dechreuad wedi bod i bob man . . .' Cofiai sôn pa mor 'felys yw trigo o frodyr ynghyd', ond nid oedd ond chwerwder i'w weld o'i gwmpas nawr. A chofiai sôn am dorri coed ar gyfer adeiladu tai. Ar wahân i'r helyg a dyfai ar lannau'r afon, nid oedd coeden deilwng o'r enw i'w gweld yn unman am ddegau o filltiroedd i ba gyfeiriad bynnag yr edrychid nes cyrraedd y dyffryn uchaf, ac am y tai . . . wel, roedd bythynnod drafftiog hesg a mwd yn well na chytiau pren Porth Madryn, eithr prin y gellid eu galw'n dai.

Yn wyneb unigrwydd

Nage'n wir, nid Wisconsin mo Patagonia, ac roedd ffordd hir a phoenus o'i flaen cyn y câi sylweddoli ei freuddwyd. Byddai angen gweithio'n egnïol drwy dlodi a dioddefaint, ond, cysurai ei hun, os llwyddodd arloeswyr yr Unol Daleithiau i wareiddio'r gorllewin gwyllt, dichon y gallai criw o Gymry penderfynol a dewr goncro Patagonia. Onid oedd y weledigaeth yn werth pob aberth? Ac ni châi neb gyfle i gyhuddo Edwin Roberts o adael tasg ar ei hanner. A oedd, ymhlith ei gyd-ymfudwyr, gnewyllyn o bobl a deimlai'n ddigon cryf dros y syniad o wladychfa i frwydro ymlaen 'drwy'r tew a'r tenau' nes gorchfygu pob anhawster? Roedd un peth yn sicr – doedd fawr o gariad tuag at Batagonia ymhlith mwyafrif y fintai ar hyn o bryd, a thyfai'r sôn am ymgyrch i'w symud o'r fan. Ond hyd yn oed pe bai rhaid iddo aros yno ar ei ben ei hun, aros a wnâi, a byddai ym Mhatagonia, yn hwyr neu'n hwyrach, wladychfa Gymraeg a Chymreig. Roedd y dasg o'i flaen yn anfesuradwy, a byddai angen iddo osod ar waith ei 'allu i daflu ei ysbrydiaeth ei hun i eraill, ac i ffurfio eraill fel efe ei hun'. (AM)

Nid oedd ganddo berthynas deuluol ag unrhyw ymfudwr arall, na neb i wrando ar ei bryderon, na'i gysuro mewn oriau unig. Er nad oedd pobl wedi troi eu cefnau arno, fel y digwyddodd i Lewis – yn wir roedd y mwyafrif yn dangos cryn hoffter ohono a charedigrwydd tuag ato – gwyddai fod rhai yn dal i gofio pob gair o'i anerchiadau cenhadol ac yn ei ddal yn rhannol gyfrifol am eu cyflwr. Dibynnent ar ei gryfder corfforol a moesol, ei ddewrder a'i ymarferoldeb i'w helpu i oroesi'u sefyllfa enbyd, ac ar ei hwyliau da parhaus i godi'u calonnau. Nid oedd neb ohonynt fodd bynnag yn troi ato i drafod y pethau bach, cynnes ac annwyl hynny oedd wedi gwneud ei fywyd yng nghôl ei deulu 'yn y bwthyn tawel rhwng y coed' ger Oshkosh y nesaf peth i berffeithrwydd – oni bai am ddirywiad y Gymraeg. Rheswm digonol iddo'i atgoffa'i hun nad oedd Wisconsin, gwaetha'r modd, yn addas ar gyfer sefydlu'r wladychfa, ac nad oedd

ymollwng i hiraeth am ei hen gartref yn gydnaws â'i uchelgais.

Erbyn hyn, ac ymadawiad Lewis wedi gosod dyfodol y wladychfa yn y fantol, roedd ei unigrwydd yn llethol. Ni feiddiai ddangos ei deimladau i'r fintai rhag i hynny eu digalonni ymhellach. Hyd yn oed pan fyddai'n newynu, nid oedd dim i'w wneud ond dioddef yn ddistaw, ymsirioli a dweud wrth bawb ei bod 'yn iawn' arno. (LJ) Ymhlith y Cardis a chriw niferus a hwyliog Aberdâr ac Aberpennar (hwythau'n cynnwys nifer o gyn-drigolion Ceredigion) y cawsai'r croeso cynhesaf er dydd y glanio – fel y cawsai yng Nghymru yn nyddiau'r ymgyrch. Roedd teuluoedd Thomas ac Eleanor Davies a John a Betsan Jones wedi cadw'i ochr ym mhob dadl, ac yng nghwmni difyr llanciau a merched niferus y ddau deulu mawr y câi Edwin y profiad agosaf at fod yn perthyn i bobl y fintai gyntaf. Gydag amser, daeth cwmni un ohonynt i olygu llawer mwy na hynny iddo – a mynnai llygaid disglair a gwên gynnes Ann Jones eu gwthio'u hunain i flaen ei ymwybod, i chwalu'r pryderon i gyd.

'Oll fel teulu mawr . . .'
(Ionawr 1866-Gorffennaf 1867)

Ymgyrch farchnata

Neilltuwyd llawer o ofod yn y llythyrau a anfonwyd o Gaer Antur at berthnasau a chyfeillion y gwladfawyr yng Nghymru i sôn am ymadawiad Lewis Jones. Gresynai rhai na cheid ei arweiniad mwyach, ond tueddai'r mwyafrif i drin y testun fel sgandal ac i feirniadu'r cyn-lywydd yn hallt am fethiannau nad oedd, ambell dro, yn deg eu priodoli iddo. Cenid clodydd y llywydd newydd, William Davies, yn ogystal. Byddai'r frwydr yng ngholofnau'r wasg rhwng gwrthwynebwyr y mudiad a Michael D. Jones yn parhau, a defnyddiai'r Athro lythyrau'r gwladfawyr – a anfonid ato wedi i'r teuluoedd eu darllen – i brofi pa mor llewyrchus ac addawol oedd sefyllfa'r wladychfa ar lannau'r Chupat. Yn rhyfedd iawn, er iddo dorri allan sawl cyfeiriad personol a hyd yn oed rai adroddiadau manwl parthed gwaith a bywyd yr ymfudwyr, dewisodd gynnwys llawer (ynteu bob un, efallai?) o'r ymosodiadau ar Lewis Jones – er ei fod ef ei hun yn cyfeirio ato mewn modd canmoliaethus tu hwnt, ac yn mynegi ei sicrwydd y byddai unrhyw 'gamddealltwriaeth' rhwng Lewis Jones a'r Cyngor yn cael ei datrys gydag amser.

Cyhoeddai Michael D. Jones lythyrau oddi wrth Lewis ei hun hefyd, a barhâi i ddadlau'r achos gwladfaol o'i alltudiaeth wirfoddol yn Buenos Aires. Ysgrifennodd Lewis at Michael D. Jones ar 25 Chwefror 1866 yn ei hysbysu bod William Davies yn dychwelyd i Borthmadryn a Dyffryn Camwy, yn cludo cyflenwad o flawd, cig wedi'i sychu, tatws, reis, coffi, siwgr, sebon ac angenrheidiau eraill i ddiwallu gofynion y fintai am dri neu bedwar mis. Fel pe na bai hynny'n ddigon, roedd y llywodraeth yn addo cynorthwyo'r wladychfa hyd nes y tyfai yn hunangynhaliol. Yn wahanol i'r hyn a ddywedid mewn rhai adroddiadau yn y wasg Gymreig a Seisnig, nid oedd yr un o'r ymfudwyr yn gaeth i'r wladychfa ac roedd cyfle i'r sawl a fynnai ymadael am Batagones neu Buenos Aires.

Methodd Lewis Jones ag ymatal rhag ymosod ar bapurau gelyniaethus megis yr *Herald Cymraeg* oedd yn cynnig codi cronfa i gynorthwyo'r gwladfawyr i ddychwelyd i Gymru: '. . . os bydd yr *Herald Cymraeg* mor garedig â'u cludo i'r man a ddewisant oddi yma, allan o'r tanysgrifiad y mae efe wedi ei gynnig i'w godi, dichon y caiff y pleser o gario ambell i ddiogyn a grwgnachwr i Gaernarfon, i greu chwedlau drwg yn erbyn yr adeg y byddant wedi myned yn brinion'. Cyfeirio'r oedd at Henry Parry, morwr o Gaernarfon a dreuliodd wythnos yn Buenos Aires ar fwrdd y *Dorothea* ac a ledaenodd straeon erchyll yn y wasg am gyflwr yr ymfudwyr ar ôl iddo ddychwelyd i Gymru, er na fu'n nes na rhyw naw can milltir i'r wladychfa.

Achosodd stori Henry Parry gryn dipyn o stŵr. Wedi ennill sylw'r wasg Gymreig, ni fu'n hir cyn ymddangos fore Llun 27 Ionawr 1866 mewn saith o brif bapurau dyddiol Llundain, dau o rai Manceinion, pedwar o Lerpwl, tri o Ddulyn, a dau o Birmingham. Yn ôl adroddiad gan ffynhonnell ddibynadwy, medrai'r gohebyddion ddatgelu bod aelodau'r fintai wedi dioddef trychineb arswydus, a bod traean ohonynt wedi trengu oherwydd newyn a syched. Dichon mai un esboniad oedd yr amser hir a gymerid i gludo bwyd dros y môr i'r drefedigaeth o Buenos Aires, ynghyd â'r ffaith fod y gwladfawyr wedi cyrraedd yn rhy hwyr i gynhyrchu eu bwyd eu hunain. Clywyd hefyd fod y brodorion ar ynysoedd y *guano* wedi 'ymddwyn yn farbaraidd' tuag at y Cymry oedd yn gweithio yno oherwydd eu hofn y byddai'r gwladfawyr yn eu halltudio.

'Teimlir pryder mawr gan gefnogwyr y symudiad yn Lloegr [*sic*], y rhai sydd newydd ffurfio cwmpeini gyda'r amcan o gario masnach ymlaen rhwng Lloegr a'r trefedigion. Mae mintai arall yn ymbaratoi i gychwyn i'r drefedigaeth ond disgwylir na chychwynant hyd nes y derbyniant newydd diamheuol am lwyddiant y trefedigion.'

Byddai llythyrau Lewis yn cyfeirio hefyd at ymdrechion Díaz, ac am y siarad a glywid ymhlith rhai o'r ymfudwyr am symud i dalaith Santa Fe, yng ngogledd-ddwyrain Ariannin, syniad yr oedd y cyn-lywydd yn ei wrthwynebu'n chwyrn. O Gymru bell, rhoes Michael Daniel Jones ei bwysau nid ansylweddol y tu ôl i ymdrechion ei gyn-gyd-ymgyrchwr, yn ddigon parod i daro'n galed pan deimlai'r angen i wneud hynny: 'Gobeithio yr erys rhyw ddwsin ohonoch yn nyffryn y Camwy i gymeryd gofal o'r anifeiliaid y bu cymaint cost a thrafferth i'w cael yno – byddant yn ddefnyddiol erbyn dyfodiad pobl briodol [*sic*]. Os oes dwsin ohonoch am aros, daw popeth yn iawn . . . Mae'n enbyd fod rhyw ymfudwyr ehud a dibrofiad yn cymeryd y mudiad i'w dwylaw eu hunain [*sic*]. At gael Gwladychfa Gymreig yn Patagonia y rhoisom ni ein harian, ac ni fynnwn ni ddim i'w wneud â Santa Fe – mae'n dro anonest tuag atom i symud o Patagonia.' (MDJ)

Pe na bai'r gwladfawyr yn aros, meddai Michael D. Jones, dylai'r arweinyddion

ymdrechu i gynnal y wladychfa a chynllunio i gludo ail fintai cyn gynted â phosibl. Yn sicr, ni fyddai ymfudwyr i Santa Fe yn derbyn cymorth y Pwyllgor Cenedlaethol.

Pa ddarlun o amodau byw yn y Chupat oedd ym meddwl yr Athro wrth iddo ysgrifennu'r epistol hwn yng nghlydwch ei stydi, a thybed beth feddyliai ef oedd hawliau'r ymfudwyr?

Daeth anogaeth gan y Parchedig D. Lloyd Jones, Rhuthun, Cofiadur Teithiol Cymdeithas Fasnachol ac Ymfudol y Wladychfa, oedd yn gofidio bod 'drwg yn corddi rhywrai yn y Wladfa[1] . . . Ymddengys i mi nad oes dim rhwystr hanfodol i lwyddiant, ond rhwystrau yn codi oddiar mympwyon, camgymeriadau, gwendidau, neu ddrygioni personau[!]' Yn ei ofn y byddai mwyafrif aelodau'r fintai gyntaf wedi gadael y lle, anogodd Lewis Jones i amddiffyn y Wladfa, i ddyfalbarhau yn ei ymdrechion gyda Rawson a marsiandïwyr Patagones ac, yn bennaf oll, i anghofio'i gweryl â'i elynion ar y Chupat. Ac nid oedd yn ofni cynnig cyngor plaen i'w gyfaill, y cyn-lywydd: 'Gobeithio yr ewch chwi yno'n ôl yn fuan ac, os ewch, y gwnewch adael i amynedd gael ei pherffaith waith – bydd raid i chwi wrth hynny.' (LJ)

Trefnodd Lewis, yn ei ofal mawr amdani, i'w wraig Ellen, dreulio gweddill ei beichiogrwydd yng Nghymru. Cawsai yntau swydd cysodwr gyda'r *Buenos Aires Standard*, papur Saesneg ei iaith, ac uchel ei gylchrediad ymhlith masnachwyr Seisnig y brifddinas. Hanai ei olygydd, Eduardo Mulhall, fel Rawson[2], o deulu Gwyddelig, a symudai o fewn yr un cylchoedd â'r Gweinidog Cartref ar ôl i hwnnw symud o Dalaith San Juan i'r brifddinas.

---

[1]Tua'r amser hwn, ar anogaeth Llew Llwyfo, y dechreuwyd arddel yr enw talfyredig 'Y Wladfa'.

[2]Ymfudodd tad Guillermo Rawson o'r Unol Daleithiau.

Deiseb

Dridiau cyn Nadolig 1865, cyhoeddodd y *Standard* erthygl yn mynegi pryderon parthed iechyd a diogelwch y fintai ar y Chupat. Roedd chwedlau am eu cyflwr truenus yn ferw yn y ddinas a gofynnodd un marsiandïwr Seisnig am ymchwiliad naill ai gan y Weriniaeth neu'r Llysgennad Prydeinig. Yn gyfleus iawn roedd y llong ryfel Brydeinig *Triton* ar ddyfroedd afon Arian ar y pryd, ar ei ffordd o Montevideo i Ynysoedd y Falklands, ac awgrymwyd y dylid gofyn iddi alw heibio i'r wladychfa ac anfon adroddiad am gyflwr pethau yno. Os oedd y sefyllfa cynddrwg ag yr ofnid, gorau po gyntaf yr anfonid ymborth yno. 'Ni chlywsom ac ni ddarllenasom erioed hanes caledi mor fawr â'r hyn ddywedir sydd ar ein cyd-wladwyr [*sic*] yn y Chupat . . .' Dichon y byddai'r Llysgennad Francis Ford a'r Llyngesydd Elliot yn barod i wneud eu gorau yn yr achos hwn heb oedi.

Ychydig ynghynt, yn Montevideo, derbyniasai Elliot, drwy law'r meddyg Thomas Greene, lythyr oddi wrth y Parchedig Robert Meirion Williams i'w gyflwyno i lywodraeth Prydain Fawr, wedi'i arwyddo gan bedwar ar bymtheg o'r ymfudwyr. Ynddo cwynent fod arweinyddion y mudiad gwladfaol wedi'u twyllo, ac erfynient am gael eu cludo yn ôl i Brydain.

Wrth i'r misoedd lithro heibio, anesmwythai'r Gweinidog oherwydd diffyg ymateb ar ran yr awdurdodau. Yna cofiodd fod un o'i aelodau mewn safle tra manteisiol, sef Defi John, y pysgotwr yn y bae. Gwyddai fod hwnnw'n ddyn siomedig. Pan oedd ar fin dechrau ffermio ar y cyd â John E. Davies, dryswyd ei gynllun 'drwy fod y partner mewn rhyw fodd neu'i gilydd wedi boddi . . .', achwynai yn athrist mewn llythyr at ei wraig. Methiant hefyd fu ei ymgais i ennill bywoliaeth drwy ladd mawn. Rhoddodd ei fryd wedyn ar gael swydd ar un o'r llongau *guano*, a dyma'r Cyngor yn gwahardd Cadivor Wood a Lewis Jones rhag gweithredu'r syniad rhagorol hwnnw. Gwyddai Williams hefyd fod y pysgotwr yn mynd drwy gyfnod o adolygu cyflwr ei enaid. 'Dan weinidogaeth y Parch. R. M. Williams yr wyf finnau bob Sabbath, ac y mae yn fwy na thebyg y caf gymorth gan Dduw i adael yr hen ddull o fyw, a byw yn well rhagllaw,' cyffesodd Defi John yn yr un epistol.

Ysgrifennodd Williams lythyr arall – y tro hwn at Raglaw Ynysoedd y Falklands – yn ymbil eto am gymorth i ddianc o gaethiwed Patagonia, a gofynnodd i Defi John ei drosglwyddo i ofal capten y llong nesaf i alw heibio'r bae. Eithr aeth Defi John un cam ymhellach. Pan alwodd y llong hela morloi *Fairy* ym Mhorth Madryn fis Mawrth, penderfynodd, ynghyd â'r pysgotwr cyflog arall, Joseph Seth Jones, hwylio arni i'r ynysoedd i gyflwyno'r llythyr yn bersonol i'r llywodraethwr cyn cymryd llong oddi yno i Brydain.

Ym Mhorth Stanley, cyflwynasant adroddiad oedd yn rhoi darlun tywyll iawn o gyflwr yr ymfudwyr a beirniadaeth ddamniol ar arweinyddion y wladychfa: 'Dioddefasom yn ddychrynllyd o newyn ac oerni; dim cysgod i orwedd dano; dim i'w fwyta ond cig ceffyl; gorweddem yn y llaid a'r llaca; collodd tri ohonom y ffordd na welwyd byth mohonynt; bu pedwar ar ddeg farw; bywiem mewn ofn a dychryn rhag Indiaid; da fyddai gan bawb ffoi i rywle oddi yno o olwg y fath drueni a dioddef; nid oes ganddynt ddillad, ac os byddant yno y gaeaf, rhaid y trengant oll.' (LJ)

Trosglwyddasant hefyd lythyr y Parchedig Robert Meirion Williams, ac arno bedwar llofnod ar bymtheg: 'Yr ydym megis caethion a charcharorion: nid oes yn y Wladychfa hon na rhyddid na chyfleusdra i symud oddi yma. Gan hynny yr ydym yn apelio atoch chwi fel Rhaglaw Prydeinig i gydymdeimlo â ni a'n symud i'r Falklands.

Er mwyn Duw, trugarhewch wrthym, a dygwch ni i ryddid Prydeinig [*sic*].'

Yn Ebrill 1866 honnodd Michael D. Jones ei fod wedi anfon cais at 'ein [*sic*] llywodraeth am i rai o longau rhyfel ei Mawrhydi sydd yn segur yn y parthau hynny ymweled â'r ymfudwyr; ac yn unol â'r dymuniad y mae llong wedi myned i lawr i Porth Madryn'. (LJ)

Eisteddfota

Bu'r haf cyntaf yng Nghaer Antur yn un heulog a llawn gobaith, er gwaetha'r prinder, yr anawsterau a'r ymadawiadau, a dichon mai uchafbwynt bywyd cymdeith-asol y cyfnod oedd yr Orsedd a'r ŵyl gystadleuol neu'r eisteddfod fechan[3] a gynhaliwyd ddydd Nadolig 1865 (dridiau wedi ymddangosiad yr erthygl yn y *Standard*).

Yn hytrach na bodloni ar gynnal cystadlaethau yn y stordy, trefnwyd diwrnod llawn a lliwgar i ddathlu'r achlysur. Cododd pawb yn blygeiniol yn unol â'u harfer ac, wedi clirio'r byrddau brecwast, ymgasglodd y trigolion oll ar y bryncyn isel yng nghanol y gaer, lle codwyd y Ddraig Goch ac y canwyd Anthem Patagonia. Camodd y beirdd i ganol y cylch i agor eu Gorsedd, cyn cyhoeddi bod Eisteddfod 1866 i'w chynnal ymhen diwrnod a blwyddyn, yn unol â threfn a defod Gorsedd Beirdd Ynys Prydain Fawr.

Ymddengys nad gŵyl ar gyfer cynganeddwyr barddonol a cherddorol yn unig oedd yr 'eisteddfod' hon. Gofalodd ei threfnwyr goleuedig fod yno rywbeth at ddant pawb. Ar ôl cau'r Orsedd, 'aeth y Fyddin Gymreig allan i saethu at y coed', meddai John Jones, Glyn Coch (nid Aberpennar bellach, gan fod pawb yn

dechrau cael eu hadnabod wrth enwau eu cartrefi newydd). Dau o fechgyn y cymoedd, Tomos Tomos a Dafydd Davies, a gerddodd yn ôl hapusaf i dderbyn eu llawryfoedd am ennill y marciau uchaf yn ystod y bore.

Am ddau o'r gloch, cynhaliwyd 'cwrdd llenyddol' (fel y gelwir cyfarfodydd cystadleuol yn y Wladfa hyd ein dyddiau ni), dan gadeiryddiaeth Lewis Humphreys, pryd y diddanwyd y gynulleidfa gan dri o'r beirdd: Iago Dafydd (a ddefnyddiai ffurf Gymraeg ei enw erbyn hyn, fel sawl un arall o'i gydnabod), John Jones a Berwyn. Cafwyd 'anerchiadau byrfyfyr, adrodd a chanu hynod o dda'. Cynigid un wobr yn unig, sef llyfr i enillydd y prif anerchiad, a dyfarnwyd hwnnw i Twmi Dimol.

Nid oedd Edwin wedi bod mewn achlysur o'r fath er ei ddyddiau yn Oshkosh, a theimlai wrth ei fodd yn gwrando ar ei gyd-wladychwyr yn mwynhau'r un math o adloniant ag a aethai â'i fryd ef o'i blentyndod. Caent fwynhau eu Cymreictod yn y Gymru Newydd heb lyffethair yn y byd. Ar ddiwedd y cyfarfod, rhuthrodd pawb am y cyntaf i fwynhau'r te a'r bara brith a ddarparwyd gan y gwragedd. 'Cafodd pawb eu digoni,' meddai John Jones.

Edwin Roberts gafodd y fraint o gadeirio cyfarfod yr hwyr oedd yn dechrau am chwech o'r gloch. Patrwm tebyg oedd i raglen y cyfarfod hwn eto, gyda Berwyn yn ennill y llyfr y tro hwn. Cyhoeddwyd testunau Eisteddfod Nadolig 1866 hefyd, ac yn eu plith:

   a) Pryddest: 'Mordaith y Fintai Gyntaf'
   b) Cân Genedlaethol.
   c) 'Geirlyfr Masnach a Chelfyddyd, sef rhestr o enwau anghyfiaith, nwyddau, arfau, ac ati, ac enwau Cymraeg ynghyd â'u tarddiad cyffredin.'
 ch) Gwerslyfr i Ysgol Ddyddiol. Disgwylir iddo gynnwys gwersi byrion, graddol, ar wahanol destunau.

---

[3]Disgrifiwyd hi fel achlysur i 'gyhoeddi' Eisteddfod 1866 (RJB), fel 'Cyfarfodydd Llenyddol' (JJ), ac fel 'Eisteddfod' (JSJ) – enw y mae'r ŵyl yn ei ddisgrifir yn ei lawn deilyngu.

d) Rhifydd bychan, yn cynnwys gwersi ac elfennau cyntaf Rhifiant, wedi eu cymhwyso ar gyfer rhai yn dechrau dysgu rhifo.

Gwadai Berwyn fod y penderfyniad i gynnal eisteddfod mor gynnar yn hanes y wladychfa yn un rhy uchelgeisiol ac yn arwydd o ddiffyg pwyll. Ymfudwyd, meddai, i gynnal popeth gwerthfawr sy'n gysylltiedig â Chymru a'r iaith Gymraeg ac i gynnal diddordeb mewn llenyddiaeth. Ystyrid yr eisteddfod yn gyfrwng i gyflenwi deunydd llenyddol a chelfyddydol oedd mor brin yn y wladychfa. Roedd yr ŵyl eangfrydig yn cynnig hefyd wobr sylweddol o bumpunt i'r sawl fyddai'n cynhyrchu'r mwyaf o wenith ar ei gaeau y cynhaeaf canlynol![4] Ychwanegodd fod y pwyllgor yn bwriadu dechrau yn fychan, 'a phob yn ychydig deuwn allan fel cewri'.

Dichon y gall Eisteddfod y Wladfa, sy'n dal i fod yn ŵyl lewyrchus, nodi 25 Rhagfyr 1865 fel dyddiad i ddathlu ei sefydlu. Ac nid yw'r dyddiad heb ei arwyddocâd ym maes addysg chwaith.

Roedd ysgol Caer Antur yn brin o lyfrau. Yn wir, er mai Cymraeg oedd unig iaith yr ysgol (tra oedd ysgolion Cymru yn dal i ymlafnio â'r *Welsh Not*), nid oedd yno'r un llyfr ysgol Cymraeg, a gwelodd ei hathro goleuedig gyfle i ddefnyddio'r eisteddfod i ddenu ymgeisydd cymwys i gyflenwi'i hanghenion. Ymhen y flwyddyn, pe byddid wedi cynnal yr eisteddfod, dichon y byddid wedi cyhoeddi enw Richard Jones, Berwyn, fel enillydd y ddwy gystadleuaeth olaf. Y rhain, cynnyrch pwysicaf Eisteddfod y Wladfa, fyddai sail y llyfrau cyntaf i'w cyhoeddi yn Nyffryn Camwy mewn unrhyw iaith (a'r llyfrau Cymraeg cyntaf o'u bath erioed?) – pan lwyddwyd i wneud

---

[4]Byddai'r eisteddfod yn cydnabod ei rôl mewn cymdeithas amaethyddol flynyddoedd yn ddiweddarach, pan gynhaliwyd sioe amaethyddol ynghlwm wrthi (a phawb yn cofio'r ŵyl fel 'Eisteddfod y Cabej') .

hynny, o'r diwedd, ym 1878. A phan fyddai Lewis Humphreys yn gorfod dychwelyd i Gymru ymhen ychydig dros flwyddyn oherwydd aflwydd ar ei lwnc a'i lais, a'i olynydd Robert Meirion Williams yn dilyn yr un llwybr yn Awst 1867 am resymau pur wahanol, pwy gwell i barhau â'r gwaith nag awdur y llyfrau amhrisiadwy hyn?

Cynhelid cyfarfodydd diwylliannol bob pythefnos – y Gymdeithas Lenyddol a'r Gymdeithas Drafod bob yn ail. Yn union fel yn Oshkosh gynt, byddent yn areithio a dadlau, dan lywyddiaeth y Parchedig R. M. Williams, ar destunau megis 'Afon y Gamwy', 'Patagonia yn lle cymwys i'r Cymry sefydlu', a 'Cybydd'. Yn ddieithriad, ebe Thomas Jones, y sawl fyddai'n dadlau yn erbyn y testun a ddyfernid yn fuddugol! Testun y drafodaeth frwd mewn un cyfarfod oedd yr enw y dylid ei fabwysiadu ar y Gymru Newydd. Yn ôl Edwin, cipiodd y Saeson nid yn unig dir yr hil Frythoneg ond hefyd enw ei gwlad. Dyma gyfle nawr i'w adfeddiannu. 'Brythonfa' oedd ei ddewis ef ar gyfer gwlad fyddai'n croesawu nid yn unig ymfudwyr o Gymru ond holl siaradwyr heniaith y Brythoniaid ledled y byd. 'Brythonia' oedd yr amrywiaeth arno a gymeradwyid gan Berwyn. A chlywyd dadleuon dros 'Y Fro Wen', 'Kymrovania' a 'Kymrovia' (a adleisiwyd yn y wasg Gymreig). Rhoddai trafod y testunau hyn foddhad mawr iddynt oll. 'Onid yw'n hawdd gennych goelio ein bod yn treulio ein hamser yn hynod lawen?' gofynnodd John Jones, Glyn Coch.

Y diwrnod wedi'r eisteddfod, ymlwybrodd wyth o'r gwladfawyr tua'r gorllewin, gan obeithio cyrraedd yr Andes, ond gorfu iddynt droi yn ôl oherwydd prinder bwyd a blinder eu ceffylau. Roedd ganddynt adroddiad calonogol i'w gyflwyno fodd bynnag. Gwelsant diroedd da 'ac arwyddion o fwyn haearn a chopor', a chreigiau uchel fyddai'n atal Indiaid rhag ymosod ar y wladychfa. (JJ)

Colli Bardd

Yn ystod Chwefror, brawychwyd y pentref pan ddychwelodd ceffyl Iago Dafydd o Fadryn heb ei berchennog. Er chwilio'n ddyfal, ni chanfuwyd corff y bardd poblogaidd un ar hugain oed, a hiraethwyd yn alaethus amdano.

Tra oedd Edwin a'r gwladfawyr eraill yn rhydd i dorheulo yn eu Cymreictod gydol yr haf tanbaid, treuliodd William Davies dros dri mis blinedig a rhwystredig yn y brifddinas. Yn y lle cyntaf gwrthododd Rawson, ar ôl ymgynghori â Lewis Jones, gydnabod bod gan Díaz unrhyw swyddogaeth mewn cysylltiad â'r wladychfa, a gwaharddodd ef rhag ymyrryd rhagor yn y mater. Siomwyd Murga ac Aguirre hefyd, a fu'n ddiwyd yn ceisio dylanwadu arno ('Nid oedd angen i'r Gweinidog ddweud y gair ac anfonid eu llong i'w casglu i Patagones'), pan orchmynnodd iddynt hwythau gadw draw. Nid oedd y fintai i'w symud o'r fan, a phetai ambell wladfäwr yn mynnu ffarwelio â'r Chupat, gallai wneud hynny ar ei gost ei hun. Credai Rawson fod unrhyw bris yn werth ei dalu rhag i'r wladychfa fethu. Arllwysodd ei ofnau ar ysgwyddau'r Llysgennad Prydeinig Francis Clare Ford, ac ysgrifennodd hwnnw at Iarll Clarendon yn y Swyddfa Dramor i egluro: 'Ar fapiau De America, nodir yr Afon Ddu fel ffin ddeheuol Cyffederasiwn Ariannin, a'r enw Patagonia ar y wlad sydd y tuhwnt iddo. Hoffai Señor Rawson gywiro'r rhaniad, a medru dangos gwladychfeydd llwyddiannus o dan nawdd Ariannin, fel prawf fod y wlad yn eiddo'r Weriniaeth. O ganlyniad, mae Ei Ardderchogrwydd yn awyddus i sicrhau nad yw'r sefydliad Cymreig cyfredol yn methu oherwydd, yn ei farn, pe digwyddai hynny ni ellid denu ymfudwyr eraill i ymsefydlu yn y rhanbarth am flynyddoedd lawer i ddod.' Canlyniad diddymu'r Wladfa fyddai cadarnhau ffiniau Ariannin wrth y Río Negro (gan wanhau hawliau'r wladwriaeth dros y Malvinas). Byddai ei thranc hefyd yn dileu'r arf mwyaf effeithiol oedd ganddo i berswadio Lloegr i ddychwelyd yr ynysoedd i feddiant Ariannin.

Nid oedd Davies yn gyfarwydd â Buenos Aires a dibynnai'n drwm ar gyngor Lewis Jones. Cyflwynodd hwnnw ef i Rawson ac i J. H. Denby o Thomas Duguid a'i gwmni (canmolai Lewis Jones ofal y ddau dros y llywydd) ac aed ag ef i gyfarfod â rhai o fasnachwyr Seisnig eraill y ddinas. Ymdrechodd yn ddyfal i ennill cefnogaeth y masnachwyr fu mor hael eu cymorth i'w ragflaenydd, a llwyddodd i gasglu ychydig arian yn rhoddion ganddynt.

Enillodd addewid gan Rawson hefyd, sef y cyfrannai'r llywodraeth £140 yn fisol tuag at brynu lluniaeth i'r fintai hyd y cynhaeaf cyntaf. Cafodd hefyd £140 gan y Gweinidog Cartref tuag at bwrcasu llong fechan dri deg tunnell at wasanaeth y wladychfa, yn ychwanegol at ganpunt o ddwylo Thomas Duguid a'i gwmni i'r un pwrpas.

Denodd Denby nifer o'i frodyr yng nghylchoedd busnes Seisnig Buenos Aires i danysgrifio i brynu'r llong ac, fel arwydd o ddiolch i'r masnachwr, cytunwyd mai *Denby* fyddai'i henw. Byddai'r sgwner hon yn llwyfan i rai o'r dramâu mwyaf nodedig yn hanes cynnar y Wladfa.

Aethpwyd â hi i mewn i aber afon Camwy ar ddiwedd ei mordaith gyntaf, a'i glanio o fewn canllath i'r stordy, a chafodd William Davies groeso arwr yng Nghaer Antur. Gwrandawyd yn astud ar ei adroddiad parthed ei ymdrechion a'i lwyddiannau, a chodwyd calonnau ei wrandawyr. Cydnabu sawl un o'r rhai mwyaf pesimistaidd eu bod wedi ofni na ddychwelai fyth, gan dybio naill ai bod ei long wedi suddo neu fod William Davies wedi dilyn esiampl Lewis Jones ac wedi hel ei draed i wlad well, syniad a barodd ddifyrrwch mawr i'r llywydd.

O fwrdd y *Denby* hefyd, disgynnodd dyn dieithr tua thrigain oed, a ddilynid gan wraig ifanc feichiog. Aeth y gŵr heibio heb gyfarch neb. Ar y lan, gafaelodd mewn dyrnaid o bridd a datgan bod ym Mhatagonia 'y pridd gorau ar ddaear Duw' ac mai'r unig angen oedd glaw. Y gwendid

mwyaf oedd methiant y gwladfawyr i ddelio â'r 'Weather Office'. Wedi treulio rhai blynyddoedd yn y Taleithiau Unedig lle collodd ei wraig, aethai Hugh R. Hughes drosodd i Gymru, a phriodi ei chwaer yng nghyfraith un ar hugain oed, a dod i Batagonia ar ei fis mêl estynedig!

Cytunodd Capten Summers i dderbyn tâl anarferol am lywio'r *Denby* o Batagones. Rhoddwyd hawl iddo godi cadwyn angor, cledrau a choedydd llong o Gaerdydd a fu'n gorwedd yn ddrylliedig er 1863 ar draeth i'r de o afon Camwy, a chludwyd yr

Ymddengys i'r pecyn llythyrau a chopïau o'r *Faner* a'r *Herald* a gyrhaeddodd gyda'r *Denby* hefyd fod yn rhywfaint o destun hwyl i Edwin a'i ffrindiau. Meddai mewn llythyr at Michael D. Jones: 'Y peth cyntaf a ddaeth tan fy llygaid oedd ysgrif yn *Yr Herald* gan un o'r enw Llais y Wlad. Byddai'n well i'r gŵr hwnnw ysgrifennu llai, neu ynte ddywedyd mwy o wir. Hefyd, gwelais un yn ceisio adolygu eich pennod chwithau ar Patagonia fel maes ymfudiaeth. Cawsom lawer o ddifyrrwch wrth adolygu gweithiau gwrthwynebwyr y Wladychfa yn treio cicio tipyn cyn marw. Ond bydded hysbys fod yn Patagonia fechgyn ag ynddynt galonnau; ie, bechgyn sydd yn penderfynu dyrchafu cenedl y Cymry eto i sylw'r byd, a chael talaeth Gymreig, yr hon fydd yn addurn ymhlith taleithiau'r weriniaeth hon . . .'

Byddai'r fenter yn sicr o lwyddo pe na bai ond oherwydd ansawdd y wlad: '. . . y mae yn iach odiaeth. Nid yw yn boeth yn yr haf nac yn oer yn y gaeaf. Nid oes eisiau darparu ymborth i'r anifeiliaid erbyn y gaeaf, ond byddant byw yn gampus ar y maes. Am y tir, y mae y cyfryw na welais ei gyffelyb erioed – y mae yn fras odiaeth. Yr wyf fi wedi gweled llawer o diroedd newyddion yn Wisconsin a mannau eraill; ond, y gwir yw, y mae Dyffryn Chupat yn rhagori arnynt oll.' 'Lle gwell dan dywyniad haul', yn wir.

Wedi dweud hynny, nid oedd pwynt celu bod peth sail i rai o straeon y gwrthwynebwyr: '. . . y mae yn eithaf gwir ein bod wedi dioddef peth caledi ac eisiau ymborth oherwydd diffyg ffordd i'w gael yma o Borth Madryn, ac i gryn swm ohono fyned unwaith neu ddwy i'r môr. Yr oedd amryw bron â rhoi i fyny'r ysbryd, ac yn gweled popeth yn y lliw tywyll; ac ynghanol y cyfan dyna Lewis Jones yn ein gadael. Ond, diolch i'r nefoedd, yr ydym yn dechrau llwyddo. Y mae gennym ddigon o ymborth am flwyddyn, a hadyd at hau, a llong yn feddiant y Wladychfa, yr hon sydd yn dyfod i fyny'r afon ac yn dadlwytho o fewn canllath i'r ystordy' (ac yn arbed cludo nwyddau – yn cynnwys pysgod – yn ôl ac ymlaen o Borth Madryn).

Byddai hefyd yn hwyluso'r trefniadau teithio i ddarpar ymfudwyr: 'Y mae hi'n myned unwaith y mis i Patagones; a phwy bynnag sy'n ewyllysio dyfod yno, gall ddyfod gyda'r agerlong i Buenos Aires, ac o Buenos Aires i Patagones gyda'r agerlong sydd yn tramwyo rhwng y *ddau le bob pythefnos, ac fe garia ein llong ninnau bawb yn rhad o Patagones i'r Wladychfa - mordaith o wyth neu naw ugain milltir.'*

Er gwaethaf pob llwyddiant, roedd un angen amlwg: '. . . y diffyg mawr sydd i'w weled yma yn awr yw prinder merched. Da chwi, listiwch a alloch o ferched gweithgar a medrus i ddyfod yma. Gallai pump ar hugain gael gwŷr tranoeth wedi tirio!'[5] Ond rhybuddiodd Edwin hwynt i fod yn ofalus pwy a anfonent atynt: 'Meibion, a merched, a gweision a morynion ffermydd yw y rhai a hoffem weled yn dyfod yma nesaf. Am yr holl grefftwyr o'r trefi a ddaethant yma, yn enwedig y rhai na wyddant am drin y tir, y plâg fo ar eu pennau bron bob un meddaf fi. Y mae y rhan fwyaf o'r rhai hynny ar y pryd yn bresennol yn gwneud mwy o ddrwg nag o dda i ni.'

Doedd dim camgymeriadau i fod y tro hwn: 'Yr ydym yn hynod o brysur yma yn awr - yn trin y tir ac yn ei baratoi i hau. Yr ydym yn benderfynol o hau mewn pryd y tro hwn. Yr ydym yn meddwl hau y gwenith y mis nesaf - mis Ebrill - sydd, o ran tymor, yn cyfateb i fis Hydref gyda chwi.' Ac er gwaethaf ymadawiad Lewis Jones, âi'r gwaith yn ei flaen, a rhaid cymodi: 'Mae ein Llywydd, Mr. W. Davies, yn ddyn call a synhwyrol, ac yn llywodraethu pethau yn ddoeth. Yr ydym yn ei ystyried yn fraint cael y fath ddyn i'n llywodraethu. Y mae gennym rhai dynion pur dda, ac eraill fel arall. Y mae Mr. Matthews yn troi allan yn ddyn rhagorol.'

Yn ôl Edwin nid oedd diben ymollwng i raniadau carfannol di-fudd. Eithr fe ddeuai dydd pan fyddai'n gorfod adolygu ei farn am y ddau arweinydd newydd.

[5] Tybed sut ymateb a gafwyd i sylw William Jones, Ynys Môn gynt: '. . . y mae yma le da i ferched da, distaw a gweithgar'?

---

holl ddarnau at lan yr afon gan nifer o'r gwladfawyr (un o'r darnau drigain troedfedd o hyd ar ysgwyddau ugain gŵr).

Priodas ddwbl

Ymhen bron i ddeg mis ar ôl y datganiad annisgwyl a wnaethai wrth lanio, ar fore 19 Ebrill 1866, cynhaliwyd priodas Ann Jones (pedair ar bymtheg oed) ac Edwin (wyth ar hugain oed), ynghyd â phriodas ei brawd Dic (sef Richard Jones, Glyn-Du, un ar hugain oed) â Hannah Davies (un ar bymtheg oed), merch Thomas Davies a llysferch Eleanor (Dyffryn Dreiniog, erbyn hynny). Adferwyd iechyd y brawd a'r chwaer yn llwyr wedi'r gwaeledd hir a ddilynodd eu teithiau chwedlonol o'r bae i'r dyffryn, a chymerent ran weithredol ym mywyd y wladychfa.

Yn wahanol i'r gred gyffredinol, nid y rhain oedd priodasau cyntaf y wladychfa. Yn ystod chwarter cyntaf 1866 cedwid Abraham Matthews a Lewis Humphreys yn brysur bob mis gyda phriodasau: John Moelwyn Roberts, Ffestiniog ac Elizabeth Roberts, Bangor (yr ail briodas i'w gweinyddu ym Mhatagonia a'r gyntaf yn Nyffryn Camwy); Rhydderch Huws a'i ail wraig Anne Jones, Bethesda (prin dri mis wedi claddu Sarah); Tomos Tomos, Aberpennar a Cecilia Davies, Llwyni (bum mis wedi i John Davies foddi); John Humphreys, Ganllwyd ac Anne John, Aberdâr; a Thomas Pennant Evans (Twmi Dimol), Pennant Melangell ac Elizabeth Pritchard, Bangor.

Eithr roedd hwn yn mynd i fod yn ddigwyddiad anghyffredin yn hanes y

115

wladychfa, nid yn unig oherwydd y briodas ddwbl ond oherwydd y bwriad i gynnal gwledd i ddathlu'r achlysur hapus – y tro cyntaf i hynny ddigwydd yno – ac edrychid ymlaen yn eiddgar at y diwrnod mawr. Byddid yn cofio amdano am reswm cyffrous arall, yn ogystal. Yng Nghaer Antur y cynhaliwyd y ddefod briodasol, yng ngofal Abraham Matthews, wedi i gofrestrydd y wladychfa, R. J. Berwyn, ei chofnodi ar ei ddogfennau swyddogol.

'Yr oedd yr amgylchiad i gael ei ddathlu'n deilwng a mawreddog', meddai Thomas Jones, wrth gofio'r dydd gyda balchder. Roedd milwyr y Fyddin Gymreig wedi darparu'n bwrpasol ar gyfer anrhydeddu eu pennaeth. 'Wedi'r uniad, llongyfarchwyd hwy gan y gynnau, a'r meirch yn prancio, a'r marchogwyr a golwg fawreddog arnynt gyda'u capiau pluog.' Trefnwyd bod chwech ohonynt, pob un yn gwisgo cap o groen estrys a llinyn coch yn ei ddal yn dynn o dan yr ên, ac yn cario cleddyf wrth ei glun chwith a dryll yn y llaw dde, yn gorymdeithio milltir o ffordd a agorwyd at y pwrpas o Gaer Antur tuag at ddyddyn Edwin, sef Plas Heddwch[6]. Safodd y milwyr yn dalsyth gan greu bwa o gleddyfau i'r ddau bâr gerdded odano at ddrws y tŷ, 'a phob creadur yn synnu at yr olygfa fawreddog'. (TJ)

Ym Mhlas Hedd, darparodd Betsan, Eleanor a'u merched 'cinio o'r defnyddiau gorau oedd yn y wlad' ac, wedi bwyta, cafwyd anerchiadau 'difyr a phwrpasol'. Wedi'r wledd, tra oedd y parau newydd a'u gwesteion allan yn mwynhau'r diwrnod hydrefol, gwaeddodd un o'r milwyr fod marchogion yn dynesu 'ac, wrth syllu'n graff, meddai Edwin, 'Indiaid

ydynt, myn gafr!' Galwodd ar i un o'i ddynion hysbysu trigolion y gaer, ac yn ôl Thomas Jones, neidiodd un o'r gwŷr ifainc i'w gyfrwy, 'a gyrrodd nes codi cwmwl o lwch'.

Creodd ymddangosiad disymwth y marchog a welent yn carlamu tuag atynt gynnwrf anghyffredin ymhlith y pentrefwyr. Ymhell cyn iddo ddisgyn, gwaeddwyd: 'Be' di'r mater, be' sy'n bod?' Â'i wynt yn ei ddwrn, atebodd: 'Mae'r Indiaid wedi dod!' Ymgasglodd trigolion Caer Antur ynghyd wrth y stordy, mewn dychryn a phryder mawr. Er mor annisgwyl, roedd hwn yn ymweliad fu'n destun ofn a diffyg cwsg droeon cyn iddo ddigwydd. Yn fuan, cyrhaeddodd cwmni'r briodas o Blas Hedd, a thrafododd y Cyngor y ffordd orau o ddiogelu'r gaer.

Cytunwyd i beidio â rhagdybio agwedd elyniaethus ar ran yr ymwelwyr, ac i ymddangos fel pe na bai dim allan o'r cyffredin yn digwydd – ond i ymbaratoi i amddiffyn y gaer. Ymgynullodd milwyr y Fyddin Gymreig i wynebu eu brwydr gyntaf, a gosododd Edwin hwy mewn mannau strategol ar hyd y muriau. Gorchmynnodd i bob penteulu i gadw'i dylwyth ynghyd ac i gysgodi yn y stordy pe gelwid arnynt i wneud hynny. Bu pawb ar bigau'r drain hyd nes iddynt weld ceffylau'r brodorion yn agosáu, ond nid oedd angen pryderu; ar berwyl heddychlon yr oedd yr ymwelwyr.

Os gwyddai'r *Cacique* (Pennaeth) Francisco a'i wraig eu bod wedi achosi cyffro eithriadol, ac os gwelsant ofn ar wynebau'r dieithriaid gwelw a safai'n glwstwr ger y stordy, ni roesant arwydd o hynny. Disgynnodd y pennaeth o'i geffyl a chamu ymlaen. Daeth William Davies allan o ddiogelwch y dorf tuag ato ac estyn ei law i'w gyfarch – a chaeodd llaw Francisco amdani'n dynn.

Ar unwaith, wynebwyd anhawster sylfaenol: ni fedrai'r naill ddeall gair a

---

[6]Flynyddoedd wedyn byddai Lewis yn awgrymu fod y dewis hwn o enw – a dalfyrrwyd i Plas Hedd, efallai gan Michael D. Jones – yn adlewyrchu natur heddychol Edwin a'i awydd am hafan rhag pob gwrthdaro. Pwysleisir ei anian heddychol yn atgofion ei deulu amdano hefyd.

ddywedai'r llall. Camodd Cadfan a Berwyn ymlaen, yr olaf yn dal geiriadur Saesneg-Sbaeneg, a'r ddau yn ymdrechu i lunio brawddegau drwy gyfosod geiriau yn eu ffurf gysefin – heb lwyddo i gael Francisco i'w ddeall.

Awgrymodd rhywun o blith y dorf iddynt holi a oedd eisiau bwyd arnynt. Trowyd tudalennau'n frysiog a daethpwyd o hyd i'r geiriau '*Querer*', a '*Comer*', felly gofynnwyd: '*Querer Comer?*' Y tro hwn, nodiodd yr ymwelydd ei ben yn gadarnhaol. 'Dyna fo', meddai'r llais o'r dorf, 'oeddwn i'n meddwl y buasai'n deall rhywbeth am fwyd.' (TJ)

Torrodd Eleanor Davies ddarn o fara a'i gynnig iddo, ond syllai'r brodor yn amheus ar y saig ddieithr. Dim ond ar ôl i Cadfan roi tafell yn ei geg ef y mentrodd Francisco ei efelychu, a bwytaodd y bara'n awchus. Rhoddwyd tafell i'w wraig hefyd a phaned o de i'r ddau, 'a thrwy hyn yr oeddem yn cydnabyddu â'n gilydd', ebe Thomas Jones. 'Bara' oedd y gair Cymraeg cyntaf a ddysgodd yr Indiaid – gair a ddefnyddiasant yn aml wedi hynny gan iddo ddod yn rhan allweddol o'r fasnach bwysig a sefydlwyd rhwng y ddwy genedl.

Erbyn y machlud, teimlai'r mwyafrif nad oedd yr Indiaid yn gymaint o fygythiad wedi'r cyfan, ond ofnai ambell un y gallent ymosod yn ystod y nos a gwrthododd rhai fynd i glwydo nes iddynt gael gwybod beth fyddai'r trefniadau diogelwch.

Er mwyn tawelwch meddwl i'r gwragedd mwyaf ofnus, rhoddwyd y gwesteion i gysgu yn un o'r cabanau, a phedwar aelod o'r fyddin yn gwarchod eu cwsg. Ond cysgodd y pâr yn dawel – 'gan ymddiried ynom hyd y bore', oedd sylw ironig Thomas Jones.

Honna un o chwedlau'r Wladfa fod gwraig y pennaeth Indiaidd wedi tanio coelcerth cyn machlud haul i rybuddio'r llwyth nad gelynion oedd y cymdogion newydd, heb i'r gwladfawyr sylwi ar arwyddocâd y digwyddiad. (ER) Adroddir yr hanesyn hefyd yn atgofion W. Casnodyn Rhys: 'Gwelwyd y wraig yn cerdded at lwyn *pampasgrass* braf, torri rhai brigau ohono a'u gosod mewn bwndel wrth y bôn, cyn tynnu ei blwch tân, tanio'r llwyn a chwythu nes fod y llwyn yn fflamau. Cododd colofn hir o fwg fel tystiolaeth fud o heddwch er budd y gwŷr arfog a wyliau o bell ar y derbyniad a roed i'w *cacique.*' Cyfansoddodd Berwyn y faled wladfaol gynharaf y gwyddom amdani ar destun yr ymweliad hanesyddol hwn (gweler Atodiad 5).

Bu'r Pennaeth Francisco yn ymwelydd rheolaidd â'r dyffryn gydol yr hyn oedd yn weddill o'i oes. Dychwelodd i Gaer Antur yn fuan wedi'i ymddangosiad cyntaf, a'r tro hwn daeth â rhywbeth gydag ef a ddeffrodd ddiddordeb mawr ymhlith y 'gwŷr ifanc arfog': cŵn hela a cheffylau cyflym. Roedd Edwin wrth ei fodd pan ddangosodd Francisco iddynt sut i ddefnyddio'r *lazo* a'r *bolas* – byddai'r dynion yn helwyr llawer gwell o ddefnyddio'r rheiny. Aethpwyd ati i ymarfer yn ddyfal, a thestun balchder i'r Swyddog Amddiffyn oedd gweld bod ei fechgyn yn ddysgwyr cyflym ac yn datblygu'n farchogion a helwyr naturiol. Ni ddioddefai'r fintai newyn byth eto.

Ond nid anifeiliaid yn unig oedd gan Francisco y tro hwn; roedd ganddo ddau fachgen wyth a deg oed yn gwmni iddo, a hefyd ei ferched, Agar a Mariana. Merch blaen oedd yr hynaf, ond dywed Thomas Jones fod Mariana yn 'lluniaidd ei chorff a theg ei gwedd'. Syrthiodd un o feibion y Trifa dros ei ben a'i glustiau mewn cariad â hi a mynnai ei chael yn wraig iddo. Meddyliodd pe gwelai Mariana ei babell hardd yr hoffai'r syniad o fyw yno mewn gwychder, a gwahoddodd Francisco a'i deulu i wledd ar ei aelwyd. Siomwyd Watcyn pan gyrhaeddodd y gwesteion heb Mariana, ond mentrodd ofyn i Francisco am

Rhai o frodorion Patagonia

ei ganiatâd i'w phriodi. Fe'i siomwyd eto
pan glywodd fod pridwerth o hanner cant o
gesig amdani . . . ond ceid Agar am bris
llawer is! Gan mai un ceffyl yn unig oedd
ar dir y Trifa, nid oedd dewis gan y gŵr
ifanc ond adolygu ei gynlluniau priodasol.

Pan oedd y gaeaf ar ei erwinaf, 3
Gorffennaf 1866, ymron i flwyddyn wedi'r
glanio, cynhaliodd Abraham Matthews
wasanaeth yng nghartref Maurice
Humphreys ar gyfer y teuluoedd oedd yn

byw bellaf o Gaer Antur. Crwydrodd
llygaid un o'r gwragedd tuag at y ffenest
ddi-wydr, a gollyngodd ei llyfr emynau
gan weiddi mewn braw wrth weld wyneb
tywyll yn syllu arni. Rhuthrodd y
gynulleidfa fechan allan o'r tŷ i
ddarganfod bod llwyth o Indiaid Pampas,
ychydig dros drigain ohonynt, ar eu ffordd
i wersylla gerllaw Caer Antur. Cawsant eu
denu at y tŷ gan sŵn y canu. Dywedir bod
Elizabeth Humphreys wedi estyn ei baban

(Mary, cyntaf-anedig y Wladfa) i un o'r gwragedd brodorol i'w ddal, ac i'r weithred honno dorri'r iâ rhwng y ddwy garfan (a rhoi cychwyn i un o chwedlau rhamantus y Wladfa). Dichon bod achlysuron cyffelyb wedi digwydd wedyn eithr nid oes iddynt yr un arwyddocâd ag sydd i'r cyfarfyddiad arbennig hwn.

Nid dieithriaid oedd pob un o'r ymwelwyr, oherwydd eu pennaeth oedd y gŵr fu eisoes yn ymweld â'r wladychfa, sef Francisco. Daethant ag ugeiniau o geffylau a chŵn i'w canlyn, a llwyth o fatiau, *Quillangos* a *ponchos* ar gyfer masnachu gyda'r gwladfawyr. Ni fuont fawr o dro yn codi tua phymtheg *toldo* mewn cylch ger un o drofeydd yr afon ar dir Plas Hedd (Rhif 40/43). Dilynwyd hwy gan lwyth y Pennaeth Orkeke. Yn fuan wedyn, daeth y Pennaeth Pedro Galats, yn arwain llwyth o Indiaid Tehuelches, a gwersylla ar lain o dir o eiddo Berwyn (Rhif 41S) ar ochr ddeheuol afon Camwy.

Ni chyffrowyd y gwladfawyr i'r fath raddau gan yr ymweliadau hyn â phe na baent eisoes wedi mynd drwy'r profiad o gyfarfod a chymdeithasu â Francisco a'i deulu, eithr teimlai'r gwragedd yn bur anesmwyth ynghylch presenoldeb y 'dieithriaid'. Gwrthwynebent yn bennaf arfer y brodorion o gerdded i mewn i'r tai heb geisio caniatâd yn gyntaf, gan na wyddai'r gwladfawyr am eu harfer o gamu i mewn ac allan yn ddirybudd o bebyll ei gilydd (fel y sylwodd yr archwiliwr Seisnig, George Chaworth Musters, ym 1869), yn begera'n gyson am fwyd ac yn cydio yn ddi-feddwl-ddrwg yn unrhyw beth a dynnai eu sylw. Gorfu i'r gwŷr aros yng Nghaer Antur am ddeufis, drwy gydol cyfnod yr ymweliad hir hwn, a olygai na châi'r tir ei drin a'i hau.

Roedd agwedd y ddau lwyth yn gyfeillgar a gwnaent ymdrech i gyfnewid eu nwyddau â'r Cymry – er nad oedd gan y rheiny fawr ddim i'w gynnig iddynt yn eu lle. Perswadiodd William Davies y penaethiaid nad oedd y Cymry yn arfer masnachu ar y Sul, a pharchwyd eu dymuniad am dawelwch i addoli. Cyn hir, gwelodd y gwladfawyr fod y bobl 'ddieithr' yn cynnig bargeinion rhagorol, yn cyfnewid plu estrys am ychydig siwgr, plu estrys (eto) neu ddarn o gig am dorth o fara, a'r fargen fwyaf – ceffyl am ychydig dorthau o fara (gweler baled Berwyn yn Atodiad 4).

Byddent hefyd yn gwerthu crwyn a chyfrwyau hardd iawn o'u gwneuthuriad eu hunain, fyddai'n denu llygaid y dynion. Er nad oedd un o'r merched cyn dlysed â Mariana, treuliai'r llanciau lawer o'u hamser yn y *tolderias* yn dod i adnabod eu cymdogion yn well, ac yno y dysgwyd hwy ymhellach am gyfrinachau dulliau marchogaeth a hela yr Indiaid. Byddai ymwelwyr diweddarach â'r wladychfa'n rhyfeddu at allu bechgyn ifainc y Wladfa i drin anifeiliaid; a does dim dwywaith mai gan y brodorion y dysgasant eu crefft.

Elwodd y brodorion hwythau o arferion y gwladfawyr, yn ôl Richard Jones, Glyn Du. Pan welsant y sefydlwyr yn rhannu'r ysbail â'i gilydd ac â hwythau ar derfyn diwrnod o hela, dilynodd y brodorion yr esiampl, gan derfynu trefn oesau a olygai fod heliwr aflwyddiannus yn dychwelyd yn waglaw at ei deulu.

Lladrata

Ymhen tua thri mis, dechreuodd aelodau'r llwythau ymadael fesul grwpiau bychain. Un bore, canfuwyd bod pedwar o geffylau'r ymfudwyr wedi diflannu o gaeau Parc yr Esgob, fferm y Parchedig Abraham Matthews. Aeth y llywydd, y Swyddog Amddiffyn ac aelodau eraill y Cyngor at Orkeke – perchen yr unig *toldo* oedd heb adael – i achwyn am y weithred ac i'w wahardd ef a'i deulu rhag gadael y fan hyd nes y ceid y ceffylau yn ôl. Gwadodd Orkeke fod unrhyw gysylltiad rhwng ei ddynion ef a'r digwyddiad, a chynigiodd farchogaeth gyda'r Fyddin Gymreig i erlyn y lladron. Fel arwydd o ewyllys da, rhoes fenthyg ceffylau at ddefnydd yr ymlidwyr. Daethpwyd i gytundeb ac, ar orchymyn y llywydd, arweiniodd Edwin ei ddynion allan i'r paith ar drywydd yr ysbeilwyr.

Daethpwyd o hyd i nifer o'r brodorion mewn man gwastad rai milltiroedd i'r de-orllewin – a elwid wedi hynny yn Pant yr Ymlid[7] – lle y gorffwysai llwyth Orkeke. Aeth y gwystl atynt i ymholi am y ceffylau ac i geisio'u cael yn ôl i'w perchenogion. Cerddodd un o'r brodorion ymlaen at y gwladfawyr, agor ei grys i ddangos ei fron noeth, ac erfyn arnynt i'w hagor â'u cyllyll i weld pa mor lân oedd ei galon! Cydiodd yn awenau ceffyl Edward Price (mab yr is-lywydd) ac estyn ei law dde tuag at y gwn a gariai hwnnw, a chynhyrfwyd y ceffyl. Yn y cyffro, saethodd Edward Price yr ychydig beledi saethu hwyaid oedd wedi'u gwthio i'w faril, gan glwyfo'r brodor yn ysgafn ar ei ysgwydd.

Yng nghanol y cynnwrf a ddilynodd, rhedodd hwnnw i orwedd ar ei wely i farw, a gwasgarodd pawb arall i ddiogelwch eu *toldos*. Llwyddodd Orkeke i dawelu'r cwmni a dychwelwyd y ceffylau, a fu'n guddiedig hyd hynny yr ochr draw i fryn cyfagos, a chydnabu'r clwyfedig mai ef oedd y lleidr.

Yn fuan wedyn, ffarweliodd Orkeke â'r dyffryn yr un mor ddisymwth ag y daethai, gan roi terfyn ar ymweliad fu'n gyfrwng i iacháu economi bregus y wladychfa a chryfhau hyder ei thrigolion.

Er gwaethaf ambell wrthdrawiad, bu'r Cymry a'r brodorion yn gymdogion da i'w gilydd. Amlygodd etifeddion y tir agwedd gyfeillgar tuag at y newydd-ddyfodiaid – yn wahanol i'w gelyniaeth agored tuag at y dyn gwyn a gwyddent orau amdano, disgynnydd y Conquistadores, y 'Cristiano' treisgar a rhyfelgar. Bu hwnnw'n dwyn eu tir a'u hanifeiliaid, yn lladd ac yn ysbeilio, ac yn rhyfela byth a beunydd yn eu herbyn, tra bod y Cymry'n ymddwyn yn heddychlon a chymwynasgar tuag atynt. Clywyd Indiaid yn dweud droeon eu bod yn casáu Cristnogion ond yn hoffi'r Cymry! Ceisia rhai haneswyr briodoli'r cyfeillgarwch hwn i'r cyfraniadau a wnaeth y llywodraeth i berswadio'r Indiaid i ymatal rhag ymosod ar y Wladfa. Eithr tystia Musters fod Chiquichán (*Jackechan* i glustiau'r Sais) wedi dweud wrtho fod y Cymry'n eu trin yn well ac yn cynnig gwell bargen iddynt na 'Cristianos' Patagones. Canmolai fara'r Cymry, eu haelioni a'u caredigrwydd (yn arbennig pan drechid Indiad gan y ddiod gadarn. Byddai Cymro'n ei orchuddio â mantell neu'n ei gludo i'w ysgubor, tra mai ei ddinoethi a'i ysbeilio a wnâi'r 'Cristiano'!). Efallai fod profiad cyffredin dwy genedl orthrymedig yn esbonio gosodiad D. S. Davies rai blynyddoedd yn ddiweddarach, yn ei *Adroddiad ar Sefyllfa'r Wladfa*, fod y llwythau Patagonaidd yn 'galw'r Cymry yn *Hermanos* – brodyr iddynt hwy'.

Ymweliad annisgwyl

Ai ymateb i gais Michael D. Jones (fel yr honna hwnnw), i adroddiad y ddau bysgotwr, i apeliadau taer R. M. Williams, neu i gonsýrn cymuned fasnachol Seisnig Buenos Aires y gwnaeth y Llyngesydd Elliot? Beth bynnag fu'r ysgogiad, gollyngwyd angor y *Triton* yn nyfroedd digyffro'r Bae Newydd cyn i Fehefin ddod i ben – digwyddiad fu'n destun cryn syndod i'r pysgotwyr oedd ar ôl yno. O'r llong disgynnodd Capten Napier, R. G. Watson, is-ysgrifennydd y Llysgennad Prydeinig yn Buenos Aires, a'r Swyddog Antonio

---

[7] Dyna yw enw Lewis Jones ar y man. Llynnoedd yr Indiaid meddai Thomas Jones (dichon y defnyddiwyd y ddau), a dyna'r enw sydd wedi goroesi yn y Sbaeneg yn ei ffurf unigol: Laguna de los Indios. Mae Fernando Coronato yn lleoli'r sfle yuag ugain kilomedr i'r de-orllewin o dref Rawson.

Álvarez de Arenales – a wahoddwyd i dystio i'r ymweliad er tawelwch meddwl i lywodraeth Gweriniaeth Ariannin – a chychwynasant ar eu taith i'r dyffryn yng nghwmni nifer o forwyr y llong.

Croesawyd yr ymwelwyr annisgwyl yn gynnes gan drigolion Caer Antur. Pan ofynnodd William Davies i'r capten am gymorth i ddatrys un o'u problemau mwyaf, galwyd ar feddyg y llong i astudio cist y meddyginiaethau a adawyd ar ôl gan Thomas Greene, ac i nodi ar gyfer pa glefydau yr oeddynt i'w defnyddio. Roedd hyn o'r pwys mwyaf iddynt yn wyneb y marwolaethau cyson, nad oeddynt wedi arafu er ymadawiad Lewis Jones. Dim ond deuddydd wedi i hwnnw fynd, bu farw Sarah, gwraig Rhydderch Huws, yn dri deg saith mlwydd oed. Cyn diwedd Tachwedd, collwyd y frwydr i achub bywydau Mary Anne, merch deirblwydd oed James a Sarah Jones, ac Elizabeth, geneth bedair oed John ac Elizabeth Hughes. Gwelodd Rhagfyr ddiwedd ar gystudd hir a phoenus Thomas Williams, a gladdwyd yn y bedd lle dodwyd gweddillion ei wraig Mary dim ond ychydig dros ddeufis ynghynt. Ddechrau Mawrth collwyd John, mab deg mis oed John a Mary Roberts, Tŷ'n Ddôl, ac ymhen wythnos, bu farw John Hughes, Llanuwchllyn gynt, yn dri deg ac un mlwydd oed – lai na blwyddyn wedi iddo golli ei fab dau fis ar bymtheg oed ym Madryn.

Yn wyneb y pryderon hyn, ac er mwyn cyflawni gofynion swyddogol eu tasg, ymwelodd swyddogion y llong – ynghyd â'r meddyg – â phob un o'r cartrefi. Y gŵyn fwyaf gawsant yno oedd eu bod yn gorfod yfed coffi haidd oherwydd prinder te. 'Daliwch ati,' ebe'r meddyg, 'mae e'n llawer gwell i chi na the!' (TJ)

Gan fod golwg iach ar bawb, a'r cyflenwad a gyraeddasai oddi wrth y llywodraeth gyda William Davies nawr yn llanw'r stordy, nid oedd cyflwr y gwladfawyr y pryd hynny yn peri pryder i swyddogion y Triton. Treuliasant y rhan fwyaf o'u hamser yn archwilio'r tir, yn marchogaeth ac yn hela – gyda chryn lwyddiant. Cyn ffarwelio, casglodd y criw ddigon o arian i dalu am fil o lathenni o 'wlanen ac esgidiau [allan o stoc y llong] i'r Cyngor i'w rhannu i'r mwyaf anghenus, gan fod llawer wedi colli eu heiddo trwy wahanol ddamweiniau'. (TJ)

Am hydoedd wedi hynny, byddai rhai gwladfawyr yn pwysleisio mewn llythyrau at eu perthnasau pa mor werthfawr iddynt fyddai derbyn esgidiau o Gymru, trysorau prin yn Nyffryn Camwy, a phob tro y cyfeiriai rhywun at esgidiau, ni fedrai Edwin lai na chofio'r pâr a roes y Gymdeithas Wladychfaol iddo i bedlera'i genhadaeth ar draws Cymru. Cerddai'n droednoeth yn aml bryd hynny fel y gwnâi nawr, a gwyddai mai dyna a wnâi llawer o'r bechgyn ar eu siwrneiau ar hyd y dyffryn. Mewn tywydd drwg, wrth ymgymryd â'r tasgau anoddaf, ac mewn oedfaon yn unig y gwisgid esgidiau. Gydag amser, byddai'r dynion yn dysgu gwneud 'esgidiau' (nad oeddynt namyn gorchudd amrwd am eu traed) o grwyn cesig.

Dychwelodd y swyddogion Prydeinig i'r bae mewn hwyliau da ac wedi cael amser wrth eu bodd. Dichon nad oedd morlys Prydain yn teimlo bod £1,000 yn ormod i'w wario ar oruchwylio cynnydd eu 'cyd-wladwyr' (fel y cyfeirid atynt yn y wasg Seisnig) ac ar gasglu ychydig mwy o wybodaeth am ranbarth na wyddai Lloegr hanner digon amdani o ran ei gwerth strategol i wlad yr oedd y gallu i reoli'r fynedfa i'r Tawelfor yn uchelgais barhaus iddi.

Ysgrifennodd R. G. Watson adroddiad calonogol am yr ymweliad lle nododd na welai angen pryderu ynghylch tynged yr ymfudwyr gan fod eu rhagolygon yn rhagorol. Canmolai eu diwydrwydd ac roedd yn dra beirniadol o Lewis Jones, 'yr

121

hwn, yn y safle y daliai a'r rhan gymerasai i dynnu eraill yno, ddylasai fod yr olaf i'w gadael'. (LJ) Honnodd Watson mai prin oedd y rhai a deimlai'n anfoddog â'u ffawd, ac i drefnwyr y ddeiseb a anfonasid gyda Thomas Greene ffugio llofnodion gwladfawyr eraill, a chynnwys enwau plant. Pan ddangoswyd y darn papur i'r gwladfawyr, meddai, mynegwyd syndod mawr gan bob un ohonynt (hynny yw, ac eithrio Robert Meirion Williams a'i hanner dwsin, mae'n siŵr) a gwadodd sawl un mai ei lofnod ef oedd ar y ddeiseb. Y teimlad cyffredinol oedd fod pawb yn setlo i lawr i geisio gwneud llwyddiant o'r fenter.

Tystiai Evan Jones, y Triangl, nad oedd y gwladfawyr am ddychwelyd i Gymru. 'Yr oeddym yn gorfod gweithio yn galed o'r bore hyd yr hwyr o dan yr hen ddaear yna; ond yma fe gawn weithio tipyn pryd y mynnwn, heb un *gaffer (steward)* na dim arall arnom ni … y mae gennym ni yn awr chwech o geffylau, pedair o fuchod, pedwar llo, pump o foch, a llawer iawn o fowls, heblaw y creaduriaid a ddaw yma eto.' Ac ymffrostiodd Lewis Humphreys: 'Yn wir, y mae pob un ohonom yn teimlo ei fod yn *freeholder,* ac nid oes ar neb ohonom ofn y rhent, na threth eglwys, na riskio chwaith cael *notice to quit.'*

Rhestr y 'llofnodwyr':
Robert Meirion Williams, Richard Howell Williams, Jane Hughes (ei ddyweddi, a merch Rhydderch Huws), David John, William Davies X, Aaron John Jenkins, Rachel Jenkins X, Richard J. Jenkins (un oed), Joshua Jones, Edward Price, William Rees, Mary Lewis, Ann Hughes, Thomas Simkins [sic], Mary Jenkins (ei wraig), Robert Davies X, Henry Davies (saith oed), William Hughes, Ann Hughes.

Roedd dau o'r uchod yn blant dan wyth oed. Gwadodd y mwyafrif o'r oedolion iddynt lofnodi'r ddeiseb ac ni wyddai o leiaf un ohonynt am ei bodolaeth. Nid oedd ond un Ann Hughes ar restr yr ymfudwyr, ac nid oedd un Mary Lewis.

Dyfrhau

Gwyddai pob un o'r gwladfawyr pa mor bwysig byddai'r cynhaeaf nesaf (1867), a llafuriodd y mwyafrif yn ddiflino i sicrhau ei lwyddiant. Gweithiodd pawb eu ffermydd, a heuwyd rhai cannoedd o aceri. Dewiswyd y lleiniau gwyrdd agosaf at yr afon gan dybio y dylai'r rheiny fod yn fwy ffrwythlon na'r tiroedd du, sych a di-dyfiant oedd bellaf wrth ei dŵr. Dywed haneswyr na feddyliodd neb am y syniad o ddyfrhau'r caeau drwy arwain y dŵr o'r afon, eithr ymddengys eu bod nhw'n anghywir. Mewn llythyr a anfonodd at gyfaill iddo yn Aberdâr yn Nhachwedd 1866, dywed John Jones, Glyn Coch, iddo ddarganfod bod dyfrhau drwy agor ffosydd o'r ceulannau yn broses gymharol rwydd ac yn fodd i achub y cnydau rhag gwywo yn yr haul. Ai rhesymol yw credu nad oedd aelodau eraill ei dylwyth (ei dad, y John Jones[7] hynaf; ei frawd Richard; a gwŷr ei chwiorydd, sef Daniel Evans ac Edwin Roberts – ac,

---

[7] Yn ei bryddest ail-orau yn Eisteddfod Trelew 1909, cynhwysodd 'Gŵr a Garai Wisgo'r Goron' yr eglurhad canlynol: 'Y Br. J. Jones, Mountain Ash oedd y cyntaf i droi dwfr o'r afon i ddyfrhau y tir, a phrofodd yr arbrawf yn gymaint llwyddiant fel y penderfynwyd gwneud y gamlas.'

efallai, Aaron Jenkins) yn ogystal â rhai o'r ffermwyr profiadol eraill wedi defnyddio'r un dechneg y flwyddyn honno? Go brin i aelodau cymuned mor glòs fethu â lledaenu syniad mor dyngedfennol ymhlith ei gilydd – neu o leiaf ymhlith yr amaethwyr yn eu mysg. Ysgrifennodd Cadfan hefyd ym mis Tachwedd 1866 y gellid dyfrhau caeau yn weddol ddidrafferth. Serch hynny, Rachel Jenkins gaiff glod y gwladfawyr am y darganfyddiad pwysig hwn, am iddi awgrymu'r syniad i'w gŵr, Aaron, meddir, flwyddyn union yn ddiweddarach! (Ac i Aaron ei hun y mae rhai haneswyr Cymreig ac Archentaidd yn priodoli'r syniad.)

Eithr nid oedd yr helbulon drosodd. Dafnau prin iawn o law a ddisgynnodd o'r cymylau achlysurol, ysgafn ac uchel a lithrai ar hyd yr awyr las Batagonaidd tua'r Iwerydd yn ystod diwedd y gaeaf a thrwy gydol y gwanwyn. Serch hynny, eginodd y gwenith a thyfodd yn addawol ar lennyrch glannau'r afon, gan beri i'r gwladfawyr ysgrifennu llythyrau canmoliaethus a gobeithiol. Ond pan droes y gwanwyn yn haf, syllai'r ffermwyr yn bryderus ar y caeau llonydd.

Tywynnai'r haul am oriau diderfyn yn yr wybren las ddigwmwl ac ni ddôi awel i siglo pennau'r cnydau. Er gwaethaf glaw ysgafn 19 a 30 Tachwedd, craswyd y caeau pellaf o'r afon a gwywodd llawer o'r gwenith a'r barlys – a disgynnodd anobaith llethol dros Gaer Antur. Onid oedd modd cael cynhaeaf wedi hau mor brydlon, pa ddyfodol oedd i'r gwladfawyr yn y wlad ddiffrwyth hon? Neu, o leiaf, dyna'r disgrifiad o'r sefyllfa a gyhoeddwyd flynyddoedd wedyn gan Matthews, ac a ledaenwyd gan ei olynwyr.

Ond yn sicr, nid dyna brofiad Cadfan ar y pryd: 'Fe welais i wenith a'i wellt yn ddwy droedfedd, a phen da . . . Nid rhaid i neb ymadael oddi yma o ran na thyfai y pethau hyn. Mae popeth yn dyfod ymlaen yn dda, megis tatws, a'r hadau a ddygais gyda mi o Loegr – *carrots, cabbage, turnips, etc.*'

Ymbleidio

Ailgyneuodd y fflamau fu'n mudlosgi er noson dyngedfennol ymddiswyddiad Lewis Jones. Oddi ar y cyfarfod cyhoeddus, roedd y trigolion wedi ymrannu'n raddol yn ddwy garfan: y rhai oedd yn fodlon rhoi amser ac ymdrech i sicrhau llwyddiant y fenter, sef 'y blaid wladychfaol', a'r nifer uwch oedd wedi ymollwng i'w digalondid ac na fynnent aros yn y Chupat ar unrhyw gyfrif, sef 'y blaid symudol', dan arweinyddiaeth William Davies ac Abraham Matthews, a weithiai'n ddyfal i ennill cefnogwyr newydd i'w hachos. Roedd Edwin yn dal i ganmol ei ffawd: 'Y mae'r wlad yn un ardderchog ac, er gymaint fu ein helynt ar y dechrau, penderfynais nad ymadawn ohoni heb i ni ei meddiannu, er cael cymhellion gan rai i ymadael. Ar ôl yr holl helbulon, y mae yn syn fel y mae pethau wedi dyfod ymlaen mor dda erbyn heddiw, ac wrth ystyried nad oedd ymhlith y fintai hanner dwsin o amaethwyr. Y mae pawb heddiw yn byw ar eu ffermydd, ac yn hynod ddiwyd yn trin eu tiroedd. Yr ydym wedi hau oeddeutu 60 erw o wenith. Y mae gennyf fi saith, ac y mae golwg ardderchog arno. Rydym hefyd yn cynllunio hau 50 erw o India Corn a thatws. Nid oes gennyf bellach amheuaeth am ei llwyddiant.' Byddai'r ymrafael yn dwysau yn sgil colli'r cynhaeaf cyntaf.

Lleihaodd y cyflenwad bwyd, ac er bod y llywodraeth wedi neilltuo swm misol o £140 tuag at anghenion y wladychfa, byddai'r arian hwnnw'n mynd drwy gynifer o ddwylo swyddogol fel mai prin oedd ei werth erbyn iddo gyrraedd y Wladfa – enghraifft gynnar i'r gwladfawyr o'r math o lygredd fu'n nodwedd o drefn rhai adrannau o lywodraeth Ariannin, ac sy'n fwrn ar ei thrigolion ac ar y

123

wladwriaeth hyd ein dyddiau ni. 'Nid oedd yr un archwiliwr yn edrych i fewn i'r cyfrifon, nac un nwydd-restr i ddangos elw a choll', achwynai Thomas Jones. Rhennid y dogn teuluol bob dydd Gwener ond ni fyddai dim yn weddill ohono erbyn nos Fercher, ac ni châi rhai o'r dynion fwy nag ychydig fara i'w fwyta deirgwaith y dydd.

Gwelai sawl un gyfle i ddilyn esiampl Lewis Jones a chwilio am fyd gwell. Yr uchaf ei gloch oedd William R. Jones, y Bedol (y Bala gynt). Dadleuwyd mai ynfydrwydd oedd aros i ymlafnio yn y fath le, a chlywyd ambell un yn dyfynnu Darwin a'i sylw parthed y felltith ar y tir. A phan gododd y lleiafrif eu lleisiau i atgoffa'r rhelyw pam yr oeddynt yn y fath wlad, cyrhaeddodd gwres y ddadl ei anterth.

Cynhaliwyd ail gyfarfod cyhoeddus yng Nghaer Antur i ystyried y ffordd ymlaen. Yn wyneb gwrthwynebiad digyfaddawd, llwyddodd Edwin, Cadfan a Berwyn i ohirio'r penderfyniad i ddiddymu'r Wladfa, drwy gynnig bod cwmni bychan – y brodyr Lewis, Maurice a John Humphreys, Edward Preis, John Morgan, Griffith Pryce, James Jones a Thomas Ellis – yn chwilio yn uwch i fyny ar lannau'r afon am diroedd mwy ffrwythlon. Archwiliwyd am tua chan milltir heb ddarganfod tiroedd gwell, a dychwelodd y cwmni'n siomedig ymhen pythefnos. Cymharer hon â thaith arall flwyddyn yn gynharach. Beth ddaeth o'r tiroedd da a'r mwnau a welsai'r cwmni hwnnw?

Dychwelodd yr archwilwyr, ebe Thomas Ellis, i wladychfa oedd yn ferw gan gynnwrf y symud. Roedd y dadlau o fewn y cyngor ac ymysg y bobl yn troi o gwmpas ymarferoldeb y syniad o ddyfrhau'r dyffryn a'r gost o wneud hynny. 'Aeth un o'r seneddwyr[8] mor bell â dadleu y gellid dyfrhau yr holl ddyffryn

am bedwar cant o bunnau . . . nid oeddwn i yn credu y gellid dyfrhau un ffarm yn y lle ar nad oedd eisioes yn cael ei dyfrhau yn naturiol am £400.' Ei safbwynt personol ef, meddai, oedd y gallai'r Wladfa – pe medrid dyfrhau'r dyffryn a chanfod mwy o dir – gynnig bywoliaeth dda i nifer cyfyngedig o wladfawyr.

Ychwanegodd bod arweinwyr y blaid wladfaol – neu'r 'penboethwyr', fel y'u galwai – wedi ceisio ychwanegu cymal at eiriad cwestiwn y bleidlais: sef bod y penderfyniad i adael neu beidio yn amodol ar gynigion gan lywodraeth Ariannin y gellid eu derbyn. Dadleuai William Davies yn gadarn nad oedd gan y wladychfa'r hawl i fynnu dim gan y llywodraeth ac y dylai'r cwestiwn ofyn yn syml am ateb Ie neu Nage. A dyna a fu.

Roedd Ellis yn chwyrn ei feirniadaeth o'i wrthwynebwyr. Honnai y buasai'r llywydd wedi llwyddo yn ei fwriad i gadw'r fintai gyda'i gilydd yn Nyffryn Camwy oni bai fod 'celwyddau mwyaf dybryd . . . y Llew a'i Jackal Factotum'[sic] yn llwyddo i greu 'rhagfarn yn erbyn Mr. Davies a'i amcanion . . . Cyhuddid ni hefyd o wneyd yr hyn oedd Mr. Davies wedi gwneyd ei orau i beidio, sef hawlio ein symudiad o Patagonia. Cymaint oedd y cecru o'r diwedd, fel y diflasais i arno yn llwyr, a phenderfynais ddatod pob cysylltiad â'r frawdoliaeth.' Eithr byddai rhai misoedd yn mynd heibio cyn y llwyddai i wneud hynny.

Ymgynullodd y gwladfawyr drachefn i drafod y ffordd ymlaen. Daeth yn amlwg i Edwin a'i gyfeillion nad oedd modd atal y momentwm o blaid ymfudo. Mynnai rhai fynd i Awstralia neu i'r Unol Daleithiau, ac eraill i daleithiau gogleddol Ariannin, er bod William Davies yn gweithio'n galed i geisio cadw'r fintai'n unedig. Ac yn nhrydydd cyfarfod cyhoeddus y wladychfa pleidleisiwyd i orchymyn i'r Cyngor symud y fintai allan o ddyffryn y Chupat.

---

[8] Aelodau Cyngor y Wladfa.

Haws dweud na gwneud oedd hi y tro hwn eto. Gorweddai'r *Denby* yn glwyfedig ar y traeth wrth geg yr afon wedi ei dryllio ar derfyn ei thaith ddiweddaraf o Batagones, a chredai nifer o'r arweinyddion nad oedd dewis ond gofyn am gymorth o Buenos Aires i'w cludo o'r fan. Gallai hynny gymryd misoedd lawer ac nid oedd amser i'w golli. Anfonwyd y seiri (Cadfan, Maurice Humphreys, Rhydderch Huws a John Williams) a'r gof (Edward Preis) at gragen ddrylliedig y *Denby* gan ofyn iddynt gyflwyno adroddiad ar ei chyflwr a rhagolygon parthed ei gallu i forio unwaith eto.

Rhoesant adroddiad calonogol – gellid trwsio'r sgwner drwy ddefnyddio darnau o bren a haearn o weddillion hen long ddrylliedig a orweddai ar y traeth. Galwodd y llywydd ar y dynion oll i gynorthwyo, rhai i hel coed tân ar gyfer y gofaint, eraill i lifio coed, a rhoddwyd pawb arall ar waith fel gweision yn eu tro. Drwy'r ymdrech gydweithredol hon roedd y *Denby* yn barod erbyn canol Ionawr 1867.

Yn ddiddorol iawn, i'r gwaith hwn y priodolai Cadfan fethiant ei gynhaeaf ef. Fel y digwyddodd i sawl un arall, roedd ei geffylau wedi pori ei wenith, meddai, '. . . am nad oeddwn yn gallu edrych ar eu hôl; oblegid yr oeddwn i lawer o amser yng nglan y môr yn trwsio'r llong. Bûm gyda'r gwaith hwnnw ddeufis.' Awgryma hyn y gallai'r penderfyniad i adael fod wedi ei wneud gan William Davies a'i gefnogwyr ar y Cyngor cyn i'r cynhaeaf fethu, a byddai hynny'n esbonio cyhuddiad diweddarach Thomas Cadivor Wood, fod y llywydd wedi gwrthod cynnig llywodraeth Mitre i anfon nwyddau, offer ac adnoddau a allai fod wedi galluogi'r gwladfawyr i ddod yn hunangynhaliol, er mwyn hawlio dognau bwyd am flwyddyn yn unig – i'w cynnal hyd nes y symudent oddi yno.

'Yr wyf yn ei weled yn resyn ofnadwy i ni fyned oddi yma pan y mae golwg mor dda ar i ni lwyddo yma', ysgrifennodd Cadfan eto ddydd Calan 1867. 'Y mae un gronyn o wenith wedi cynhyrchu 450! Gellir gweled yn aml iawn o 12 i 20 gwelltyn oddi ar un gronyn, a 30 gronyn ymhob tywysen. Nid wyf yn credu yr af oddi yma sut yn y byd . . . Mae gan Aaron Jenkins tua 100 pwys oddi ar tua 2 erw o dir . . . Bydd i Edward Jones gael tua 100 pwys oddi ar 2 erw . . . Heuodd Thomas Dafydd 7 erw. Cafodd tua 1,000 o bwysi o wenith . . .', ac aeth ymlaen i restru ugain teulu namyn un a gafodd gynhaeaf da.

Paratoadau'r ail ymfudo

Dywed Abraham Matthews i'r cyfarfod cyhoeddus a alwyd i ethol y ddirprwyaeth fyddai'n pledio gerbron llywodraeth Mitre, ei enwebu ef a William Davies i drafod trefniadau'r symud gyda Rawson. Etholwyd hefyd y dynion mwyaf cymwys i archwilio'r tiroedd newydd arfaethedig: Edwin Cynrig Roberts, John Morgan, Griffith Pryse, Thomas Ellis (Lerpwl), John Roberts a Richard Ellis (Llanfechain) – pob un, ac eithrio'r cyntaf, o blaid ymfudo. Cludwyd yr wyth, ynghyd â theuluoedd y ddau olaf, i Buenos Aires ar fwrdd y *Denby*. (Nid yw Lewis Jones, flynyddoedd yn ddiweddarach, yn nodi'r gwahaniaeth pwysig rhwng swyddog-aethau'r ddau grŵp, gan roi'r argraff fod yr wyth yn aelodau o'r ddirprwyaeth.)

Rhestrodd Matthews a Jones hefyd griw'r *Denby*: Capten Robert Nagle, David Jones, George Jones a Berwyn. Byddai'r olaf yn cydnabod maes o law nad oedd popeth fel yr ymddangosai ar yr wyneb. Yn dilyn trafod dwys a dyfalu sut i wrthsefyll grym dylanwad carfan Matthews (y blaid

symudol) yn Buenos Aires, darbwyllodd
Edwin Gapten Nagle – un o gefnogwyr y
blaid wladfaol – i gyflogi Berwyn, oedd yn
forwr profiadol, ar fwrdd y *Denby*. Yn y
modd hwn sicrhawyd tri chynrychiolydd i'r
blaid wladfaol ar y daith ac yn y
brifddinas: Nagle, Berwyn ac Edwin. Gyda
hwy ar fwrdd y llong, roedd Lewis
Humphreys, athro cyntaf yr ysgol Gymraeg
gyntaf erioed, yn cychwyn ei daith hir i
chwilio am wellhad i'r anhwylder ar ei
lwnc. Ei obaith oedd y byddai'n llwyddo i
gael adferiad iechyd heb orfod mynd
ymhellach na Phatagones. Teithiai Maurice
a'i deulu bach yn gwmni iddo. Bwriadai'r
saer ymsefydlu ym Mhatagones er mwyn
bod wrth law tra bod ei efaill yn derbyn
gofal George Humble[9].

Nid oedd fawr o gysur i'w gael ar y
fordaith hon, ac nid cyflwr bregus y *Denby*
yn unig oedd yn gyfrifol am hynny. Bu
llawer o drafod a phwyllgora ar ei hyd.
Gwyddai'r 'lleiafrif gwladfaol', chwedl
Lewis Jones, fod Matthews â'i fryd ar
symud y fintai. Afraid meddwl y mentrai
llywodraeth unrhyw wlad arall groesawu
mintai o dlodion, ond credai y gellid
adleoli'r wladychfa, fel uned, o fewn
taleithiau Ariannin. Ni feiddiai William
Davies wrthwynebu arweinydd naturiol y
garfan lle'r oedd ei gefnogwyr ei hun, ac,
er gwaethaf ei gred y gallai'r Wladfa
lwyddo, cefnogai ddadleuon hwnnw y
dylid gadael y dyffryn yn wyneb methiant
y cynhaeaf ac anwadalwch cefnogaeth y
llywodraeth. Dadleuai Edwin a Berwyn o
blaid aros, a thros ddefnyddio'r bygythiad
o symud – dim ond os methai pob dadl
arall – fel arf i berswadio'r llywodraeth i
gytuno i'w cais am nwyddau i alluogi'r
wladychfa i oroesi tan y cynhaeaf nesaf.

---

[9]Bu'r driniaeth yn aflwyddiannus a gorfu i Lewis
Humphreys ddychwelyd i Gymru. Bu'n lladmerydd
diflino yng ngwlad ei febyd dros achos Gwladfa
Patagonia hyd nes iddo ailymsefydlu yno, cyn pen
dau ddegawd, am weddill ei oes.

Mynnai'r pum archwiliwr arall mai eu
swyddogaeth oedd cario llais y mwyafrif,
a bod rhaid symud i ble bynnag y ceid
gwell amodau na'r rhai a fodolai yn
Nyffryn Camwy.

Collfarnu

Wrth hysbysu ei rieni ei fod yn cefnu ar y
wladychfa, nododd John Morgan, Pwll-glas
ei anniddigrwydd ag agwedd nifer o
arweinyddion y mudiad gwladfaol '…ni
fynnent ildio eu hen opiniwn, wedi bod yn hir
nith-broffesu eu bod yn bleidiol i'r Wladfa,
ond ar weithredoedd yn gwadu hynny, ac yn ei
hysbeilio o'r hyn oedd ganddi yn llawen…
Beth bynnag, dyma fi wedi ffarwelio â
Phatagonia, ac yn ei chollfarnu mewn gair ac
ymddygiad fel lle anghymwys i'r Cymry…'

Derbyniai fod y tir yn dda, cystal â dim y
gellid ei gael mewn mannau eraill, ond ni
ellid tyfu dim arno ac eithrio ar lannau'r afon.
'Yr achosion pennaf o'r diffrwythdra…,
feddyliwn, ydyw'r halen sydd ynddo, ynghyd
â'r syched a'r llwydrew…' ychwanegodd. Ef
oedd y gwladfäwr cyntaf i gyfeirio at
effeithiau difaol yr halen a gludid yn nŵr yr
afon – problem a ddwysaodd yn ystod ail
hanner yr ugeinfed ganrif.

Ailgydio yn yr awenau

Os oedd Lewis Jones wedi ymadael â'r
dyffryn, ac wedi ystyried symud i fyw i
Gymru (fel y sicrhaodd mewn llythyr at
Rawson), nid oedd yn barod eto i ymatal
rhag ceisio dylanwadu ar ddyfodol y
fenter. Cawsai wybod, yn llythyrau Edwin
a Berwyn, ei gyfeillion agosaf, am y
datblygiadau. 'Mae tua hanner y bobl yn
benderfynol o beidio symud' oedd dull
Berwyn o'i hysbysu bod tua'u hanner am

ymadael! Ond roedd yr argoelion yn galonogol. 'Bu ail etholiad yn ddiweddar, a bu newidiadau lawer – Matthews allan, a minnau yn ysgrifennydd yn lle Thomas Ellis', ychwanegodd. Sut y mae cysoni hyn ag etholiad Matthews yn arweinydd y garfan fwyafrifol a Thomas Ellis yn un o'r archwilwyr? Enghraifft arall o anwadalwch etholwyr, efallai – ynteu'r 'haneswyr' sy'n camliwio'r sefyllfa er mwyn cyfiawnhau eu safbwynt? Roedd nifer o lythyrau a anfonwyd i Gymru gan y gwladfawyr tua'r amser hwn yn canmol eu ffawd ac yn obeithiol am ddyfodol y wladychfa – sy'n rhoi sail i safbwynt cadarnhaol Berwyn a'i gyfeillion.

Ar y dydd Mawrth wedi i'r ddirprwyaeth lanio ym mhorthladd dinas yr Awelon Iach, Lewis Jones oedd y cyfieithydd rhwng Rawson a'r ddau gynrychiolydd. Roedd wedi ysgrifennu at y Gweinidog ychydig ddyddiau ynghynt gan ddefnyddio'r llythyrau a dderbyniasai o'r Chupat i geisio profi mai ef oedd gwir ladmerydd y wladychfa o hyd. Yn yr un epistol honnai ei fod wedi derbyn llythyr oddi wrth Michael D. Jones dyddiedig 12 Gorffennaf 1866, tua'r un adeg ag y cyrhaeddodd y *Denby* a'i dirprwyaeth. (Os felly, bu'r llythyr ar ei daith o'r Bala i Buenos Aires am ymron i chwe mis).

Gellir casglu bod Lewis yn ceisio sêl bendith y llywodraeth i'w ymgais i adennill rheolaeth ar y wladychfa yr oedd ef wedi'i gadael o'i wirfodd, ac yn dangos ei barodrwydd i fynd yno fel cynrychiolydd apwyntiedig y wladwriaeth yn hytrach nag fel cynrychiolydd etholedig y bobl. Ac mae'n amlwg nad oedd yn fodlon dychwelyd i'r Chupat ond fel arweinydd – a hynny ar ôl gorfodi rhai o'i wrthwynebwyr i ymadael â'r lle. O gofio mai felly y llywodraethwyd Talaith Chubut hyd ail hanner y ganrif hon, pwy all amau ei fod wedi deall dulliau'r wladwriaeth o reoli'i phobl?

> ## 'Arosav yma'
>
> Derbyniasai Lewis gefnogaeth Michael D. Jones, meddai wrth Rawson. 'Yr oedd derbyn y llythyr hwn tua'r un dyddiau ag y cyrhaeddai yma ddirprwyaeth o'r Chupat i ofyn i'r llywodraeth am symud i rywle arall, yn ddigwyddiad mor gyd-darawiadol fel na gallav lai nag edrych arno fel gwrthdystiad ysbrydoledig yn erbyn y vath vwriad gan y gŵr sydd wedi aberthu cymaint dros y mudiad . . . Yr wyv . . . wedi clywed eu cwynion a'u dadl. Ond nid ymddengys i mi fod y sevyllva yno mor anobeithiol ag i gyviawnhau rhoddi cam mor ddivrivol . . . Sicrheir vi gan y rhai ddaethant i vyny'n awr, yr arhosai y bobl i wneud prawv llawnach ped estynai y Llywodraeth iddynt vwyd a chelvi dros dymor neu ddau eto. Ac yn ernes i chwi o vy hyder yn nyvodol y Wladva ac o'r bobl (wedi yr ymadawo rhyw ddau neu dri theulu), bodlonav i vyned yn ôl yno atynt, os bydd y Llywodraeth yn dewis hynny. Yr oeddwn wedi trefnu i vyn'd adrev i Gymru; ond arosav yma eto i weled penderfyniad y Llywodraeth ar y mater sydd mor agos at vy nghalon.' (LJ)

Dadlau gerbron Rawson

Cyflwynodd Matthews a Davies eu hachos yn rymus gan nodi nad oedd dewis ond symud y wladychfa i diroedd lle byddai'r elfennau'n caniatáu tyfiant yr had hyd at gynhaeaf. Er gwaethaf ymdrechion arwrol, profwyd y Chupat yn anaddas i'w wladychu, meddent. Troes y cyfieithydd yn lladmerydd. Aberthwyd gormod a gwariwyd yn rhy drwm i daflu'r cyfan i ffwrdd heb ymdrech bellach, meddai. Mynegodd Rawson yntau'r farn na wnaed prawf digonol ar y tir. Bu'r flwyddyn ddiwethaf yn anarferol a dylid deall nad oedd cael tymhorau sych o dro i dro yn beth anghyffredin yn Ne America. Mynnodd y ddau gynrychiolydd eu bod hwy'n gwybod yn well na Dr Rawson beth oedd yr amgylchiadau yn y dyffryn nad oedd yntau erioed wedi'i weld, ac nad oedd Lewis Jones wedi'i brofi ond am gyfnodau byrion yn ystod y pedwar mis cyntaf, a gwrthododd y ddau wyro oddi wrth eu safbwynt. Yn ganolog i'w dadl, carient hefyd wŷs mwyafrif yr ymfudwyr i'w gwared o'u cyfyngder yn ddiymdroi.

Roedd Lewis Jones yn fodlon cydnabod bod Matthews a Davies wedi eu hanfon i gynrychioli'r fintai, ond hoffai i'r Gweinidog Cartref wybod bod ymhlith y dyrnaid o wladychwyr ar y *Denby* nifer o rai fyddai'n fodlon lleisio barn wahanol iawn i eiddo'r cynrychiolwyr. Gwrandawodd Rawson ar y 'newydd' hwn gyda diddordeb mawr. Er gwaethaf protestiadau rhesymol Matthews a Davies nad oedd ar y bwrdd 'gynrychiolwyr awdurdodedig y wladychfa' fyddai o blaid y Chupat, gofynnodd i'r gwladfawyr drefnu iddo ef a'r swyddog Antonio Álvarez de Arenales gyf-weld pob un ar fwrdd y llong a fedrai siarad Saesneg! Tybed pwy blannodd y syniad hwnnw yn ei feddwl? Cytunwyd i gyfarfod â thri o bob plaid.

Cynhaliwyd cyfweliadau unigol, gan ddechrau, ar y dydd Mercher, gyda'r tri oedd yn bleidiol i'r Chupat, sef Robert Nagle (capten y *Denby*), Berwyn (oedd yno drwy gynllwyn) ac Edwin (yr unig archwiliwr o blaid y Chupat). Holwyd pob un ar wahân, ac roeddynt yn gytûn eu tystiolaeth, ebe Michael D. Jones – fel pe gellid bod wedi disgwyl yn wahanol.

Agorodd Edwin becyn a gosod ei gynnwys ar ddesg Rawson: tusw o haidd ac un dywysen o wenith o dir Plas Hedd, yn enghraifft o'r grawn a gynaeafwyd,

gweithred a greodd argraff ffafriol iawn ar y Gweinidog, a chadarnhau ei gred fod tir y Chupat yn gynhyrchiol. Ddydd Iau, dechreuodd y gyfres o gyfarfodydd â'r archwilwyr cefnogol i'r blaid symudol – tri ohonynt (Matthews, Thomas Ellis a John Roberts), i'w cyf-weld fesul un eto. Dywedodd Michael D. Jones eu bod oll yn cyflwyno adroddiadau anffafriol ond bod anghytundeb yn eu tystiolaethau!

Trafodaethau â Nicasio Oroño

Yn ystod y tri mis y bu'r ddirprwyaeth yn Buenos Aires, dechreuodd William Davies drafodaethau â llywodraeth Talaith Santa Fe yng ngogledd-ddwyrain Ariannin, rhan o'r hen gonffederasiwn, a gwahoddwyd ef a'i gyd-ddirprwywyr gan y Rhaglaw Nicasio Oroño i archwilio ardal Pájaro Blanco (Aderyn Gwyn). Gweithredai'r dalaith honno bolisi mewnfudo blaengar, ac o blith hen daleithiau Afon Arian, dichon mai hi oedd yr unig un i wireddu gwireb y gwladweinydd rhyddfrydig Juan Bautista Alberdi mai 'poblogi yw llywodraethu' *(Gobernar es poblar)*. Er bod ymfudwyr amaethyddol wedi llifo i'r Weriniaeth wrth y miloedd yn ystod chwe degau a saith degau'r bedwaredd ganrif ar bymtheg, eu siomi'n arw a gaent yn aml gan fod rhannau enfawr o'r wlad yn eiddo i ddyrnaid o dirfeddianwyr a bod perchenogi tir, o'r herwydd, y tu hwnt i gyrraedd ffermwyr bach. O ganlyniad condemniwyd hwy i weithio tiroedd ar rent uchel neu am gyflog isel. Yr unig eithriad oedd Talaith Santa Fe, lle y cyrhaeddodd ymfudiaeth amaethyddol safle o bwys yn economi'r rhanbarth, a'i gwladychfaoedd amaethyddol yn cynrychioli 83% o'r cyfanswm cenedlaethol.

Cytunodd y chwe archwiliwr fod y tiroedd a gynigid yn Pájaro Blanco yn rhai llawer gwell na'r Chupat. Serch hynny, mynnai Edwin fod safbwynt Oroño yn gwbl eglur na fedrid caniatáu sefydlu gwladychfa yno i'r Cymry. Yr unig gynnig ar y bwrdd oedd tiroedd ar gyfer teuluoedd Cymreig – dim mwy. Wrth glywed y newydd meiriolodd agwedd Matthews ond nid digon i'w berswadio i aros yn y Chupat.

Yn ôl i Ddyffryn Camwy

Cyfarfu'r ddau gynrychiolydd â'r Gweinidog Rawson eto, pryd y cytunwyd bod Matthews i deithio i'r Chupat i osod cynnig Oroño am diroedd yn Pájaro Blanco gerbron y bobl. Ond mynnodd Rawson anfon Edwin a Berwyn hefyd i gyflwyno'i gais yntau ar i'r gwladfawyr roi un cynnig arall i'r Chupat, gyda'r addewid y byddai'r llywodraeth yn darparu cymorth iddynt am flwyddyn arall. Ac felly y gwnaed. Gwrthododd Matthews, Berwyn ac Edwin hwylio ar y *Denby* oherwydd ei chyflwr bregus, er gwaethaf anogaeth daer Rawson, felly gofynnodd William Davies i'r Conswl Prydeinig yn Buenos Aires anfon saer un o longau rhyfel y Goron i archwilio'r sgwner a rhoi adroddiad i Rawson. Ni fu fawr o dro cyn ei chondemnio, a phwyswyd ar y Gweinidog i drefnu cludiant iddynt ar agerlong o eiddo Aguirre a Murga a deithiai'n rheolaidd i Batagones.

Yn erbyn cyfarwyddiadau Rawson, gwahoddodd Murga ac Aguirre y tri i archwilio tiroedd Afon Ddu, a chynigiwyd ceffylau a thywyswyr i'w harwain. Dilynasant lan ogleddol yr afon am tua chan milltir, gan ddychwelyd ymhen tridiau ar hyd y lan ddeheuol. Gwelsant ddyffryn mwy na'r Chupat, a'i diroedd yr un mor sych, ac eithrio yn nhrofâu yr afon. O Batagones, hwyliodd y tri ar fwrdd yr hwyl-long fechan *Río Negro* o eiddo Aguirre, unwaith eto o dan gapteiniaeth Summers, a chyraeddasant y bae a'r dyffryn ddiwedd Ebrill. Yn gwmni iddynt, teithiai Sais ifanc o'r enw Lee, i gyflwyno cynigion gwŷr busnes Patagones.

Pleidleisio

Galwyd cyfarfod cyhoeddus i ystyried y tri phosibilrwydd. Traddodwyd yr anerchiadau cyntaf gan Berwyn ac Edwin, a leisiai gynnig Rawson, gan bwysleisio bod hynny'n gyfystyr â sicrhau eu diogelwch am flwyddyn arall. Mynnai'r ddau na wnaed digon i brofi addasrwydd y Chupat (LJ) ac y dylid rhoi o leiaf un cynnig arall ar diroedd y dyffryn. Cyflwynodd Lee gynnig Aguirre a Murga. Doedd y syniad

---

Pryder Rawson

'Mae aelodau'r Gyngres wedi mynegi ei dicter tuag at y Gallu Gweithredol am annog sefydliad y Wladfa er gwaethaf pendantrwydd y modd y gwrthododd y corff hwnnw y cytundeb a wnaed ym 1863. Mae Dr Rawson yn awyddus i gymodi â'r Gyngres a dywed wrthyf ei fod ar fin cyflwyno adroddiad ar y mater i'w sylw. Tra'r oeddym yn siarad ar y pwnc ychydig ddyddiau'n ôl, dywedodd Ei Ardderchogrwydd mai un o brif wrthwynebiadau'r Gyngres i sefydlu Gwladfa Seisnig [sic] ym Mhatagonia oedd agosrwydd ein [sic] sefydliad at Ynysoedd y Falklands.

'Gofynnodd Ei Ardderchogrwydd a fuasai Llywodraeth Ei Mawrhydi yn barod i drosglwyddo'r ynysoedd i Weriniaeth Ariannin, gan ychwanegu ei fod yn argyhoeddedig, pe buasai o fewn ei allu i gyflwyno'r posibilrwydd hwn, na fyddai'r Gyngres yn gosod unrhyw rwystr yn erbyn gweithredu'r cytundeb gwreiddiol â'r Pwyllgor Cymreig.' Edward Thornton at Iarll Russell.

hwnnw erioed wedi apelio at Edwin, byth er iddo glywed Murga'n ei gynnig am y tro cyntaf yng Nghaer Antur – pryd y meiddiodd hefyd ailfedyddio'r pentref yn Pueblo de Rawson.

Anerchiad Matthews oedd yr olaf. Erbyn iddo ef godi ar ei draed, roedd pawb wedi anghofio am y dewis cyntaf. Roedd yr ail siaradwr eisoes wedi deffro diddordeb sawl un yn rhinweddau'r tir, haelioni'r amodau a gynigid iddynt a'r agosatrwydd at Batagones. Ond manteisiodd Matthews ar awyrgylch 'ymfudol' y cynulliad i bwysleisio'r dioddef a'r galar a ddioddefwyd yn nyffryn y Chupat, a'i gymharu â rhagoriaethau di-drallod a pharadwysaidd Pájaro Blanco. Cynhaliwyd pleidlais, ac yn ôl ei adroddiad ei hun, enillodd Matthews hi o fwyafrif sylweddol, a chredai, heb fod yn afresymol, mai canlyniad anochel hynny oedd y dylai pawb ufuddhau i'r farn fwyafrifol a mynd gyda'i gilydd i Santa Fe. Eithr nid felly y bu.

Amharodrwydd

Bu dyrnaid o gefnogwyr cynllun Patagones yn brysur. Eu harweinydd annisgwyl oedd un o feibion John a Betsan Jones, sef John, cyn-ysgrifennydd y mudiad gwladfaol yn Aberpennar, a brawd hynaf Ann Cynrig Roberts. Yn ei farn ef, y cam gorau i'w gymryd i achub y freuddwyd wladfaol heb ymyrraeth gan Lewis Jones oedd derbyn cynigion taer Aguirre a Murga a symud i lannau'r Negro, a cheisiodd ddenu ei berthnasau a'i gyfeillion i'w ddilyn. O leiaf yn y fan honno byddai modd cadw enw Patagonia a'r freuddwyd fawr oedd ynghlwm wrtho.

Gwastraff amser ym marn John Jones oedd bwriad y blaid symudol i oedi yn y Chupat am flwyddyn arall cyn symud i le mor anaddas â Santa Fe, a ffolineb – nage'n wir, brad unwaith eto – oedd ystyried symud i Pájaro Blanco. Pa werth oedd i'r tiroedd heb ymreolaeth? Nid hunan-les a'i hysgogodd ef, ei gâr a'i

---

Y bleidlais

Yn ôl Matthews, canlyniad y bleidlais oedd

a) 3 theulu (Berwyn, Cadfan ac Edwin) o blaid y cynnig cyntaf;

b) 3 theulu o blaid Patagones (ond dim ond dau deithiodd yno);

c) pawb arall o blaid symud i Santa Fe.

Ond nid yw'r ffigurau uchod, a ddyfynnir gan bob hanesydd a ddilynodd Matthews (gan gynnwys Lewis Jones – nad oedd yn bresennol), yn cyfateb i adroddiadau cyfoes Cadfan a Rhydderch Huws. Medd y cyntaf:

'Y rhai sydd wedi bod yn dynn am aros yma ydyw y rhai canlynol: John Jones, hynaf, a'i deulu, John Jones, ieuaf, a'i deulu, Daniel Evans a'i deulu; Thomas Harris a'i deulu – (oll o Mountain Ash); Evan Dafydd a'i deulu, o Aberdâr, Griffith Hughes, a'i deulu, o Rhosllanerchrugog, Robert Thomas, a'i deulu, o Bangor; Amos Williams a'i deulu, o Bangor, Richard Hughes (Rhydderch Huws), o Manchester; Watcin ap Mair Williams a'i deulu, o Birkenhead; John Moelwyn Roberts a'i deulu; Berwyn Jones a Cadfan Gwynedd, a'i deulu ... Yr ydwyf fi, a John Jones, ieuaf, Rhydderch Huws a Watcin ap Mair Gwilym, wedi gwrthwynebu myned i ffwrdd hyd eithaf ein gallu. Yr ydwyf fi a Rhydderch Huws wedi ein troi allan o'r pwyllgor am i ni wrthwynebu y blaid sydd am fyned i ffwrdd.' [Mae'n ddiddorol sylwi nad yw'n cynnwys enw Edwin Roberts ymhlith y rhai oedd am aros.]

gyfeillion i adael Aberpennar, ond y gred yng ngallu'r ymfudwyr i ffurfio Cymru Newydd.

Dichon bod John Jones wedi clywed Edwin yn adrodd am gyfraniad Lewis Jones i'r trafodaethau yn Buenos Aires, ac nad oedd yn barod i dderbyn dychweliad y cyn-lywydd i gylchoedd llywodraethol y wladychfa. Daliai mai'r gŵr hwnnw oedd pensaer eu trallodion a bod helynt ei gynlluniau parthed ynysoedd y *guano* yn profi nad oedd yn well na bradwr. Os oedd Lewis Jones yn ôl i aros, nid oedd lle i John Jones, Glyn Coch yn y wladychfa.

Ganol Mai, cludai'r *Río Negro* y ddau gynrychiolydd – Berwyn â chalon drom, a Matthews yn gorfoleddu – i gyfleu'r canlyniad i Rawson, Lewis Jones a'r pum archwiliwr. Ar ei bwrdd hefyd, teithiai John Jones, Glyn Coch, ei wraig Mary a'u mab Morgan, a'r brodyr Watcyn Gwilym a Watcyn Wesley ap Mair Gwilym a'u chwaer Louisa. A bu wylo mawr unwaith eto wrth y bae.

Penderfynnodd Edwin mai ei gyfraniad gorau ef fyddai aros i gynorthwyo'r gwladfawyr i ymgodymu â'r ymfudo. Tybed a feddyliodd y gallai newid meddwl ambell un o'i gydnabod, os nad y mwyafrif?

Pendaro Patagones

Ysigwyd y *Río Negro* ar fôr tymhestlog ac, ymhen ychydig dros wythnos, troes i mewn i'r afon o'r un enw i ollwng yr ymfudwyr ac i gael ei thrwsio cyn hwylio i'r brifddinas. Deffrowyd chwilfrydedd ei theithwyr pan welsant long fechan yn eu dilyn. Syfrdanwyd hwy pan ddeallwyd mai'r *Denby* gondemniedig ydoedd ar ei ffordd o Buenos Aires, a bu dyfalu mawr ynghylch ystyr yr ymddangosiad dramatig.

Nid oedd Lewis wedi medru aros i glywed penderfyniad y gwladfawyr. Dywed iddo dderbyn llythyr oddi wrth Edwin yn sôn am wahoddiad i symud i Batagones:

'O ran sport, darllenwyd y llythyr i'r fintai, a bu chwerthin mawr at y syniad i ni adael yma yr holl eiddo sydd gennym – yn wartheg a cheffylau, a chelfi ac eiddo. Nyni, *free-holders,* fyned i ail ddechreu byw yn Patagones! Penderfynwyd ar i Matthews [?][10] a minnau ysgrifennu llythyr i ddweud mai ffolineb meddwl i ni symud oddi yma byth – pe na ddelai neb atom na llong fyth.' (LJ)

Os oedd Lewis yn gweithredu dan gyfarwyddyd Rawson, ni fradychodd y gyfrinach erioed. Gwyddai fod rhaid iddo ymyrryd os oedd am ddiogelu parhad y wladychfa, a'i dasg oedd rhwystro'r ymfudwyr rhag gadael. Ni fyddai'n dasg hawdd, ond ni chollai ddim o fentro. Tyfodd ei hyder pan glywodd y byddai un arall o aelodau'r pwyllgor gwladfaol yn gwmni iddo ar y daith. Roedd John Griffith wedi cychwyn am y wladychfa ar ei ben ei hun yn fuan wedi i'r *Mimosa* adael dociau Lerpwl, ond heb lwyddo i gyrraedd ymhellach nag un o *estancias* Talaith Buenos Aires, lle bu'n bugeilio defaid. Pan glywodd am helyntion Lewis, teimlodd reidrwydd i'w gynorthwyo – yn ogystal â lladd dau aderyn â'r un garreg drwy gyrraedd pen ei daith ar yr un siwrne.

---

[10]Nid yw Lewis Jones yn dyddio'r llythyr hwn ond dywed iddo'i dderbyn – ynghyd â llythyrau eraill [R. J. Berwyn o Batagones (06.12.66); D. Lloyd Jones o Gymru (08.03.67); a'r un a ddyfynnwyd eisoes oddi wrth Michael D. Jones (12.07.66)] – yn fuan cyn y trafodaethau â Rawson. Ni fyddai Edwin Roberts – a oedd hefyd yn Buenos Aires ar y pryd – wedi bod mewn sefyllfa i ysgrifennu'r llythyr cyn dychwelyd i'r bae gyda Berwyn a Matthews fis Mawrth, a byddai pendaro Patagones drosodd cyn y byddai Abraham Matthews yn cytuno i gyfansoddi llythyr ar y cyd ag ef i wrthwynebu'r syniad o ymadael â'r Chupat (gweler 'Amharodrwydd'). Drwy gyfochri'r llythyrau a'i sgyrsiau gydag aelodau'r ddirprwyaeth, mae LJ yn cyfiawnhau ei benderfyniad i ail-gysylltu â Rawson ar ran y Wladfa 'er nad oedd ganddo savle swyddogol i ddynesu at y Llywodraeth'. (LJ) (gweler 'Arosav yma' tudalen 127).

Nid oedd angen ymdrech fawr i berswadio Robert Nagle i fentro eto ar y *Denby*, er bod honno wedi'i chondemnio ychydig ddyddiau ynghynt, cymaint oedd ei sêl dros yr achos gwladfaol, a llwyddwyd i gasglu criw bychan, oedd yn cynnwys Lewis Jones, John Griffith a chogydd o Ffrancwr, i redeg y llong. A nawr, wele hi wedi cyrraedd hanner ffordd. Curai calonnau'r dirprwyon yn gyflym (Berwyn yn ddisgwylgar a Matthews yn ochelgar) pan welent y cyn-lywydd yn disgyn o'r sgwner, oherwydd gwyddent y gallai ei ddawn berswadio newid meddwl nifer o'r ymfudwyr. (AM)

Pan eglurodd Lewis ei fwriad i annerch y fintai ym Madryn, dywedodd Matthews ei fod yn ofni beth fyddai effaith cyflwyno'r ddau safbwynt unwaith eto gerbron carfanau rhanedig. Roedd yna berygl y gallai'r gwladfawyr gael eu gwasgaru ledled De America i ymdoddi i genhedloedd eraill a cholli eu hiaith a'u crefydd am byth – ac nid oedd yn barod i ganiatáu i hynny ddigwydd. Ond roedd Lewis yn benderfynol o gyflwyno'i ddadleuon ym Madryn, a gwahanodd y ddau heb gymodi.

Treuliodd Matthews rai nosweithiau anghysurus ym Mhatagones, yn pendroni uwch ei safbwynt, tra bod Lewis, Berwyn, Griffith, Nagle a'r ddau forwr ifanc – George a David Jones – yn aros yn ddiamynedd i gael dychwelyd i'r Chupat. Cerddai Matthews yn benisel hyd strydoedd y dre ryw fore pan gyfarfu â Berwyn. Eglurodd ei fod wedi gweld Michael D. Jones mewn breuddwyd y noson cynt a bod yr Athro'n pryderu am ei Wladfa. Er nad oedd yn arfer coelio breuddwydion nac yn cyd-weld â'r cyn-lywydd nac yn gyfaill iddo – sut y gallai fod, ac yntau wedi honni mai 'dyn dwl yw Lewis Jones'? – roedd yn barod i roi ei deimladau personol o'r neilltu er lles y gwladfawyr ac er mwyn cynnal trafodaethau.

Trefnwyd iddynt gyfarfod yng nghartref Maurice Humphreys. Dichon bod cofnod Matthews o'r cyfarfod hwnnw'n gywir oherwydd fe'i dyfynnir, gair am air, gan Lewis Jones yn ddiweddarach. Er nad ydynt yn manylu ar eu sgwrs, dywedant iddynt gytuno i gydweithio o hynny ymlaen er lles y gwladfawyr, i deithio ar y *Denby* i'r bae, ac i ddadlau o blaid cynnig Rawson i roi blwyddyn arall o brawf ar addasrwydd y dyffryn. Pe bai'r arbrawf yn methu, byddid yn symud y fintai i Pájaro Blanco. A daeth y cyfarfod i ben yn gwrtais os nad yn gyfeillgar.

Eithr nid oedd y bargeinio drosodd. Gyda'r holl fynd a dod, gwastraffwyd amser gwerthfawr a chollwyd y tymor hau unwaith eto (1867). Cofiwyd am ddadleuon Berwyn ac Edwin ac ysgrifennwyd at Rawson i'w hysbysu y ceid cytundeb ar yr amod fod y llywodraeth yn gwarantu cynhaliaeth y fintai am flwyddyn arall. Aeth Lewis Jones at Jorge Harris unwaith eto a chael cyflenwad newydd o fwyd a nwyddau ganddo ar sail y cais i Rawson, oherwydd teimlai na fedrid perswadio dros gant o bobl i aros yn y wladychfa heb sicrwydd ymborth. Hefyd ysgrifennwyd llythyr llawer mwy poenus at William Davies a'i bum archwiliwr – Thomas Ellis, Griffith Pryse, John Morgan, John Roberts a Richard Ellis a oedd, ynghyd â theuluoedd y ddau olaf, yn aros yn amyneddgar yn Buenos Aires i gael ymuno â'r fintai ar ei ffordd i Pájaro Blanco. Dychwelodd Richard a Frances Ellis i'r bae, ynghyd â Mary Annie (un oed), ond nid felly'r pedwar arall. Siomwyd hwy'n arw, ac ni ddychwelodd un ohonynt erioed i'r Chupat.[11]

---

[11]Bu Thomas Ellis yno ar ymweliad byr flynyddoedd yn ddiweddarach.

Mudo

Heb wybod am y datblygiadau dramatig ym Mhatagones, aethpwyd ati i ddatgymalu Gwladfa Patagonia a mudo i Borth Madryn nes dôi llong i symud y gwladfawyr a'u heiddo i Santa Fe. At gludo'u dodrefn a'u hoffer, nid oedd ganddynt ond pedair trol – a roddwyd at wasanaeth pawb gan eu perchenogion: Cadfan, Edward Preis, Thomas Davies a Gruffudd Hughes. Defnyddiwyd car llusg a cheffylau hefyd yn y broses araf a thrafferthus a barhaodd am chwe wythnos. Erbyn dechrau Mehefin, yr oeddynt oll wedi gadael y Chupat ac yn disgwyl am waredigaeth. Lladdodd y mwyafrif eu hanifeiliaid hefyd, a halltu'r cig, gan dybio na fedrid cludo'r da mewn llongau ar y fordaith dri chymal i Batagones, Buenos Aires a Santa Fe.

Dengys Cofrestr Berwyn fod y Parchedig Abraham Matthews wedi geinyddu tri gwasanaeth priodas ym Madryn – William Rhys, Tregethin gynt â Jane Williams, Lerpwl (4 Mehefin); Joshua Jones, Castell newydd Emlyn ac Aberdâr, â Catherine Hughes, Penbedw, bedwar diwrnod yn ddiweddarach; a Richard Howell Williams, Llanfairfechan, â Jane Huws, Manceinion y pymthegfed o'r mis.

Mae stori a gyhoeddwyd yn rhifyn 30 Medi 1921 o'r *Drafod* yn taflu amheuaeth ar gywirdeb y cofnod (a wnaed yn absenoldeb Berwyn ym Mhatagones) o leiaf mewn perthynas â'r ddwy briodas gyntaf. Ymddengys mai yn y dyffryn y cynhaliwyd y rheiny. Dywed yr awdur anhysbys mai Joshua Jones a hysbysodd y pennaeth Juan Chiquichán am yr ecsodus arfaethedig tra oedd pawb, ac eithrio ef ei hun, William Rhys a'u gwragedd ifainc, yn gadael y dyffryn. Dychwelodd Chiquichán gyda'r diwedydd i hysbysu'i gyfaill fod y llwyth yn credu mai bwriad y gwladfawyr oedd ymgryfhau a dychwelyd i ymosod arnynt, a'u bod eisiau bwrw'u dial ar y ddau bâr. Ond derbyniai'r pennaeth esboniad Joshua ac addawodd roi 'ei fywyd yn aberth' i rwystro'i ddynion rhag tywallt gwaed diniwed.

Disgynnodd y nos a goleuwyd y *toldería* â'r coelcerthi cynnar. Clywyd y brodorion yn 'ysgrechian' a gwelwyd hwy yn ymarfer â'u picellu a'u ceffylau wedi'u cyfrwyo. Dehonglwyd hyn fel 'arwydd

Trol Cadfan

sicr o ymosodiad' a gwyliodd y pedwar ifanc y datblygiadau drwy'r nos – yn arfog ac mewn braw.

Ar doriad dydd, daeth Chiquichán at y tŷ – ar ei geffyl, yn groes i'w arfer – i ddweud ei fod, ar ôl dadlau drwy'r nos, wedi llwyddo i ddarbwyllo'i ddynion rhag ymosod. Gwahoddodd Joshua i ddod gydag ef i lan yr afon i olchi eu dwylo gyda'i gilydd yn nŵr Camwy – yn y dull brodorol o 'wneud amod heddwch bythol a chysegredig', cyn i'r ddau bâr ifanc ffarwelio â'r dyffryn.

Wedi cyrraedd, adeiladwyd bythynnod pren unwaith eto, ar safle gwersyll 1865, ac agorwyd llochesau yn y *tosca* ar lethr ogleddol y bryn – y rhan sy'n edrych ar safle presennol Porth Madryn (TJ) – lle'r ymgartrefodd teulu Daniel Evans ac un teulu arall. Dichon y llocheswyd eraill yn rhai o'r bylchau a agorwyd yn y *tosca* wedi'r glanio.

Y Parchedig Abraham Matthews

Bu'r deufis a dreuliasant yno yn 'amser difrifol' yn ôl Thomas Jones, ond er bod y tywydd yn ddrwg a'r eira'n drwm, roedd digon o goed ar gyfer cynnau tân a digon o fwyd gan bawb. Roedd y datblygiadau'n destun anhapusrwydd mawr i Edwin a'i gyfeillion wrth i'w breuddwyd droi yn chwalfa fawr. Nid oedd dewis, am y tro, ond ufuddhau i'r drefn – a disgwyl am ddyddiau gwell.

Ni chroesawai Galats yr ecsodus ychwaith. Gwersyllodd ef a'i lwyth yn Punta Ninfas, wrth geg y bae, gan ymweld yn gyson â gwersyll y gwladfawyr, a rhyfeddu at eu gallu i fyw o dan amodau mor gyntefig. Ei fwriad ymddangosiadol oedd masnachu, ond daeth yn amlwg yn fuan ei fod yno i geisio'u perswadio i beidio â gadael. Ymbiliodd yn daer arnynt i newid eu meddwl a dychwelyd i'r dyffryn. 'Gyda phwy y byddwn yn masnachu wedi i chi adael?' oedd ei gŵyn ddi-baid, a chynigiodd geffylau i gynorthwyo'u cludiant yn ôl. Nid oedd ef a'i bobl yn orawyddus i ailgychwyn eu teithiau hir i Batagones i ddioddef twyll a sarhad, trais a llofruddiaeth. Ond ni thyciai dim.

Rhybuddiwyd y gwladfawyr gan y Ffrancwr i fod ar eu gwyliadwraeth – cawsai wahoddiad gan y pennaeth i ymuno â'i lwyth i ladd y fintai er mwyn dial am eu penderfyniad i adael y Chupat.

Siom ac ailddechrau

Hwyliodd Matthews a'i wrthwynebwyr gwleidyddol (yn cynnwys Lewis Jones) gyda'i gilydd fis Mehefin ar y *Denby* i Borth Madryn, lle'u croesawyd gan dorf ddisgwylgar. Mewn cyfarfod stormus arall, esboniwyd bod cytundeb ymhlith arweinyddion y ddwy garfan ei bod hi'n rhy hwyr i symud i Pájaro Blanco. Erbyn y byddai'r llywodraeth wedi ystyried cais am symud, ac anfon llong i'w casglu, byddai'r tymor hau drosodd cyn iddynt gyrraedd pen eu taith. Siaradodd yr

'Ogofâu' Madryn

Yn ôl Lewis Jones, a ddaethai yno ar ei ymweliad tyngedfennol o Buenos Aires, a hefyd John Daniel Evans, oedd yn blentyn pum mlwydd oed ar y pryd, trigai'r gwladfawyr mewn ogofâu ger traethau Madryn tra arhosent i gael eu cludo ymaith. Agorwyd y llochesau ar dri achlysur. Yn gyntaf, tyllwyd y *tosca* gan Edwin a'i weision ar gyfer gwneud meini adeiladu, a dichon mai yn un o'r bylchau y codwyd yr ail stordy y mae Edwin yn cyfeirio ato. Atega Thomas Jones mai twll yn y *tosca* oedd y stordy, a dywed Edward Preis mai hwnt ac yma yr adeiladwyd y tai mewn rhesi. Fel y dywed Thomas Jones, cododd rhai o'r ymfudwyr eu 'tai' yn y bylchau eraill ymhen amser (a dichon mai pan ddechreuodd y llanciau ddychwelyd oherwydd y newyn oedd hynny), gan ddefnyddio brigau o'r llwyni lleol i doi pob annedd. (TJ) Fel y gwelir gyferbyn, ychwanegwyd dau 'dŷ arall ym 1867. Edrydd Richard Jones Berwyn fod y Ffrancwr ar staff y *Denby* wedi cerfio ystafell fawr – ym mesur tair llathen wrth dair – iddo'i hun yn y *tosca* a'i haddurno â cherfluniau. Yn yr ystafell hon, ychwanegodd, y cynhaliodd y Cyngor – a etholwyd 27 Gorffennaf 1867 – ei gyfarfod cyntaf. Eithr dywed traddodiad – a gefnogir yn frwd gan un o haneswyr Chubut, Fernando Coronato[12] – mai'r 'ogofâu' yw safle cywir y gwersyll cyntaf.

Mae olion yr 'ogofâu' i'w gweld hyd heddiw (ar ôl bod dan orchudd tywod am nifer o flynyddoedd hanner cynta'r ganrif hon) a dichon mai trwy adrodd yr hanes amdanynt o genhedlaeth i genhedlaeth y tarddodd y myth cwbl ddi-sail mai yn yr ogofâu mawr a foddir yn feunyddiol gan y llanw yr ymsefydlodd y fintai pan gyraeddasant y wlad ym 1865.

[12] Daearegydd a chartograffydd a ymdrechodd i brofi hefyd mai bedd Catherine Davies, Llandrillo yr unig oedolyn o'r fintai i'w chladdu ym Madryn, yw'r un a ddarganfuwyd ym Medi 1995 ymhlith y twyni ger y traeth.

---

arweinyddion (yn cynnwys Matthews) yn ddyfal dros synnwyr cyffredin y syniad o aros am flwyddyn arall gan ei bod hi eisoes yn hwyr i symud – na fyddai angen aros am fwy na naw mis, mewn gwirionedd, ac y gellid ymfudo i Pájaro Blanco pe methai'r cynhaeaf nesaf.

Llethwyd yr ymfudwyr gan siomedigaeth a dicter. Bu dadlau ffyrnig a chyhuddiadau o dwyll a brad, a chollodd Abraham Matthews gryn dipyn o'i enw da ymhlith cyn-cefnogwyr dadrithiedig. Arwyddodd tua thraean o'r fintai ddeiseb a luniwyd gan William R. Jones yn galw am chwalu'r wladychfa – er mawr syndod i'r rhai a wyddai am lwyddiant eithriadol cynhaeaf y Bedol.

Ni fu William Robert Jones yn hir cyn newid ei feddwl a dangos parodrwydd i setlo i lawr. Ond yn wyneb y methiannau a'r awyrgylch gwrth-Chupat a greasid gan yr holl ddadlau, roedd hyd yn oed cyn-gefnogwyr y mudiad nawr yn ymateb yn chwyrn i'r siom diweddaraf. A chaent drafferth i ddeall dadleuon newydd Matthews: fod perygl colli annibyniaeth y tu allan i Batagonia; fod Rawson yn edrych ar wladychfa'r Chupat fel ei blentyn bach ei hun ac, o ganlyniad, ei fod yn debyg o'i chefnogi; ac nad oedd tiroedd gweddill y wlad yn wahanol i rai'r dyffryn! 'Pe buasai efe wedi dyfod allan fel hyn ers talm, buasai yn well, ond yn lle hynny cadwodd dafod amwys yn ei ben', grwgnachai Berwyn.

Cymhlethwyd y darlun gan lythyr oddi wrth John Jones, a oedd wedi ymsefydlu ar diroedd Murga ac Aguirre yn Boca de la Travesía (Bwlch yr Hirdaith), yn annog y dyrnaid o'i hen gefnogwyr i'w ddilyn i Batagones. (Dichon mai hwn yw'r llythyr fu'n gymaint o destun gwawd i Edwin.) Ymledodd y syniad yn gyflym, ond yn hytrach na'i weithredu ar unwaith, ildiwyd i gynnig tactegol yr arweinyddion. Anfonwyd dirprwyaeth o chwe gwladfäwr (enwau Evan Jones, Triangl, a John Griffiths yw'r unig rai sydd wedi'u cofnodi) i Afon Ddu eto i archwilio'r tiroedd a llunio adroddiad annibynnol. Gyda hwy aeth Edwin, er gwaethaf ei benderfyniad i aros yn y Wladfa hyd y diwedd, ond nid fel teithiwr y tro hwn, eithr yn rhinwedd ei swydd newydd dros dro fel un o griw'r *Denby*. Yn ystod y mordeithiau yno ac yn ôl, bu'n llafar ei farn a thaer ei berswâd o blaid dyffryn Camwy. Erbyn i aelodau'r ddirprwyaeth ddychwelyd fis Gorffennaf, yn rhanedig eu barn – nid oedd hinsawdd glannau'r Negro fawr gwell nag un afon Camwy, a chynigiai Murga ac Aguirre delerau gormesol – llwyddasai Matthews (na fynnai ystyried unrhyw gynllun fyddai'n rhannu'r fintai) i berswadio'i gyn-gefnogwyr mai annoeth fyddai peidio â gweithredu fel uned, a phan gododd y *Denby* ei hangor y tro nesaf, dim ond dau deulu fyddai'n ymadael â'r Chupat. Ymfalchïai Edwin, Berwyn a Matthews yn eu llwyddiant i berswadio mwyafrif y fintai i aros ymlaen am flwyddyn arall ac atal rhwyg.

Etholiad

Wrth i 28 Gorffennaf agosáu, cytunodd y Cyngor i gynnal gŵyl newydd i gofio'r achlysur, a'i galw'n Ŵyl y Glaniad (gŵyl sy'n rhan o galendr gwyliau blynyddol Talaith Chubut). Hefyd yn unol â'r cyfansoddiad, cynhaliwyd etholiad i ddewis Cyngor newydd. Ychydig dros ddeugain o wŷr a gwragedd oedd yr etholwyr. John Griffith (nad oedd wedi byw yn y wladychfa'n ddigon hir i'w gofrestru fel etholwr), a dau lanc dan ddeunaw oed – Edward Price ac un arall (ei gyfaill mynwesol George Jones, fwy na thebyg), oedd yr archwilwyr. Dydd Sadwrn, 27 Gorffennaf, cludwyd 'blwch cloedig i bob tŷ i dderbyn y tugelau. Aeth yr Archwylwyr i gongl unig yn y bryniau tywod i gyfrif. Tra'r oeddynt hwy yn cyfrif, yr oedd eraill yn paratoi y wledd te a bara brith . . .' (JG)

Cyn y machlud, cyhoeddwyd canlyniad yr etholiad. Yn arwyddocaol, Matthews oedd yr unig un o aelodau'r blaid symudol i ennill sedd ar y Cyngor, a dim ond yntau, Berwyn, Thomas Davies, Daniel Evans ac Edwin a ailetholwyd. Trefnwyd nifer o weithgareddau oedd, bellach, yn rhan o wead cymdeithasol y wladychfa. Anfonwyd y bechgyn ifainc i gasglu drain a pherthi ar gyfer cynnau tanllwyth mewn 'pantle cysgodol y tu ôl i'r tai' lle'r oedd cyngerdd yr ŵyl i'w lwyfannu.

Cyneuwyd y goelcerth yn gynnar, a ffurfiodd y bobl gylch o'i chwmpas. Safai'r mwyafrif, ond daethai ambell un â'i stôl neu gist neu garped i eistedd arno. Bu pawb 'mewn hwyl am oriau', ebe R. J. Berwyn. Wedi rhaglen lawn o anerchiadau, canu i gyfeiliant consertina ac acordion, ac adroddiadau, canwyd 'Gwŷr Harlech', ac aeth pawb i'w fwthyn. Roedd wedi bwrw eira, a'r wlad y tu allan i'r cylch yn wyn o'u cwmpas.

'Gêmau Olympaidd'

Llonnwyd y bechgyn ifainc gan y penderfyniad i nodi pwysigrwydd yr achlysur eithriadol drwy gynnal 'gêmau Olympaidd cenedlaethol cyntaf y Cymry'. (LD) Os yw'r disgrifiad, fel sawl un arall o eiddo'r arloeswyr (megis sylw Thomas Ellis am y 'seneddwr'), i'w glywed yn rhodresgar i ddarllenwyr troad y mileniwm, mae'n amlygu cred arweinyddiaeth y wladychfa eu bod wrthi'n gosod seiliau egin-wladwriaeth Gymreig newydd gyda'r holl addurniadau sy'n perthyn iddi. Trefnwyd rhaglen lawn o gampau a chwaraeon ar gyfer dynion a merched, fyddai'n llenwi'r diwrnod cyfan, oedd yn disgyn ar ddydd Sul[12] ac yn cynnwys rasio ar draed ac ar geffylau, saethu, a hela â'r *bolas* a'r *lazo,* a gwahoddwyd aelodau llwyth Galats (tua 30 o ddynion) i ymuno yn y chwarae ac yn y wledd ('reis a siwgr wedi ei goginio') oedd i ddilyn.

Enillodd y brodorion nifer o'r profion, a synnwyd hwynt gan y drefn o wobrwyo pob enillydd. Roedd derbyn gwobr (chwe phwys o ffigys sych) yn ychwanegol at gael bod yn rhan o'r hwyl a chael y profiad anghyffredin o ennill clod, yn destun rhyfeddod i bob un. 'Yr oeddynt wedi eu boddio yn fawr. Ni wnaeth neb gymaint ohonynt erioed, ni chawsant wledd na gwobr erioed o'r blaen.' (RJB) Gan drysori eu gwobrau syml, dychwelasant i'w *toldos* yn flinedig ond bodlon eu byd.

Cynhaliodd y Cyngor newydd ei gyfarfod cyntaf y noson honno. Oherwydd ofn y gallai trafod droi'n wrthdaro, benthyciwyd ystafell yr oedd Ffrancwr y *Denby* wedi'i cherfio yn y graig *tosca* – yr unig un na fyddai sŵn y 'cyndyn ddadleu' yn cario drwy ei muriau. Ond nid oedd sail i bryder y Cyngor. Cadarnhaodd Abraham Matthews adroddiad Berwyn am addewidion Rawson, a dilëwyd ofnau'r amheuwyr.

Y diwrnod canlynol, dechreuodd y dynion ifainc eu taith yn ôl ac ymlaen i'r dyffryn, i gludo offer, celfi a'r ychydig anifeiliaid oedd eto'n fyw. Cynhyrfwyd y fintai pan glywsant newyddion syfrdanol o enau'r llanciau. Roedd aelodau o lwyth

Chiquichán wedi ymweld â'r dyffryn ac, yn eu dicter wrth ganfod adeiladau gwag, wedi eu llosgi i gyd ac eithrio dau (dichon fod y ddau dŷ a arbedwyd wedi'u lleoli ar lan ddeheuol yr afon, yn nhiriogaeth Galats, neu tybed ai tai'r ddau bâr ifanc a arbedwyd gan Juan Chiquichán oeddynt?) Credai Matthews mai'r difyrrwch o weld y tai yn llosgi oedd y tu ôl i'r weithred, ond haws derbyn yr esboniad mai ceisio rhwystro 'Cristianos' rhag meddiannu'r anheddau gwag rywdro yn y dyfodol oedd eu gwir fwriad. Bellach byddai angen ailgodi tai – unwaith eto yn glwstwr yng Nghaer Antur.

Anobeithio a bodloni

Prin fod Edwin yn medru canfod unrhyw arwydd o obaith yn y datblygiadau. Nid y wladychfa yn unig a rwygid nawr, ond ei deulu ei hun hefyd. Gwelai'r anhapusrwydd mawr ar wynebau Betsan a John, a gwyddai, yn ogystal, nad oedd Ann na'i chwiorydd yn fodlon â'r cecru a gipiodd eu brawd a'i deulu oddi arnynt. Efallai, hefyd, fod ambell gwestiwn yn cael ei holi parthed ei ymlyniad wrth elyn mawr John Jones, Glyn Coch. Bellach, roedd Gorffennaf drosodd a'r gaeaf gwladfaol yn dirwyn i ben. Y gwanwyn oedd o'u blaen, a byddai'r tymor hau drosodd unwaith eto heb i'r ymfudwyr fanteisio arno. Roedd cymylau bygythiol yn dal i hofran uwch dyfodol ei freuddwyd fawr.

Ddwy flynedd union wedi'r glanio, a deufis wedi'r penderfyniad i ffarwelio â'r Chupat, roedd mintai'r *Mimosa* neu, yn hytrach, y cant a phump o Gymry oedd yn weddill ohoni, yn dal i fyw ar draethau Madryn, yn disgwyl yn amyneddgar ond heb frwdfrydedd am gael dychwelyd dros dro i'r dyffryn ac i'w bythynnod newydd. A dim ond deunaw aelod oedd yn weddill yn y Fyddin Gymreig i amddiffyn y wladychfa.

137

Roedd pawb wedi dygymod â'r sefyllfa, a'r mwyafrif yn derbyn na fyddent yno ond am ychydig fisoedd eto cyn cael eu cludo i Santa Fe i ailddechrau byw. Goroesi oedd y nod am weddill eu harhosiad yn y Chupat. Ac er gwaethaf cydymdeimlad cefnogwyr y blaid wladfaol, prin oedd yr unigolion a gredai gosodiad Edwin, y gwelid gwladfawyr ar lannau Camwy ymhen deuddeg mis.

Erbyn diwedd Awst, ddwy flynedd wedi'u taith gyntaf ac arswydus dros y paith, roedd pawb yn eu cartrefi megis cynt; y ffordd wedi'i hagor; pobl yn deall y wlad a'r ceffylau; a llai o anhrefn ar y daith o Fadryn i'r dyffryn. (ECR a TJ)

'Gan mai'r bwriad oedd aros am ryw naw mis, i gydymffurfio â chais Dr. Rawson, ac yna symud i Santa Fe, nid oedd neb yn teimlo fod y chwalu fu ar bethau, a'r lladd fu ar anifeiliaid yn rhyw golled fawr – dipyn o anfantais am laeth a menyn ar y pryd, dyna'r oll,' ebe Abraham Matthews.

PENNOD 7

'Dos dros y môr . . .'
(1867-1872)

Cychwyn eto

Nid oedd amheuaeth ym meddwl Abraham Matthews mai ffurfioldeb yn unig fyddai'r broses a gychwynnodd ddechrau Awst 1867 nes esgor ymhen naw mis ar enedigaeth Gwladfa Gymreig Newydd Pájaro Blanco yn Nhalaith Santa Fe. Dechreuwyd trin y tir heb argyhoeddiad, meddai, oherwydd bod y tymor hau drosodd unwaith eto, a bod y fintai'n cynllunio i aros ar y Chupat dros un cynhaeaf yn unig. Dichon na fyddai wedi bod mor dawel ei feddwl pe gwyddai y byddai'r Rhaglaw Nicasio Oroño yn cael ei ddiswyddo'n anghyfreithlon cyn troad y flwyddyn yn dilyn ei benderfyniad i gefnogi'r ymgeisydd 'anghywir' yn y ras am arlywyddiaeth Ariannin, ac nad oedd gwarant y byddai ei olynwyr yn cynnal ei bolisïau mewnfudo goleuedig.

Efallai na wyddai, ychwaith, fod llywydd newydd y Wladfa, Rhydderch Huws, a'r ysgrifennydd, R. J. Berwyn, wedi ysgrifennu at Guillermo Rawson o Fadryn ar 1 Awst i'r perwyl nad oedd y tiroedd na'r telerau a gynigid iddynt mewn rhanbarthau eraill yn gorbwyso'r anfantais enfawr o ailsefydlu gwladfa newydd. Honnent hefyd eu bod wedi darganfod llennyrch addas ar gyfer magu gwartheg a defaid a'u bod yn gwybod am ymdrechion y Gymdeithas Ymfudol i anfon ail fintai atynt. O'r herwydd, ac mewn hyder y gwireddid 'addewid y Llywodraeth i'n cynorthwyo mor haelfrydig', roedd y gwladfawyr wedi penderfynu cydymffurfio â dymuniad Gweinidog y Fewnwlad ar iddynt aros ar y Chupat!

Rhoddwyd y llythyr yn nwylo diogel cynrychiolydd swyddogol y Cyngor – swydd newydd a grëwyd i Lewis Jones yn sgil etholiad Gŵyl y Glaniad – oedd ar fin dychwelyd i Buenos Aires yn cyrchu'r Pennaeth Francisco a phump o'i ddynion i Buenos Aires i gyfarfod â Rawson, a oedd yn awyddus i sicrhau teyrngarwch y brodorion i'r wladwriaeth. Cludai Lewis hefyd gais y Cyngor am anifeiliaid, offer, cymorth i godi a chynnal ysgol, meddyginiaethau llysieuol, arfau ar gyfer hela ac amddiffyn, ac am long i alw heibio i'r wladychfa bob tri mis. Sut byddai John Jones (Glyn Coch gynt) wedi ymateb, tybed, pe gwyddai fod y Cyngor hefyd wedi cyfarwyddo'i arch-elyn i ofyn i'r llywodraeth ystyried darparu tiroedd ychwanegol ar gyfer y Wladfa ar lannau'r Río Negro?

Dichon y byddai wedi sylwi gyda diddordeb fod yr hen friwiau ar agor o hyd, ac wedi cymeradwyo rhan o gynnwys llythyr a ysgrifennodd Rhydderch Huws at Michael D. Jones – er mwyn cyfleu gwirionedd y sefyllfa, meddai'i awdur, gan fod cymaint o anwiredd wedi'i anfon i'r Hen Wlad. Gofynnwyd i Lewis Jones gyfleu ymateb y Cyngor i gynigion y llywodraeth, meddai Huws, er nad oedd gan yr aelodau fawr o ffydd yn y cyn-arweinydd (er gwaethaf mwyafrif llethol y blaid wladfaol ar y Cyngor, dichon fod Edwin a Berwyn wedi gorfod dadlau'n ddygn i gadw'r aelodau eraill rhag cael gwared â'r cyn-lywydd unwaith eto). Ychwanegodd Huws fod ei gais i'r llywodraeth yn gofyn am fwy na'r hyn a ddisgwyliai ganddynt. Credai y gellid troi'r dyffryn yn un o'r 'llefydd bach harddaf yn y byd', ond hoffai bwysleisio nad oedd modd tyfu ŷd yno oni ellid dod o hyd i arian i dalu am gynllun dyfrhau.

Ar fwrdd y *Denby* hefyd, byddai'r Parchedig Robert Meirion Williams, a oedd yn cefnu am byth ar Batagonia er mwyn chwilio am bobl debycach iddo'i hun yn ei sir enedigol. Nid felly ei fab, Richard Howell, a gredai'n angerddol yn nyfodol y wladychfa. Roedd wedi gwneud llu o gyfeillion yng Nghaer Antur, a newydd briodi Jane, merch hynaf Rhydderch Huws (yr eneth fu bron â cholli'i gwallt ar fwrdd y *Mimosa*) ar 15 Mehefin, 'yn ystod twrw'r symud', ebe Berwyn.

Fel hyn y canodd y Parchedig Robert Meirion Williams yn iach i'r Wladfa, ar alaw oedd yn tyfu mewn poblogrwydd ers iddi gyrraedd Dyffryn Camwy rywdro ar ôl ei pherfformiad cenedlaethol cyntaf yn Eisteddfod Genedlaethol Aberystwyth 1865:

Meddyliodd Plant Gomer yn syber gwir sain,
Sefydlu Gwladychfa i'r Cymry wŷr cain,
Ar dir Patagonia er gwella y gwan,
A'i godi o dlodi i'r lan.
Er taflu yr hadau a'r llysiau er lles
I'r ddaear i dyfu 'doedd hynny ddim nes,
Y sychder difaol gwenwynol a gwynt
A'i gwywodd, ni thyfodd fel cynt.

Cytgan:
Gwlad, gwlad, digynnyrch yw fel gwlad;
Di-ffrwyth, a llwm bob llam o'r lle;
O'r gogledd, i'r dwyrain a'r de.

Yn gwmni iddo ar y daith roedd pedwar teulu arall a benderfynodd adael y wladychfa: trawyd Frances Ellis yn wael a dychwelodd i Gymru, ynghyd â Richard a

Mary Annie, eu baban blwydd oed, i chwilio am adferiad i'w hiechyd; teimlai H. R. Hughes[1], Wisconsin, gŵr llafar ei farn a fu yn y wladychfa am ychydig fisoedd, yn siomedig oherwydd nad oedd cysylltiadau uniongyrchol rhwng Patagonia a'r nefoedd, a bod clerc y tywydd wedi anghofio troi tapiau'r glaw uwchben ei thiroedd (credai hefyd, efallai, nad oedd hwn yn lle teilwng i'w gyntaf-anedig ddod i'r byd ac y câi ei wraig ifanc well sylw yn Buenos Aires); ac ymadawodd Gruffydd Solomon, ei wraig Elizabeth, a William eu mab am Batagones. Edward Preis, y gof a chyn is-lywydd, ei wraig Martha a'u merch o'r un enw, oedd y teulu arall. Nid cefnu ar y Wladfa yn unig a wnâi'r ddau deulu olaf, ond ar amaethyddiaeth yn ogystal, ac ymarfer eu crefft yn y dref fyddai'r ddau benteulu.

Roedd y gof mewn dyled drom i'r Wladfa ac nid oedd ganddo'r arian i'w thalu. Gan wybod cymaint oedd awydd ei dad i ymadael, cynigiodd Edward, ei fab dwy ar bymtheg oed, aros i weithio nes clirio'r ddyled. Ac felly y bu – yr unig achos o'i fath i gael ei gofnodi. (Yn ôl Thomas Jones, pan fyddai eraill yn gadael, byddent yn clirio'u dyledion drwy drosglwyddo'u hanifeiliaid i'r Cyngor.)

Gadawyd y sgwner ym Mhatagones i'w llwytho â phob math o nwyddau – unwaith eto ar gredyd y masnachwyr lleol ond, gan fod Lewis dan gyfarwyddyd penodol y Cyngor i beidio ag ychwanegu at ddyled y Wladfa, rhaid credu mai ar ddesg Rawson y byddai'r bil amdanynt yn disgyn. Aeth y cynrychiolydd, y gweinidog baptist, yr ymfudwr siomedig a'i deulu, a'r brodorion yn eu blaen i Buenos Aires, a llwyddodd Nagle y sgwner lwythog a bregus tuag aber y Chupat.

---

[1] Y *Welsh Prairie Orator*, chwedl David Williams, Oneida, a'i cyfarfu yn Buenos Aires.

Adeiladu capel cynta'r Wladfa

Gydag ymadawiad Robert Meirion Williams collodd y Wladfa gymeriad lliwgar – llywydd cyntaf ei Chymdeithas Lenyddol ac ail athro ei hysgol (yn ôl tystiolaeth dyddiadur Llewelyn Hughes Cadfan). Gydag ef hefyd diflannodd enwadaeth o'r Wladfa – dros dro, beth bynnag. O hynny ymlaen, cydaddolodd y bedyddwyr â phawb arall. O'r tri phregethwr a gyrhaeddodd gyda'r *Mimosa*, nid oedd ond Abraham Matthews ar ôl. Er gwaetha'r amgylchiadau llwm, teimlai pawb yn hapus o dan ei weinidogaeth. 'Yr oedd ef mor galonnog yn pregethu a phe buasai mewn capel addurnol, ac yn sefyll o flaen y gynulleidfa fel pe buasai yn yr amgylchiadau gorau, er ei fod ef a ninnau o ran ein gwisgoedd yn ddigon gwael, llawer o siacedi o grwyn ceffylau ac esgidiau o grwyn am ein traed.' (TJ)

Capel 'Berwyn', Rawson a godwyd ar safle cyfagos i'r man lle'r adeilad-wyd capel cyntaf y Wladfa.

Yn fuan wedi i'r gwladfawyr gael pethau i drefn yn Nhre-Rawson, aethpwyd ati i adeiladu capel yn mesur deuddeg llath wrth bump – yr adeilad cyntaf i'w godi'n benodol at y pwrpas hwnnw – dan oruchwyliaeth y ddau saer maen, James Berry Rhys a Richard Hughes. Anfonwyd William Robert Jones, Thomas Jones a Richard Jones i dorri coed ar gyfer adeiladu, ond datgymalodd y rafft oedd yn eu cludo'n ôl a gorchmynnodd W. R. Jones y ddau lanc i nofio i ddiogelwch y lan.

Ymhen ychydig amser, dychrynodd y ddau pan welsant y coed yn nofio heibio ar wyneb y dŵr heb olwg o William Robert Jones. Pan ymddangosodd hwnnw, yn wlyb o'i gorun i'w sawdl, esboniodd ei fod wedi cerdded allan o'r afon ar ei bedwar! Ni choeliwyd ei stori nes iddo gyflawni'r un 'gamp' yng ngŵydd tystion eraill ar achlysur diweddarach.

Newyn eto

Fel y rhagwelwyd, ni fu'r cynhaeaf yn un cynhyrchiol gan mai'r tir o gwmpas y pentref yn unig a weithiwyd yn bennaf – llennyrch glannau'r afon a ger y ffosydd naturiol – ond llwyddwyd i oresgyn y prinder dros dro drwy fasnachu â'r brodorion. Oedodd y rheiny yn y dyffryn yn hirach na'u harfer gan gyfnewid cig a cheffylau am fara, ac am rai o'r bwydydd a anfonasid ar y Denby yn ogystal, oherwydd tybiai'r gwladfawyr y ceid mwy o nwyddau o Buenos Aires yn fuan – gobaith nas gwireddwyd. Gan fod cynifer o'r gwartheg wedi'u lladd yn ystod y trefniadau i ymadael, aeth llaeth ac ymenyn yn brin, ac unwaith eto, bwytawyd y grawn a fwriedid i'w hau ac anifeiliaid y dylid bod wedi'u cadw i gynyddu'r stoc. O fis Hydref 1867 ymlaen roedd yna brinder bwyd difrifol, ac nid oedd gan rai teuluoedd fara hyd yn oed i'w gynnig i'w plant. Adroddir hanesyn am un o arweinwyr y wladychfa, Tomos Dafydd,

Dyffryn Dreiniog, yn cerdded allan o'i dŷ wrth weld nad oedd ond torth o fara ar y bwrdd cinio. Daeth Eleanor, ei wraig, o hyd iddo'n wylo y tu ôl i lwyn isel ac yn holi'n hunanfeirniadol, 'Ai i lwgu ein plant y daethom yma?'

Atebodd hithau nad oeddynt wedi llwgu eto. Er nad oedd ond bara ar eu bwrdd, gellid torri pob tafell yn deneuach, ac nid oedd dewis ond ymwroli a gweithio. Ni fyddai dagrau'n bwydo neb. Cydiodd yn ei law a'i dywys i'r tŷ.

Wedi torri pob tafell denau yn bedair rhan, fe'u dosbarthodd – un yr un – ymhlith y meibion a'r merched niferus, yn ginio iddynt. (Dro arall, pan edliwiodd un o'i phlant iddi ei bod yn rhannu eu dogn wythnosol o reis ymhlith cymdogion a ddôi ati am gymorth, atebodd 'Os medrwn gynilo, gallwn helpu'r rhai sy'n methu'.) Elwodd llawer o'i haelioni. Ebe David Jones, Lerpwl gynt, aelod ugain oed o griw'r Denby: '. . . mae hi wedi ymddwyn tuag ataf fel tuag at un o'i phlant ei hun . . . Gwraig garedig dros ben ydyw . . . yr hen wraig oreu sydd yma'. Maes o law, byddai D. S. Davies yn canmol y croeso a gâi ymfudwyr newydd ar ei haelwyd. Ac nid dyna'r unig enghraifft o gryfder ewyllys ac ymarferoldeb gwragedd y Wladfa.

Gwaetha'r modd, nid oedd y syniad o rannu bwyd yn gyfartal wedi cyrraedd pob un o'r cartrefi. Cofiai John Daniel Evans gerdded gyda'i fam-gu (Betsan Jones, Coed Newydd) a'i fam yr holl ffordd at fferm ger Caer Antur lle cafwyd cynhaeaf da, i geisio ychydig o rawn i bobi bara. Gofynnodd y ffermwr i Mary sut y bwriadai dalu amdano ac estynnodd hithau ei modrwy briodas. 'Medraf fwyta'r grawn ond nid yr aur', oedd ei ateb annisgwyl. Gwelodd John Daniel y dagrau'n cronni yn llygaid y gwragedd a dychwelodd y tri yn benisel a'u cwpan yn wag. Y prynhawn hwnnw yng Nglyn Du, gwelodd Edwin Roberts a Daniel Evans braidd o wanacos yn pori ar lan ddeheuol yr afon. Adeiladodd y ddau rafft fechan o goed helyg a chroesi'r dŵr arni i hela. Saethwyd dau o'r anifeiliaid a chludwyd y cig yn ôl tua'r lan ogleddol. Eithr, o fewn llathenni i'r dorlan, suddodd y rafft a chollwyd y rhan fwyaf o'r llwyth. Serch hynny, achubwyd digon ohono i gael gwledd fu'n gyfrwng i anghofio'r siom. (JDE)

Unwaith yn rhagor, ysgwyddodd Edwin y cyfrifoldeb o fwydo'r fintai, ac arweiniodd grwpiau o wŷr, llanciau a chŵn i'r paith i hela. Yn ôl Thomas Jones, sefydlwyd gwersylloedd ger Punta Ninfas ac oddi yno byddai dau lanc, o bob grŵp o ddeg, yn cludo ffrwyth eu cynhaeaf i lawr i'r dyffryn. Yn y cyfnod hwn y darganfu Aaron Jenkins y llyn sy'n dwyn ei enw. Oherwydd bod y ceffylau a'r cŵn prin yn diffygio o bryd i'w gilydd, byddai ambell grŵp yn methu hela, ac o ganlyniad ni châi eu teuluoedd gig i'w fwyta.

Ar adegau felly, byddai'n rhaid bodloni ar fwyta'r 'tatws gwylltion' a gasglai'r gwragedd, ynghyd â'r 'dail *fariña*' a dorrid a'u dodi i sychu yn yr haul cyn eu malu'n flawd. Yng nghyfnodau gorau'r wladychfa, cig a bara fu unig ymborth y gwladfawyr am ddwy flynedd o'r bron, heb enllyn i flasuso'u bwyd. (TJ) Yn ôl tystiolaeth Matthews, ni newynodd yr un teulu, ond dioddefodd rhai ohonynt effeithiau'r cyfnod hwn ar eu hiechyd am weddill eu hoes. Lleddfwyd rywfaint ar y prinder gan ddyfodiad dau fasnachwr o Batagones, Domingo a José Maria Mascarello, a adawodd gyflenwad pythefnos o fwyd iddynt.

Dywed Lewis Jones: 'Duw yn unig a ŵyr gymaint ddioddefodd Edwin Roberts y pryd hwnnw – nid yn unig oblegid ei gylla gwag ei hun, ond oblegid y wasgfa oedd ar y Wladfa. Andwyodd ei gyfansoddiad drwy ddioddef yn ddistaw a cheisio ymsirioli ddweud wrth bawb ei

bod 'yn iawn' arno. Daeth y dioddef hwnnw yn ail natur iddo, a chelu ei ofidiau yn rhan o'i grefydda.'

Gofidiau

Cyfarchai Edwin Michael D. Jones fel 'Annwyl Syr' neu 'Annwyl Mr Jones' ymhob llythyr a ysgrifennodd ato i drafod hynt y Wladfa ac, yn nodweddiadol ohono, byddai pob gair yn gadarnhaol bob amser.

Ond mewn llythyr llawer mwy personol a ysgrifennodd 10 Tachwedd 1867 o Batagones – lle'r oedd ar waith gyda'r *Denby* – at ei 'Annwyl Ewythr', ni fedrodd gelu'r trafferthion. Yn y paragraff cyntaf y mae'r unig enghraifft sydd ar gael ohono'n cwyno am ei fyd: 'Yr wyf finnau wedi bod yn hynod helbulus, ac wedi dioddef llawer o galedi, mwy yn ddiweddar nag erioed . . . Bûm am dros fis heb damaid, dim ond myned i'r wlad â'm dryll i hela, a byw ar hynny . . .'

Roedd ei bryder dros gyflwr y gwladfawyr yn ymylu ar anobaith: 'Disgwyliaf fod Lewis Jones wedi myned i Chupat, ac ymborth cyn hyn, neu y mae yn rhwym o fod yn galedi mawr yno . . .' Ond mynnai'r optimist ddod i'r wyneb cyn y diwedd, a gwelai arwyddion gobeithiol yn y tir. 'Pan adawsom y Chupat dair wythnos yn ôl yr oedd golwg ardderchog ar y gwenith, gobeithio y nefoedd y cawn wenith da eleni, yna bydd y Wladfa ar ei thraed . . . terfynaf, gan ddisgwyl yn fuan cael y pleser o ddanfon newyddion da i chwi am y cynhaeaf.'

Gwellodd y sefyllfa rywfaint pan dderbyniwyd cyflenwad hwyr y llywodraeth ym mis Tachwedd, yn cael ei gludo ar y *Denby*. Wedi'r glanio a'r dadlwytho trafferthus (a'r sgwner wedi'i hysigo wrth lanio), dychwelodd Edwin i'w gartref i ddarganfod aelod newydd i'r teulu: Myfanwy, eu cyntaf-anedig, a aned ar y deuddegfed o'r mis hwnnw.

Morloi

Ar ôl dychwelyd o Buenos Aires, ymunodd Edwin, ynghyd â Dafydd Dafydd, Twmi Dimol a James Jones, â chriw parhaol y llong (Robert Nagle, a'r ddau Jones ifanc o Lerpwl, David a George) – yn rhannol am na allai'r Cyngor dalu'r cyflog o chwe phunt y mis, ac roedd yn rhaid i bob dyn cymwys yn ei dro, wirfoddoli i wasanaethu ar ei bwrdd am ei fwyd yn unig. Ond ysgogid Edwin gan gymhelliad ychwanegol.

Yn ystod ei gyfnod fel pysgotwr, roedd wedi sylwi bod yr hyn a ymddangosai'n gyflenwad diderfyn o forloi (*elephant seals*) yn gorwedd mewn nythleoedd ar draethau'r bae. Doedd hyn ddim yn newyddion i'r gwladfawyr, oherwydd roedd llawer o drafod wedi bod o'r dechrau am y posibilrwydd o hela'r creaduriaid er mwyn eu crwyn a'u holew. Ar fwrdd y *Denby*, er y daith dyngedfennol i Buenos Aires yn Ionawr 1867, gwelodd Edwin fod y niferoedd yn uwch na'r disgwyl, a thynnodd sylw Nagle at ei 'ddarganfyddiad'. Anelwyd at ddiadell enfawr a orweddai ar y lan ogleddol ac, 'yn ein hawydd i gael olew i'w losgi yn ein lampau', aethant i'r lan a chanfod bod yno fwy o'r creaduriaid nag oedd yn amlwg o'r llong.

Gwelsant fod y traeth tair milltir o hyd dan ei sang o'r mamaliaid – cysglyd yr olwg, a thrwsgl eu symudiadau ar dir – yn gorwedd mewn trwch o rai cannoedd o lathenni. Lladdwyd dau forlo ond methwyd cario'r cyrff i'r llong oherwydd bod eu cwch yn rhy fach. Gorfu i bob dyn ysgwyddo'i lwyth ei hun, a gwastraffwyd y gweddill – ond caed digon o olew at eu hanghenion. Synnwyd hwy gan faint y morloi a pha mor hawdd oedd eu hela.

Wrth ddychwelyd ar y *Denby* lwythog, gwelsant ddiadell lai ar y lan ddeheuol. Saethwyd tri morlo eto a'u blingo, a chanfod bod eu crwyn yn ddwy lath ar eu hyd a'u lled. Y tro hwn, cariwyd y tri chorff i'r sgwner ond nid oedd yno grochan digon mawr i'w berwi, a gadawyd hwynt ar y dec lle buont yn toddi yng ngwres yr haul am wythnos – a'r olew yn disgyn i'r môr. Pan lwyddwyd i ferwi'r traean oedd yn weddill, cawsant tua phymtheg galwyn o olew. Gerllaw Punta Ninfas, gwelsant nythle arall, a'r traeth chwe milltir o led 'yn llythrennol wedi ei gorchuddio gan forloi'.

Amcangyfrifai Edwin fod tua deng mil ar hugain o'r creaduriaid rhwng y pedwar traeth a welsant bryd hynny. Clywsai hefyd am ynys tua deng milltir ar hugain i'r de, lle ceid tua phum mil ar hugain o forloi llai eu maint (morloi ffwr – *fur seals*). Gellid gwerthu crwyn y rhain am bunt yr un yn y Falklands.

Roedd wedi trafod droeon ag Ann ei awydd i fanteisio ar deithiau'r *Denby* i Batagones neu'r bae i ddysgu trin llongau, a chredai y gallai gwblhau'i hyfforddiant erbyn Rhagfyr 1868. Wedi hynny, pe câi gyfalaf o Gymru i brynu llong bwrpasol, medrai hela'r morloi bob haf rhwng Rhagfyr a chanol Chwefror – fel y gwnâi'r llongau Americanaidd a alwai heibio i'r bae o bryd i'w gilydd. Cytunai Nagle hefyd y gallai busnes o'r fath gryfhau economi'r Wladfa yn ddigonol i achub ei dyfodol a rhoi taw ar bob sôn gan Matthews a'i amheuwyr am adael y dyffryn. Bu John Glyn Coch, brawd Ann, yn frwd dros syniad cyffelyb beth amser ynghynt ond, ac yntau bellach wedi ymgartrefu ym Mhatagones, go brin y medrai ymuno â hwy.

Ysgrifennodd Edwin at Michael D. Jones, 20 Ionawr 1868, i'w berswadio bod y cynllun yn haeddu sylw'r Cwmni Ymfudol. Ar sail ei ymchwil, dymunai gyflwyno 'yr amcangyfrifon canlynol i'ch ystyriaeth, er mwyn i'r cwmni brynu llong a phob taclau priodol at weithio'r morloi'. A rhestrodd un ar bymtheg o angenrheidiau, ynghyd â'u prisiau. Gwnâi'r fenter elw sylweddol.

Dylai'r llong gyrraedd erbyn Tachwedd er mwyn bod yn barod ar gyfer y tymor hela: dadlwytho'r barilau, y boeleri a'r

Amcangyfrifon y buddsoddiad mewn llong forloi

Dr.

Pris llong 80 i 100 tunnell, dywedwn	P1000
Costau ei pharatoi i'r môr	200
Dau gwch da – lifeboats – at fyned i'r seals	100
Deg tunnell o lo at wasanaeth y llong	6
Tair tunnell o halen at halltu'r crwyn	12
Chwech o rifles da, at saethu'r morloi	12
* Deuddeg gwaewffon at ladd	5
Pylor, bwledi, caps, at y rifles	10
Dauddegpedwar o gyllyll da, at flingo'r seals	3
Deuddeg o files da, pedair ladder at godi'r olew o'r boiler	
a funnels i'w rhoddi yn y barilau	3
Dau boiler lled fawrion at doddi'r brasder	6
Press ysgafn, handy, at wasgu'r brasder	4
Deugain baril i ddal 250 o alwyni bob un	40
Chwech baril i ddal 50 galwyn yr un (i'w rhoddi yn y cychod)	3
Bwyd i'r fordaith 12 mis	200
Cyflog i'r dwylo	<u>400</u>
	P. 2004

Cr.

10,000 o alwyni (Cynnyrch 1,000 o forloi)	
1,000 – 4 y galwyn	P. 2,000
1,000 o grwyn hallt, 5s. yr un	<u>250</u>
	P. <u>2,250</u>

taclau ger dau nythle, oedd i'w gweithio ar yr un pryd, tri dyn ymhob un – dau yn lladd a blingo, a'r trydydd yn berwi'r olew a'i arllwys i'r barilau. Gallai'r capten oruchwylio'r gwaith o fwrdd y llong, a symud timau allan o nythleoedd disbyddedig.

Disgwyliai i'r ddau barti gynaeafu deuddeg morlo yr un y dydd (sef pedwar am bob gweithiwr). Ymhen chwe wythnos, y nifer mewn cynhaeaf cyflawn fyddai 1,600 morlo, a byddai mis wrth gefn pe bai angen cynyddu'r enillion. Ped anfonid arbenigwyr o Gymru i flingo'r morloi, gellid cynnig tir iddynt yn y dyffryn – can hectar yr un – i'w cynnal am weddill y flwyddyn. Cynigiai delerau hael i'r cwmni ymfudol: 30% o'r costau cyfalaf – a'i waith ef yn ddi-dâl oni lwyddid i gyrraedd y ganran honno.

Nid oedd Edwin i wybod na fyddai'r Cwmni Ymfudol prin ei gyfalaf yn astudio manylion ymarferol a masnachol ei syniad oherwydd galwadau eraill fyddai'n uwch ar restr ei flaenoriaethau, ac y byddai'n dewis buddsoddi mewn llong at bwrpas arall – penderfyniad fyddai hefyd yn siomi Lewis Jones am resymau gwahanol.

Morloi Península Valdés

Gwaed newydd

Ychydig cyn y Nadolig 1867, tua mis wedi i'r *Denby* ddychwelyd â'r nwyddau o Batagones, daeth cyflenwad ychwanegol o fwyd ac anifeiliaid ar yr *Ocean,* ynghyd â dillad a bwyd i frodorion llwyth Chiquichán (nwyddau na welodd yr hen Bennaeth Francisco mohonynt oherwydd iddo gael ei daro'n wael yn ystod ei arhosiad yn Buenos Aires, lle bu farw'n fuan).

Arni hefyd cyrhaeddodd David Williams, ffermwr llewyrchus o Oneida, Talaith Efrog Newydd, ei wraig a'i blentyn. Mynegai hwnnw ei hyder llwyr yn y fenter wladfaol ac roedd yn berchen llawer o beiriannau amaethyddol gwerthfawr. Gŵr arall ar ei bwrdd oedd Cadivor Wood, cofiadur egnïol y Cwmni Ymfudol. Daethai i wneud paratoadau ar

gyfer minteioedd newydd ac i archwilio tiroedd gyda'r bwriad o ehangu'r wladychfa. Yn fab pum mlwydd ar hugain i asiant tai ac eiddo yng Nghaer, roedd Wood yn gefnogwr brwd i'r mudiad gwladfaol, a gohebai'n gyson yn y wasg Gymreig yn amddiffyn Michael D. Jones a'i gynlluniau. Gweithiodd yn egnïol iawn i sefydlu Cwmni Ymfudol a Masnachol y Wladfa, er mwyn cynnal masnach rhwng Ynysoedd Prydain a'r wladychfa, ac ef oedd Cofiadur Cyffredinol y cwmni (a Thomas Wood, ei dad, yn un o'r cyfarwyddwyr). Siaradai Cadivor nifer o ieithoedd – Sbaeneg yn eu plith.

Ar ôl cyrraedd Buenos Aires ar 21 Awst, treuliodd Cadivor fisoedd yn aros yn ddiamynedd yng nghwmni Lewis Jones am gyfle i hwylio i'r Wladfa. Cyfarfu yno â D. W. Oneida (fel y'i gelwid gan ei

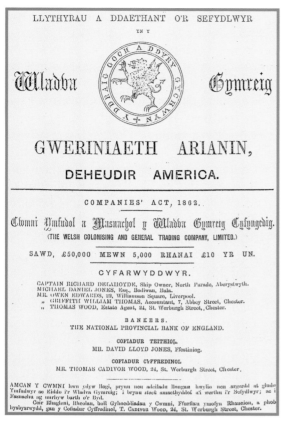

Clawr llyfryn yn cynnwys llythyrau a dderbyniwyd o'r Wladfa, a gyhoeddwyd gan gwmni Ymfudol a Masnachol y Wladfa Gymreig, Cyfyngedig.

gydnabod), ac â William Davies a'i gymdeithion, oedd eto heb lwyddo i symud o'r ddinas fawr tua'u 'gwladfa' newydd yng ngogledd y weriniaeth – ac roedd eu 'segurdod' yn 'waradwyddus', ym marn Lewis Jones, na chollai gyfle i feirniadu'r blaid ymfudol. Cwynai Cadivor Wood yn chwerw am 'oediad gwarthus' swyddogion llywodraethol Ariannin fu'n gyfrifol am eu cadw hwy a'r nwyddau 'mor anghyffredin o hir'. Cawsai 'red-tape' swyddfeydd y llywodraeth yn brofiad annioddefol – diflastod sy'n boenus o gyfarwydd i ddinasyddion Ariannin hyd heddiw. Roedd y fath arafwch yn llwyr ddileu defnyddioldeb y cymorth arfaethedig, ac nid oedd modd

proffwydo'i effeithiau ar y gwladfawyr, bytheiriodd.

'Darganfyddiad' allweddol

Creodd presenoldeb y newydd-ddyfodiaid lawer o gynnwrf a diddordeb ymhlith y gwladfawyr. Yn ôl Matthews, fodd bynnag, digwyddiad cynharach fu'n gyfrifol am beri i'r gwladfawyr newid eu hagwedd at y dyffryn. Dyma fersiwn o stori a addurnwyd droeon ers iddo ef ei hadrodd gyntaf, ac sy nawr yn rhan o chwedloniaeth y Wladfa:

Cerddai Aaron a Rachel Jenkins – yntau'n gefnogwr petrus o'r blaid symudol – ar draws caeau eu tyddyn, Bwlch y Ddôl, ar eu ffordd adref o'r gwasanaeth yng Nghaer Antur un bore Sul yn Nhachwedd 1867 pan sylwodd hithau fod wyneb afon Camwy yn uwch nag arwynebedd y tir. Awgrymodd y gellid cloddio bwlch yn y torlannau ac arllwys dŵr i ddyfrhau'r ychydig wenith a heuwyd yn ddiobaith rai dyddiau ynghynt ar dir heb ei droi. Deallodd Aaron arwyddocâd ei gweledigaeth a rhedodd at ei fwthyn i gasglu caib a rhaw. Agorodd ffos ddecllath ar hugain o hyd, a gollyngodd y dŵr dros yr had.

A'r chwys yn diferu dros ei dalcen, ni chlywsai gamau'r gŵr a oedd wedi bod yn sefyll yno'n syllu mewn penbleth arno am rai munudau. Gwyddai'r Parchedig Abraham Matthews yn union beth oedd bwriad Aaron – un o aelodau ffyddlonaf ei braidd a chodwr canu cywir ei draw – a pha mor bwysig oedd cael cynhaeaf i roi bwyd yn stumogau'r bobl. Ond pam arbrofi heddiw, o bob dydd? Sylweddolai yn ogystal na fyddai Aaron yn ildio i na chais na chyngor na gorchymyn, ac mai ofer fyddai ei atgoffa bod torri'r Saboth yn drosedd yn erbyn Duw. Heb yngan gair, cerddodd ymaith yn benisel.

Yn blygeiniol fore Llun, cerddodd Matthews heibio i'r un cae. Pwy a welai yn ei gwrcwd ar godiad yn y tir, benelin ar ben-glin, a'i ên rhwng ei ddwylo, ond Aaron, y cae gwastad o'i flaen yn gorwedd dan haenen o ddŵr, ac yntau'n syllu gydag edmygedd ar ffrwyth ei lafur a gwên lydan ar ei wyneb. Ni sylwodd ar y gweinidog y bore hwnnw ychwaith. Aeth Matthews yn ei flaen. 'Mor rhyfedd yw'r natur ddynol', synfyfyriodd, 'sy'n caniatáu i ddyn lafurio hyd at chwys ar ddydd yr Arglwydd ac yna syllu mewn segurdod ar ei gaeau ar ddiwrnod gwaith.' (AC)

Eginodd yr hadau a rhedodd Rachel at y fferm agosaf i dorri'r newyddion da. Lledaenwyd y stori ac ymgasglodd ffermwyr eraill i weld y rhyfeddod. Dilynwyd esiampl Aaron a chafwyd cynhaeaf toreithiog a roddodd derfyn ar yr anniddigrwydd. Erbyn i'r cyfnod prawf ddod i ben, roedd y mwyafrif o'r ymfudwyr wedi cytuno i roi'r gorau i sôn am symud o Ddyffryn Camwy.

Y weledigaeth hon, yn ôl Abraham Matthews, Lewis Jones, Thomas Jones ac eraill, a achubodd y fenter wladfaol rhag difodiant, oherwydd erbyn Chwefror 1868 cynaeafwyd gwenith gyda'r gorau a gafwyd yn unman. Ond, fel y gwelwyd eisoes, roedd John Jones, Glyn Coch a Cadfan (a chymdogion a pherthnasau'r ddau hefyd, fwy na thebyg) wedi dyfrhau eu caeau flwyddyn ynghynt, ac nid oedd y dechneg yn ddieithr i'r gwladfawyr, fel y dengys llythyr Rhydderch Huws at Michael D. Jones a sylw Thomas Ellis, na ellid 'dyfrhau un ffarm yn y lle ar nad oedd eisioes yn cael ei dyfrhau yn naturiol'. Mae penderfyniad diweddarach Edwin i ganolbwyntio'i ymdrechion amaethyddol ar lain tir isel ar lan yr afon – y man lle byddai, flynyddoedd wedi hynny, yn sefydlu ei ail gartref, Bryn Antur – yn cadarnhau'r ddamcaniaeth hon.

Un o ffosydd dyfrhau Dyffryn Camwy

Rhes o goed Poplys

Sbarduno Rawson

Beth, felly, achosodd y newid meddwl, a pham y dewisodd Matthews yr esboniad hwn i nodi'r trobwynt tyngedfennol yn hanes y wladychfa? Mewn llythyr a ysgrifennodd Rhydderch Huws a Berwyn at Lewis Jones dyddiedig 20 Ionawr 1868, yn ymbil arno drefnu cymorth ychwanegol o Buenos Aires, cyfeiriwyd at rai gwladfawyr oedd wedi 'medi llanerchau o wenith da' oherwydd eu bod wedi dysgu pa dir oedd fwyaf addas i'w drin a sut i'w ddyfrhau. Y tir du, di-dyfiant oedd hwnnw, ebe Thomas Jones. Gwelwyd 'ei fod yn abl i gynhyrchu cnydau ond cael ei ddyfrhau . . . rhoddodd hyn syniad newydd am y dyffryn fel tir cymwys i amaethu'. Ni fyddai prinder erydr a cheffylau profiadol i'w tynnu yn rhwystr mwyach, gan na fyddai angen mwy nag oged ysgafn i lyfnu'r caeau.

Swyddogaeth y llythyr, a ysgrifennwyd gan arweinwyr y blaid wladfaol (oedd bellach yn rheoli'r Cyngor) chwe mis wedi'r dychweliad ac, yn bwysicach, brin dri mis cyn bod yr 'arbrawf' i ddod i ben, oedd perswadio Rawson nad oedd amser i'w wastraffu. Os oedd o ddifrif am iddynt aros yn y wladychfa, nawr oedd ei gyfle i weithredu yn hael ac yn sydyn. Rhestrwyd yr anghenion:

1) Wyth i ddeg o wartheg i bob fferm (yn lle'r rhai a laddwyd wrth baratoi i adael y dyffryn);
2) hadyd gwenith, ceirch a haidd (yn lle'r rhai a fwytawyd oherwydd arafwch cyflenwadau bwyd y llywodraeth) erbyn y tymor hau, gan mai ychydig a heuwyd ac na ellid disgwyl cnwd mawr; a
3) llong i gynnal cyfathrach reolaidd â phorthladdoedd y weriniaeth (i osgoi ail-adrodd y 'cyfyngderau' fu mor niweidiol i iechyd a hyder y gwladfawyr) gan na ellid dibynnu bellach ar y *Denby* oherwydd ei chyflwr drwg.

149

Pe methid gwneud hynny, ni ellid atal y llif tua Santa Fe, oedd y neges yr oedd Rawson i'w ddarllen rhwng y llinellau.

Yn ogystal, tanlinellwyd eu llwyddiannau, yn cynnwys 'darganfyddiad' Rachel Jenkins, gyda'r bwriad o gynnig iddo arwyddion pendant i'w cyflwyno i'r llywodraeth fod y fenter yn llwyddo, llwyddiant oedd yn amodol ar ei chefnogaeth ymarferol hi.

Pan fyddai Matthews yn ysgrifennu'r stori flynyddoedd wedi hynny, yn seiliedig ar nodiadau Edwin Roberts, ni fyddai'n cofio ond am ei hesgyrn, a dyna blannu had un o chwedlau hyfrytaf y Wladfa, gyda'i delwedd ramantus o'r wraig a'r fam fel rhoddwr bywyd.

Breuddwyd a hunllef

Anfonwyd y llythyr uchod o Gaer Antur (neu Dre-Rawson fel y tueddid i'w galw yn y mwyafrif o'r llythyrau erbyn hynny) ynghyd â llythyr Edwin parthed y morloi, ar fwrdd y *Denby* hyd Batagones, lle'i gyrrwyd ymlaen ar ei daith i Buenos Aires ar yr agerlong. Er gwaethaf pob ofn am ei chyflwr, nid oedd dewis gan y gwladfawyr ar y pryd ond defnyddio'r sgwner, a oedd newydd ei hadfer, i gynnal eu perthynas â'r byd mawr ac i alw ym Mhatagones am fwyd. I gynorthwyo Capten Nagle, teithiai'r mêt, George Jones (a'i gyfaill David Jones, yn ôl Thomas Jones, eithr nid yw ei enw ar restr Lewis Jones); James Jones (gynt o sir Gaerfyrddin ac yna Aberpennar); Twmi Dimol, (Manceinion a Phennant Melangell); Dafydd Dafydd (mab i Thomas Davies, Dowlais, Aberdâr a Dyffryn Dreiniog); a Thomas Cadivor Wood, a oedd yn awyddus i gyrraedd Patagones i weld a oedd llythyrau yno oddi wrth ei dad gan nad oedd wedi clywed ganddo er gadael Caer – yr olaf ar ei bwrdd fel teithiwr.

Yn absennol y tro hwn yr oedd Edwin Cynrig Roberts, Plas Hedd. Y noson cyn codi angor, cafwyd oriau o adloniant a difyrrwch ar fwrdd y sgwner ac, wedi'r elwch, gadawyd ef ar ei ben ei hun i gysgu ar ei bwrdd. Dywedir iddo freuddwydio bod y sgwner yn chwilfriw rhwng creigiau a'i fod wedi clywed llais yn ei annog: 'Edwin, Edwin, paid â hwylio ar y *Denby* yfory'. Adroddodd ei freuddwyd wrth Nagle a'r criw y bore canlynol ac erfyniodd arnynt ohirio'r daith hyd nes y gellid archwilio cyflwr y llong, ond wfftiwyd ei ofnau a'i gyhuddo o ofergoeliaeth. Roedd brys i gyrchu'r nwyddau o Batagones, heb sôn am gasglu llythyrau Cadivor. Codwyd yr angor a gadawyd Edwin ar y lan i bryderu parthed y sgwner fach a'i gyfeillion. Awgrymwyd mai'r siarad cyson am ei chyflwr gwael fu'n pwyso'n drwm ar ei feddwl a pheri iddo freuddwydio amdani. Ond nid oedd modd ei gysuro.

Cyrhaeddwyd Patagones yn ddiogel a dadlwythwyd y plu, y crwyn a'r mentyll a anfonid at fasnachwyr lleol, cyn bwrw ati i lwytho'r cargo o drigain sachaid o flawd, rhwydi pysgota, parseli o ddillad, mân nwyddau, rhai cannoedd o ddefaid, a phedwar ych. Gadawai hyn tua phythefnos yn rhydd i Cadivor Wood (a siomwyd yn arw o ganfod nad oedd llythyr yn aros amdano). Manteisiodd ar y cyfle i grwydro yn eang ar lannau'r Negro, a chyrraedd cyn belled â 'La Guardia' (Guardia General Mitre), troedle'r llywodraeth yn nhiriogaeth yr Indiaid, hanner cant a phedair milltir i'r gorllewin o dref Patagones.

Serch hynny, ni fedrodd gyrraedd cartrefi John Jones a'r brodyr Watcyn Gwilym a Watcyn Wesley ap Mair Gwilym oherwydd nad oedd neb yn barod i'w arwain mor bell o gyrraedd gwareiddiad â ffermydd y teuluoedd hynny yn Boca de la Travesía. Clywodd eu bod wedi cael tiroedd yn nhalaith Buenos Aires ar lan ogleddol yr afon, i'r

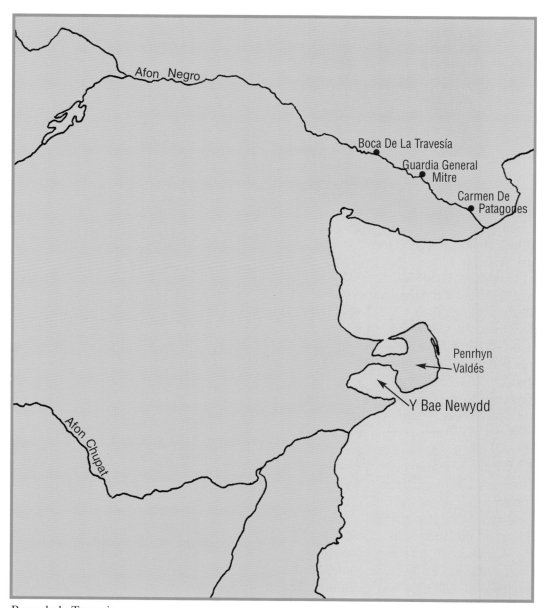

Boca de la Travesia

gorllewin o La Guardia, ymhell y tu allan i ddiogelwch y gaer ac ar lwybr cyrchoedd ffyrnig *malones* y brodorion yn ei herbyn. Mae hynny'n cefnogi damcaniaeth Lewis Jones ym Medi 1865 parthed bwriadau Murga ac Aguirre.

Enillodd Edward Preis enw da iddo'i hun fel gof yn fuan ym Mhatagones; gwnâi Maurice Humphreys fywoliaeth ardderchog fel saer ac roedd yn byw, ynghyd ag Elizabeth Harriet a Mary Elizabeth (cyntaf-anedig y Wladfa), mewn cartref cysurus yn y dref; ac roedd Elizabeth Louisa Williams wedi priodi â'r Parchedig Ddr George Humble, y meddyg-genhadwr dros Eglwys Loegr fu'n gofalu am Ellen Jones yn dilyn ei damwain ym Mhatagones ym 1865.

Gwelodd Wood ddigon i'w berswadio nad oedd tiroedd Afon Ddu cystal â rhai'r Chupat. Mewn llythyr maith dyddiedig 21 Ionawr a 12 Chwefror a anfonodd at ei dad, Thomas Wood, honnodd mai camweinyddu a phrinder had oedd bennaf cyfrifol am drafferthion y wladychfa Gymreig. Canmolai ansawdd tai'r gwladfawyr (a wnaed o briddfeini) a'r 'ffosydd dyfrhau' a weithredai hefyd fel rhwystrau i gadw anifeiliaid draw. Edrychai ymlaen at gael dychwelyd ar y *Denby* i'r Chupat, i dreulio dwy ran o dair o'i dri mis yno yn archwilio'r fewnwlad cyn ymlwybro tua gogledd y weriniaeth am ryw dri mis arall. Credai Cadivor y byddai ei daith arfaethedig i wladychfaoedd Santa Fe yn gyfle da iddo gymharu tiroedd a dulliau gweithredu yno â rhai'r Chupat a'r Negro. Ac erbyn iddo alw ym Mhatagones eto, dichon y byddai o leiaf un llythyr oddi wrth ei annwyl dad yn aros amdano.

Roedd disgwyl mawr am y *Denby* yn y dyffryn, a'r gwragedd yn edrych ymlaen at gael derbyn y sachau blawd. Oherwydd y prinder bwyd, bwytawyd y gwenith a gynaeafwyd – unwaith eto. O ganlyniad,

nid oedd grawn yn weddill i'w hau, a dychwelodd y teuluoedd o'u ffermydd i Gaer Antur. Llithrodd Mawrth ac Ebrill heibio, ac ar 23 Mai, glaniodd yr *Iautje Berg* â chyflenwadau o wartheg, bwyd, gwenith, haidd, dillad ac arian. Roedd hi hefyd yn cario Rhys Williams a'i deulu, a gyrhaeddodd y Gymru Newydd o'r diwedd o'u cartref dros dro yn Río Grande do Sul, Brasil, taith a ddechreuodd ddeng mlynedd ynghynt. Hefyd Lewis Jones. Pan holwyd ef parthed y *Denby*, atebodd gyda chymysgwch o anghrediniaeth a phryder ei fod wedi clywed iddi adael Patagones ar 16 Chwefror – a deallwyd gyda braw na fyddai'r sgwner fach na'i chriw byth yn dychwelyd eto i lannau Camwy. Mawr fu'r galaru unwaith yn rhagor, a chofiai pawb am freuddwyd Edwin gyda syndod parchus.

Lewis Jones gafodd y gorchwyl o anfon y newyddion drwg i Gymru, a rhoi ergyd drom i Thomas Wood. Roedd yntau wedi anfon y llythyr hyderus (ac olaf) a gawsai gan Cadivor i'r *Faner*, a'i cyhoeddodd yn rhifyn 13 Mai, heb wybod fod ei fab wedi colli'i fywyd bron dri mis ynghynt. Parhaodd y mwyaf gobeithiol o'r teuluoedd i ddisgwyl i'r sgwner a'i chriw ddychwelyd i Gaer Antur, a chadwyd llygaid ar agor amdanynt am wythnosau lawer. Gwrthodai rhai gredu bod y dynion wedi boddi, yn enwedig ar ôl iddynt weld goleuni ym Mhenrhyn Valdés, a thrafododd Edwin a Berwyn y posibilrwydd o arwain marchogion i chwilio amdanynt. Dichon mai ofer fuasai'r ymdrech honno, oherwydd ymhen rhai blynyddoedd daethpwyd o hyd i fedd yn Punta Tombo, tua phedwar ugain milltir i'r de. Yn ei ymyl roedd oriawr arian ac arni enw'i gwneuthurwr, sef J. Hughes, Caernarfon (yn union fel un a anfonwyd ym meddiant Cadivor Wood i'w glanhau ym Mhatagones); cyllell boced a'r llythrennau D. D. arni (eiddo Dafydd

Dafydd, Dyffryn Dreiniog); a botwm lifrai o eiddo Twmi Dimol – prawf fod y *Denby* wedi'i chwythu filltiroedd oddi ar ei llwybr cyn iddi suddo. Ynteu a oedd Cadivor wedi aberthu ei fywyd (a rhai ei gymdeithion) drwy fynnu bwrw golwg dros ynysoedd y *guano* – un o brif dargedau Cwmni Ymfudol a Masnachol y Wladfa Gymreig?

Dilynwyd y drasiedi hon o fewn ychydig ddyddiau, ar 21 Mai, gan y newydd am farwolaeth Arianwen, merch chwe wythnos oed Aaron a Rachel Jenkins, ac roedd yna gryn bryder am iechyd y fam. Collodd honno'i brwydr ddeufis yn ddiweddarach, ar 15 Gorffennaf, gan adael Aaron ar ei ben ei hun i ofalu am Richard (seithmlwydd oed), a chlosiodd teulu mawr Aberpennar o'u hamgylch i'w cynnal drwy eu galar. Ymhen ychydig dros wyth wythnos (12 Medi), byddai Aaron yn priodi â Margaret Jones (dwy ar bymtheg oed), yr olaf o blant John a Betsan Jones, Coed Newydd (Aberpennar gynt) i adael y nyth.

Ymddygiad anrhydeddus

Ar noson olau leuad yr haf blaenorol (tua Nadolig 1867), darganfu Ifan Dafydd fod lladron wedi dwyn Gomer, ei hoff geffyl, ond ni choeliai'i gymdogion ei stori. Canfuwyd y bore canlynol fod tri brodor a ddaethai yn ddiweddar i'r dyffryn, wedi ffoi ar ôl lladrata pum ceffyl ar hugain o eiddo'r gwladfawyr. Y tro hwn, nid oedd Edwin ar gael i arwain yr ymlid, ond taenwyd neges ledled y dyffryn yn galw'r gwŷr arfog ynghyd. Edrydd Richard Jones am ei ymdrechion ef a'i gyfaill hoff, Thomas Jones, i ymuno â'r dynion eraill. Wedi gwastraffu amser yn chwilio am bob o geffyl o blith y rhai prin oedd heb eu dwyn, ymlwybrodd y ddau tua'r gorllewin i ymuno â'r cwmni. Wedi carlamu am oddeutu dwyawr, a heibio Ffynnon Iago a Ffynnon Allwedd, heb ganfod na brodorion na gwladfawyr, disgynnodd y nos drostynt ynghanol yr unigeddau, a gorffwysodd y ddau ar y tir caregog oer yng nghysgod llwyni, heb feiddio gollwng yr awenau na chynnau tân rhag tynnu sylw'r gelyn. Gyda braw, gwelsant un o'r brodorion yn syllu arnynt y bore canlynol cyn troi ymaith i alw am gymorth. Neidiodd y ddau ar eu ceffylau a ffoi am eu bywydau, a'r brodorion yn dynn wrth eu sodlau. Yn arswydo rhag eu tynged, troesant heibio i graig fawr a chuddio ymhlith llwyni trwchus. Carlamodd yr ymlidwyr heibio heb eu gweld, a brysiodd y ddau lanc nerth carnau eu ceffylau i gyfeiriad y dyffryn. Trwy gyd-ddigwyddiad, daethant ar draws y fintai – oedd newydd gychwyn y bore hwnnw o'r dyffryn! Er chwilio, methwyd â darganfod y ceffylau a dychwelwyd yn waglaw tua'r wladychfa. Ymddengys mai'r rheswm pennaf dros eu methiant oedd diffyg trefn y cwmni – a diffyg arweiniad, efallai (cymharer â llwyddiannau'r Fyddin Gymreig mewn achosion cyffelyb).

Yn ystod Gorffennaf 1868, daeth llwyth Chiquichán i'r dyffryn i gasglu'r nwyddau a anfonasai'r llywodraeth atynt drwy law Lewis Jones. Canmolai hwnnw weithred y brodorion yn dychwelyd bron y cyfan o'r ceffylau a thalu am y rhai nas dychwelyd. 'Ymddygasant yn wir anrhydeddus', meddai mewn llythyr at Michael D. Jones dyddiedig 14 Awst 1868, wrth gyfeirio at ddigwyddiad y mae haneswyr sydd wedi dibynnu ar adroddiadau ail-law ac atgofion yn ei gamleoli (fel y mae llythyr Lewis Jones yn ei brofi) ymhlith digwyddiadau'r flwyddyn ganlynol.

Prynu llong

Testun anfodlonrwydd mawr oedd deall bod yr *Iautje Berg* wedi gorfod gadael hanner cant o'r gwartheg ym Mhatagones oherwydd prinder lle, a bod ugain arall wedi boddi yn y bae wrth eu symud o'r llong i'r traeth, gan adael dim ond cant tri deg ohonynt i ddiwallu anghenion y wladychfa. Yn dilyn y gyfres o newyddion drwg, dechreuwyd beirniadu Lewis Jones unwaith eto, ond roedd ganddo ef faterion llawer pwysicach ar ei feddwl y tro hwn wrth iddo gynllunio i gael llong i gymryd lle'r *Denby*.

Cyrhaeddodd dau lwyth arall y bae, a'r troeon hyn, gorfu i'r gwladfawyr gludo'r bwyd, yr had a'r offer i'r dyffryn eu hunain. Er iddynt gael cymorth hael gan y brodorion, roedd y dasg enfawr yn arafu'r gwaith amaethyddol. Cludwyd y cyfan ar geffylau, ac roedd yn rhaid i bob teulu wneud ei ran. Aethpwyd yn gwmnïau o ddeg i bymtheg aelod ar y tro, ar siwrneiau fyddai'n cymryd tua phum awr i Fadryn a saith neu wyth ar y ffordd yn ôl.

Oherwydd anallu eu gwŷr i ymgymryd â'u gwaith arferol, gorfu i nifer o wragedd gymryd eu lle, a gwnaethant hynny'n ddewr a dirwgnach ynghanol gaeaf caled. Pan ddaeth y tymor hau i'w anterth, penderfynwyd cyflogi un o'r ymfudwyr newydd, Rhys Williams, ynghyd â Thomas Jones, i wneud y gwaith amser llawn. Er gwaetha'r gwahaniaeth oedran rhwng y gŵr canol oed a'r llanc, a'r ffaith fod y cyntaf hefyd yn fyddar, cydweithiodd y ddau yn llawen a llwyddasant i gludo'r llythi mewn ugain siwrne a fyrhawyd gan hanesion y newydd-ddyfodiad am ei anturiaethau yng ngwladfa Brasil. Unwaith eto, gorffennwyd hau yng Ngorffennaf yn lle dechrau Mai, ond yn ffodus, dilynwyd hyn gan bythefnos o law cyson, llesol i'r had.

Dychwelodd Lewis Jones â llwyth o grwyn a phlu i Buenos Aires, lle llwyddodd i brynu'r *Nueva Gerónima* am $2,500. Talodd amdani gyda llawer o gynllunio dychmygus: $1,000, yn fenthyciad gan y llywodraeth ac i'w dalu'n ôl drwy gargo oedd eto i ddod; byddai'r cargo oedd ar y gweill yn talu $750; roedd cyfaill iddo'n barod i dalu $500 am gludo eiddo personol, a chawsai gredyd o $250 gan y cyflenwyr.

Heb dalu ceiniog o'i boced ei hun, roedd Lewis Jones nawr yn berchen llong (nid yn annisgwyl, ni fedrai Michael D. Jones ddeall y cytundeb 'fel yr esboniwch chwi ef'). Mae'n ddiddorol sylwi ei fod wedi byw yn ddarbodus yn Buenos Aires ac nad oedd bellach – yn wahanol i'r gwladfawyr – yn ddyn tlawd. Yn ychwanegol at gyflenwad y llywodraeth, cludai nwyddau gwerth £300 o'i eiddo'i hun ar gyfer eu gwerthu yn y wladychfa.

Bwriedid hwylio'r *Nueva Gerónima* i gludo lluniaeth misol i'r wladychfa. Ar ei thaith gyntaf, casglodd felin flawd, llwyth o wenith, a'r aneiri y methwyd eu llwytho ar y *Iautje Berg*. Aethpwyd â hi i mewn i afon Camwy yn ofalus ond ysigwyd hi wrth gyrraedd y lan ger Caer Antur. Yn ffodus, ni chollwyd un o'r anifeiliaid na gweddill y cargo y tro hwn. (LJ)

Etholiadau: colli cefnogwr dylanwadol

Cafodd Cynrychiolydd y Wladfa achos i deimlo'n siomedig eithriadol ar ei ymweliad â swyddfeydd Gweinyddiaeth y Fewnwlad. Temtiwyd Rawson i ymgeisio am arlywyddiaeth Ariannin. Ymddihatrodd o'i ddyletswyddau swyddogol er mwyn ei daflu ei hun i ganol ymgyrch etholiadol ffyrnig, ond sicrhaodd Lewis Jones nad oedd angen iddo boeni – byddai Eduardo Costa, cyfaill agos iddo ef a Mitre, yn ei olynu hyd yr etholiad, a châi'r cynrychiolydd gwladfaol bob gwrandawiad ganddo. Doedd dim modd rhag-weld pa effaith y byddai canlyniadau'r etholiad yn ei chael ar y Wladfa (etholiad nad oedd gan y gwladfawyr yr hawl i bleidleisio ynddo), ond ped etholid ef yn Arlywydd, medrai Rawson warantu cefnogaeth barhaus ei weinyddiaeth ef iddi.

Yn dilyn etholiadau gwaedlyd, cyfarfu'r Coleg Etholiadol fis Awst, pryd y chwalwyd gobeithion arlywyddol Guillermo Rawson, a ddaeth yn bedwerydd o bum ymgeisydd. Ei gyfaill o San Juan, yr addysgwr Domingo Faustino Sarmiento, fyddai'r Arlywydd newydd, a'i ddewis ar gyfer swydd Gweinidog y Fewnwlad oedd Dalmacio Vélez Sarsfield, gŵr na wyddai Lewis Jones fawr ddim amdano. Er gwaetha'i addewid y câi'r ymfudwyr weithredoedd meddiant ar eu tiroedd, ni wastraffodd hwnnw ddim amser cyn nodi ei deimlad fod y Wladfa wedi costio'n rhy ddrud i'r wladwriaeth a'i fod yn bwriadu ei symud i dalaith Buenos Aires. Yn Ebrill 1869, clywyd bod llywodraeth y dalaith honno yn barod i dalu costau cludiant yr ymfudwyr a chlirio dyled sylweddol y wladychfa. Doedd dim apêl yn y newydd i John Jones, Coed Newydd, yn ei alar ar ôl Betsan, fu farw ar yr ail ar bymtheg o'r mis hwnnw, ac ni fynnai Ann Cynrig Roberts glywed unrhyw siarad am adael y tir lle claddwyd gweddillion ei mam.

Y dilyw cyntaf

Doedd fawr neb yn sôn am symud, er mai teimladau cymysg iawn oedd gan bawb yn dilyn cynhaeaf Ionawr. Heuwyd y llennyrch nid nepell o Gaer Antur – ger Morfa Mawr (ail fferm Tomos Dafydd) a Thair Helygen, a amgylchynid gan drofeydd yr afon a'i hen welyau (oedd unwaith eto yn cario'r dŵr a ollyngid iddynt drwy agor bylchau yn nhorlannau afon Camwy). Roedd Edwin, a phartner newydd y tro hwn, sef John Jones, ei chwegrwn, hefyd wedi hau hanner can erw o bobtu'r afon. Roedd golwg mor llewyrchus ar y cnydau nes deffro

gobeithion y fintai gyfan. Cafwyd cynhaeaf toreithiog, ac oherwydd bod y tywydd cystal, gorffennwyd torri ar droad y flwyddyn. Dechreuodd rhai gario i'r ydlannau, ond gadawodd y rhai mwyaf dibrofiad yr ysgubau ar lawr. Yn sydyn, cymylodd yr awyr a disgynnodd glaw ysgafn yn ddi-baid am naw diwrnod gan godi lefel yr afon, oedd eisoes yn uchel, hyd at y torlannau. Ar brynhawn Sul, pan oedd y mwyafrif o'r gwladfawyr yn yr Ysgol Sul, clywyd sŵn taranau'n agosáu, a chynyddodd y glaw nes ei fod yn disgyn 'fel pe bai cwmwl wedi torri'. (TJ)

Llenwyd hen welyau'r afon (y 'ffosydd naturiol' chwedl y gwladfawyr) a llifai rhaeadrau hyd y llethrau. Fore Llun, gorlifodd yr afon ei cheulannau gan orchuddio'r dyffryn, ac aeth Edwin a rhai o'i 'filwyr' yn yr unig gwch oedd ar gael yn y wladychfa i gynorthwyo teuluoedd oedd wedi cael eu dal yn y llif.

Symudodd rhai teuluoedd eu teisi gwenith i dir uwch ac, wrth i lefel y dŵr godi, gorfodwyd hwy i'w symud yr eilwaith – a'r trydydd tro mewn ambell achos. Dihangodd eraill i ddiogelwch y bryniau. Dywed John Daniel Evans fod y dŵr yn cyrraedd at fron pob un o'r dynion a'u helpodd i rydio'r gamlas.

O'r bryniau, gwelai'r ymfudwyr y dyffryn fel llyn llydan lle safai'r ysgubau talsyth ynghanol y dŵr llonydd. Ymhen yr wythnos, a'r dŵr yn cilio, aethpwyd ati i geisio casglu'r gwenith, ond cododd gwynt cryf o'r gorllewin gan gynhyrfu wyneb y 'llyn', chwythu'r llif tua'r môr a chludo'r ysgubau ymaith. Gwthiwyd rhai tuag ochrau'r bryniau a daliwyd hwy gan y drain. Roedd Abraham Matthews wedi llwyddo i godi tas fawr cyn i'r glaw ddisgyn, ac edrychai arni mewn rhwystredigaeth wrth iddi lifo o'i afael tua'r cefnfor.

Dim ond ar ôl sicrhau bod pob teulu a'r anifeiliaid yn ddiogel y rhyddhaodd Edwin y cwch i'r ffermwyr geisio casglu ysgubau oedd eto heb gyrraedd yr Iwerydd. Llwyddwyd i achub hefyd yr ysgubau a ataliwyd gan dwmpathau hwnt ac yma. Testun rhwystredigaeth ychwanegol oedd canfod bod ugain o heffrod a ddaethai ar yr *Iautje Berg* wedi manteisio ar brysurdeb pawb ac wedi dianc i'r bryniau rhag y llifogydd. Ofer fu pob ymgais i ddod o hyd iddynt er chwilio dyfal am wythnosau.

Collodd llawer o'r gwladfawyr eu tai ac am chwe wythnos, bu'r ymfudwyr yn byw ar wenith a llaeth. Fel hyn y troes cynhaeaf llwyddiannus a gobeithiol yn fethiant hunllefus unwaith eto. (Dyma ragflas o'r gyflafan y byddid yn ei dioddef eto ar raddfa fwy yn llifogydd mawr 1899, pan ddymchwelodd y dyfroedd nifer o gartrefi a difa llyfrau a chofnodion R. J. Berwyn. Ni fu'r dilyw cyntaf yn rhwystr i'r gŵr amryddawn a phrysur rhag lansio papur newydd cyntaf y wladychfa: *Y Brut*, papur pum tudalen ar hugain mewn llawysgrifen yn cynnwys newyddion ac erthyglau. Deuddeg tudalen o bapur ysgrifennu oedd y tâl amdano a chylchredid yr unig gopi o dŷ i dŷ bob yn ddeuddydd.)

Wedi i'r dyfroedd gilio ac i'r ysgubau sychu, trefnwyd i ddyrnu'r gwenith – nid â ffust, mwyach, ond â melinau newydd a dynnid gan geffyl. Câi pob teulu eu defnyddio yn eu tro, ar yr amod eu bod yn dod â'u ceffyl eu hunain. Edrydd Thomas Jones hanes un gŵr a fynnai gadw at y ffust rhag i'r felin ddifetha'r grawn. Heb yn wybod iddo, arbrofodd dau o'i feibion â'r dull newydd, a chawsant gymorth eu mam, oedd yn gyfarwydd â'r gwaith ac yn berchen gwyntyll a gogr pwrpasol, i chwalu'r gwellt a'r us wrth y gwenith. Pan ganfu'r ffermwr fod ei feibion yn llwyddo i gyflawni mwy mewn bore nag y gwnâi ef mewn wythnos, gofynnodd iddynt ddyrnu ei das yntau. Dilynwyd eu hesiampl gan eraill yn fuan.

Cysgod da rhag gwyntoedd Patagonia

Cymaint fu'r defnydd a wnaed o'r felin symudol nes penderfynu penodi Berwyn i ofalu amdani am gyflog o un pwys am bob chwech a gynhyrchid. Ef oedd melinydd cyntaf y Wladfa, yn ogystal â bod yn athro Ysgol Sul, arweinydd gweithgareddau'r ifanc, ysgrifennydd y Cyngor, Cofrestrydd y Wladfa, a phostfeistr. Byddai'n llenwi swyddi allweddol eraill yn ogystal maes o law.[2]

Edrydd Thomas Jones ffaith ddiddorol arall am gymwynas werthfawr i'r Wladfa y bu Berwyn yn anuniongyrchol gyfrifol amdani. Ymddengys bod Jerry, y gwas Hindŵ-Wyddelig fu'n cynorthwyo Edwin yn y bae ym 1865, wedi hwylio'n rheolaidd o Batagones i'r dyffryn nes iddo ymgartrefu yno gyda'r bwriad o chwilio am aur ym mae San José. Ar ei daith olaf i'r Chupat, roedd ganddo gyflenwad o blanhigion coed poplys a ddosbarthodd ymhlith rhai gwladfawyr, cyn plannu'r mwyafrif ar ddyddyn Berwyn, ar ochr ddeheuol yr afon. 'Ac mae holl blanhigfeydd y dyffryn a'r cylchynion yn Patagonia wedi dod o'r planhigion hynny . . .' ychwanegodd, gan esbonio tarddiad coeden sydd wedi bod yn gysgod da i drigolion Patagonia rhag y gwyntoedd cryfion sy'n ysgubo'r tir.

Cais am gymorth ychwanegol

Dychwelodd Lewis Jones i Buenos Aires ar y *Nueva Gerónima*, a John Ellis yn gwmni iddo. Cludai hwnnw ddau

ddwsin o fentyll wedi'u gwneud o grwyn a phlu ar gyfer eu masnachu yn y brifddinas ar ran y gwladfawyr. Ar y bwrdd hefyd roedd y llwyth cyntaf o ymenyn gwladfaol ar gyfer y farchnad ddinesig. Ni ddylid bod wedi cychwyn y daith gan nad oedd y llong wedi'i thrwsio, a gorfu i bawb ar ei bwrdd gynorthwyo i bwmpio'r dŵr ohoni ddydd a nos gydol y daith bum niwrnod. Yn ystod storm ger Mar del Plata, rhwygwyd yr hwyl a disgynnodd yr angor i'r eigion. Daeth y sgwner i ben ei thaith ar draeth y Riachuelo, ger y Boca, un o faestrefi Buenos Aires, a chan nad oedd ganddo'r arian i dalu am ei thrwsio, gorfu i'w pherchen gytuno i'w gwerthu ar golled ariannol enfawr.

Serch hynny, ysgrifennodd at y llywodraeth i nodi'i hyder yn nyfodol y wladychfa ac i ddatgan anghenion y gwladfawyr:

a) Mwy o ymfudwyr
b) Offer amaethyddol ac anifeiliaid gwaith
c) Defaid i'w lladd er mwyn eu cig
ch) Cynnyrch i'w fasnachu
d) Adeilad ysgol ddyddiol ar gyfer 40 i 50 o blant oed ysgol.

Trosglwyddodd hefyd lythyr oddi wrth Rhydderch Huws ac ysgrifennydd newydd y Cyngor, John Griffith, yn sôn am effeithiau'r gorlif ac yn gofyn am barhau cyfraniad misol y llywodraeth am flwyddyn arall hyd nes y byddid yn hunangynhaliol. Ychwanegodd Lewis Jones ei geisiadau ei hun:

1) Parhad y cyfraniad misol o £250 am flwyddyn
2) Y llywodraeth i fynd yn gyfrifol am werthu'r *Nueva Gerónima* a hurio llong arall i gludo lluniaeth i'r Chupat
3) Y llywodraeth i benodi cynrychiolydd yng Nghymru i hyrwyddo ymfudiaeth
4) Darparu gweithredoedd perchenogaeth tir i'r gwladfawyr.

---

[2] Un o'r rhain oedd cael ei benodi'n drydydd prifathro'r ysgol gynradd. Pan ddychwelwyd o Fadryn gwelwyd adeiladau'r lan ogleddol yn ulw. Fisoedd yn ddiweddarach, ailadeiladwyd yr ysgol o gaban yr *Unión*, hen long ddrylliedig a lusgwyd o'r traeth ac a roddodd ei henw i'r ysgol. Dywed traddodiad mai hon oedd ysgol gyntaf y Wladfa, ond er mwyn derbyn yr honiad hwn rhaid anwybyddu ymdrechion cynharach y Parchedigion Lewis Humphreys a Robert Meirion Williams a pharhau'r gred gyfeiliornus na fu'r gwladfawyr yn darparu addysg i'w plant gydol tair blynedd cyntaf y wladychfa.

Cydsyniwyd â phob cymal ac eithrio'r trydydd, ond nid oedd hynny'n rhwystr i'r cynrychiolydd dyfal. Gan nad oedd llywodraeth Sarmiento'n barod i'w gynorthwyo i deithio i Gymru, llwyddodd i berswadio masnachwyr Seisnig Buenos Aires a gyflenwai ddarpariaethau'r llywodraeth i'r Wladfa i dalu ei gostau. Ei nod, ar wahân i gasglu Ellen a'i ferch Myfanwy, oedd hyrwyddo achos y Wladfa. A'r sôn am ymfudo i Santa Fe bellach wedi mynd yn angof, credai y gallai ddenu ail fintai i'r Chupat, a byddai honno'n cryfhau economi'r wladychfa ac yn dileu unrhyw fygythiad o du'r blaid symudol.

Mary Ann oedd enw'r llong fechan newydd a dderbyniwyd oddi wrth y llywodraeth, ac anfonwyd arni lwyth o nwyddau a hadau i'r Wladfa. Nid am y tro cyntaf yn hanes cythryblus llongau'r wladychfa, ysigwyd hi wrth iddi ymlwybro i mewn i aber twyllodrus y Chupat, a gorfu i Lewis werthu hon eto am bris isel yn Buenos Aires. Ond ni theimlai'n ddigalon. Yr oedd yn paratoi i ddychwelyd i Gymru, lle câi gyfarfod eto ag Ellen a Myfanwy, ac edrychai ymlaen at yr her oedd o'i flaen.

Fel arfer, enillodd gefnogaeth Edwin, a ysgrifennodd lith ganmoliaethus iawn o gyflwr bywyd ar y Chupat er mwyn i'w gyfaill ei chyhoeddi yn y wasg Gymreig. Gofynnodd Lewis hefyd am gefnogaeth y Cyngor i'w ymdrechion a chafodd lythyr, wedi'i lofnodi gan Rhydderch Huws a Berwyn, oedd yn annog ymfudiaeth ychwanegol ac yn mynd i drafferth i ganmol ymdrechion Lewis a'i allu i gyflawni gwyrthiau dros y wladychfa. Ymatebodd Rawson braidd yn llugoer i gais cyffelyb, a gellir dyfalu wrth ei neges gefnogol ond swta anarferol, ei fod wedi colli pob diddordeb erbyn hynny yng ngwladfa'r Cymry.

Ymgyrch Lewis Jones yng Nghymru

Ffarweliodd Lewis Jones â Buenos Aires yn y *Kepler* 6 Mai 1869, ac erbyn iddo gyrraedd Cymru yn gynnar ym Mehefin, roedd symudiadau eisoes ar gerdded gan y cwmni i drefnu ail fintai o ymfudwyr, nid yn unig i'r Chupat 'ond i leoedd eraill hefyd yn yr un diriogaeth enfawr' ledled Patagonia, mewn ymgais i fanteisio ar barodrwydd llywodraeth Sarmiento i hybu ymfudiaeth.

Galwyd aelodau'r Pwyllgor Cyffredinol i gyfarfod yn y Bala ar 15 Mehefin, a'r ddau brif fater ar yr agenda oedd: 1. derbyn adroddiad Lewis Jones am ddatblygiadau yn y Wladfa er dydd y glanio ar draethau Madryn a 2. trefnu ar gyfer y dyfodol. Ni oedd rhaid i Lewis Jones betruso wrth gamu i mewn i'r cyfarfod. Wedi iddo ddarllen tystlythyrau'r Cyngor a Rawson, calonogwyd ef gan benderfyniad y pwyllgor yn ei gydnabod am ei 'wasanaeth amhrisiadwy i'r mudiad fel cynrychiolydd y pwyllgor, ac yn ei longyfarch ar y llwyddiant sydd wedi dilyn ei ymdrechion hunanymwadol a dyfalbarhaol hyd yn awr'.

Gwaith hawdd iddo wedyn oedd ysbrydoli'i wrandawyr eiddgar i ddwysáu eu cynlluniau, ac erbyn diwedd y cyfarfod addawyd cyhoeddi'r rheiny'n fuan. Un o'r cynlluniau hynny oedd prynu llong – ond nid oedd unfrydedd parthed natur y llestr gorau at y gofynion. Roedd cais Edwin am long ar gyfer hela morloi wedi bod yn gorwedd mewn drâr yn nesg Michael D. Jones ers yn agos i ddwy flynedd. Pwysai Lewis am long fechan i gynnal y gyfathrach fasnachol rhwng y Chupat a gweddill Ariannin, ond uchelgais y Cwmni Ymfudol oedd prynu llong addas i gludo mintai ar ôl mintai o Gymry i Batagonia. Wedi'r cyfan, dyna oedd pwrpas ei fodolaeth. Gwelai'r cyfarwyddwyr honno'n ffordd effeithiol o adennill colledion cludo'r fintai gyntaf (nad oeddynt eto wedi'u had-dalu i'r sylfaenydd).

Y 'Myfanwy'

Gan fod Edwin wyth mil o filltiroedd i ffwrdd, anghofiwyd yn fuan am ei gais, ac ni chlywodd un o aelodau'r pwyllgor erioed am ei siom diffuant. Ond bu dadlau caled parthed y ddau ddewis arall hyd nes i Michael D. Jones ennill y dydd, a chytunwyd i brynu llong 'ymfudol' dri chan tunnell. Lleddfwyd rhywfaint ar anfodlonrwydd Lewis Jones pan gytunwyd i'w bedyddio'n *Myfanwy* ar ôl ei ferch; serch hynny bu'n llafar ei feirniadaeth o'r penderfyniad weddill ei oes. Cytunwyd i dalu £2,800 am brynu'r llong yn enw Michael D. Jones, £900 o flaendal, £1,000 ymhen chwe mis, a £900 eto ymhen y flwyddyn. Talwyd hefyd £300 am ei haddasu a chafwyd sicrwydd y byddai'n barod erbyn 10 Hydref 1869. Byddai Michael D. Jones yn cael achos cyn hir i ddifaru hyd at ddagrau ei fod erioed wedi ymwneud â'r fenter ddiweddaraf hon.

Gan fod Lewis Jones a'i deulu'n bwriadu dychwelyd i'r Wladfa yn yr hydref, penderfynwyd anfon mintai gyda hwy ar y *Myfanwy* i gyrraedd mewn pryd i gynorthwyo gyda chynhaeaf diwedd Ionawr a chanol Chwefror. Addawyd can erw o dir am ddim i bob teulu, ond byddent yn gyfrifol am eu stoc, eu hoffer, eu peiriannau, a'u cynhaliaeth eu hunain. O'r herwydd, ni ddylai hon fod yn fintai dlawd, pwysleisiai'r llythyrau a anfonodd W. Dolben Jones, Lerpwl, ysgrifennydd y pwyllgor, a'r Parchg David Lloyd Jones, Ffestiniog, cofiadur y Cwmni Ymfudol, i'r wasg Gymreig.

Ni ddisgwylid mintai fawr, roedd y nifer wedi gostwng o'r ddau gant y cyfeiriwyd atynt gyntaf i ddim mwy na thrigain o bobl gymwys (mwythair am amaethwyr), a disgwylid iddynt dalu'n llawn am eu cludiant. Er mai 14 Hydref oedd y dyddiad cau, anogwyd darpar ymfudwyr i beidio ag oedi cyn cofrestru, rhag cael eu siomi, oherwydd dangoswyd diddordeb mawr gan ymholwyr eisoes. Ond ar y llaw arall, nid

anfonid y fintai oni dderbynnid digon o geisiadau cymwys.

Cyhoeddwyd llythyr oddi wrth Edwin Cynrig Roberts, dyddiedig 3 Gorffennaf 1869, diwrnod cyn geni Ceridwen, ei ail blentyn, yn canmol cyflwr y Wladfa. Roedd yn awyddus i bwysleisio effeithiolrwydd parhad y gyfathrach â Buenos Aires, a dywedodd fod llong y llywodraeth wedi dod â llwyth o tuag ugain tunnell o nwyddau megis te, siwgr, reis a mân bethau eraill. Am y tro cyntaf yn hanes y wladychfa, nid oedd blawd yn rhan o'r cyflenwad, oherwydd roedd y cynhaeaf ardderchog wedi cynhyrchu digon o fwyd i bawb a hadyd ar gyfer y tymor hau.

Yr angen nawr oedd mwy o bobl. Ym marn Edwin Roberts, dylai'r mudiad wneud ei orau i gefnogi ymdrechion Lewis Jones i gasglu ail fintai. Nid oedd angen i neb ofni bod yn edifar wedi cyrraedd 'i'r wlad iach hon' oedd heb ei hail am dyfu ŷd ac am fagu anifeiliaid. 'Mwyaf a deithiaf ar y wlad, mwyaf ydwyf yn ei hoffi', meddai. Roedd pedwar o'i gyfeillion wedi dilyn glannau gogleddol y Chupat ac wedi darganfod afon led fawr yn rhedeg iddi. Y tu hwnt i honno, roedd y wlad 'yn ymagor yn ddyffrynnoedd a bryniau hynod porfaog, a digonedd o ddŵr tardd, a mân aberoedd. Dywedir ei fod yn hynod debyg i Gymru.' Aeth yn ei flaen i restru nwyddau y gallai'r ail fintai gludo i'w gwerthu yn y dyffryn: sachau at ddal gwenith, ffudion cryf, edau, calico, esgidiau, hoelion o bob math, taclau hwsmonaeth, 30 o lawddrylliau a phob math o ddeunydd ar gyfer saethu.

Cynhaeaf anwastad oedd un haf 1869-70 oherwydd ni chododd dŵr yr afon yn ddigon uchel i lifo ar hyd y ffosydd i ddyfrhau'r caeau. Roedd hwn yn brofiad newydd i'r gwladfawyr nad oeddynt wedi gweld yr afon mor isel yn y gaeaf o'r blaen ac yna'n gostwng wedi hynny yn yr haf. O hynny ymlaen, byddai rheswm arall ganddynt i amau addasrwydd y dyffryn.

> Yn ystod y cyfnod hwn ceir y cofnod olaf sydd ar gael am Edwin yn arwain criw o'i 'wŷr arfog'. Yn dilyn noson stormus, canfuwyd unwaith yn rhagor bod yr anifeiliaid wedi'u dwyn, a'r tro hwn roedd Edwin ar gael i arwain yr ymlid. Heb wastraffu amser, casglodd ei saethwyr gorau at ei gilydd. Teithiwyd am ddeuddydd dros gant ac ugain o filltiroedd nes cyrraedd y safle lle mae pentref Dôl y Plu heddiw. Yno canfuwyd y lladron, aelodau llwyth mynyddig y pennaeth gogleddol gwaedlyd Inacayal, yn arwain y gwartheg yn gyflym tua'r Andes. Pan ymosodwyd arnynt, ffodd y lladron heb geisio gwrthsefyll yr ymosodiad. (AJR/ER)

Dychweliad Lewis Jones

Profwyd Lewis Jones yn gywir ynglŷn â'r *Myfanwy* cyn i honno gychwyn ar ei mordaith gyntaf. Ni orffennwyd y gwaith o'i pharatoi tan Chwefror 1870, ond, oherwydd eu diffyg profiad o fusnes caled, ni hawliodd ei pherchenogion yr ad-daliad dyledus iddynt fel cosb am yr oedi. Darganfuwyd nad oedd yn ddigon mawr i gael ei thrwyddedu i gludo mwy nag un ar ddeg o deithwyr, ond ni wnaeth hynny unrhyw wahaniaeth gan mai methiant trychinebus fu'r ymgyrch i ddenu ymfudwyr, ac roedd y rhai prin a gofrestrasai fisoedd ynghynt eisoes wedi colli pob diddordeb. Gadawodd y *Myfanwy*, yn cludo Lewis Jones, Ellen (yn feichiog eto) a Myfanwy (pedair oed); J. Haycock (gof) a'i deulu; ac Ellis Jones (crydd) a theulu hwnnw. Yn ystod y fordaith, ganed ail ferch i Ellen a Lewis, 20 Mawrth, a bedyddiwyd hi'n Eluned Morgan.

Cludid hefyd lestri pridd ar gyfer eu gwerthu yn y dyffryn gan Lewis Jones, bwydydd i J. Griffith, a llwyth o lo i'w adael ym Montevideo ar ei ffordd yn ôl. Aeth yn ei blaen oddi yno i Paysandú yn Uruguay, i gasglu cyflenwad o grwyn gwlyb i'w cludo i Antwerp. Eithr nid oedd Michael D. Jones wedi derbyn arian y cyfranddalwyr, ac oherwydd i'r adeiladwyr oedi cyn rhyddhau'r llong i'w pherchenogion, ni chynhyrchwyd incwm digonol ychwaith, a methwyd anrhydeddu'r ail daliad. Mynnodd yr adeiladwyr y taliad ar y dyddiad penodedig, ond ofer fu ymdrechion Michael D. Jones i geisio cyfiawnder, ac adfeddiannwyd y *Myfanwy*. Oherwydd bod Michael D. Jones yn bersonol gyfrifol am y ddyled, gwnaed ef yn fethdalwr a chollodd ei gartref, Bodiwan. Petai dyled y Gymdeithas Wladychfaol am gludiant y fintai gyntaf wedi cael ei thalu iddo, dichon y gellid bod wedi osgoi'r fath drychineb. Ond byddid yn cofio am unig daith y *Myfanwy* i Ddyffryn Camwy oherwydd mai arni y teithiodd Lewis Jones a'i deulu i ymsefydlu o'r diwedd yn y Wladfa; mai arni hefyd y ganed llenor amlycaf y Wladfa; ac am fod pedwar o'i morwyr wedi penderfynu dianc o'i bwrdd yn y bae. Gwnaeth Lewis a'i deulu eu cartref ym Mhlas Hedd, tyddyn cyntaf Edwin, oedd newydd groesi afon Camwy i ymsefydlu ym Mryn Antur.

Y gaeaf hwnnw, yn ôl Abraham Matthews, amharwyd ar y gwaith o baratoi'r tir a'i hau oherwydd presenoldeb yr Indiaid. Er gwaethaf manteision masnachol yr ymweliad, ni fentrai'r dynion, unwaith eto, adael y gwragedd ar eu pennau eu hunain yn y pentref. Pan ddaeth yn amser dyfrhau'r caeau, roedd llif Camwy'n isel unwaith eto. Fis Mai, syfrdanwyd y wladychfa gan briodas annisgwyl John Jones a Catherine Hughes, Beaumaris gynt. Ddydd Nadolig y flwyddyn honno, tristawyd aelwyd Ann ac Edwin pan fu farw Myfanwy yn dair blwydd oed, ond y Chwefror canlynol, ganed Samuel i John a Catherine.

'Mam pob dyfais'

Hyd 1869 nid anfonasid na sebon, defnydd i gynhyrchu golau, na choed at wneud byrddau, drysau a ffenestri, oherwydd prinder arian. 'Angen yw mam pob dyfais', medd y ddihareb, a defnyddiwyd adnoddau'r wlad (neu ddeunydd a ddarganfuwyd yn ddamweiniol, yn un achos) i ddyfeisio pethau i gymryd eu lle. Gwnaed sebon drwy ferwi coluddion ych, caseg neu wanaco am rai oriau nes iddynt droi'n jeli. Yna, llosgi gwiail glannau'r afon (a elwid wedi hynny yn wiail sebon) a rhoi'r lludw ar y trwyth yn y crochan, ei gymysgu a'i ferwi nes iddo fynd yn sylwedd tew. Ar ôl ei oeri, byddai'n barod i'w ddefnyddio. Dysgwyd gwneud canhwyllau â braster ych neu olew morloi (a roddai olau clir). Yn lle gwydr yn y ffenestri, defnyddid crwyn estrys, oedd yn ddigon tenau i adael i olau dydd dreiddio trwodd. Wedi i'r Indiaid losgi'r tai yng ngaeaf 1867, nid oedd yr un bwrdd ar ôl yn y wladychfa. Un diwrnod, gwelodd un o'r helwyr gasgen enfawr wrth fôn craig ar lan y môr. Y tu mewn iddi, gwelodd gyflenwad o waelodion barilau 'wedi eu planio'n lân fel pe baent newydd ddyfod o dan law saer'. Cludwyd y llwyth i'r dyffryn ar drol, rhannwyd cynnwys y gasgen ymhlith y teuluoedd, a gosododd y seiri goesau arnynt. Pwynt y Byrddau fu enw'r gwladfawyr ar fan y darganfyddiad wedi hynny (Punta Norte yw'r enw swyddogol). (TJ)

Chwilio am gyfathrach

Teimlai'r gwladfawyr fod llywodraeth Sarmiento'n eu hanwybyddu. Cedwid yr Arlywydd a'i weinyddiaeth yn brysur yn ceisio goresgyn gwrthryfel yn Nhalaith Entre Ríos, lle lladdwyd cyn-arlywydd yr hen Gonffederasiwn, Justo José de Urquiza, ynghyd ag un o'i feibion, cyn arwisgo Ricardo Lopez Jordán yn rhaglaw yn ei le. Ateb y llywodraeth oedd anfon y cadfridog ifanc disglair Julio Argentino Roca i'r dalaith i ddiorseddu hwnnw – yr hyn a wnaeth cyn diwedd Ionawr 1871.

Roedd gofid mawr arall yn dwyn sylw Sarmiento. Oherwydd gwario trwm o ran arian ac adnoddau yn y rhyfel waedlyd â Pharaguay (ac ar frwydrau mewnol bron yr un mor waedlyd), nid oedd ei lywodraeth, fwy nag un Mitre o'i flaen, wedi canolbwyntio ar y mater o gadw trefn ar yr Indiaid rhyfelgar – bygythiad parhaus i ddiogelwch trefi a dinasoedd y wlad. Go brin fod y Wladfa a'i phroblemau'n cyfrannu dim at ddiffyg cwsg yr Arlywydd.

Yn wyneb hyn, a'r ofnau nad oedd rhagolygon gwell am y cynhaeaf nesaf, ymdrechodd y gwladfawyr i greu cyfathrach â thaleithiau Ariannin na fyddai'n dibynnu ar ewyllys da'r gwleidyddion neu swyddogion y llywodraeth. Ymunodd Lewis Jones, David Williams, Oneida ac Edward Price, ynghyd â dau o ffoaduriaid y *Myfanwy* (y Saeson Scott a Porter) i deithio'r tri chan milltir o dir anial a charegog i Batagones ynghanol haf poeth – menter gyffelyb i'r un y gwrthododd Murga ei hwynebu i arwain Lewis Jones a Parry Madryn i'r Chupat. Gellir dychmygu arwriaeth yr ymdrech hon. Yn ôl Richard Jones, Glyn Du, cyrhaeddodd tri o ffoaduriaid peryglus o garchar Punta Arenas, Chile ac ymunodd un ohonynt, a lysenwyd 'Lewis' gan y gwladfawyr, â'r fintai. Llwyddwyd i berswadio Indiad i'w harwain, ond ar ôl cyrraedd hanner ffordd gwrthododd hwnnw fynd gam ymhellach, a bu raid i'r cwmni ddychwelyd.

Ond cerddodd 'Lewis' yn ei flaen nes cyrraedd Río Negro, a mynd ar ei union at yr awdurdodau i'w hysbysu bod y gwladfawyr mewn cyflwr truenus ac yn newynu cymaint nes bod y plant â'u cegau yn wyrdd o bori glaswellt (adroddiad a adleisir gan Musters). Cychwynnwyd yr eilwaith, a chan eu bod heb dywysydd, dilynwyd glan y môr. Er mai dyna'r llwybr hiraf, gellid cyrraedd pen y daith yn ddiogel. I oresgyn sychder y paith crasboeth, paratoesant beiriant bychan i ddistyllu dŵr y môr ar gyfer pump o ddynion a'u ceffylau. Ni fu'r peiriant yn llwyddiant a gorfu iddynt droi yn ôl eto a dioddef syched arteithiol ar y ffordd. Ni fu'r ymdrech yn ofer. O ganlyniad i adroddiad 'Lewis', anfonwyd cwch mawr yn llawn o fwyd o Batagones, a chodwyd calonnau'r gwladfawyr.

I'r fewnwlad

Dilynwyd y teithiau aflwyddiannus hyn gan nifer o rai eraill fu'n hynod werthfawr i'r gwladfawyr yn yr ymgais i ddod i adnabod y wlad o'u cwmpas. Cymerodd y gyntaf ohonynt fis i'w chwblhau, pan gyrhaeddodd Lewis Jones, Aaron Jenkins a Richard Jones, Glyn Du, Telsen. Aeth John Murray Thomas, a wnaeth enw iddo'i hun wedi hynny fel archwiliwr o'r radd flaenaf, ar ei daith gyntaf i'r fewnwlad. Ei gymdeithion pryd y 'darganfuwyd' afon Fach oedd J. ac O. Edwards. Ar ei daith nesaf, byddai Thomas yn 'darganfod' llyn Colwapi. Yn yr un cyfnod, cyrhaeddodd Lewis Jones, John Griffith a gŵr o'r Durnford, Pico Salamanca a Río Senguer, gan ymestyn ffiniau'r fewnwlad.

Pen dwyreiniol Hirdaith Edwin. Gyferbyn: y pen gorllewinol.

Yr ymchwil gyntaf am aur

Yn haf 1870-71, tua'r amser y cychwynnodd Cecil J. Rhodes ar ei ymgais gyntaf i ddarganfod diemwntau a 'lledaenu grym yr hil Seisnig yn Affrica', clywodd Lee Smith, un arall o'r Saeson a ddihangodd o'r *Myfanwy,* sôn fod aur i'w gael ym mynyddoedd y gorllewin. Pan glywodd am anturiaethau Edwin fel pannwr aur yng Nghalifffornia, perswadiodd hwnnw i'w arwain ef a William J. Hughes, Pentre Sydyn (dau Sais, medd traddodiad) i chwilio am y mwyn. Er bod Edwin yn gyfarwydd â'r fewnwlad nid oedd wedi cyrraedd y mynyddoedd, ac roedd hon yn her newydd iddo. Nid oedd un gwladfäwr erioed wedi treiddio mor bell i mewn i 'wlad yr Indiaid', ond byddai canfod aur yn diogelu dyfodol economaidd y Wladfa.

Tywysodd hwynt ar hyd glannau deheuol yr afon tua pheithdir y gorllewin.

Ar ôl taith flinedig a throellog drwy hafnau ysgythrog y Chupat i gyrion yr ardal a adwaenir heddiw wrth yr enw Dyffryn y Merthyron, troesant i'r dde, ar draws yr afon i wastadedd Kel Kein (Dôl y Plu wedi hynny). Wedi chwilio dyfal am rai wythnosau yn y man hwnnw, casglwyd darnau mân o fetel disglair, ond brysiwyd i droi'n ôl tuag adref cyn y deuai'r gaeaf ar eu gwarthaf.

Yr Hirdaith

Anelwyd am yr afon unwaith eto, ond chwiliodd Edwin am ffordd i osgoi creigiau geirwon y glannau. Daeth o hyd i hafn ddofn yn codi o'r lan ogleddol i ben y bryniau – hyd at chwe chan troedfedd uwch lefel y môr. Ar ôl llenwi pob llestr â dŵr o'r afon, dringodd yr hafn gyda'i gymdeithion nes cyrraedd gwastadedd tonnog, diffaith a di-ddŵr oedd yn ymagor fel pe bai am filltiroedd diderfyn o'u

163

blaen. Nid oedd croesi'r anialwch yn brofiad dieithr i Edwin, nac yn rhwystr iddo, a throes y tri tua'r dwyrain gan ofalu peidio â chrwydro'n rhy bell o olwg y rhes o fryniau a chreigiau cochlyd a redai'n gyfochrog â'r afon.

Amgylchynid hwy gan olygfa unffurf a digyffro, heb na chysgod coeden nac awel i leddfu'r gwres, ac nid ehedai aderyn drwy'r awyr lonydd. Trethwyd egni'r dynion wrth groesi ton ar ôl ton o dir gwastad, anial a didostur ei wres, a byddent wedi trengi o dan haul tanbaid yr hydref Patagonaidd oni bai am eu cyflenwad dŵr. Wedi deuddydd o arwain eu ceffylau yn bwyllog a blinedig dros bedwar deg a phump o filltiroedd, penderfynasant droi i gyfeiriad yr afon (gerllaw'r man lle saif yr argae Florentino Ameghino). Digalonnwyd hwynt pan welsant greigiau'n codi'n serth o'u blaen, yn rhwystro'u ffordd, ond nid oedd yn natur Edwin i gydnabod methiant heb yn gyntaf geisio ateb i'w broblem. Chwiliodd yn amyneddgar ar hyd ymyl y mur creigiau nes canfod ceunant cyfyng. Rhesymodd fod hwnnw'n debyg o arwain at ochr arall y creigiau, a dilynodd ei wely at ddiogelwch cymharol afon Chupat. Nid achub bywydau'r tri ohonynt yn unig a wnaeth, ond hefyd ddarganfod ffordd bedwar deg a phump o filltiroedd o hyd fyddai'n byrhau teithiau tua'r gorllewin (deuddydd, ac wedyn undydd, yn lle pythefnos) – dim ond i'r teithwyr ofalu cario cyflenwad digonol o ddŵr.

'Ton ar ôl ton o dir anial . . .'

Mae Llwyd ap Iwan yn adrodd hanes gwladfawyr yn marchogaeth ar draws yr Hirdaith, yn cychwyn am wyth o'r gloch y bore, yn teithio tan bump y prynhawn hwnnw, yn gorffwys am bum awr a chyrraedd y pen arall erbyn codiad haul y dydd canlynol. '. . . torrid weithiau ar unffurfiaeth [y daith] drwy anfon dyn ar y blaen gyda *demijohn* o ddwfr. Safai hwnnw ar ymyl y llwybr ac estynai gwpanaid o ddwfr i bob un a elai heibio . . . Ar ôl pedair awr o deithio yn y gwyll, dechreuwyd ddisgyn y *cañadón* [hafn] a arweiniai i'r afon, dyma ben gorllewinol Hirdaith Edwin. Pwy all ddychmygu teimladau Edwin druan pan gyrhaeddodd y ceunant ac wrth ei gwaelod y dwfr?' (Os yw ap Iwan yn gywir, ar y ffordd allan y darganfu Edwin yr Hirdaith ac nid wrth ddychwelyd i'r dyffryn, fel yr edrydd traddodiad.)

Gwyddai brodorion Patagonia am y gwastadedd, oedd yn rhan o ffordd hirach a ddefnyddient ar eu teithiau rhwng Dôl y Plu a'r dyffryn, ac a elwid ganddynt yn *Travesía Kela* (*Travesía:* gair Sbaeneg sy'n golygu llwybr hir drwy ddiffeithwch, a *Kela*: y gair brodorol am eryr). Yr

Hirdaith oedd enw Edwin arni wedi iddo'i chwblhau, a Hirdaith Edwin y bu hi i'r Cymry byth oddi ar hynny, 'am mai efe oedd y cyntaf i'w chroesi ar draed', esboniai Llwyd ap Iwan.

Go brin mai 'ar draed' y cyflawnodd Edwin y gamp y tro cyntaf – onid oedd

Y briffordd Rawson – Esquel, ym mhen gorllewinol Hirdaith Edwin, ger Dôl y Plu

deuddyn ar geffylau yn gwmni iddo? Tybed a yw ap Iwan yn cyfeirio at un arall o chwedlau'r Wladfa?

Adroddir hanesyn am Edwin yn croesi'r Hirdaith ar ei ben ei hun, a gwres arteithiol y paith di-goed yn ei lethu ef a'i geffyl. Baglodd yr anifail a syrthio, gan daflu'r gwladfäwr i'r ddaear. Trawodd yntau ei ben ar un o'r cerrig dirifedi sy'n britho'r tir, ac yn ei lewyg, gwelodd ei geffyl yn yfed dŵr. Pan ddaeth ato'i hun, deallodd fod un o draed blaen yr anifail wedi camu i dwll dan y borfa isel. Defnyddiodd ei ychydig nerth a'i ewyllys di-ildio i gloddio'r pridd rhydd â'i ddwylo a'i gyllell nes cododd dŵr i'r wyneb. Yn y modd rhyfedd hwnnw yr achubwyd ei fywyd. Ond tybed a gollodd ei geffyl y tro hwn a chael ei orfodi i gwblhau ei daith ar droed? Ac, os ar y daith yn ôl o Kel Kein yr oedd, ble'r oedd ei gymdeithion? Ni fu sôn am Lee Smith wedyn, ond bu William J. Hughes yn aelod o'r daith gyntaf a wnaed ar wagenni i'r Andes ym 1888.

Rhed y rhan hon o'r ffordd o'r dyffryn i'r Andes o gyffiniau argae Florentino Ameghino a *Las Chapas* yn ei phen dwyreiniol, i *Las Plumas* (Dôl y Plu) yn y gorllewin. Dichon i'r darganfyddiad allweddol leddfu'r siom o ddeall mai cwarts ac nid aur oedd y darnau disglair a ganfuwyd yn Kel Kein.

Y Wladfa ynysig

Ymosododd Indiaid talaith Buenos Aires yn ffyrnig ar Bahía Blanca yn haf 1870-71, gan beri pryder ymhlith swyddogion llysgenhadaeth Lloegr yn

166

Buenos Aires ynghylch diogelwch y Saeson a drigai yn y dref. Anesmwythent hefyd ynglŷn â chyflwr y gwladfawyr, a allai ddioddef ymosodiad cyffelyb. Cysylltodd y dirprwy lysgennad Prydeinig H. G. MacDonnell â'r masnachwr Carrega, a arferai gyflenwi darpariaethau'r llywodraeth i'r Wladfa, ond dywedodd hwnnw fod y llywodraeth wedi dileu eu cymorth er Mehefin 1869. Ychwanegodd ei fod wedi derbyn llythyr oddi wrth Lewis Jones o Gymru, yn gofyn iddo anfon cyflenwadau i'r Wladfa yn barod ar gyfer mintai newydd 1870.

Derbyniodd ail lythyr oddi wrth Lewis Jones ym Mai 1870, o'r Wladfa y tro hwn, yn ei hysbysu bod mintai fechan wedi cyrraedd, ac yn gofyn am nwyddau ar eu cyfer hwy, ynghyd â dogn i atal yr Indiaid rhag ymosod ar y wladychfa. Eithr nid ymatebwyd i'r naill lythyr na'r llall.

Pwysodd MacDonnell yn ofer am gymorth gan lywodraeth Sarmiento. Ysgrifennodd mewn pryder at Iarll Granville yn y Swyddfa Dramor i'w hysbysu ei fod wedi cytuno â'r Capten Bedingfield, prif swyddog y fflyd Brydeinig ym Montevideo, i anfon y cynfad *Cracker* i ymweld â'r gwladfawyr, i leddfu rhywfaint ar eu hunigrwydd ac i holi ynghylch eu cynlluniau ar gyfer y dyfodol. Cyrhaeddodd y *Cracker* y bae ar 4 Ebrill 1871, ac anfonwyd catrawd arfog oddi arni mewn cwch mawr i lawr i'r aber. Digwyddai Thomas Davies, Dyffryn Dreiniog, fod ar y traeth ac, er mai prin oedd ei Saesneg, llwyddodd i roi ar ddeall i'r ymwelwyr fod pawb yn fyw ac yn iach. Dyma gysylltiad cyntaf y wladychfa â'r byd mawr ers ugain mis (ac eithrio ymweliad y *Myfanwy*), meddai'r Capten R. P. Dennistoun, ond roedd y gwladfawyr

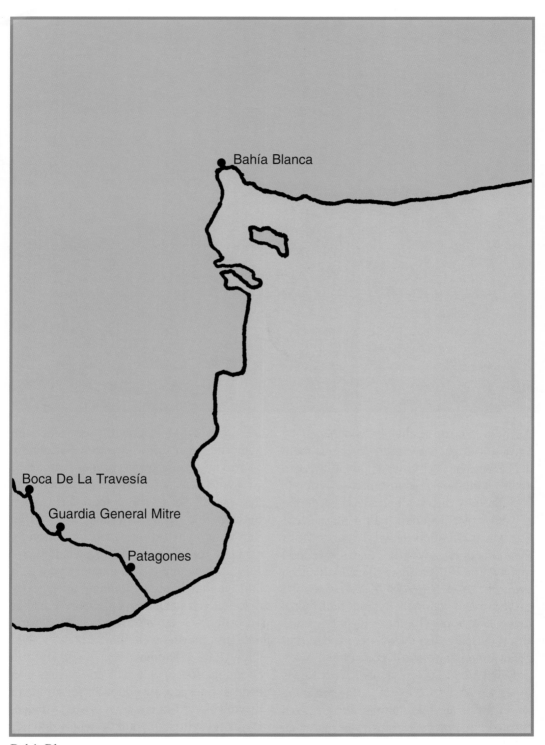

Bahía Blanca

mewn ysbryd rhagorol, er eu bod wedi byw am ddeng mis heb *groceries,* ar fara menyn, llaeth, a'r cig oedd wedi ei hela ar y paith (LJ), a heb wybod am ddim a ddigwyddai yn y byd oddi allan.

Oherwydd annigonolrwydd y camlesi, nid oedd eu cynhaeaf wedi bod yn fwy nag un dunnell ar bymtheg – digon i gyflenwi bara i'r wladychfa, a dim mwy. Ysgogodd hynny'r capten i ddadlwytho bwyd ar gyfer y teuluoedd tlotaf – bara caled, pys, blawd, blawd ceirch, tatws a sebon. Diffyg cyfathrach â'r byd y tu allan (ac yn ei sgil, ddiffyg holl fân anghenion cyffredin bywyd), ebe Dennistoun, oedd eu prif gŵyn. Doedd neb yn sôn am adael y dyffryn, a'u hunig gais, mewn cyfarfod cyhoeddus, oedd iddo gludo Lewis Jones a David Williams, Oneida, ar y *Cracker* i Montevideo. Bwriadai'r cyntaf berswadio'r llywodraeth i ddarparu llong arall eto at wasanaeth y Wladfa, ac aeth yr ail i gasglu offer amaethyddol a anfonid ato o'r Unol Daleithiau. Nid ymunodd Edward Price â hwy y tro hwn.

Barn y meddyg Turnbull oedd bod y gwladfawyr yn mwynhau iechyd rhyfeddol, yn enwedig y plant, a bod y newid o leithder Cymru i'r hinsawdd sych Patagonaidd wedi bod o les i bawb.

Oherwydd bod y clefyd melyn yn lladd trigolion Buenos Aires wrth y cannoedd ar y pryd, gorfu i Lewis Jones a David Williams oedi am ddeufis ym Montevideo cyn croesi i Buenos Aires i drafod cynlluniau cyfathrach y Wladfa â'r byd mawr oddi allan. (LJ)

Sgiliau diplomyddol Lewis Jones

Neges fawr Lewis Jones unwaith eto oedd yr angen am long i wasanaethu gwladychfa Camwy ond ni chafodd yr ymateb disgwyliedig y tro hwn. Er iddo bledio am ddeufis, dywedwyd wrtho'n ddiflewyn-ar-dafod 'fod yr Arlywydd wedi penderfynu peidio gwario yr un ddoler yn rhagor ar y Wladfa oni symudai'r sefydlwyr i rywle arall'. (LJ) Eithr nid oedd Lewis yn drafodwr rhwydd i'w drechu. Ers ei drafodaethau cynnar â'r llywodraeth, dysgasai mai'r cyfrwys a drechai ac, unwaith eto, defnyddiodd y sgiliau hynny oedd yn gymaint testun edmygedd i Edwin a Berwyn. Aeth â'i gŵyn at lysgennad Prydain. Er nad oedd hwnnw'n orawyddus i gael ei weld yn ymyrryd, cyflwynodd achos y gwladfawyr i'r llywodraeth. Doedd y rheiny, ychwaith, ddim yn croesawu'r syniad fod cynrychiolwyr Coron Lloegr yn ymhél â materion mewnol Ariannin. O ganlyniad, yn union fel yr oedd Lewis wedi'i rag-weld, cytunwyd â chais H. G. MacDonnell i osgoi trafferthion pellach. Ymhen tair wythnos, ysgrifennodd hwnnw at Lewis fel a ganlyn: 'Mae'n dda gennyf eich hysbysu fod mater y llong wedi ei setlo.' (LJ) Roedd eisoes wedi'i phrynu, a dylai Lewis Jones gymryd meddiant ohoni ar unwaith.

Gosododd y llywodraeth amodau tyn y tro hwn, amodau nad oedd Lewis yn ôl yr hyn y gellir ei gasglu wrth ei weithredoedd yn bwriadu cadw atynt yn eu cyfanrwydd:

1. Y llong i fod yn eiddo Ariannin nes i'r Wladfa ad-dalu cost ei phryniant.
2. Ni ellid ei gwystlo na'i gwerthu (nes y talai'r Wladfa y gost uchod).
3. Lewis Jones i'w hyswirio ar unwaith rhag pob colled.
4. Lewis i weinyddu'r llong 'hyd nes trefnir awdurdodau'r Wladfa'[?!].
5. Lewis i arwyddo'i gytundeb â'r uchod a throsglwyddo dogfennau'r llong i'r llywodraeth (nes y telir amdani).

Guano unwaith eto

Ar y *Chubut,* fel yr ailfedyddiwyd y llong ddau gan tunnell a adwaenid hyd hynny fel *María Ana,* y dychwelodd Lewis, ei gydymaith ac offer hwnnw i'r Wladfa. Roedd Lewis eisoes wedi torri ail amod y cytundeb, a hynny ar allor un o'i freuddwydion pennaf (sef ecsbloetio 'adnoddau naturiol y wlad') – breuddwyd a achosodd rwyg mor boenus ym mabandod y Wladfa yn Nhachwedd 1865.

Cyn gadael Buenos Aires, yr oedd wedi llogi'r *Chubut* am £300 y mis (taledig iddo yntau) i un o gwmnïau masnachol y ddinas – i gludo *guano*. Gobeithiai Lewis gyflogi rhai o ddynion y Wladfa i lwytho'r llong, ac ef fyddai'n gyfrifol am dalu eu cyflogau. Aeth yr antur yn ei blaen yn llwyddiannus am gyfnod o rai misoedd ond ymddengys fod y cwmni o Buenos Aires mewn trafferthion. Drylliwyd llong arall o'u heiddo, y *Monteallegro* – yn fwriadol, efallai, er mwyn hawlio'r yswiriant – ac anfonwyd y *Chubut* i achub aelodau o'r criw a adawyd ar yr ynys, ond gwrthodai rheolwr y Cwmni, gŵr o'r enw Stephens, dalu am y gwaith. Serch hynny, teithiodd y *Chubut* i Buenos Aires, lle bu'n aros yn ofer am gargo, lluniaeth a thâl. Oherwydd bod Lewis Jones nawr mewn dyled o £300 i'w weithwyr, gorfu iddo werthu ei holl eiddo er mwyn talu eu cyflogau – yr hyn a wnaeth yn llawn. Er gofid nid bychan iddo, adfeddiannodd y llywodraeth y *Chubut* gan feirniadu Lewis am ei chamddefnyddio a thorri amodau ei phryniant. Bu'r fenter yn golled ariannol bersonol enfawr iddo ef, a cholli'r *Chubut* yn golled fwy fyth i'r Wladfa.

Pan glywyd yn y dyffryn ym Mawrth 1872 am benderfyniad y llywodraeth, cafwyd ymateb chwyrn, a thrafodaeth dwym yn y Cyngor, er mawr ddiflastod i Edwin. Teimlai ef a Berwyn fod gweithredoedd eu cyfaill yn rhai hollol resymol, ac nad oedd Lewis wedi gwneud dim mwy na defnyddio'i ddychymyg er mwyn gosod cyfundrefn fasnachol sefydlog ar waith er budd y Wladfa a'i phobl. Ond i eraill, roedd Lewis yn euog o dorri'i gytundeb â'r llywodraeth, waeth beth oedd y lles y gallai fod wedi ei wneud i'r dyffryn. Unwaith eto, roedd Lewis Jones wedi llwyddo i hollti'r farn gyhoeddus, a'r *guano* oedd asgwrn y gynnen unwaith yn rhagor. Oherwydd ei syniadau mentrus, datgysylltwyd y Wladfa unwaith eto oddi wrth y byd mawr, ac onid oedd, eto fyth, wedi trin y cynllun fel pe bai'n fenter bersonol? Yr hyn anwybyddai'r achwynwyr oedd llwyddiannau niferus Lewis yn ei drafodaethau â'r llywodraeth. Pwy arall, holai Edwin ei hun, a allai fod wedi gwneud cystal, heb sôn am wneud yn well?

Ymddengys nad oedd Michael D. Jones yn rhannu ei fodlonrwydd â pherfformiad yr arweinyddiaeth wladfaol. Gwingai'r sylfaenydd oherwydd yr arafwch a'r diffyg cynnydd a welai yn y trafodaethau â llywodraeth Ariannin i sicrhau hawliau i'r Cwmni Ymfudol dros diroedd ym Mhatagonia. Cawsai ei gamarwain gan Denby, achwynai, i gredu bod breinlen wedi'i sicrhau, a chredai y dylai'r llywydd a'r Cyngor ymdrechu'n galetach i'w diogelu. 'Yr wyf yn erfyn arnoch fynnu breinlen i'r Cwmni Ymfudol o'r fath ag y tynnwyd ei braslun allan, a'r hon sydd yn aros yn anorffenol yn Buenos Aires', ymbiliodd arnynt yn ei lythyr dyddiedig 16 Ebrill 1872. Dyna'r cyfan oedd ei angen i ddenu cyfraniadau ariannol i goffrau'r cwmni o America a Chymru, gan alluogi'r cwmni i anfon ymfudwyr niferus i gryfhau'r Wladfa. Dim breinlen – dim ymfudwyr, oedd byrdwn ei neges. (MDJ)

Priodolai Lewis yr arafwch i gamddealltwriaethau ac i'r cyfnod hir a ddioddefodd y Wladfa heb gyfathrach â'r byd mawr. Honnai na wyddai ef na'r Cyngor 'am y cynlluniau a'r cyfryngau ddadlennir' yn llythyrau'r sylfaenydd, ac aeth yn ei flaen i amddiffyn gofal llywodraethau Mitre, Sarmiento ac Avellaneda dros diroedd cyhoeddus, eithr cydnabu 'i lawer tafell braf o dir fynd yn aberth i fuddiannau gwleidyddol, ac yn fwy o lawer am ffafrau gwleidyddol'. Nid ato ef na'r Cyngor y dylid pwyntio bys, ond at y cwmni ei hun am ei fethiant i dalu cyfreithwyr a allai fod wedi manteisio ar 'ryw hen gyfraith anghofiedig' i brynu breinlen. Eithr beirniadai ei gyd-wladfawyr hefyd am beidio â phoeni mwy nag am 'bob un ei ddyddyn bach ei hun', ac am fethu gweithredu'n unol. Dichon y byddai Edwin yn cytuno â'r teimladau hynny.

Serch hynny, ymhen tua dwy flynedd, wedi llwyr syrffedu ar fywyd cyhoeddus a gwleidyddiaeth pwyllgorau – y siarad, y dadlau afresymol a'r ymosodiadau personol arno ef a'i gyfeillion a'i llethodd ar dri chyfandir – cyhoeddodd Edwin nad oedd yn bwriadu sefyll etholiad ar ddiwedd ei dymor na byth eto. Nid oedd pwyllgorau yn ddim mwy na llwyfan i griw bychan glywed eu lleisiau a hawlio'u ffordd eu hunain. Gwladychwr ydoedd, a gwaith i wladweinydd fel Lewis oedd delio â chynghorwyr a llywodraethwyr na fyddent bob amser yn gwerthfawrogi'i ymdrechion. Ac yntau newydd droi ei bymtheng mlwydd ar hugain, gwyddai hefyd mai mewn dulliau ymarferol, yn hytrach na thrwy siarad, y medrai gyfrannu orau o hynny ymlaen at ddyfodol llewyrchus y Wladfa. Roedd cymaint i'w wneud o hyd.

Mae'n sicr fod gan yr arloeswr reswm teuluol hefyd dros ei benderfyniad i gilio. Er geni Esyllt, 1 Gorffennaf 1871, teimlai fod Ann yn cario mwy na'i siâr o'r baich o gynnal eu cartref. Bu'n unig arni hi a'r merched bach yn ystod ei absenoldebau mynych, a gwyddai am ei phoen pan na fyddai bwyd i'w roi ar eu platiau. Galwodd Abraham Matthews ym Mryn Antur un noson cyn i Edwin ddychwelyd o un o'i deithiau, a gwelodd nad oedd Ann wedi paratoi swper i'r plant. Ffarweliodd â hi ar frys ond dychwelodd yn fuan yn cludo bagaid o flawd – i ad-dalu, meddai, un o aml gymwynasau Edwin. (JR)

'. . . gŵr esmwyth, heddychol a llariaid' oedd Edwin ym marn Lewis Jones 'ac ni wnâi ond gwasgu clust a dioddef pan ddeuai gofidiau i'w ffordd. Dyna pam y galwodd ei hen fwthyn pridd yn Blas Heddwch . . . Enciliodd o'i safle blaenorol ddaliai gynt ac, ysywaeth, ni ddaeth fyth yn ôl i rengoedd blaenaf y Wladfa.'

'Cymro oddi cartref'
(1873-1893)

Bywyd Newydd

Y ffordd orau o sicrhau Cymreictod Patagonia a gwireddu'r freuddwyd o sefydlu Talaith Brythonia, dadleuai Edwin, oedd poblogi'r wlad â gwladfawyr. Er bod Ann ac yntau wedi hyrwyddo'r broses honno am y pedwerydd tro gyda genedigaeth Cynrig ab Edwin, eu mab cyntaf, 18 Gorffennaf 1873, ni fyddai trefn natur yn ddigon cyflym nac effeithiol i gwblhau'r gwaith; yn enwedig gan fod honno'n aml yn digwydd ar draul mamau ifanc fyddai'n marw wrth esgor neu yn fuan wedyn – colled lawer rhy gyffredin yn y wladychfa byth er marwolaeth Rachel Jenkins. Roedd yn rheidrwydd denu minteioedd newydd ar frys – breinlen neu beidio – a chael o leiaf un meddyg trwyddedig yn eu plith.

Bu ymgyrch genhadol Abraham Matthews yng Nghymru a'r Unol Daleithiau ym 1874 yn fwy llewyrchus nag un Lewis Jones ar droad y degawd. Ymhlith yr hanner cant namyn un a ufuddhaodd i'w

alwad, ymfudodd neb llai na'r Parchedig David Lloyd Jones, Ysgrifennydd Teithiol y Cwmni Ymfudol. Cyn gadael Cymru, urddwyd y ddau weinidog yn aelodau o gyfrinfa Seiri Rhyddion y Bala, dan ofal tadol Michael D. Jones. Hwyliodd y fintai o borthladd Lerpwl ar yr *Hipparchus* ar 20 Ebrill, a chyrraedd Buenos Aires ymhen y mis. Lletywyd hwy yng Nghartref yr Ymfudwr – lloches, fel yr awgryma'r enw, i dramorwyr oedd yn aros am gludiant i'w cartrefi newydd. Yn ymuno â hwy oedd mintai'r Capten W. E. Rogers o'r Unol Daleithiau oedd hefyd yn ymateb i ymgyrch Matthews, a llawer o'i thri deg a thri o aelodau'n ffermwyr galluog. Cyraeddasant Buenos Aires mewn cyflwr truenus wedi i'w llong, yr *Electric Spark*, suddo ger arfordir Brasil gan aberthu'u

hoffer amaethyddol gwerthfawr i'r eigion. Oherwydd bod yr *Irene* yn Chubut[1], gorfu i'r ddwy fintai aros hyd y gwanwyn (mis Hydref) cyn cwblhau'r mudo dros ddwy daith.

Llwyddodd rhai o'r gwŷr a orfodwyd i aros yn Buenos Aires i ddod o hyd i swyddi dros dro, ac anfonwyd y dynion dibriod ac ambell benteulu ar y siwrne gyntaf, i godi tai ar gyfer y teuluoedd, i agor ffosydd at gaeau gwyryf, i aredig y tir a'i hau. Câi'r rhain eu lletya yng nghartrefi'r dyffryn hyd nes y byddai'r bythynnod yn barod i groesawu gwragedd a phlant.

[1]Fersiwn swyddogol ar enw'r afon, y dyffryn a'r diriogaeth erbyn hynny, ac enw'r dalaith oddi ar sefydlu honno yn 1955.

Y tŷ cyntaf a godwyd yn y Gaiman

Dylanwad David Lloyd Jones

Mae'n amlwg na fu ei aelodaeth o'r Seiri Rhyddion yn anfantais i'r Parchedig David Lloyd Jones tra bu'n aros yn Buenos Aires am ei gludiant, oherwydd agorwyd drysau dylanwadol iddo. Mewn trafodaethau â Guillermo Rawson, ymhelaethodd ar angen y gwladfawyr am fwy o dir. O ganlyniad, meddai Abraham Matthews, pwysodd y cyn-Weinidog Cartref ar y llywodraeth – oedd yng nghanol y broses o ddiwygio deddf tiriogaethau 1862 – i ystyried rhai o syniadau cyn-Ysgrifennydd Teithiol y Cwmni Ymfudol. Rhaid bod Matthews yn llygad ei le, oherwydd ymhen y flwyddyn (18 Medi 1875), pasiodd y Gyngres ddeddf yn rhoi can hectar i bob ymfudwr, ynghyd â'r hawl i brynu llain gyffelyb am bris isel. Caniateid can hectar ychwanegol yn ddi-dâl hefyd i bob un o'r 'Hen Wladfawyr', fel y gelwid mintai'r *Mimosa,* yn wobr iddynt am arloesi'r diriogaeth. Eithr gellir dadlau mai canlyniad uniongyrchol etholiad arlywyddol yn hytrach na dylanwad Lloyd Jones oedd y gwelliannau. Diau mai yno hefyd mae canfod rhesymau dros benderfyniadau eraill llai derbyniol gan y gwladfawyr.

Ariannin yn ymestyn ei chyhyrau

Yn dilyn ymgyrch waedlyd arall, enillwyd etholiad arlywyddol 1874 gan yr ifancaf o'r ymgeiswyr, y cyn-Weinidog Addysg Gyhoeddus tri deg chwech oed, Nicolás Avellaneda. Urddwyd ef ym mis Hydref ar ôl iddo chwalu ymgais arfog un o'r ymgeiswyr aflwyddiannus, y cyn-Arlywydd Mitre, i wyrdroi'r canlyniad. Gwnaeth yr Arlywydd newydd nifer o benderfyniadau tyngedfennol. Heb ofidiau rhyfel Paraguay (ar wahân i fargeinio yn ofer parthed y ffiniau terfynol) a chwyldro Entre Ríos i'w lyffetheirio, teimlai Avellaneda yn ddigon hyderus i neilltuo amser i'r tiriogaethau oedd y tu allan i reolaeth y llywodraethau taleithiol – ac roedd amgylchiadau'n ei orfodi i weithredu'n gyflym.

Ni chelodd Chile erioed ei diddordeb parhaus yn eangdiroedd Patagonia, a chadwai'r Gyngres a'r wasg yr hen ofnau parthed amcanion Lloegr yn fyw. Gwyddai Avellaneda mai mewn enw yn unig yr oedd y diffeithwch mawr a etifeddwyd gan Sbaen yn eiddo i'w wlad, ac ysai am ei osod yn gadarn dan reolaeth ei lywodraeth. Eithr ni fedrid gwrthsefyll gelynion allanol a datblygu'r Weriniaeth heb gael gwared yn gyntaf â bygythiad tragwyddol y brodorion i ddiogelwch trefi a dinasoedd – nod na fyddid yn ei gyrraedd yn ddigon buan yn ei olwg trwy ddilyn polisi gofalus-amddiffynnol a chyfaddawdol y Gweinidog Rhyfel, Adolfo Alsina[2].

Eithr o'r tu allan i ffin gwareiddiad, llwyddai gwladychfa'r Chubut i oroesi yn wyneb pob bygythiad, ac roedd ei chynnyrch yn destun trafod brwd ym marchnadoedd y brifddinas. (TJ) Ni ellid ychwaith anwybyddu'r nifer cynyddol o ymfudwyr a ymlwybrai tuag ati. Os nad oedd y rhanbarth yn rhan o gynlluniau ei Weinidog Rhyfel, rhesymodd Avellaneda y gellid ei ennill i Ariannin drwy ffyrdd eraill. Cyn diwedd Rhagfyr 1875, byddai ei lywodraeth yn penodi swyddog i lywodraethu'r Wladfa yn ei enw, gan ddechrau proses fyddai'n chwalu'r gyfundrefn lywodraethol ddemocrataidd wladfaol a chyfyngu ar annibyniaeth y wladychfa'n sylweddol.

---

[2] Âi pedair blynedd heibio cyn y câi'r Arlywydd gyfle i osod ei fwriad ar waith, gyda chefnogaeth frwd tirfeddianwyr awchus am fwy o ddaear y brodorion. Yn dilyn marwolaeth annhymig Alsina, ymddiriedodd y dasg o ddifa'r llwythau rhyfelgar i gadfridog tri deg pedair oed fu'n allweddol yn y frwydr i guro Mitre ar faes y gad – Julio Argentino Roca – ac ymrwymodd yntau i wthio'r brodorion islaw'r afonydd Neuquén a Negro. Y rhain fyddai ffiniau'r Weriniaeth – ac unwaith eto nid oedd Patagonia o'u mewn.

Adeiladodd un o'r ymfudwyr 'americanaidd', David D. Roberts, ei gartref yn y man culaf rhwng yr afon a godre gogleddol y dyffryn – ar y ffin rhwng y dyffryn isaf a'r dyffryn uchaf – ar dir na fesurid oherwydd ei anaddasrwydd ar gyfer amaethu. Hwn oedd tŷ cyntaf y pentref a elwid, wedi hynny, wrth yr enw brodorol Gaiman (Carreg Hogi neu Garreg Finiog). Cododd newydd-ddyfodiad arall, y Parchedig John Caerenig Evans (Gweinidog Bethel, Cwmaman, Aberdâr), ac un arall o ddilynwyr Abraham Matthews, ei gartref yntau yng nghyffiniau'r Gaiman.

Ym mis Hydref cysegrwyd Capel Rawson. Roedd David Lloyd Jones, John Caerenig Evans a D. S. Davies yn pregethu yn y gwasanaeth hwnnw, ac ordeiniwyd Abraham Matthews i fugeilio'r praidd.

Y stordy masnachol cyntaf

Codwyd cnwd mwyaf cynhaeaf 1874 (tua 30 tunnell) o'r caeau a heuwyd ar y cyd gan Edward Price (bryd hynny'n ŵr ifanc pedair ar hugain oed) a John Griffith, Hendre. Gan gyfrif eu bendithion, ymlwybrodd y ddau at gapten yr *Irene*, llong fechan hela morloi o'r Falklands, oedd wedi angori yn yr aber ac wedi rhwyfo'i gwch at Gaer Antur. Cytunodd i gludo'u grawn i Buenos Aires, ond dioddefwyd trafferthion enbyd wrth symud y llwyth fesul dwy neu dair taith y dydd i'r llong, a chollwyd bywydau tri o'r morwyr a phedair tunnell ar ddeg o'r llwyth. Wedi cael y gweddill yn ddiogel i'r bwrdd, teithiodd yr *Irene* yn ddidramgwydd.

Cyrhaeddodd y llwyth cyntaf o wenith gwladfaol i gael ei allforio ben ei daith yn ddiogel a thalwyd pris ucha'r farchnad amdano, gan ddeffro cryn gywreinrwydd yn y brifddinas. Ar ôl cwblhau'r gwerthiant, crwydrodd Edward Price strydoedd y ddinas a throi i mewn i siop fawr wrth weld yr enw Rooke, Parry & Cia uwchben ei drws. Canfu mai Cymro o Lanrwst oedd William Parry, un o'r perchenogion, a oedd wedi ymsefydlu fel dyn busnes yn Buenos Aires ers nifer o flynyddoedd. Darganfu'r ddau eu bod hefyd yn siarad yr un iaith fusnes, a thrawyd bargen fyddai'n trawsnewid masnach y Wladfa. Cytunwyd i sefydlu cangen o Rooke, Parry & Cia ger aber afon Camwy, gydag Edward Price yn rheolwr, a phrynwyd yr *Irene* i gludo nwyddau rhwng y ddau le.

Agorwyd marchnad newydd yn Buenos Aires i gynnyrch y dyffryn – gwenith, caws ac ymenyn, ynghyd â'r plu a'r crwyn a brynid oddi ar yr Indiaid – a sicrhawyd cludiant rheolaidd a di-dor byth oddi ar hynny. Yn y fargen, cawsai'r Wladfa ei stôr masnachol cyntaf – naw mlynedd wedi'r glanio. Nid yn unig cafwyd mwy o amrywiaeth i'r fwydlen leol, ond hefyd gwellodd ansawdd gwisgoedd yr hen a'r ifanc (a fu hyd hynny mor syml â rhai'r Crynwyr, yn ôl Berwyn, ac yn garpiog weithiau) – yn arbennig yn dilyn digwyddiad sy'n dangos synnwyr busnes eithriadol Edward Price.

Yn fuan wedi sefydlu'r stôr, cyhoeddwyd priodas ei pherchen â Ruth, trydedd ferch Rhys Williams, Cefn Gwyn, oedd i'w chynnal 3 Chwefror 1874. Gwahoddwyd pob un o'r gwladfawyr i'r wledd a thynnwyd sylw at y cyflenwad diweddaraf o ddillad hardd a ddaethai i Rooke, Parry & Cia o Buenos Aires. Gwagiwyd y stôr, gan greu elw mawr i'r priodfab. Fore'r briodas, wrth weld y prosesiwn yn cerdded ac yn marchogaeth heibio yn grand tua Chefn Gwyn yn eu ffrogiau, hetiau, sidanau, plu, blodau ffug a siwtiau newydd, ebychodd J. Berry Rhys, llywydd y Wladfa bryd hynny, wrth ei gyfaill o gymydog, Thomas Jones, 'Ofnaf i'r Hollalluog ein ceryddu am ein balchder.'

Yn anffodus, ebe Berwyn, roedd Edward Price yr un mor hoff o lymeitian ag oedd ei dad. Unwaith, er bod nifer o gychod wrth law, penderfynodd y byddai'n well ganddo nofio adref. Wedi diosg ei ddillad, difyrrodd ei hun a'r dorf ar y lan drwy nofio o gwmpas y cychod a'r ddwy neu dair sgwner a ddigwyddai fod ar yr afon. Yn sydyn, diffygiodd a suddo. Rhwyfodd un o'r cychwyr ato ar frys ond methodd gydio yn ei gorun cyn iddo ddiflannu o'r golwg. Gwelwyd byrlymau aer yn codi o'r dŵr tuag ugain llath i ffwrdd, mewn trofa nad oedd ond rhyw lathen o ddyfnder. Neidiodd gŵr ifanc i'r dŵr a chydio yn Edward am ei ganol a

chanfod bod hwnnw'n ymgripio ar hyd gwely'r afon yn erbyn y llif. Codwyd ef i'r lan a'i osod wyneb i waered dros y dorlan, a daeth pump neu chwech o ddynion i ysgwyd ei gorff a'i aelodau. Chwydodd lond ysgyfaint o ddŵr a griddfannodd, cyn dechrau anadlu. Bu am ymron i awr wedi hynny cyn dod ato'i hun. Er gwaethaf ei wendid, ystyrid ef gydol ei oes yn ddyn o farn a synnwyr cyffredin cryf, a chofid gyda pharch bob amser iddo dalu dyled sylweddol ei dad i'r Wladfa hyd y geiniog olaf.

Yn fuan wedyn, cyfnewidiodd Rooke, Parry & Cia yr *Irene* am long fwy, yr *Adolfo*. Yn dilyn llwyddiant y cwmni, dychwelodd John Murray Thomas (a ymadawsai gyda Lewis Jones yn Nhachwedd 1865), i agor tŷ busnes arall a rhoi ail long, y *Gwenllian*, i gynnal masnach â Buenos Aires.

Y 'Gwenllian', y llong y bu i John Murray Thomas ei bedyddio ag enw ei chwaer, Gwenllian Matthews

Yr ymgyrch olaf

Gan fod cynhaeaf 1874 wedi bod mor llewyrchus, cododd ton o optimistiaeth ledled y dyffryn a gwelodd Edwin gyfle i wireddu dau o'i gynlluniau. Clywsai bum mlynedd ynghynt fod ei lystad wedi croesi'r Iwerydd i chwilio am adferiad iechyd yng Nghymru, lle bu farw. Cofleidio'i fam unwaith eto a gwneud iawn am fethu bod wrth ei hymyl yn ei galar oedd y bennaf o'i flaenoriaethau. Ond siawns na fedrai hefyd fanteisio ar ei daith i gynnal un ymgyrch fawr olaf dros y Wladfa – yn Wisconsin ac yng Nghymru. Yn wyneb diddordeb newydd a chynyddol llywodraeth Ariannin, rhaid oedd poblogi Patagonia, nid fesul degau, ond fesul cannoedd o Gymry ar y tro, cyn iddi gael ei boddi gan ddylifiadau o genhedloedd eraill.

Ychydig cyn genedigaeth Gwladys, ei bumed plentyn (12 Mai 1875), flwyddyn wedi taith Matthews, teithiodd Edwin i Gymru yng nghwmni Lewis Davies, Aberystwyth gynt, oedd ar ei ffordd i berswadio'i frawd Thomas i ymfudo. Yn ôl Lewis Jones, nid ymgyrchu oedd unig gymhelliad Edwin dros ddychwelyd i'r Hen Wlad, ond hefyd ei ddangos ei hun a'i lewyrch personol i'w watwarwyr, yn brawf iddynt fod y Wladfa'n llwyddo. Efallai bod ychydig o feirniadaeth yn llais Lewis wrth iddo nodi arfer ei gyfaill o wario'i arian ar yr achlysuron prin y digwyddai iddo'i ennill. Eithr, fel y dywed Berwyn, tra byddai arian ym mhoced Edwin 'ni fyddai eisiau ar arall', sy'n gyson â thystiolaethau niferus am ei haelioni a'i hunanaberth.

Yng Nghymru, lletyodd yng nghartref Michael D. Jones, lle cyfarfu eto â D. S. Davies – yntau ar ei ffordd yn ôl i'r Unol Daleithiau o'i ymweliad â'r Wladfa yng nghwmni mintai'r *Electric Spark*. Roedd hwn eto o'r un anian, heblaw bod yn hen gefnogwr i'r mudiad gwladfaol, ac unodd y ddau i ymgyrchu'n egnïol dros ymfudiaeth wladfaol. Ymhelaethai Edwin ar ragoriaethau bywyd ym Mhatagonia a chanmolai'r cynhaeaf blaenorol – heb wybod na fyddai'r afon yn codi y flwyddyn honno ac na cheid cystal cynhaeaf yr haf canlynol – a gallai D. S. Davies adrodd am yr argraffiadau ffafriol iawn a gawsai yn ystod ei ymweliad. Gorchwyl hawdd i siaradwyr mor huawdl oedd perswadio'r torfeydd, honnodd W. M. Hughes yn 'Ar lannau'r Camwy'.

Priodolai Abraham Matthews lwyddiant yr ymgyrch i gyfuniad o natur obeithiol yr areithiau a dirywiad yn amgylchiadau'r gweithiwr cyffredin. Bu ffatrïoedd yn brysur iawn ac yn talu cyflogau anarferol o uchel, meddai, ond erbyn canol 1875 ceid arwyddion bod y sefyllfa'n gwaethygu, a chyn diwedd y flwyddyn, aeth y meysydd glo ar streic.

I hyrwyddo'r ymgyrch, ysgrifennodd D. S. Davies 'Adroddiad am Sefydliad y Wladfa Gymreig' a gyhoeddwyd gyntaf yn *Baner America* gan Dafydd Roberts, yr ieuengaf o frodyr Edwin. Talodd Edwin am yr argraffiad Cymreig o'i boced ei hun. I ddyn fu fyw yn dlawd cyhyd, roedd gwario'i arian prin ar hybu ei ddelfrydau yn destun dim ond llawenydd. Yn ogystal, roedd yr adroddiad yn 'ffrwyth ymchwiliad manwl, gonest a diduedd', yn cynnwys llawer o wybodaeth newydd, yn gyfrwng 'i godi awydd' ar ddarpar wladfawyr ac, o'r herwydd, yn werth ei gyhoeddi.

Manteisiodd ar ei ymweliad hefyd i sefydlu cysylltiadau fyddai'n hyrwyddo diwydiant a masnach rhwng y wladychfa a'r henwlad. Ar glawr cefn adroddiad D. S. Davies, yn rhifynnau *Gwalia* a chyhoeddiadau eraill, hysbysebai cwmni E. Thomas, Foundry, Denbigh eu bod, drwy gydweithrediad â'r Bonwr Edwin Cynrig Roberts, yn medru allforio peiriannau ac offer i Ddyffryn Camwy.

177

Datgelwyd yn rhifyn cyntaf y misolyn, a gyhoeddwyd yn Ionawr 1876, fod yr arloeswr a'r propagandydd profiadol yn ymwybodol o bwysigrwydd cyfathrebu effeithiol a chyflym. Ymffrostiai'r golygydd yn ei lwyddiant, drwy ei drefniadau â'r Bonwr Edwin C. Roberts, i gael newyddion o'r Wladfa i 'Swyddfa'r *Ddraig Goch* mewn tri neu bedwar diwrnod'. Cludid negeseuon mewn tridiau ar yr agerlong o Fadryn i Buenos Aires, ac oddi yno mewn teirawr dros y 'pellebryn'.

Roedd ganddo newyddion da i olygydd y *Ddraig Goch*, sef ei 'ewythr' a'i letywr, y Parchedig Michael D. Jones, a gyhoeddodd nad oedd man gwell na Phatagonia ar gyfer codi gwenith, lle cynigid dau gant pedwar deg ac wyth erw i bob teulu, am ddim ac am byth! Roedd poblogaeth y wladychfa bellach yn rhifo tuag wyth gant, ac roedd holl Indiaid Patagonia'n gyfeillgar iddynt. 'Costiodd hyn lawer o gynllunio a phryderu, yn ogystal â llawer o lafur, dioddefaint ac arian . . .'

Nododd hefyd anghenion y Wladfa: melin, dŵr neu wynt, i falu'r ŷd. A oedd rhywun yn fodlon dod i'w gosod? Ceid pris da am wenith yn y dyffryn, a gwell eto yn Buenos Aires (40 swllt 6 cheiniog y pwn). Byddai digon o waith i ymfudwyr: gallai tincer wneud pob math o lestri llaeth a llestri eraill at anghenion y teuluoedd, ac roedd angen hefyd am grochenydd, pysgotwyr, argraffydd (gan fod y rhai oedd yno'n brysur yn amaethu!) a phorthmyn. Talai magu ychen yn dda hefyd, a doedd dim lle gwell na'r Wladfa i anturio ac i wneud elw.

Wedi cwblhau ei genhadaeth yng Nghymru, teithiodd Edwin yn ei flaen i'w Oshkosh hoff ac at ei deulu – yn dilyn absenoldeb o bymtheng mlynedd. Manteisiodd yno eto ar y cyfle i ledaenu'r sôn am gryfderau'r Wladfa ac, ar ddiwedd taith hynod lawen a llwyddiannus, cychwynnodd tua Phatagonia, wedi

Mewn llythyrau dyddiedig 13 ac 14 Tachwedd 1875, hysbysodd swyddogion Senedd Ariannin (Mariano Acosta a Carlos María Saavedra) a Thŷ'r Cynrychiolwyr (José María Moreno a Miguel Lorenzo) fod y llywodraeth yn cynnig pumcant o gludiadau rhad i ymfudwyr Cymreig. Yn ogystal â thir, rhoed addewid o U$S600 i bob teulu ar gyfer treuliau cludiant ac ymsefydlu. Awdurdodwyd y Gallu Gweithredol (sef yr Arlywydd a'i dîm o weinidogion) i wario U$S300,000 ar weithredu'r penderfyniad. Roedd y telerau hyn yn hynod ddeniadol, yn arbennig o gofio na fyddai angen i neb ddechrau ad-dalu hyd ddiwedd y drydedd flwyddyn wedi ymfudo – a chaent ddwy flynedd arall i gwblhau'r taliad.

Nid anghenion materol y wladychfa oedd unig gonsyrn Edwin. Ynghyd â'i gyfaill, y Canon D. W. Thomas, ceisiodd godi arian at anfon offeiriad i wasanaethu'r 'Hen Eglwys Frytanaidd' yn y Wladfa. Methwyd cael offeiriad, ond perswadiwyd llencyn dwy ar bymtheg oed, Jonathan Ceredig Davies, i fynd drosodd i hybu gwaith yr eglwys. Am rai blynyddoedd, cynhaliodd hwnnw Ysgol Sul a gwasanaethau yng nghartref Edwin ac Ann, Bryn Antur. Ni wireddwyd breuddwyd Edwin tan 1883, pryd y cyrhaeddodd Y Parchedig Hugh Davies (Huw Ddu o Arfon) i wasanaethu eglwyswyr y dyffryn hyd ei farwolaeth ym 1909.

ADRODDIAD

Y

PARCH. D. S. DAVIES,

AM SEFYLLFA

Y WLADFA GYMREIG.

Allan o "Baner America."

BALA:
ARGRAFFWYD DROS Y BONWR EDWIN CYNRIC ROBERTS,
GAN H EVANS.
—
1875.

AT Y DARLLENYDD.

FFRWYTH ymchwiliad manwl, gonest, a diduedd y Cymro gwladgarol—y Parch. D. S. DAVIES, ydyw yr Adroddiad canlynol, yr hwn fu ar ymweliad a'r Wladfa, ac felly yn gymhwys i ffurfio barn am dani.

Cynhwysa ei Adroddiad sylwadau ar sefyllfa ac adnoddau y Wladfa Gymreig, y rhai a ddeil eu cymharu ag eiddo unrhyw wlad arall dan haul.

Dymunaf alw sylw neillduol fy nghydgenedl at yr Adroddiad, am y credaf y cynhwysa lawer o wybodaeth nad oeddynt yn ei meddu yn flaenorol, a gall fod yn foddion i godi awydd ynddynt am feddiannu y manteision cynnygiedig iddynt, yn gystal a bod yn gyfarwyddyd i'r rhai hyny sydd wedi rhoddi eu bryd ar fyned yno.

Fy unig amcan wrth gyhoeddi yr Adroddiad ydyw lles cenedl y Cymry, ac nid hunan-elw. Y cwbl a ddysgwyliaf gael oddiwrtho ydyw tâl am ei argraffu.

Yr eiddoch yn wladgar,

EDWIN CYNRIC ROBERTS.

---

perswadio'i frawd ifanc, Dafydd, ei unig chwaer, Anna Bella, gŵr honno, George L. Rees[3] a nifer o'i hen gyfeillion i ymfudo ato – dim ond ar brawf, ond roedd hynny'n fan cychwyn da, ac yn arwydd y gellid sianelu pob ymfudiaeth o Gymru i Gamwy.

Dros gyfnod o bedwar mis – rhwng diwedd 1875 a dechrau 1876 – cyrhaeddodd yn agos i 500 o ddarpar wladfawyr o Gymru a'r Unol Daleithiau Buenos Aires ar eu ffordd i Ddyffryn Camwy, y nifer mwyaf erioed i ymfudo mewn ymateb i un ymgyrch[4], a chodwyd gobeithion Edwin am ddyfodol y wladychfa. Nid oedd i wybod am yr ergydion egr fyddai'n siglo'r rheiny i'w seiliau erbyn diwedd yr haf.

Y llywodraethwr 'cyntaf'

Y swyddog a freintiwyd â'r anrhydedd amheus o gynrychioli llywodraeth Avellaneda yn y Wladfa oedd y capten llong Antonio Oneto, Eidalwr byrgoes, twyllodrus o ddinod a chyfeillgar yr olwg, cadarn ei gariad tuag at y wlad a fabwysiadodd brin wyth mlynedd ynghynt, ac ystyfnig ym mhendantrwydd ei ddyfarniadau. Rhoddwyd iddo swydd *Comisario* (Rheolwr Dirprwyol fyddai'r cyfieithiad cywiraf yn yr achos hwn). I gwblhau'r gwaith a ddechreuodd Julio Díaz ym 1865, anfonwyd hefyd y tirfesurydd ifanc o dras Seisnig, Thomas Dodds, i fesur y dyffryn cyfan. Teithiodd y ddau, ynghyd ag ychydig filwyr y glannau, i Batagonia yn Ionawr 1876 ar y *Santa Rosa*, llong hen a bregus o eiddo'r llywodraeth. Arni hefyd dychwelai Edwin,

---

[3]Cyhuddodd John L. Roberts ef o 'dwyllo ei frawd a'i chwaer i ddyfod yma. Gadawaf i ichi farnu i bwy ddiben yr oedd yn eu denu. Y mae yn reit hawdd ei esbonio.' Dychwelodd y tri i'r Taleithiau Unedig ymhen dwy flynedd a hanner.

[4]'Treblwyd y boblogaeth cyn diwedd 1876', meddai'r Parchedig J. C. Evans. Serch hynny, mae sawl adroddiad camarweiniol yn priodoli'r llwyddiant i ymgyrch gynharach Abraham Matthews.

yng nghwmni hanner cant a chwech o wladfawyr newydd – wyth ar hugain ohonynt wedi'i ddilyn o'r Unol Daleithiau a'r gweddill dan arweiniad W. Richard Jones (Gwaenydd) – a wthiwyd bendramwnwgl ar y bwrdd, lle nad oedd '. . . lle i orwedd ond fel twr o ddefaid a phawb yn blith draphlith yn chwilio am y lle gorau, ac ni chafwyd y fath hwyl erioed . . .'

Prif ddiddordeb y tirfesurydd Dodds oedd cwblhau ei waith cyn gynted â phosibl, a dychwelyd ar frys i Buenos Aires. Yn union fel y gwnaeth Díaz o'i flaen, anghofiodd am yr angen i gynnwys ffyrdd yn ei fesuriadau. Bu ei waith anghyflawn ac anhrefnus yn achos cynnen yn ddiweddarach ymhlith ffermwyr a gwynai eu bod wedi colli darnau helaeth o'u tir. Gorfu i un o'r newydd-ddyfodiaid, y gwladfäwr Edward Owen, gwblhau'r tirfesur yn ddiweddarach.

Synhwyrodd y swyddog newydd yn fuan fod teimladau cymysg iawn yn llechu y tu ôl i'r croeso bonheddig a dderbyniodd yn Nhre-Rawson ond, gan amlygu synnwyr cyffredin pur anghyffredin ymhlith y mân swyddogion llywodraethol a'i holynodd, cadwodd yn dynn at gyfarwyddyd ei feistri i gynnal perthynas gyfeillgar â'r gwladfawyr, ac ymdrechodd i ddenu cydweithrediad Lewis Jones a'i gyd-arweinwyr.

Byddai cyfrifoldebau Oneto yn cynnwys rhannu unrhyw gymorthdaliadau, goruchwylio'r tirfesur a dosbarthu'r ffermydd i'r mewnfudwyr. Gofynnwyd iddo hefyd ymchwilio i'r rheswm dros fethiant y wladychfa i greu unrhyw ddiwydiant yn ystod ei degawd cyntaf – cais sy'n amlygu methiant affwysol y llywodraeth i ddeall cyflwr dibynnol economi'r Wladfa a'i dirfawr angen am chwistrelliad o gyfalaf yn hytrach na chymorthdaliadau tymhorol. Rhoddwyd gorchymyn i'r *Comisario* arsylwi'n fanwl ar drefniadau'r wladychfa heb newid dim a welai yno, a chludai wŷs i benodi ynad heddwch a llywydd y Cyngor, swyddi a fodolai yn y wladychfa eisoes. Yn ufudd i'r cyfarwyddyd, penododd yntau'r rhai oedd eisoes yn dal y cyfryw swyddi. Gwladfawyr hefyd oedd aelodau dau bwyllgor newydd a sefydlodd, ond Oneto fyddai'n cadeirio'r cyfarfodydd ac ni fyddai'r naill bwyllgor na'r llall yn atebol i Gyngor y Wladfa.

Troes y swyddogion a'r pwyllgorwyr gwladfaol yn weision i lywodraeth y wladwriaeth, gan ennill i'r *Comisario* y bluen gyntaf i'w gap, ond eto, efallai bod Lewis Jones a'i gymdeithion yn gweld y rhain yn gamau a allai arwain at ennill i Batagonia statws talaith o fewn y Weriniaeth. Beth bynnag am hynny, o ganlyniad i argyfwng arall eto, cadwyd hwy yn hynod brysur.

Gwerthwyd gwenith cynhaeaf Chwefror 1875 yn Buenos Aires heb wybod y byddai ymgyrch D. S. Davies ac Edwin Roberts yn dwyn cystal ffrwyth a bod y dylifiad mwyaf erioed o ymfudwyr newydd ar y ffordd i'r Wladfa. Parai'r cynnydd annisgwyl yn y boblogaeth bryderon parthed prinder bwyd, ac anfonwyd am gyflenwad gan y llywodraeth. Roedd hwnnw'n annigonol, a gorfu i'r wladychfa droi unwaith eto at fasnachwyr Patagones. Ond llwyddwyd i ddarparu bwyd a thiroedd i'r holl ymfudwyr.

Er gwaethaf ei lwyddiant, ffromwyd Oneto gan ymlyniad y gwladfawyr wrth eu hiaith a'u traddodiadau oedd yn ei farn ef, yn rhwystr rhag iddynt ymdoddi i'w gwlad newydd. Gyda'r blynyddoedd, caledodd ei farn wrth-Gymreig, a chyn ffarwelio â'i swydd, byddai'n argymell i'r llywodraeth ddileu pob deddf wladfaol a sefydlu heddlu cyfrifol am gadw'r heddwch. Ni ddylid penodi gwladfawyr i wasanaethu ar y corff hwn – yn bendant nid fel swyddogion. Yn ogystal, roedd angen codi caerau yn y dyffryn er mwyn gwrthsefyll ymosodiadau tebygol gan yr Indiaid, ac anfon milwyr o fyddin y wladwriaeth i'w hamddiffyn. Nid oedd y ffaith fod y wladychfa – a adawyd yn ddiymgeledd am ddegawd – wedi meithrin perthynas ragorol â'r brodorion ac wedi llwyddo i amddiffyn eu heiddo'n llwyddiannus ar yr achlysuron prin y bu galw am hynny, yn cyfrif dim yn ei olwg. Ei gred ef, a chred arweinwyr milwrol Ariannin oedd y gallai'r brodorion a wthiwyd islaw'r Neuquén a'r Negro arwain brodorion heddychlon Patagonia mewn cyrchoedd yn erbyn y wladychfa – awgrym a wadwyd yn gadarn gan y Pennaeth Sayhuece, Llyw Olaf Gwlad yr Afalau.

Awgrym arall o'i eiddo oedd y dylid sefydlu ysgol, a'i staffio gan athrawon Archentaidd fel na fyddai plant a enid yn y Wladfa, dinasyddion y Wladwriaeth yn ôl Cyfansoddiad Ariannin, 'heb wybod dim o iaith eu gwlad a dod yn Indiaid Patagonaidd gwynion, heb fedrusrwydd, a heb uchelgais urddasol y meddwl a'r galon'. Argymhellai hefyd ddiddymu Llys y Wladfa, oherwydd nad oedd yn cydymffurfio â'r cyfreithiau cenedlaethol. Ni fyddai'n hir cyn i'r agwedd hon, oedd mor estron a gwrthun i'r gwladfawyr, arwain at wrthdaro rhwng y *Comisario* a Lewis Jones.

Cafodd Oneto gyfle buan i ddangos ei ddirmyg o'r llys barn gwladfaol. Yn ystod cweryl ar un o longau'r afon yn Chwefror 1876, trawodd y morwr Ffrengig Louis Poirier y peilot gwladfaol Charles Lynn ar ei ben â phastwn, a'i ladd. Cludwyd y llofrudd i'r ddalfa, eithr ni ddangosai'r *Comisario* unrhyw frys i ddwyn achos yn ei erbyn. Rhag i'r arafwch ysgogi rhai gwladfawyr i gymryd y gyfraith i'w dwylo a dienyddio'r troseddwr, galwyd Llys y Wladfa ynghyd ar 8 Chwefror. Gwysiwyd

rheithwyr, a rhoddwyd y carcharor ar brawf. Gan na siaradai Poirier ddim ond Ffrangeg, sicrhawyd gwasanaeth cyfieithydd. Ar ddiwedd yr achos, dyfarnwyd y Ffrancwr yn euog o 'lofruddiaeth wirfoddol' a charcharwyd ef. (LJ) Nid oedd y datblygiad hwn wrth fodd Oneto, a fynnai anfon y carcharor i sefyll ei brawf gerbron llys cenedlaethol. Gallai apelio wedyn, pe bai angen, meddai, i lysoedd uwch ac i'r Arlywydd.

Dadleuodd Lewis Jones mai'r llys lleol oedd y gris cyntaf i'w ddringo ar ysgol cyfiawnder ond, i osgoi gwrthdaro â'r awdurdodau, trosglwyddwyd y llofrudd i ofal Oneto, a'i hanfonodd i Buenos Aires. Dychwelodd yn ddyn rhydd ymhen ychydig flynyddoedd, 'i ddangos ei hun . . . i deulu'r trancedig heb neb yn gwybod pa ddedfryd a gawsai' (LJ) nac, yn wir, o ba drosedd y'i cyhuddwyd, gan na ofynnwyd am dystiolaeth y gwladfawyr yn ei erbyn. Mae'n sicr na fyddai'r enghraifft hon o gyfiawnder llysoedd Ariannin wedi ennyn ymddiriedaeth y gwladfawyr.

Gofid mawr arall oedd methiant Lewis Jones, unwaith eto, i ennill cefnogaeth unfrydol y gwladfawyr. Arweinid ei wrthwynebwyr y tro hwn gan David Lloyd Jones, a ddadleuai nad oedd y Cyfansoddiad yn ddigon cryf, na'r Cyngor yn effeithiol, gan ei fod yn cael ei lethu gan fân broblemau'r gwladfawyr. Cytunai ag Oneto, hefyd, wrth ddadlau bod trefniadau gweinyddu cyfiawnder 'y rhai salaf oedd gan unrhyw gymdeithas wareiddiedig'.

Ac yntau newydd brynu offer argraffu, cyhoeddodd Lewis newyddiadur wythnosol un dudalen – yr un argraffedig cyntaf yn hanes Patagonia – lle mynegodd ei safbwynt yn groyw yn erbyn yr hyn a ystyriai ef a'i gefnogwyr yn 'ormes swyddogol'. Ymddangosodd rhifyn cyntaf *Ein Breiniad* ar 21 Medi 1878, ac yn ei golofnau, gwyntyllid materion llosg y dydd:

Waeth pa mor galed oedd bywyd yn y lle hwn, dylai'r gwladfawyr barchu eu hawliau. 'Nid yn unig nyni sydd i ddywedyd pa fodd a phwy i'n llywodraethu, ond nyni hefyd sydd i lywodraethu,' taerai Lewis Jones. Beth bynnag y gwendidau honedig, gellid cywiro'r rheiny drwy eu cyfundrefn eu hunain.

Mewn enghraifft wych o wasg rydd ac eangfrydig ar ei gorau, rhoes sylw amlwg yn ei golofnau i gwynion David Lloyd Jones, a chafodd Oneto ei hun gyfle i wyntyllu ei safbwynt. Ni welai hwnnw ddyfodol i wladfa ar wahân i Wladwriaeth Ariannin, 'hyd yn oed pe goddefid y cyfryw ysgariad'. Mewn sefyllfa ddibynnol, byddai'n rhaid troi naill ai at Brydain Fawr, na fyddai'n hwyrfrydig i estyn cymorth er mwyn hawlio'i sofraniaeth dros y rhanbarth, neu at lywodraeth Ariannin. Byddai glynu wrth gyfreithiau Cymreig yn esgor ar ddim ond blerwch ac anghysondeb â chyfreithiau cenedlaethol.

Yn y rhifyn canlynol, cydnabu Lewis Jones fod y Wladfa'n ddarostyngedig i gyfreithiau a deddfau Ariannin, 'fel pob rhan o'r Weriniaeth'. Ac os nad oedd dyfarniadau eu llysoedd eu hunain yn dderbyniol i achwynwr neu gyhuddwr, gellid apelio i lysoedd uwch y wladwriaeth. Pe gwyrdroid rheithfarn wladfaol yn y llysoedd uwch, ni fyddai hynny'n ddim gwahanol i'r hyn a ddigwyddai mewn mannau eraill, nac yn profi bod 'ein gweinyddiad ni yn afreolaidd'. Eithr gwrthodai hawl y *Comisario* i gyflawni swyddogaeth llys uwch a deddfu ar ddyfarniadau llysoedd y Wladfa. Roedd yn feirniadol hefyd o'r *Comisario* am fethu cyfarwyddo gweinyddwyr y wladychfa'n briodol, am daflu rhwystrau o'u blaen, ac am ddifrïo 'eu holl ymdrechion'.

Byddai dyddiau Oneto'n cael eu cofio fel y ddolen gyntaf mewn cadwyn hir o weithredoedd a gyflawnwyd gan gynrychiolwyr lleol y wladwriaeth er mwyn gwanhau grym y gwladfawyr. Cyfnewidiwyd arferion democrataidd y wladychfa am gyfundrefn unbenaethol o lywodraeth drwy ddirprwyon. O dan gochl angen rhesymol llywodraeth ganolog i dynhau gafael ar ei thiriogaeth ei hun, sicrhawyd na fyddai rheolaeth weithredol y wladychfa fyth eto yn nwylo'i thrigolion. Dichon y gallai Edwin honni bod y broses honno wedi cychwyn pan gytunwyd i arwyddo dogfen sefydlu Tre-Rawson. Gwan fyddai llais y gwladfawyr yn eu llywodraeth ei hun, mwyach, a phan gymhwyswyd Deddf y Chaco 1872 i Diriogaeth Genedlaethol Patagonia, cyfnewidiwyd y cyfansoddiad y bu David Lloyd Jones mor ddirmygus ohono am un na roddai i'r Cyngor ond galluoedd cyfyngedig awdurdod lleol.

Swyddog Croesawgar

Cynhaliai Oneto drafodaethau ag arweinyddion y llwythi brodorol yn ei swyddfa o bryd i'w gilydd. Pan fyddai'r siarad swyddogol drosodd, cynigiai luniaeth ysgafn iddynt cyn ffarwelio â hwy yn gyfeillgar. Ond cyn gynted ag yr oeddynt allan drwy'r drws, mynnai bod ei weision yn golchi'r llestri deirgwaith er mwyn sicrhau eu bod yn lân. (JCD)

Wynebu beirniadaeth

Methodd cynhaeaf 1876, a theimlwyd effeithiau hynny ledled y dyffryn o ganlyniad i werthu ffrwyth y cynhaeaf blaenorol yn Buenos Aires. Dychwelodd deg o'r newydd-ddyfodiaid sengl i Gymru yn fuan, yn grwgnach yn erbyn amodau byw yn Nyffryn Camwy. Nid oedd yno na gwaith na bwyd, ac nid oedd y tai'n ddim amgenach na thylciau moch, meddent wrth y papurau, a thywalltwyd beirniadaeth hallt ar y ddau a ddalient yn bennaf cyfrifol am y 'twyll': Michael D. Jones ac Edwin Cynrig Roberts.

Ymhlith yr achwynwyr roedd gŵr ifanc o ardal y Bala, ond dadleuodd perthynas iddo, John Peters (Ioan Bedr), Blaenau Ffestiniog, nad oedd sail i'r cwynion, bod bywyd da i'w gael yn y dyffryn i'r sawl oedd yn fodlon gweithio, ac mai diogi a chwyno cyson fu nodweddion amlycaf y gŵr ifanc hwnnw erioed!

Parodd hyn gryn gynnwrf ymhlith arweinwyr gwladfaol Cymru, a bu ysgrifennu cyson i holi am ffeithiau. A fyddai'r fintai ddiweddaraf yn gorfod dychwelyd i Gymru? Wrth ateb llythyr a gawsai gan ei gyfaill Mynyw, gwadodd Edwin fod y gwladfawyr newydd yn dioddef o eisiau bwyd. 'DYNA ANWIREDD BOB GAIR', protestiodd. Pa berygl sydd i neb newynu mewn gwlad lle mae dwy fil o wartheg, cannoedd o ddefaid a moch, heb sôn am yr holl anifeiliaid gwyllt y gellid eu hela? Roedd yn cydnabod bod effaith gwerthu'r grawn i'w deimlo o hyd, ac nad oedd gwaith cyflog i'r newydd-ddyfodiaid ar y pryd, ond nid oedd hynny'n rheswm dros i neb ddychwelyd adref. Dewisodd y mwyafrif llethol aros, adeiladu eu tai, a pharatoi i hau ar gyfer y tymor nesaf. Ac roedd y llywodraeth wedi anfon cyflenwad o fwyd i gynnal yr ymfudwyr newydd hyd y cynhaeaf.

Digalonnwyd yr achwynwyr yn rhy hawdd, meddai, heb iddynt weld dim o'r wlad y tu hwnt i Dre-Rawson, ac ni ddylid coelio'u straeon. Roedd y Wladfa'n datblygu'n gyflym a chyson; adeiladwyd ugeiniau o dai da, torrwyd milltiroedd o gamlesi, gwnaed paratoadau dyfal ar gyfer hau rhwng pedair mil a phum mil o erwau o wenith, ac roedd tua naw deg mil o erwau o dir y dyffryn wedi'u mesur, ac '. . . y mae minteioedd yn myned allan i archwilio'r wlad, a bydd yn rhaid sefydlu amryw wladfaoedd yn fuan'.

Clywid grwgnach yn erbyn Edwin yn y dyffryn hefyd, gyda chanlyniadau digrif ambell dro, fel yr edrydd ei nai, John Daniel Evans. Ddydd Gŵyl y Glaniad 1876, galwodd Edwin yng nghartref Richard a Hannah Jones i fynychu'r dathliad yn eu cwmni. Ym mharlwr Glyn Du daeth wyneb yn wyneb â newydd-ddyfodiad, ond ni chyflwynwyd y naill i'r llall gan y tyb eu bod eisoes yn adnabod ei gilydd. Cerddodd y ddau tuag at ysgoldy Glyn Du ychydig o flaen y gweddill, yn crafu am destun sgwrs. Credai Edwin mai Puw oedd cyfenw'r dieithryn a holodd sut oedd y 'Puwiaid bach'. Yn rhy swil i gywiro dieithryn mai Lewis oedd ei gyfenw, atebodd y gŵr eu bod yn iawn. A oeddynt yn hoffi'r wlad? I'r dim, diolch.

I newid y sgwrs, dywedodd Lewis ei fod yn edrych ymlaen at gael clywed araith Edwin Roberts, a fyddai'n siŵr o gynnwys ei gelwyddau arferol. Bwriadai holi nifer o gwestiynau caled iddo, gwasgu arno i ddweud y gwir a'i ddangos yn ei briod liwiau. Atebodd Edwin yn ddigyffro fod hynny'n syniad da ac eisteddodd y ddau nesaf at ei gilydd. Pan ddaeth ei dro, camodd Edwin i'r llwyfan a thraddodi ei anerchiad â'i asbri arferol. Dilynwyd ei wahoddiad i holi 'cwestiynau caled' gan ddistawrwydd llethol, tra pwysai Lewis ymlaen, benelin ar ben-glin, yn syllu ar ei ddwylo'i hun yn chwarae'n nerfus â'i het. Câi Edwin lawer o hwyl yn cofio'r digwyddiad hwnnw.

Neidiodd eraill i'w amddiffyn. 'Gwelais lythyr yn *Y Drych*', meddai John Davies mewn llythyr at ei rieni, '... yn ymosod ar Edwin Roberts ... Tystiolaeth pawb o'r gwladfawyr ydyw mai un o'r dynion gorau yn y wlad ydyw Edwin Roberts. Dyn o galon fawr Gymroaidd a chenedlgarol ydyw ef, ac wedi treulio yn agos i ugain mlynedd mewn bywyd o hunan-aberth er mwyn ei gyd-genedl. Bu y gŵr hwn am ddwy flynedd heb un crys ar ei gefn, er mwyn cael gwladfa i'r Cymry, tra y gallai ef gael 'byd da a helaethwych beunydd' pe buasai yn rhoi y syniad gwladfaol i fyny.

Y mae Edwin Roberts yn foneddwr yn wir ystyr y gair ...'

Ac mewn ymateb i'r sawl oedd yn sarhaus o dai'r Wladfa, ychwanegodd: 'Rhyfedd y fath eithafion y gall creadur diffygiol fyned iddo; rhyfedd fel y mae wedi anghofio tai gweithwyr o Landysul i Lanbedr Pont Steffan, lle magwyd ef. Onid oes yma dai ag y byddai llawer o gyfoethogion rhannau gwledig o Gymru yn falch ohonynt? ... Ond dyna, mae yn rhaid i'r dychweledigion gael rhywbeth i'w ddweud, gan eu bod wedi dychwelyd heb wneud un prawf arni, rhag i ddynion eu cymryd yn wawd.'

Ym 1890, sefydlwyd Cymdeithas Camwy Fydd, gyda'r amcan o hyrwyddo llenyddiaeth Gymreig a thrafod pynciau o ddiddordeb cyffredinol i'r Wladfa. Roedd Edwin Cynrig Roberts yn un o'i sylfaenwyr, ynghyd â'r brodyr Mihangel a Llwyd ap Iwan; Edward Jones, Dinas Mawddwy; W. M. Hughes; y Parchedig W. Casnodyn Rhys ac eraill. Etifeddwyd ei mantell gan Gymdeithas Dewi Sant, sydd â'i phencadlys yn Nhrelew. Isod: Mintai'r Mimosa yn dathlu Gŵyl y Glaniad a chwarter canrif y Wladfa.

Y ffordd i'r Andes, ger yr Allorau

Twymyn yr aur

A thymor hau 1890 yn dirwyn i'w derfyn, teimlai'r amaethwyr yn dra gobeithiol, waeth pa mor ddigalon oedd cyflwr gwleidyddol y Wladfa. Yn dilyn cyfres o gynaeafau llewyrchus, ehangodd Edwin ei diroedd drwy brynu fferm y Castell ar odre gogleddol y dyffryn, heb fod nepell o bentre'r Gaiman (yn ardal Treorci heddiw), a chyflogodd frodor o Ynys Môn, y Capten William Richards, i hau gwenith. Daethai hwnnw a'i deulu yno ryw wyth mlynedd ynghynt o Awstralia, lle bu'n chwilio am aur am nifer o flynyddoedd. Dywedir iddo fod yn filiwnydd ddwywaith cyn colli'r cyfan o'i eiddo, a nawr dyma'i lais yn codi unwaith eto i honni y gallai wneud ffortiwn arall o aur yr Andes.

Gwyddai Edwin mai oherwydd iddynt gredu damcaniaeth y gŵr o 'wlad y medra' yr anturiodd nifer o lanciau'r dyffryn dros y paith cyn i dri ohonynt gael eu lladd yng nghyflafan Dyffryn y

Merthyron ym Mawrth 1884. Cofiai glywed ei nai, John Daniel Evans, yr unig un i ddianc yn fyw o'r ymosodiad, a brawd yng nghyfraith hwnnw, Zecareia Jones, yn brwd-drafod syniadau tebyg yn ôl ym 1883. A chlywsai eraill, megis yr archwiliwr John Murray Thomas, yn honni bod cyflenwadau hael o'r mwyn melyn i'w cael yn y mynyddoedd. Gwyddai hefyd fod y Rhaglaw Fontana a'i swyddogion wedi chwilio'n ddyfal ond yn ofer amdano ers rhai blynyddoedd. A chofiai am ei obeithion ei hun a'i grwydradau ym mlynyddoedd cynnar y Wladfa. Ond ni fedrai anghofio siom aruthrol 'aur ffyliaid' Kel Kein ym 1871. Nawr, wele'i heuwr yn hau had oedd yn disgyn ar dir llawer mwy ffrwythlon nag y buasai'r hen arloeswr wedi'i gredu'n bosibl.

Nid oedd Ann yn frwd dros y syniad. Nid oedd perygl y tro hwn iddi ddioddef yr unigrwydd mawr a'i llethai yn ystod mynych absenoldebau ei gŵr ym mlynyddoedd cynnar y Wladfa, pan oedd y plant yn fach, y bwyd yn brin, a'i rhieni, ei brodyr a'i chwiorydd heb fod wrth law bob amser. Y tro hwn, ni fyddai'n brin o gymorth gan fod hyd yn oed Nest (ganed 13 Ebrill 1877) yn dair ar ddeg ac yn bâr o ddwylo yr un mor werthfawr â rhai'r merched eraill o gwmpas y tŷ, ac yn gyfarwydd ag amryfal ddyletswyddau'r fferm. Byddai Cynrig, yntau'n llencyn talgryf dwy ar bymtheg oed, yn dirprwyo dros ei dad er gwaethaf ofnau ei fam nad oedd eto'n ddigon profiadol i ysgwyddo cymaint o gyfrifoldeb, ac er na fedrai hi ddygymod â'r syniad o'i weld yn gadael y Castell i fyw ar ei ben ei hun ar un o dyddynnod eraill y teulu. Gwrthododd wrando ar ddadl daer Derfel (ganed 18 Rhagfyr 1879) ei fod yn ddigon hen, yn un ar ddeg oed, i gadw cwmni i'w frawd mawr. Nid oedd y creithiau a adawodd marwolaeth Garmon (ganed 15 Chwefror 1886) yn ei grud wedi'u cau ar ôl pedair blynedd, ac ni fynnai weld ei mab ieuengaf yn gadael y nyth. Eithr seiliwyd gwrthwynebiad Ann yn bennaf ar ei hofn nad oedd ei gŵr bellach yn ddigon ifanc i wynebu'r fath ymdrech.

Serch hynny, gwyddai mai ildio i'r demtasiwn fyddai ei hanes, yn hwyr neu'n hwyrach, a chytunodd yn hwyrfrydig iddo arwain yr ymchwil am y metel prin a guddiai yn y mynyddoedd pell y tu hwnt i'r paith. Mynnai Lewis Jones mai 'syml ramantedd ei feddwl' ac nid ymgyfoethogi fu'n cymell ei hen gyfaill. Chwilio am yr allwedd i achub y Wladfa fyddai cyfiawnhad Edwin. Er ei fod bellach yn ŵr canol oed hŷn, a bod bron i ugain mlynedd wedi mynd heibio er iddo droedio'r un llwybrau o'r blaen, credai nad oedd yn rhy hwyr iddo roi un cynnig arall arni, a denodd ei gyfeillion John Nicholls, John Coslett Thomas, Humphrey Jones, Jorge Williams a Gwilym Williams i ymuno yn y chwilio.

Wedi sicrhau caniatâd y llywodraeth yn Rawson, cychwynnwyd o bentre'r Gaiman gan ddilyn afon Camwy hyd y man lle saif argae Florentino Ameghino heddiw; oddi yno dros yr afon, ar draws anialdir Hirdaith Edwin, ac ymlaen ar hyd yr un trywydd ag y dilynasai mintai Fontana a John Daniel Evans ar eu taith arloesol i Gwm Hyfryd ym 1885, nes dod at eu nod wrth gyrion yr Andes, yn ardal Teca. Nid oedd ffyrdd rhwng y mynyddoedd i'w harwain at y fan, dim ond hen lwybrau Indiaidd na wyddai neb amdanynt, meddai Lewis Jones. Camp anhygoel yr archwilwyr, yn ei farn ef, oedd mynd â'r menni dros y fath dirwedd, a chredai y byddai adroddiad am y daith yn darllen 'fel *trek* y Boeriaid tua'r Transvaal'.

Bum mis yn ddiweddarach, ar 5 Ionawr 1891, rhuthrodd Edwin a'i griw yn fuddugoliaethus i swyddfeydd y llywodraeth yn Rawson i gyflwyno'u darganfyddiad i'r Rhaglaw Fontana. Gollyngwyd cwdyn lledr yn llawn gronynnau aur ar ei ddesg – un ohonynt cymaint â chneuen, ebe Fontana'n llawn edmygedd mewn llythyr at swyddog yn Buenos Aires. Ni fedrai'r Rhaglaw goelio'i lygaid. Buasai ef a'i swyddogion, Argerich, Mayo a Katterfeld, wedi'u harfogi â'r cyfarpar priodol, arfau a digon o fwyd, yn chwilio'n ddyfal ac yn wyddonol am fwynau ond yn ofer. 'Eithr y Chupatiaid dyfal-lwyddiannus hyn, gyda dim ond tipyn o fara ac ymenyn, wyth o geffylau tenau, ac un dryll benthyg, a gawsant – hwyrach – ffortiwn; o leiaf argoel dda o lwyddiant . . . at argoelion eraill sydd beunydd o'u blaenau. Nid oes dadl – 'lle bo ewyllys bydd gallu' ac y mae'r Cymry, unwaith eto, wedi profi gwiredd y ddihareb. Ni wn a wyddant y ddihareb ai peidio ond cyflawnasant hi ymhob gweithred o'u bywyd.'[5]

---

[5]Cyfieithiad o lythyr y Rhaglaw Fontana at swyddog o'r llywodraeth yn Buenos Aires, yn *Y Drafod*.

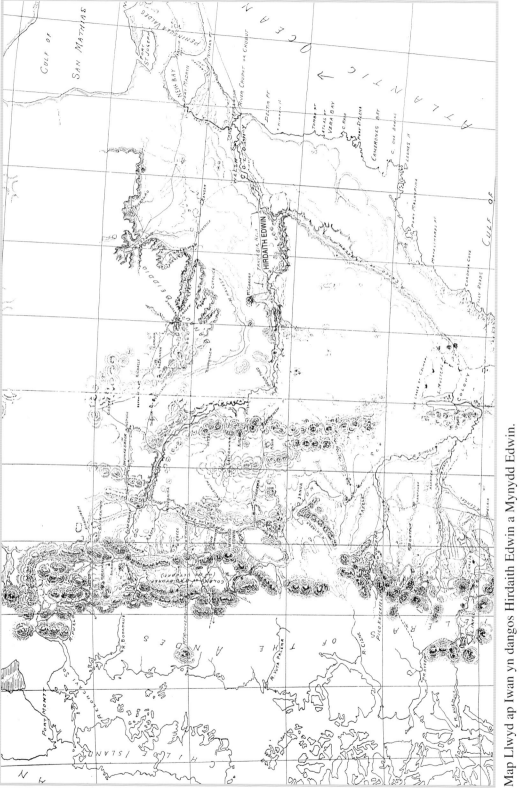

Map Llwyd ap Iwan yn dangos Hirdaith Edwin a Mynydd Edwin.

Credai Edwin yn gwbl argyhoeddedig ei fod wedi darganfod maes cyfoethog y tro hwn ac, yn ogystal â chyffroi'r Rhaglaw, creodd ei hyder gynnwrf eithriadol yn y dyffryn. 'Dychweliad Mintai yr Aur', crochlefai pennawd colofn newyddion lleol rhifyn cyntaf *Y Drafod*, wythnosolyn newydd y Wladfa. O dan hwnnw, adroddwyd yr hanes am yr ymweliad â swyddfa'r llywodraeth a'r ymgais i gofrestru'r maes a'r hawliau arno. Honnai'r archwilwyr eu bod wedi casglu digon o aur i dalu costau'r saith dyn, wedi darganfod cloddfa lechi o'r math gorau, yn ogystal â chopr, haearn a chlai. Ar dudalen arall, crybwyllwyd bod y 'Cwmni Archwiliol' yn galw'r Wladfa gyfan i gyfarfod cyhoeddus i glywed eu hadroddiad am yr aur a'r mwynau eraill. Ym marn y papur byddai hynny'n diwallu'r 'cywreinrwydd gwyllt sydd drwy'r wlad'.

Yn yr un rhifyn, rhoddwyd hysbyseb i alw'r cyfarfod cyhoeddus. Yn hwnnw, eglurwyd na fwriedid ei gynnal hyd nes bod dyddiau prysur y cynhaeaf drosodd. Ond oherwydd bod cyfarfod pwysig arall i'w gynnal yn y Gaiman, ddydd Llun 26 Ionawr, i drafod materion yn ymwneud â'r ffosydd dyfrhau, manteisiwyd ar y cyfle i'w gynnal ar yr un diwrnod rhwng un ar ddeg a deuddeg o'r gloch. Ychydig a feddyliai neb mor annigonol fyddai awr ar gyfer trafod pwnc a lwyddodd i danio dychymyg torfol y wladychfa.

Lewis Jones oedd yn cadeirio'r cyfarfod, a gwahoddodd arweinydd y fintai i annerch y dorf a ddaethai ynghyd. Agorodd Edwin Roberts ei sylwadau drwy bwysleisio peryglon peidio â 'dweud digon' neu 'ddweud gormod' ac ymataliodd rhag codi gobeithion ei wrandawyr. Roedd am adael i'r Capten Richards ymhelaethu ar yr aur, ond hoffai ef dynnu sylw'i wrandawyr at y wlad hyfryd a welsant wrth droed yr Andes.

Tyfai coed ar lethrau'r mynyddoedd i fyny yr holl ffordd at yr eira, rhedai dŵr grisial yn yr afonydd rhwng caeau glas, ac roedd golwg ramantus ar y creigiau. Wrth graig a enwyd ganddynt yn 'Graig Wen' y cawsant eu llwyddiant mwyaf – hyd at drigain gronyn aur mewn un rhofiaid. Cafwyd aur mewn tair afon, ac 'Ystyriaf fi fod rhwng y tair afon hyn faes aur cyfoethog, yn cynnwys gwerth llawer o filiynau o bunnau'.

Humphrey Jones oedd y nesaf i siarad – hwnnw eto'n hwyrfrydig i sôn am yr aur. Yn gyn-chwarelwr, y llechi ardderchog a welsai a aethai â'i fryd ef. Mynegwyd amheuaeth parthed cywirdeb adroddiad Edwin, a neidiodd John Nicholls i'w amddiffyn gan ddatgan nad oedd lle i amau gwirionedd gosodiadau ei gyfaill. Ategwyd hyn gan bedwerydd aelod y grŵp, Jorge Williams, a fynnodd fod Edwin Roberts wedi ymatal rhag gor-ddweud yr hyn a welsai. Ceisiodd Edwin leddfu'r disgwyliadau mawr a grëwyd gan y sylwadau hyn, drwy rybuddio bod cryn amrywiaeth yn swm yr aur rhwng dysgl a dysgl, gyda chyn lleied â thri gronyn yn un ohonynt. Hefyd, ceid lympiau mawr o cwarts uwchben yr afonydd, a gellid yn hawdd gamgymryd hwnnw am aur – fel y gwyddai'n dda o brofiad chwerw 1871.

Yna siaradodd yr arbenigwr. Gwelsai'r Capten Richards hefyd lawer o cwarts, ac ni chredai fod y maes yn un cyfoethog iawn, ond dylid cofio mai arolwg byr a brysiog fu hwn. Dichon bod meysydd gwell i'w cael yn bellach i mewn i'r mynyddoedd. Serch hynny, dylid ystyried hefyd eu bod yn anghysbell ac y byddai'n gostus iawn i gludo bwyd ac offer yno.

Waeth beth oedd gwerth yr aur, meddai Edwin, roedd am bwysleisio rhagoriaeth y bryniau ar gyfer magu anifeiliaid, a gellid codi cystal cnydau yno â rhai'r dyffryn. Ei gyngor ef oedd ar i'r ffermwyr gymryd y tir helaeth oedd o gwmpas y maes, a mynegodd ei barodrwydd i'w harwain i'r fan. Eithr neidiodd John Nicholls ar ei draed i ddadlau mai peryglu bywydau fyddai dringo'r mynyddoedd yn y gaeaf ac na ddylid rhuthro i wneud unrhyw drefniadau. Cyffrowyd y gwrandawyr gan yr hyn ystyrient yn ymgais i'w cadw draw oddi wrth yr aur. Nid oedd William Roberts yn ofni'r eira: 'Yr wyf yn hen gloddiwr ac wedi gweithio mewn lleoedd oerach [na'r Andes] . . . gwnaiff tipyn o aur ein cynhesu yno.' Ceisiodd pawb gyfrannu i'r drafodaeth a bu dadlau mawr hyd ganol y prynhawn.

Torrwyd ar draws y cynnwrf i gael te, ac i'r anturwyr gael cyfle i ymgynghori â'i gilydd parthed y ffordd ymlaen. Mae'n sicr y bu dadlau brwd rhwng y sawl oedd o blaid datgelu'r cyfan am leoliad y maes, a'r rhai mwy gofalus a fynnai gadw'r gyfrinach. Ceisiwyd llunio datganiad fyddai'n cynnig cyfaddawd derbyniol i'r dorf ddisgwylgar yn ogystal â rhoi amser i'r cwmni wneud eu trefniadau.

Wedi ailymgynnull, darllenodd Humphrey Jones ddatganiad y cwmni yn nodi na fyddent yn gwybod beth oedd eu hawliau fel anturwyr hyd nes iddynt ymgynghori â'r awdurdodau, ond eu bod yn fodlon caniatáu i'r sawl fyddai'n cytuno i dalu iddynt gyfran o'i enillion deithio i fyny gyda'r cwmni. Byddid yn cyhoeddi pob gwybodaeth yn *Y Drafod*. Ni fyddai'n hir cyn iddi ddod yn amlwg nad oedd yr anturwyr yn unfrydol y tu ôl i'r addewid hon.

Pwysleisiwyd yr angen am frys rhag i anturwyr o barthau eraill ddylifo i'r lle ac ennill y blaen arnynt, a sefydlwyd pwyllgor i gydlynu'r trefniadau, sef E. E. Davies, Maurice Humphreys, W. Roberts, Bob R. Ellis, E. T. Price ac E. P. Jones. Yn y cyfamser, fel yr edrydd W. Casnodyn Rhys yn *Y Drafod*, byddai'r saith partner yn cyfarfod ddydd Sadwrn 31 Ionawr i sefydlu'r cwmni'n gyfreithiol. Wrth i'r

haul fachlud, llifodd y dyrfa o'r cyfarfod yn llawn gobeithion am eu dyfodol.

Y nos Iau ganlynol cynhaliwyd cyfarfod yn Nhrelew, ond siomwyd y dorf ddisgwylgar a ddaeth ynghyd, gan na chawsai'r archwilwyr gyfle i weld yr awdurdodau ymlaen llaw. Er nad oedd yn debygol y byddai swyddogion y Rhaglawiaeth yn gwrthod yr hawl i eraill ymuno â'r anturwyr, daliai'r rheiny'n gyndyn, gan y gallai datgelu unrhyw wybodaeth niweidio'u hawliau. Rhybuddiwyd pawb oedd am anturio i'r Andes heb arweinydd profiadol fod angen paratoi yn drylwyr. Ni châi'r sawl a anwybyddai'r cyngor hwn gymorth mewn unrhyw gyfyngder pan fyddai y tu hwnt i gyrraedd gwareiddiad. Penderfynwyd y câi'r rhai a fynnai fynd wneud hynny ar yr amod eu bod yn talu eu costau ymlaen llaw, yn cofrestru erbyn 6 Chwefror, ac yn mynychu cyfarfod – oedd i'w gynnal eto yn Nhrelew – am ddeuddeg o'r gloch ddydd Sadwrn 7 Chwefror.

Y diwrnod hwnnw, mynnai erthygl olygyddol rhifyn yr wythnos o'r *Drafod* mai trychineb fyddai menter yr aur i'r Wladfa pe temtid anturwyr estron diegwyddor i ymuno yn y chwilio. Yn wir, bu rhai gwladfawyr teyrngar yn ddigon ymwybodol o'r posibilrwydd hwnnw yn y gorffennol i gelu pob sôn am yr aur a welsant hwy [wedi'r holl drafod ym 1871 ac wedyn gydol yr wythdegau?!]. Roedd penderfyniad Edwin Roberts i arwain y fenter ddiweddaraf hon wedi ysgogi sawl un i gredu ei fod yn cefnu ar ei freuddwydion a'i waith dros y Wladfa, eithr roedd y gwladfawyr wedi dysgu, drwy siomedigaethau chwerw, y gallai gweithredoedd a ymddangosai'n ddinistriol droi 'yn fendith a ffyniant . . .', meddai Lewis Jones, mewn ymgais i gyfiawnhau gweithredoedd ei gyfaill hoff.

Eithr ymddengys nad oedd angen iddo bryderu am enw da hwnnw oherwydd cafodd y fenter gefnogaeth a oedd bron â bod yn unfrydol. Wythnos yn ddiweddarach, yn wyneb y cynnwrf mawr, aeth Lewis Jones allan o'i ffordd i atgoffa'i ddarllenwyr fod cynlluniau eraill yn haeddu'r un sylw: 'Pwysicach o lawer na'r aur i'r Wladfa, yw ei chamlesi dyfrio.'

Serch hynny, ychydig iawn o bobl a lwyddodd i gadw'u traed ar y ddaear ynghanol berw'r wythnos gythryblus honno. Roedd ar bawb eisiau eu rhan yn y ffortiwn arfaethedig. Aur oedd testun pob sgwrs wrth y bwrdd bwyd, wrt gownteri'r siopau a chorneli'r strydoedd, a hyd yn oed ar y ffordd i mewn i'r capel. Byddai pryderon ariannol y wladychfa gyfan yn cael eu setlo unwaith ac am byth. Cymaint oedd hyder pawb yn y cynllun newydd nes clywyd sawl un byrbwyll yn mynegi bwriad i ymlwybro tua'r Andes heb hyd yn oed gynaeafu ei wenith.

Dan y pennawd 'Cyfarfod Mawr Pobl yr Aur', cyhoeddwyd adroddiad yn *Y Drafod* am y cyfarfod a alwyd yn Nhrelew ddydd Sadwrn 7 Chwefror i gofrestru'r rhai a fwriadai ymuno â'r daith i'r Andes ac i drafod manylion y trefniadau. Ymddengys iddo fod llawn mor fywiog â'r un a gafwyd bythefnos ynghynt yn y Gaiman. Cyfarfu chwe aelod y pwyllgor â'r saith anturiwr yn gynharach y diwrnod hwnnw, a rhaid bod cryn anghytundeb yn eu mysg parthed faint o wybodaeth oedd i'w ddatgelu, oherwydd cyraeddasant y neuadd yn hwyr, ac roedd y dorf wedi anesmwytho o ganlyniad i'r oedi. Eglurodd Edwin o'r gadair nad atal neb arall rhag mentro oedd amcan y cwmni, ond diogelu'r deuddeg milltir sgwâr a nodwyd ar y map. Dichon bod aur i'w gael mewn sawl man yn nhiroedd eang gwlad fawr yr Andes, ond roedd yn rhaid pwyllo. Os oedd perygl mewn oedi, 'diau fod perygl o ruthro . . .'

Agorwyd y drafodaeth o'r llawr gan Thomas Jones, Glan Camwy – bellach yn ffermwr llewyrchus pedwar deg ac un oed – a awgrymodd y dylai'r anturwyr ddychwelyd i'r safle a 'mynd â ni gyda chi'. Neidiodd William R. Jones, Bedol, ar ei draed i ddweud y gallai pwy bynnag fyddai'n dymuno hynny deithio tua'r mynyddoedd heb aros am ganiatâd. Ni fedrai'r cwmni na neb arall eu rhwystro rhag 'mynd am dro, fel byddigions'. Mae'n sicr nad oedd wedi ystyried eangderau'r mynyddoedd, na pha mor anodd y byddai i'r anghyfarwydd ddarganfod yr union safle – fel y câi partneriaid Edwin ddarganfod maes o law.

Atgoffwyd y cyfarfod gan ohebydd *Y Drafod*, W. Casnodyn Rhys, fod y cwmni eisoes wedi cytuno i rannu eu darganfyddiad. Beth felly oedd y rheswm dros hwyrfrydigrwydd yr aelodau? Ai ofn y gallai rhywrai fanteisio'n annheg arnynt ac anwybyddu eu hawliau? Nid oedd angen poeni – roedd y mwyafrif yn barod i gadw at unrhyw amodau, a byddai'r weithred o ddilyn yr anturwyr yn cydnabod eu hawliau. Gwell mynd nawr, gyda'i gilydd, i ddiogelu buddiannau'r cwmni, yn hytrach nag aros am 'ruthr estroniaid'. Ni ddylid oedi mwy na deunaw mis, rhag rhwygo'r gymdogaeth, ychwanegodd.

Siaradodd Thomas Jones eto. Gallai ddeall nad oedd y cwmni'n fodlon eu harwain at y maes, ond byddai yntau'n fodlon talu costau un o'r aelodau a ddeuai i ddangos y maes – rhag i neb arall weithio arno!

Pwysodd Maurice Humphreys ar aelodau'r cwmni i gadw'r bobl yn unol. Ni ddylent aros am y canlyniadau o Buenos Aires, nac am yr hawliau, ac ni ddylid rhwystro'r sawl a fynnai fynd. Wrth weld bod tymheredd y drafodaeth yn codi, gofynnodd Edwin am ganiatâd i'r cwmni 'ymneilltuo i ymgynghori'. John Nicholls, unwaith eto, oedd y cyntaf i sefyll dros hawliau'r cwmni. Dim ond hwy ddylai ddychwelyd i'r maes, meddai, ac nid oedd angen ymneilltuo i drafod hynny.

Popeth yn iawn, felly, meddai Evan Jones, y Triangl, yn amlwg wedi colli'i amynedd ag agwedd y cwmni – dilyned pob un ei lwybr ei hun. Cefnogwyd ef gan H. P. Jones, a gredai y dylai pawb a fynnai hynny gael mynd, ac roedd digon o arweinwyr profiadol cyfarwydd â'r ffordd.

Ceisiodd Edwin daro cyfaddawd. Onid oedd y cwmni am ddangos y maes, byddai aelodau unigol yn barod i arwain minteioedd, meddai, gan amlygu ei barodrwydd ei hun i'w harwain. Eithr gwrthwynebai John Nicholls y syniad hwn hefyd, gan fynnu y dylai'r cwmni weithredu fel uned. Daeth y cyfarfod i ben heb ddod i benderfyniad ffurfiol, ond mynegodd nifer o'r rhai presennol eu bwriad i deithio mewn minteioedd bychain annibynnol, waeth beth a benderfynai'r cwmni.

Safbwynt Edwin oedd bod angen cyfoeth yr aur ar y Wladfa; hwnnw fyddai 'allwedd' ei diogelwch, ac ni ddylai estroniaid ei ecsbloetio. Annoeth, felly, fyddai lledaenu gwybodaeth am y lleoliad – yn wir, er nad oedd yn cydnabod hynny'n agored, roedd yntau eisoes wedi gofalu na fedrai hyd yn oed aelodau eraill ei grŵp ddarganfod y trywydd i'r maes dan sylw (a safai bedwar can milltir o'r dyffryn, mewn gwlad anghyfarwydd iddynt oll) heb ei gyfarwyddyd ef, fel y daeth yn amlwg yn ddiweddarach.

Ymledodd y dwymyn dros y dyffryn nes ffrwydro'n ffrwst afreolus. Ymhen yr wythnos, roedd nifer o wŷr yn rhuthro tua'r mynyddoedd 'helter scelter ar draws ei gilydd, dros beithiau a bryniau, drwy hafnau a rhiwiau, a rhydiau a chreigiau, nes cyrraedd i Teca – 'ei mynyddoedd hyfryd',' meddai Lewis Jones.

Adroddai'r *Drafod*, 21 Chwefror 1891, fod mintai ar ôl mintai yn cychwyn tua'r Andes i chwilio am aur, a gosgordd o geffylau a marchogion gyda phob mennaid. Heblaw am fwyd a dillad, cludent lawer o offer, arfau a chafnau. Enillodd wyth mintai y blaen ar bawb arall, yn cael eu harwain gan Evan Jones, y Triangl; ei frawd, Thomas Jones, Glan Camwy; W. R. Jones, Bedol; W. Hughes, y Gaiman; Edward Parry; y Brodyr William a Thomas Tegai Awstin; E. E. Davies, Coetir; a Maurice Humphreys. Ac yn paratoi i adael roedd minteioedd Evan Puw, Evan Edwards, Hugh Hughes (Huw Eryri), a John Davies. Pob un wedi cynaeafu.

Nid oedd pawb yn unfarn parthed doethineb y fenter. Mewn erthygl a gyhoeddwyd yn *Y Drafod* dan y pennawd 'Cystal ag Aur', rhoes yr awdur, a gelai y tu ôl i'r ffugenw 'Masnachwr', rybudd i ymbwyllo ac i chwilio am drysor amlycach yn nes adref. Wrth fynd heibio i glogwyni calchaidd Lle Cul, dylai'r anturwyr agor eu llygaid i'r cyfoeth oedd yno. Gallent godi odyn galch ar y gamlas gerllaw, ac ymhen y mis byddai ganddynt hanner can tunnell o blastr Paris i'w werthu yn Buenos Aires am U$S30 i U$S40 y dunnell. Wedi tynnu'r costau cludiant a chostau eraill, byddai U$S15 i U$S18 y dunnell yn weddill misol parchus iawn. Gwell bargen na chodi gwenith ac, o bosib, yn well 'na gogrwn baw am aur'.

Erbyn canol Mawrth, roedd yr anturwyr yn agos at eu nod. Un o'r rhai â mwyaf o frys arno i gyrraedd oedd W. R. Jones. Dringodd yn fyrbwyll i fyny un o'r llethrau a chyrraedd y brig yn weddol ddidrafferth, ond nid arafodd ar ei ffordd i lawr. Baglodd y ceffyl a moelodd ei fen 'nes yr oedd efe a'r llwyth pendramwnwgl' ond ni chafodd niwed. Cododd gan chwipio'r llwch oddi ar ei ddillad a dweud, yn ôl W. Meloch Hughes: 'Diaist i, bois, nid ffordd Caerffili yw hon!'

Disgynnodd glaw trwm wrth iddynt groesi'r Teca ar 17 Mawrth (dros fis ar ôl gadael eu ffermydd), ac yna'n ddi-baid nes iddi nosi, a chytunwyd i wersylla. Gwelsant fod hinsawdd yr Andes yn debycach i un Cymru nag i ddyffryn sych Camwy.

'. . . dros beithiau a bryniau, drwy hafnau a rhiwiau . . .'

Y bore canlynol, cytunwyd i beidio â symud y gwersyll a gwasgarodd y gwahanol gwmnïau i edrych beth a welent. Aeth nifer i chwilio am olion unrhyw gloddio a wnaethid gan gwmni Edwin yn hytrach na chwilio am eu maes eu hunain. Erbyn yr ugeinfed, credai rhai eu bod wedi dod ar draws yr hyn a dybient oedd maes Edwin, a chwynent ei fod yn wael. Serch hynny, darllenir mewn erthygl o dan y pennawd 'Y Daith i'r Aur', yn *Y Drafod*, fod nifer yn gweithio arno eto ar y trydydd ar hugain, gyda rhywfaint o lwyddiant.

Ar ôl dim ond diwrnod o chwilio caled, teimlai rhai mai gwobr fach a gaed am ymdrech fawr ac nad oedd ffortiwn gyflym iddynt yn y lle. Dychwelsant i'r gwersyll yn siomedig a chanfod bod dwy fen arall newydd gyrraedd o'r dyffryn: D. Evans, a W. Casnodyn Rhys, gohebydd *Y Drafod*.

Wythnos yn ddiweddarach, a phawb wedi sobri, cefnwyd ar y Teca ac ar Fynydd Edwin (fel y gelwid y maes o hynny ymlaen) i wynebu'r daith hir ac araf tua Dyffryn Camwy. Roedd y gaeaf yn cau am yr Andes, a chyn bo hir byddai'r llethrau'n wyn dan eira. Fel y rhybuddiwyd hwynt gan John Nicholls, dewisodd yr anturwyr hyn yr adeg anghywir o'r flwyddyn i wynebu menter o'r fath. Efallai byddai canlyniad y daith wedi bod yn wahanol pe baent wedi gwrando ar Nicholls neu ar y rhybudd canlynol gan Rhys Williams, Cefn Gwyn:

'Pill Hen Ŵr i'r Aur'
Os ydych am fyned ar ymgyrch i chwilio
Am aur o'r pureiddiaf, bydd rhaid i chi
                                    weithio;
Ni roddwyd y trysor i'w gael yn
                                    ddidrafferth,
Pe felly, ni fuasai yn amgen na rywbeth.

192

Ar wahoddiad y cwmni, cyrhaeddodd David Richards, Harlech, ac R. Roberts, Efrog Newydd, i archwilio'r maes, a'i gael yn ddigon addawol i'w hysgogi i gytuno ar delerau ffurfiol â'r cwmni – sy'n awgrymu, efallai, mai cywir y gred na welwyd maes Edwin gan yr un o'r minteioedd a chwiliodd amdano mor frysiog a heb gyfarwyddyd arbenigol, ac nad ar y mynydd sy'n cario'i enw hyd heddiw y gwnaeth yr arloeswr ei 'ddarganfyddiad'.

Pwysleisiodd yr arbenigwyr y byddai angen symiau mawr o arian i gynnal y gwaith yn iawn, i dalu am y peiriannau angenrheidiol, i gyflogi staff gweinyddol a pheirianyddol ac i sicrhau dwylo i gloddio. Ni fyddai modd codi'r aur heb gyfalaf, ac nid oedd hwnnw i'w gael yn y dyffryn. Gwelai'r anturwyr eu breuddwydion yn chwalu gyda phob gair a glywent.

Ni fu Edwin mewn penbleth yn hir. Bu ef ac Ann yn awyddus ers amser i ddangos yr Hen Wlad i'w merched a'u meibion – Ceridwen (tair ar hugain), Esyllt (un ar hugain), Cynrig (pedair ar bymtheg), Gwladys (dwy ar bymtheg), Nest (pymtheg) a Derfel (tair ar ddeg) – a chredai y dylai gynnig cyfle iddynt, yn arbennig i'r tri ieuengaf, dreulio rhai blynyddoedd yno yn gwella'u haddysg. Nid oedd wedi anghofio'r anfanteision a ddioddefasai yng Nghymru oherwydd gwendidau ei gefndir addysgol, ac roedd yn benderfynol o wario'r hyn y byddai ei angen o'i 'ffortiwn' newydd ar gyfle gwell i'w blant.

Roedd prinder athrawon cymwys a diffyg cefnogaeth y rhieni yn bygwth dyfodol yr ysgol uwchradd newydd i ferched yr oedd Eluned Morgan yn ymlafnio i'w chynnal yn Nhrelew. Nid oedd darpariaeth gyffelyb ar gyfer y bechgyn. Ni fedrai dinasyddion y Gymru Newydd reoli'u gwlad yn effeithiol heb gael eu diwyllio yn gyntaf. Byddai dydd yn dod pan na fyddai Rhaglaw Talaith Chubut yn cael ei benodi yn Buenos Aires, ond yn hytrach yn cael ei ethol gan y bobl – fyddai hefyd yn ethol aelodau seneddol, a dylai'r rheiny fod yn wladfawyr cymwys. Yn ogystal, gwyddai mai Cymru oedd y lle i hyrwyddo'i ddarganfyddiad, a bod rhaid iddo ddychwelyd yno os oedd am wireddu'i freuddwyd o ecsbloetio'r aur i sicrhau ffyniant y Wladfa. Nid oedd dewis nawr ond mentro.

Mynydd Edwin, ger Llyn Rosario

I godi'r arian ar gyfer talu am y daith, i'w gynnal ef a'i deulu yn ei famwlad, ac i hyrwyddo'i gynllun, rhoes Bryn Antur (ei ail dyddyn) ar werth. Ni fu'n hir yn canfod prynwr am £2,000, oedd yn bris mawr y dyddiau hynny, ac ymbaratôdd i wynebu pennod fawr olaf ei yrfa.

Yn ôl yn yr 'Hen Wlad'

Pwysai Edwin Cynrig Roberts ar ganllaw bwrdd yr agerlong wrth iddi brysuro tua phorthladd Southampton a syllai ar amlinelliad arfordir de-ddwyrain Lloegr. Ymhen ychydig oriau byddent yn glanio, a chaent ddadlwytho'u bagiau niferus a chwilio am lety i fwrw'u blinder. Y diwrnod canlynol, 16 Mehefin 1892, byddai'n gorfod trefnu eu taith dros y tir i Gymru. Hwn oedd ymweliad cyntaf ei blant â hen wlad eu tadau, a theimlai ei waed yn llifo'n gyflymach yn ei wythiennau wrth feddwl am y foment y'i gwelent â'u llygaid eu hunain. Tybed pa mor gywir fu ei ddisgrifiadau ohoni? A gaent eu siomi oherwydd nad oedd yn cyrraedd eu disgwyliadau? A'r un ohonynt wedi gweld mynydd o'r blaen, a fedrent ymgartrefu yn Eryri ysgythrog? Teimlai'n euog am fethu cynnig y cyfle hwn iddynt ynghynt, yn arbennig y rhai hŷn na fedrent fanteisio arno i wella'u haddysg ffurfiol. Dichon na fyddai Esyllt yn poeni rhyw lawer am hynny, a'i byd hithau erbyn hyn yn troi o gwmpas Ellis, y Cymro ifanc y bu iddi ei briodi ddechrau Mai, ddim ond pedwar diwrnod cyn cychwyn ar y daith.

Oddi ar y seremoni briodasol a gynhaliwyd yn y Castell, ei gartref ef a'i deulu er 1890, nid oedd y pâr ifanc wedi cael fawr o gyfle i fwrw'u swildod, a hwythau'n gorfod rhannu'u hamser gyda'r teulu cyfan – yn arbennig gyda'r merched iau a fynnai sylw cyson y 'brawd' newydd. Gwyddai Edwin y gwnâi'r daith les mawr iddynt hwy a'r ddau fachgen. Roedd angen ehangu gorwelion plant y Wladfa a

chwistrellu hyder iddynt, rhywbeth na fedrai dim ond addysg uwch ei roi. Gwaetha'r modd, dyna wendid mawr y wladychfa ac roedd angen ei gywiro'n gyflym, cyn iddi fynd yn rhy hwyr. Dim ond yr ychydig rai ffodus a anfonwyd gan eu rhieni i'w haddysgu yng Nghymru a ddangosai unrhyw arwydd o fod â'r gallu neu'r diddordeb i ymwneud â materion llywodraethol y Wladfa. Roedd yn well gan fwyafrif yr ieuenctid drin y tir a'r anifeiliaid neu anturio i'r paith nag ymorol mewn llywodraeth a gwleidyddiaeth. A dyna, yn wir, fu ei wendid yntau.

Pwy fyddai'n codi i lenwi esgidiau Lewis pan orfodid ef i ymddeol? Pwy yn y dyfodol allai sefyll yn gadarn fel y gwnaethai Lewis fwy nag unwaith rhag gormes y mân swyddogion – y *mandones*, chwedl Guillermo Rawson – a anfonid o Buenos Aires i dra-arglwyddiaethu arnynt? Dim ond yr ymfudwyr ifainc hynny a ddaethai o Gymru ar ôl cwblhau eu haddysg – dynion megis Llwyd ap Iwan ac Edward J. Williams – oedd yn ddigon cryf i wrthsefyll y grymoedd mawr oedd yn bygwth dyfodol y Wladfa.

Camlesi a Rheilffordd

Yn ddiamau, nid oedd modd rhoi pris ar gyfraniad y ddau ŵr ifanc yna i lwyddiant amaeth yn y dyffryn. Rhwydwaith dyfrhau effeithiol oedd prif allwedd ei lewyrch – daethai hynny'n amlwg er dyddiau arloesol John Jones, Glyn Coch, a Cadfan, a'u defnydd dychmygus o'r ffosydd naturiol i droi dŵr afon Camwy i'w ffermydd. Bu gweledigaeth Rachel ac Aaron Jenkins, a ddechreuodd yr arfer o agor ffosydd a arweiniai'n uniongyrchol o'r afon i'w caeau, yn gyfrwng i wyrdroi'r hinsawdd gwrth-wladfaol. A chofiai gyda balchder am y gamlas gyntaf, dros ddeg cilomedr o hyd, a agorwyd gan y ffermwyr eu hunain ym 1875 heb fwy o offer na chaib, rhaw a nerth braich. Ond Williams,

Ceg y Ffos – ger y gronfa lle dargyferir dŵr afon Camwy i'r rhwydwe ffosydd dyfrhau.

gyda chymorth ap Iwan yn ddiweddarach, fu'n gyfrifol am y gwaith cynllunio a lefelu a wnaed yn ystod yr wyth degau i ehangu'r rhwydwaith. Hwy hefyd a arweiniodd y dasg enfawr a gyflawnwyd drwy wasanaeth gwirfoddol, di-dâl ac arwrol cynifer o ffermwyr y dyffryn. Nid oedd ganddo ond yr edmygedd mwyaf o'r llu o fechgyn a gerddodd (lawer ohonynt yn droednoeth) yr holl ffordd i geg y ffos i dreulio cyfnodau meithion yno ar wahân i'w teuluoedd, ym mhob math o dywydd, yn ddirwgnach, a chan ddangos llawer o hiwmor iach. Trwy chwys eu hwyneb, roedd y Wladfa nawr yn berchen ar rwydwaith o gamlesi a gludai ddŵr i bob cwr o'r dyffryn ac a ychwanegai at werth pob fferm, boed honno'n agos at yr afon neu'n bell oddi wrthi.

Williams hefyd a arweiniodd y gwŷr priod fu'n gosod y rheilffordd o'r dyffryn i Fadryn ym 1886, gwaith a roddodd gychwyn annhebygol i Drelew. Cychwynnodd y bechgyn di-briod o'r pen arall dan arweinyddiaeth y peiriannydd amhoblogaidd o Sais, W. A. Brown. Nid heb ymdrech eithriadol ar ran y gweithwyr a ddaethai ar y *Vesta* y cwblhaodd cwmni A. P. Bell a Lewis Jones y gwaith ym 1887 pan unwyd y ddau drac ger Twr Joseff gan wireddu gweledigaeth Parry Madryn, Lewis Jones a Thomas Davies, Aberystwyth. Bu E. J. Williams yn arweinydd cymdeithasol a gwleidyddol cadarn wedi hynny – er nad oedd Edwin yn cytuno â'i safbwynt bob tro, yn enwedig pan fyddai'n dangos parodrwydd i lastwreiddio Cymreictod y Wladfa drwy agor drysau i'r di-Gymraeg. Ond byddai Lewis yn barotach i dderbyn ei safiad.

Yn ôl a ddywedai, nid oedd dyfodol i'r Wladfa heb gyfathrach fasnachol gref â'r cwmnïau busnes Archentaidd, ac er mwyn hybu hynny, rhaid oedd caniatáu iddynt sefydlu yn y dyffryn a defnyddio'r Sbaeneg – iaith nad oedd Edwin wedi'i meistroli. Gwyddai nad oedd ei safbwynt mwy digyfaddawd ef ar fater yr iaith yn

195

dderbyniol gan y mwyafrif o'i gydnabod erbyn hyn, yn enwedig y mewnfudwyr diweddaraf a'r rheiny oedd 'am i'r plant ddod 'mlaen' ac yn barod i'w gweld yn troi i'r Sbaeneg – er bod y mwyafrif o'r gwragedd, bendith arnynt, yn tueddu i ymwrthod ag iaith y wladwriaeth.

Roedd y wladychfa'n dal i ddioddef gan brinder cyfalaf difrifol, ac nid oedd ganddi adeiladau storio pwrpasol na phriffyrdd (ar wahân i'r 'llinellau', fel y gelwid y lonydd unionsyth a luniasai Edward Owen, Maes Llaned, a Llwyd ap Iwan rhwng y ffermydd – llychlyd yn yr haf, a mwdlyd yn y gaeaf) ar gyfer y wagenni fyddai'n cludo cynnyrch y dyffryn yn gostus o araf naill ai i Rawson neu i Drelew a Phorth Madryn. Serch hynny, ffynnai'r ffermydd a theimlai'r gwladfawyr yn falch o'u cynnyrch, a werthid am brisiau da yn y marchnadoedd – a'r un mor falch o'u cartrefi, a gymharai'n ffafriol â rhai ffermydd Cymreig canolig eu maint. Y pechod mawr oedd bod eu llwyddiant cymharol yn cydredeg â gwanhau cyson yn

rheolaeth y gwladfawyr dros eu tynged wleidyddol eu hunain, ac â dirywiad peryglus o amlwg yn safle'r Gymraeg o fewn y gymdeithas. Erydwyd honno'n llwyr, i bob pwrpas, o gylchoedd llywodraethol y Wladfa byth oddi ar ddyfodiad y swyddogion Archentaidd, er gwaethaf safiad dewr Lewis Jones (ac eithrio o gyfarfodydd Cyngor y Gaiman, lle cofnodid y trafodaethau'n ddwyieithog yn y llyfr cofnodion: y Sbaeneg ar y chwith a'r Gymraeg ar y dde).

Roedd llawer y gellid diolch amdano, serch hynny. Gwyddai Edwin fod nifer o'i gyd-arloeswyr[6] wedi llawenhau lawn

---

[6]Gwyddai Edwin am brofiadau enbyd John Jones, Glyn Coch gynt, yn ei ymwneud â goruchwyliaeth Vintter. Cyn goruchafiaeth Roca dros yr Indiaid, ni welsai hwnnw'r un dyn gwyn yn mentro ato i ganol tiriogaeth y brodorion, eithr ar ôl difa'r rheiny, ni fentrai Jones adael ei gartref gan fod cymaint o ofn campau annisgybledig milwyr y rhaglaw arno. Ni pherchid ei hawliau, collodd lawer o'i eiddo a gorfu iddo frwydro'n hir dros y tir a wladychodd.

Y trên ar y paith rhwng Madryn a Threlew.

Olynwyr y "Fyddin Gymreig', llu arfog cyntaf Chubut.

gymaint ag y gwnaeth yntau gyda phenderfyniad llywodraeth yr Arlywydd Julio Argentino Roca yn Hydref 1884 i ddiddymu Rhaglawiaeth Patagonia (a gofid am ei phencadlys pellennig ar lannau afon Ddu a thueddiadau gormesol y Rhaglaw Lorenzo Vintter), a chreu Tiriogaeth Genedlaethol Chubut. Er mai swyddog milwrol wedi'i benodi gan lywodraeth y Weriniaeth oedd rhaglaw cyntaf y Diriogaeth, yn Rawson y byddai ei bencadlys, ac roedd lle i ddiolch ymhellach mai'r Lefftenant-gyrnol Jorge Luis Fontana a benodwyd i'r swydd, oherwydd profodd hwnnw ei fod yn llywodraethwr hirben a doeth, yn ogystal â bod yn ŵr diwylliedig a chymdeithasol ei anian. Llwyddodd i oresgyn amheuon y gwladfawyr (a oedd wedi'u caledu gan gyfres o *Comisarios* rhodresgar a difaterwch haearnaidd Vintter) a ffurfiodd berthynas gyfeillgar â llawer ohonynt, yn enwedig â Lewis Jones – yn gymaint felly nes iddo fedyddio'i blentyn ieuengaf yn Llewelyn Taliesin, i ddangos ei barch tuag at ei ddeiliaid. Mae'n wir mai yn ystod ei deyrnasiad hir ef y rhoddwyd yr hoelen olaf yn arch Cyngor y Wladfa ac mai bwriad y rhaglaw oedd cymathu'r wladychfa i Wladwriaeth Ariannin o dan reolaeth uniongyrchol Buenos Aires, ond

oni bai am ei benderfyniad i sefyll gyda'r gwladfawyr yn erbyn ei swyddogion ei hun, ni fyddai Cyngor y Gaiman byth wedi'i sefydlu a byddai'r dyffryn cyfan wedi cael ei reoli o swyddfeydd y Rhaglawiaeth neu o Gyngor Rawson (a oedd, i bob pwrpas, yn greadigaeth wleidyddol benodol i wrthsefyll grym y gwladfawyr). Cafodd yntau dipyn o hwyl yn curo Fontana yn y ras answyddogol am fod y cyntaf i ddarganfod aur, a gwerthfawrogai raslonrwydd y rhaglaw, a wyddai sut i golli'n fonheddig.

Dichon mai cyfraniad mwyaf Fontana – y cyntaf o swyddogion y wladwriaeth i fod yn dderbyniol gan y gwladfawyr – oedd y daith archwiliol a arweiniodd, ar gais ac ar gost y gwladfawyr eu hunain, yng ngwanwyn a haf 1885, pryd y darganfuwyd Cwm Hyfryd, gan agor tiroedd cyfoethog i'w gwladychu gan deuluoedd y Wladfa. Efallai bod John Daniel Evans yn gywir pan honnodd mai'r daith honno a agorodd lygaid Fontana i natur gyfeillgar y gwladfawyr a'u haddasrwydd i wladychu'r diriogaeth (yn gwrthbrofi'r rhybudd a roddwyd iddo yn Buenos Aires eu bod yn ddihirod peryglus – honiad a'i brawychodd, mae'n siŵr, pan ganfu eu bod yn rhagori arno fel saethwyr!) O'r ugain gwladfäwr yn y fintai, un yn unig a aned yn y Wladfa, sef Robert, mab hynaf W. R. Jones, Bedol. Fontana a phump o'i ddynion oedd y chwe Archentwr arall yn y garfan, a marchogai dau Almaenwr ac un milwr cyflog Americanaidd gyda hwy.

Camp fasnachol yr wyth degau, yn ddiau, oedd sefydlu Cwmni Masnachol y Camwy. Blinodd y gwladfawyr dalu'r prisiau afresymol a godid arnynt gan fasnachwyr Rawson, ac ymunasant i ffurfio'u busnes cydweithredol eu hunain. Bu Tomos Tegai Awstin, yr hynaf o'r ddau frawd amddifad a fagwyd gan rieni John Daniel Evans ac un o 'wŷr arfog' y 'Fyddin Gymreig' gynt, mor eithriadol o lwyddiannus yn prynu a bargeinio yn Buenos Aires nes perswadio'r cwmni newydd i'w benodi'n rheolwr. Prynwyd llong i gludo nwyddau i'w gwerthu yn y dyffryn ac i gario cynnyrch oddi yno i'r Brifddinas Ffederal. [Ond efallai bod egwyddorion y gwladfawyr wedi gwanhau seiliau ariannol eu cwmni drwy ymgorffori yn ei reolau gymal yn nodi na fyddai'n ychwanegu mwy na deg y cant at bris cyfanwerth, ac na chaniateid i unrhyw un o'i aml ganghennau werthu alcohol.]

Gyda chynifer o arwyddion gobeithiol o'i gwmpas, credai Edwin fod y rhod wedi troi ac y byddai llwyddiant y cwmni aur yn rhoi'r chwistrelliad cyfalaf yr oedd cymaint o'i angen i ddileu ofnau ac amheuon am ddyfodol y Wladfa unwaith ac am byth.

Sefydlu cwmni'r aur

Wedi cwblhau trefniadau teuluol a phersonol, ac ymgartrefu yn y Pant, Bethesda, ymdaflodd Edwin â'i egni arferol, ynghyd â David Richards, i godi cyfalaf ar

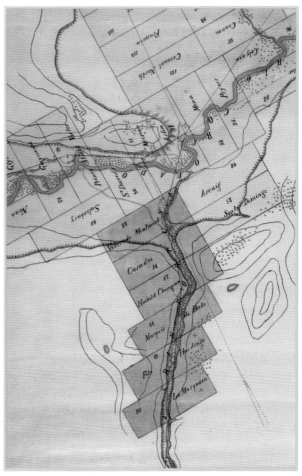

Map o'r meysydd aur

gyfer sefydlu'r cwmni newydd – y Welsh Patagonian Gold Field Syndicate. Nodwyd chwilio am aur a mwynau eraill, amaethu tir ac anifeiliaid, a chodi ffatrïoedd, ymhlith ei fwriadau. Byddid hefyd yn diogelu hawliau'r brodorion i'w cyfran deg o unrhyw enillion. Rhannwyd y cwmni'n bedair mil ar bymtheg o gyfranddaliadau gwerth punt yr un, a phrynodd Edwin a thri chyfarwyddwr arall – Aelod Seneddol Arfon, David Lloyd George yn eu plith – gan cyfranddaliad yr un. Perswadiodd Edwin gwmni Gwynfynydd, Dolgellau i ryddhau Reid Roberts, un o'u peirianwyr, i fynd allan i'r Wladfa gyda David Richards, a benodwyd yn rheolwr y gwaith. Rhoddwyd gobeithion mawr ar lwyddiant y fenter.

(*t*) To make advances for the purposes of the Syndicate on stocks shares or other securities and on property of all kinds either with or without the borrowers personal security and in particular to customers of and persons having dealings with the Syndicate.

(*u*) To enter into any arrangement for sharing profits union of interests or co-operation with any person or company carrying on or about to carry on any business which the Syndicate is authorised to carry on.

(*v*) To establish mantain and work agencies in the Argentine and Chili Republics or elsewhere in connection with the business of the Syndicate or any part thereof.

(*w*) To carry out the above objects or any of them and do all such other acts or things as are incidental or conducive to the attainment of the above objects or any of them either in the United Kingdom The Argentine or Chili Republics or elsewhere.

4.—The Liability of the members is limited.

5.—The Capital of the Company is Ten thousand pounds divided into Ten thousand shares of One pound each with power to increase. The shares forming the capital (origingal or increased) of the Syndicate may be divided into such classes with such preferences and other special incidents and be held on such terms as may be prescribed by the Articles of Association and Regulations of the Syndicate for the time being or otherwise.

𝔚𝔢 the several persons whose names and addresses are hereunder subscribed are desirous of being formed into a Syndicate in pursuance of this Memorandum of Association and we respectively agree to take the Number of Shares in the Capital of the Syndicate set opposite our respective names.

No.	Names Adresses and Description of Subscribers.	No. of shares taken by each Subscriber.
1	MICHAEL D. JONES, Principal, Bala College	Five
2	DAVID RICHARDS, Mining Engineer, Harlech	One
3	EDWIN CYNDRIG ROBERTS, Bryn Artyr, Chubut, Patagonia, Farmer	One Hundred
4	THOMAS PALESTINA LEWIS, Bangor, M.P.	One Hundred
5	GAVIN BROWN CLARK, 85, Addison Road, London, M.P.	One Hundred
6	DAVID LLOYD-GEORGE, Bryn Awel, Criccieth, M.P.	One Hundred
7	EVAN ROWLAND JONES, 12, Cumberland Terrace, Regent's Park, London, M.P.	Fifty
8	SAMUEL THOMAS EVANS, 6, Pump Court, Temple, Barrister-at-law	Fifty
	Total shares taken	506

Witness to the above signatures of Michael D. Jones,
David Richards, Edwin Cyndrig Roberts, and Thomas Palestina Lewis,
H. JONES PARRY, Mount Pleasant, Portmadoc, N.W.
Clerk to Messrs. Lloyd-George and George, Criccieth and Portmadoc, Solicitors.

Witness to the above signatures of Gavin Brown Clark
and David Lloyd-George,
THOMAS EDWARD ELLIS, M.P.,
9, Bridge Street, Westminster, London, S.W.

Witness to the above signature of Evan Rowland Jones,
FRED. WOODMAN, Publisher,
Effingham House, Arundel St., London, W.C.

Witness to the signature of Samuel Thomas Evans,
D. LLOYD-GEORGE,
Solicitor, Criccieth.

Rhan o 'Memorandum of Association' y Welsh Patagonian, Gold Field Syndicate a luniwyd gan gyfreithiwr y cwmni, David Lloyd George.

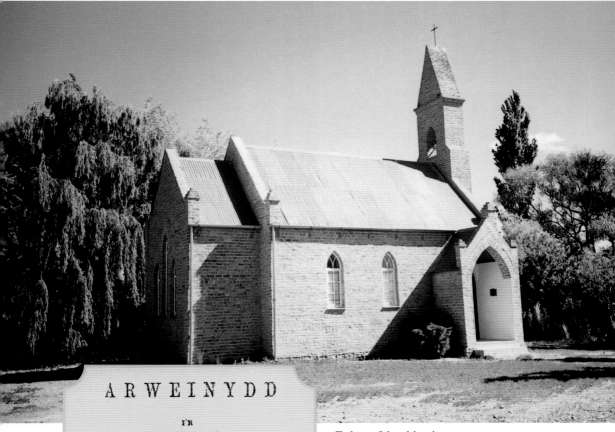

ARWEINYDD

I'R

ANLLYTHYRENNOG

DDYSGU DARLLAIN CYMRAEG.

———

GAN

ROBERT DAVIES,

O SANTGLYN.

ANFONEDIG

ODDIWRTH

ESGOBAETH BANGOR,

TRWY

Y Barch. D. Walter Thomas, St. Ann's,

I OFAL

MR. EDWIN C. ROBERTS, BRYN-ANTUR,

AT WASANAETH

AELODAU YR HEN EGLWYS BRYDEINIG AR LAN Y CAMWY,

MEHEFIN, 1881,

Gyda'r dymuniadau goreu dros eu llwyddiant ysprydol
a thymherol.

Eglwys Llanddewi.

Yr Eglwys Frytaneg

Un o fanteision ymgartrefu ym Methesda i Edwin Roberts oedd cael bod yn gymydog i'w hen gyfaill, y Canon W. D. Thomas, a oedd erbyn hyn yn rheithor eglwys y Santes Anne, a threuliodd lawer o'i amser hamdden yn ei gwmni. Bu Thomas yn gyson gefnogol i'w ymdrechion i ledaenu achos yr 'Hen Eglwys Frytaneg' yn y Wladfa. Rhwng ymadawiad Robert Meirion Williams a chanol y saith degau, bu'r gwladfawyr yn addoli heb raniadau enwad, eithr glynodd ymfudwyr niferus 1874-75 wrth eu traddodiadau crefyddol gan ymrannu i gapeli enwadol, a llusgo pawb arall gyda hwy.

O hynny ymlaen, neilltuodd Edwin lawer o'i amser i hyrwyddo cenhadaeth ei eglwys ei hun. Elwodd yr eglwys yn ddirfawr o wasanaeth diwyd Jonathan Ceredig Davies, a ddaethai i'r Wladfa drwy ymdrechion y ddau gyfaill ym 1875.

200

O ganlyniad i bwyso taer Edwin, a chyda'r arian ychwanegol a gasglodd Thomas, anfonwyd y Parchedig Hugh Davies (Huw Ddu o Arfon) i'r Wladfa ym 1883, a bu yntau'n gefn i'r achos yn ogystal ag i fywyd cymdeithasol a diwylliannol y Wladfa am weddill ei oes. (LJ)

Cynhelid y gwasanaethau a'r Ysgol Sul ym Mryn Antur, cartref Edwin ac Ann hyd 1890, ac yna yn y Castell, hyd nes adeiladwyd eglwys Llanddewi ym 1891 yn ardal Bethesda, ger Dolafon – yn y Dyffryn Uchaf – gryn bellter o ffordd o'i gartref.

Ar ôl dychwelyd i Gymru, casglodd Edwin arian, gyda chefnogaeth W. D. Thomas, i godi eglwys nes at ei gartref a thalu am anfon offeiriad arall i'w gwasanaethu. Y Parchedig D. G. Davies a benodwyd yn gaplan eglwys Sant Marc, yr eglwys newydd a adeiladwyd yn Nhrelew. Bu'n gaffaeliad amhrisiadwy i'r Wladfa, yn ôl Lewis Jones, nid yn unig yn rhinwedd ei brofiad o sefyllfaoedd gwladychfaol yn yr Unol Daleithau a Chanada, ond oherwydd ei wybodaeth feddygol yn ogystal.

'Hanesydd' cyntaf y Wladfa

Bu Edwin bob amser yn ymwybodol iawn o'r hyn a ystyriai'n anfantais o fod wedi methu derbyn ei addysg yng Nghymru (cofier gambit agoriadol ei araith genhadol) ac nid ymhonnai fod yn llenor nac yn hanesydd. Serch hynny, yn ystod ei arhosiad ym Methesda, cafodd gyfle droeon i adrodd hanes y wladychfa wrth ei gyfeillion, ac anogodd W. D. Thomas ef i ysgrifennu 'Hanes Dechreuad y Wladfa Gymreig', yn seiliedig ar nodiadau a ysgrifenasai ar y fordaith o Buenos Aires. Ef oedd y cyntaf o'r 'Hen Wladfawyr' i ymgymryd â thasg o'r fath. Cyhoeddwyd ei ymdrechion yng ngholofnau *Gwalia* o dan y pennawd 'Gwladfa Gymreig'. Bwriadai gyhoeddi

cyfres o ddeunaw cyfrol fechan yn nodi cefndir a ffeithiau am yr ymgyrch wladfaol, yn ogystal â'i syniadau ei hun am Gymru, ei hiaith a'i hawl i gael gwladfa ar dir 'America Fawr'. Cwblhaodd y gyfrol gyntaf – oedd yn sôn am y mudiad cyn 1862, ac yn cofnodi'r cyfarfodydd a'r trafodaethau a gynhaliwyd yn y Taleithiau Unedig a arweiniodd at ei benderfyniad personol ef i adael am dde'r cyfandir ar ei ben ei hun – mewn pryd i'w gyhoeddi ym Medi 1893. Disgrifir y llyfryn ar yr wyneb-ddalen fel 'Llyfr diddorol i bob Cymro Gwladgarol'.

Fel gyda phopeth arall a wnaeth, nid oedd yn ofni mynegi safbwynt gwahanol i'r cyffredin. Credai heb unrhyw amheuaeth fod y Cymry wedi troedio tir y cyfandir newydd er dyddiau mordaith Madog ab Owain Gwynedd ym 1170, ganrifoedd cyn camp Cristoforo Colombo. 'Mae gennym ni, y Cymry, gystal hawl â neb pwy bynnag i ddweud ar goedd y byd penbaladr mai nyni, cenedl y Cymry, ddarganfyddodd America gyntaf', meddai. Serch hynny, nid yw'n bychanu camp Columbus, nac yn brin ei gydymdeimlad ag ef am na roddwyd iddo gydnabyddiaeth deilwng yn ystod ei oes: 'Dyma fu tynged llawer un o blant athrylith, a'r rhai a aberthasant bob cysuron personol er daioni y byd yn gyffredinol. Gwir yr hen ddihareb Gymraeg: 'Os mynnu glod bydd farw'. (ECR) Ond prin y gellir honni bod hynny wedi bod yn wir yn ei achos ef.

Cadwyd llawysgrif anorffenedig o'i eiddo, sef 'Hanes y Wladfa ar y Chupat', lle dyfynnir rhannau o'i ddyddiadur, a lle mae'n sôn am y cyfnod a dreuliodd yn yr Amerig hyd at laniad y fintai gyntaf. Dywed geiriau clo'r llawysgrif: 'I barhau eto ar y llong nesa'. Hen wladfäwr, Edwin C. Roberts.'

Ysywaeth, ni welodd Edwin fwrdd yr un llong arall. Ymddangosodd cyfrol gyntaf *Hanes Dechreuad y Wladfa Gymreig* ddydd

Gwener, 15 Medi 1893. Bwriadai deithio i Lerpwl y dydd Mawrth canlynol a chroesi'r Iwerydd i'r Wladfa ddydd Mercher, 27 Medi, yn cludo pedwar can copi i'w gwerthu yno, ac i barhau â'r gwaith o gloddio am aur 'nas gŵyr neb arall ymhle y mae', fel y dywed yn chwareus yn ei ddyddiadur (er mawr rwystredigaeth – a thestun cecru anghynnes – i bawb arall fu'n ymwneud â menter yr aur am gyfnod wedi hynny). Gwelwyd mwy ohono nag arfer yn y dref ar y prynhawn Sadwrn wrth iddo ffarwelio â'i gyfeillion, eithr am hanner nos, Sadwrn 16 Medi, trawyd ef yn sâl, a bu farw am wyth o'r gloch fore Sul o drawiad ar y galon. Yn ystod wyth awr ei ddioddefaint, ni lwyddodd i yngan gair wrth neb o aelodau ei deulu a ymgasglodd o'i gwmpas, ebe Ann yn ddigalon mewn llythyr at eu cyfaill, y Parchedig Hugh Davies. Roedd yn bum deg a phump mlwydd oed a'i weddw yn bedwar deg chwech – saith mlynedd ar hugain a phum mis er diwrnod hanesyddol eu priodas yng Nghaer Antur.

Claddwyd ei weddillion ym mynwent eglwys y Santes Anne ar un o lethrau mynydd Llandygái, Arfon, ar y diwrnod yr oedd wedi bwriadu ymlwybro, ynghyd â nifer o ddarpar ymfudwyr oedd wedi cytuno i'w ddilyn, tua Lerpwl a'i wlad fabwysiedig. Daeth torf fawr ynghyd i ffarwelio ag ef. Unodd corau Glanogwen a'r Santes Anne i ganu rhai o'i hoff emynau, a thraddodwyd teyrnged deimladwy iddo gan D. S. Davies ac Abraham Matthews.

'Wedi crwydro hir, gorffwys ei gorff yng nghesail Eryri. Wrth barchu beddrodau ei harwyr, nac anghofied Cymru y beddrod hwn', rhybuddiodd R. Bryn Williams. Ond ei anghofio a wnaeth pawb ond dyrnaid o'i ddisgynyddion. Gyda'i weddillion, claddwyd hefyd gyfrinachau'r aur (ni lwyddodd ei gyfeillion byth i ailddarganfod yr union faes), yn ogystal â chyfrinachau'r mudiad gwladfaol, oherwydd, wedi marwolaeth Ann gwaetha'r modd, collwyd ei ddyddiaduron – yn cynnwys hanesion ynglŷn â'i fywyd a'i waith, yn arbennig ei gyfnod 'distaw' (1875-1890) – cofnodion gwerthfawr yn hanes Cymru a Phatagonia. Cyflwynodd Ann y nodiadau y bwriadodd yntau eu trosi yn llyfrau, i ofal ei hen gyfaill (a gwrthwynebydd ar un adeg), y Parchedig Abraham Matthews, a'u defnyddiodd yn ddiweddarach fel sail i'w gyfrol, *Hanes y Wladfa Gymreig ym Mhatagonia*, a gyhoeddwyd ym 1894.

Gyda'i farwolaeth ddisymwth ac annhymig, collodd y Wladfa – yn ôl tystiolaeth ei gydnabod – un a fu ar wahanol gyfnodau yn weithiwr dygn drosti, ei phlediwr mwyaf egnïol a'i phropagandydd huotlaf, yn gynhaliwr cyrff ac eneidiau, yn ysbrydolwr ac yn ddifyrrwr i'w hieuenctid, y mwyaf eofn o'i hanturwyr, yn arweinydd a gweledydd, yn Gristion cadarn ei ffydd, yn uchelwr ei osgo a'i ymagwedd, ond yn gymwynaswr diymhongar a hael hyd at aberth. Yn bennaf oll, bu'n wladfäwr ac yn wladgarwr digyfaddawd.

Amrywiodd ei gyfraniad i'r wladychfa yn ôl anghenion gwahanol gyfnodau. Pan fu galw arno i areithio, crwydrodd yn ddiflino ledled Cymru a thaniodd rannau ohoni â'i neges; wrth arloesi, wynebodd berygl corfforol pan adawyd ef ar ddaear Patagonia heb gwmni ac eithrio ychydig o weision amheus eu teyrngarwch; ynghyd â Lewis Jones, ymdrechodd i baratoi'r ffordd ar gyfer mintai'r *Mimosa*; yn wyneb ofnau am ddiogelwch y wladychfa, sefydlodd yr unig lu arfog 'Cymreig' er dyddiau Glyndŵr; ar ei ysgwyddau ef y disgynnodd y cyfrifoldeb o fwydo'r gwladfawyr yn nyddiau'r newyn, pan hyfforddodd yr helwyr a ffurfio cwmni pysgota cyntaf Patagonia, ac ymdrechodd hefyd i ennill i'r Wladfa ei chyfran yn y fasnach hela morloi. Pan flinodd ar siarad gwleidyddol ac ymosodiadau personol ar Lewis Jones, ciliodd i breifatrwydd ei fywyd teuluol – er colled fawr i lywodraeth y wladychfa, ebe'i gyfaill. Nid oedd hynny gyfystyr â chefnu ar y Wladfa, dim ond dewis gweithredu'n ymarferol drosti, a phan ddeallodd fod aur ym mynyddoedd yr Andes chwiliodd yn egnïol amdano mewn ymgais i ddiogelu economi'r wladychfa. Ef oedd y cyntaf i geisio rhoi hanes camp anhygoel mintai arwrol y *Mimosa* ar gof a chadw ar gyfer cenedlaethau a allai'n hawdd anghofio amdani. Hyd yn oed ar adegau duaf y wladychfa, mynegodd ei ffydd ddiwyro yn ei dyfodol. Mae'n sicr iddo gael ei siomi gan fethiant y Gymdeithas Ymfudol i boblogi Patagonia yn ystod degawd cyntaf tyngedfennol ei bodolaeth, a chan ei hanallu i roi hwb i economi'r Wladfa. Bron yr un mor boenus iddo â'r loes a achosodd yr hyn a ystyriai'n ymosodiadau di-alw-amdanynt ar Lewis Jones, oedd gweld y Gymraeg yn colli'i safle breintiedig yng nghylchoedd llywodraeth y wladychfa.

Gellir rhannu ei gyfraniad i bedwar cyfnod: 1) y cyfnod cenhadol, a dreuliodd yn yr Unol Daleithiau a Chymru; 2) y cyfnod gweithredol, a welodd ei gyfraniad pwysicaf i'r wladychfa drwy lwyddo i'w chadw rhag newynu, rhoi hyder iddi i'w hamddiffyn ei hun ac, ynghyd â Berwyn, mynnu dychweliad Lewis Jones; 3) cyfnod y cilio, pan roes amser i fod gyda'i deulu, i hyrwyddo achos ei eglwys, ac i archwilio'r fewnwlad; 4) cyfnod y gobaith newydd, pan gafodd le i gredu y gallai atgyfnerthu economi Patagonia'n ddigonol i sicrhau adfywiad y freuddwyd am Dalaith Brythonia.

Rhoes menter yr aur hwb i'w obeithion, a phwy a ŵyr na fyddai'r cynllun wedi llwyddo pe cawsai fyw i'w arwain, ac i'w lewyrch wireddu'i obeithion am ddyfodol ei Wladfa. Fel y mynnodd angau (dichon mai Rhagluniaeth ddywedai ef), arbedwyd iddo'r boen o dystio i ddirywiad pellach yng ngalluoedd gwleidyddol y gwladfawyr, a ffarweliodd â'r fuchedd hon tra oedd ganddo obeithion o hyd am ddyfodol disglair i'r Wladfa Gymreig. Dywed Matthew Henry Jones fod ei farwolaeth, ynghyd â cholli Plas Hedd yn llif mawr 1899, wedi bod yn ergydion

Cofeb Edwin Cynrig Roberts, ym mynwent Moriah.

trwm i Lewis Jones. Dirywiodd ei iechyd yntau yn fuan, llaciodd ei afael yn raddol ar arweinyddiaeth yr hyn oedd yn weddill o'r Wladfa, ac ymneilltuodd i'w gartref hyd ei farw bedair blynedd i mewn i'r ugeinfed ganrif.

Ni ddychwelodd Ann i'r Wladfa fyth wedyn, ac ymhen ychydig flynyddoedd ailbriododd â'r Rhingyll William Jones, Aber-soch, chwegrwn Derfel, yr ieuengaf o'i meibion, yn wyneb gwrthwynebiad chwyrn ei merched. Dychwelodd pob un ohonynt hwythau, nifer ohonynt yn briod, i Ddyffryn Camwy. Dychwelodd Derfel, ynghyd â'i wraig, a Cynrig a'i wraig yntau. Dewisodd y pâr olaf ymfudo i Ganada maes o law. Ym Mhatagonia yr erys y mwyafrif o ddisgynyddion Edwin Cynrig Roberts, ond gwasgarwyd eraill ledled y byd. Ar 17 Medi 1993 dadorchuddiwyd cofeb hardd yng Nghapel Moriah, ger Trelew, i nodi canmlwyddiant ei farwolaeth. Mae un o ysgolion Trelew ac un o'i strydoedd yn cario'i enw, felly hefyd ei fynydd aur ger Teca, a rhan o'r ffordd ar draws yr anialwch rhwng Dyffryn Camwy a Chwm Hyfryd. Eithr y mae ei waith a'i aberth yn haeddu mwy na hynny. Daw dydd, efallai, pan gofir yn deilwng amdano ef a'i hirdaith dros hawliau'r Cymry a'u hiaith, o fewn ffiniau gwlad ei febyd.

Y Ffynonellau

Cylchgronau a newyddiaduron

Baner ac Amserau Cymru (1865-1875). Llythyrau a derbyniwyd oddi wrth y Gwladfawyr.

Y Drafod (18 Mehefin-22 Hydref 1926) Hanes Cychwyniad y Wladfa, Thomas Jones, Glan Camwy.

Y Drafod (1903, 1913, 1919/20) Hanes y Wladfa, Richard Jones, Glyn Du.

Y Drafod (1891-1931) Storïau amrywiol—Thomas Ellis, Richard Jones Berwyn, ac eraill.

Y Drafod (1910) Hanes y Mudiad Gwladfaol, Cadfan Gwynedd.

Y Drafod (1910) Mordaith y Fintai Gyntaf, Lewis Humphreys (dyddiadur—golygwyd, gyda nodiadau eglurhaol, gan Richard Jones Berwyn).

Y Ddraig Goch (1862/3 a 1875/6).

Y Gwladgarwr (1865) Llythyrau amrywiol a hysbysebion y Wladychfa Gymreig.

Tarian y Gweithiwr (1877).

Llyfrau ac adroddiadau

Cymraeg

David Davies, *Hanes Cymry Winnebago a Fond du Lac*, Wisconsin Globe 1898.

D. S. Davies (y Parchedig), *Adroddiad am sefyllfa y Wladfa Gymreig*, E. C. Roberts 1875.

Aled Lloyd Davies, *Y Fenter Fawr*, Canolfan Technoleg Addysg Clwyd 1986.

Jonathan Ceredig Davies, *Patagonia*, D. Davies Rhondda Valley Printing Works, Treorci.

Aled Eames, *Y Fordaith Bell*, Gwasg Gwynedd 1993.

Hugh Hughes, [Cadfan Gwynedd], *Llawlyfr y Wladychfa Gymreig*, Lewis Jones 1862.

Hugh Hughes, [Cadfan Gwynedd], *Atodiad i Lawlyfr y Wladychfa Gymreig*, Lee & Nightingale 1863.

W. Meloch Hughes, *Ar Lannau'r Gamwy ym Mhatagonia*, Y Brython 1927.

Lewis Jones, *Y Wladva Gymreig: Cymru Newydd yn Ne Amerig*, Cwmni'r Wasg Genedlaethol Gymreig 1898.

E. Pan Jones, *Oes a Gwaith M. D. Jones, Bala*, H. Evans, Bala 1903.

Abraham Matthews, *Hanes y Wladfa Gymreig yn Patagonia*, Mills & Evans 1894.

Edwin Cynrig Roberts, *Y Wladfa Gymreig ym Mhatagonia*. Cyfrol 1, J. F. Williams 1893.

R. Bryn Williams, *Y Wladfa*, Gwasg Prifysgol Cymru 1962.

Saesneg

John Hamill, *The History of English Freemasonry*.

Munck, Falcón & Galitelli, *Argentina, From Anarchism to Peronism*, Zed Books Ltd. 1987

George Chaworth Musters, *At home with the Patagonians*, John Murray 1871.

Geraint Dyfnallt Owen, *Crisis in Chubut*, Christopher Davies 1977.

Christopher Ralling (ed), *The Voyage of Charles Darwin*, BBC.

Kenneth Skinner, *Railway in the Desert*, Beechen Green Books 1984.

Glyn Williams, *The Desert and the Dream*, UWP 1991.

Edwin Cynrig Roberts　　　　Lewis Jones　　　　Abraham Matthews

Thomas Jones, Glan Camwy　　　Richard Jones, Glyn Du

Richard Jones Berwyn　　John Jones, Bwlch yr Hirdaith

Sbaeneg

Isabel Aretz, *El Folklore Musical Argentino*, Ricordi Americana 1952.

Américo Caamaño. *Colonización Galesa en el Chubut*.

José S. Campobassi, *Mitre y su época*, Editorial Universitaria de Buenos Aires 1980.

Juan Carlos Christensen, *Historia Argentina sin mitos*, GEL 1990.

Curruhuinca-Roux, *Las Matanzas del Neuquén*, Plus Ultra 1993.

Curruhuinca-Roux, *Sayhuece, El último cacique*, Plus Ultra 1986.

Clemente I. Dumrauf, *Historia de Chubut*, Plus Ultra 1991.

John Daniel Evans, *El Molinero*, Clery Evans 1994.

Matthew Henry Jones, *Trelew: Un Desafío Patagónico*, Tomos 1 & 2.

Bernabé Martínez Ruiz, *La Colonización Galesa en el Valle del Chubut*, Galerna 1977.

Eliaz Díaz Molano, *Nicasio Oroño: Colonizador*, Plus Ultra 1977.

Ellis Roberts, *Edwyn C. Roberts, Su vida y su obra*, ER 1986.

David Rock, *Argentina 1516-1987*, Alianza 1994.

Domingo Faustino Sarmiento, *Facundo*, Alianza 1998 (Primera ed. 1874).

Eugenio Tello, *El Chubut y sus primeros colonizadores*, La Cruz del Sur, 1935.

Albina Jones de Zampini, *Reunión de familias en el Sur*, 1995.

Virgilio Zampini, *Chubut—breve historia de una provincia argentina*, El Regional 1975.

Llawysgrifau

Cymraeg

R. J. Berwyn, Rhestriadau Deng Mlynedd Allan o Lyfr y Rhestrydd, 1865-1875, Amgueddfa Wladfaol y Gaiman.

H. Tobit Evans (Letters to) re Patagonia, 1894-1900, LlGC.

Llewelyn Hughes Cadfan, Nodiadau, Clery Evans, Trevelin.

Glyn Ceiriog Hughes, Tair Ysgrif ar dri chymeriad yn hanes y Wladfa, Eisteddfod Genedlaethol Cymru 1980.

Lewis Jones, Dyddiaduron, LlGC.

Ann Jones de Roberts, Nodiadau, LlGC.

Edwin Cynrig Roberts, Hanes y Wladfa ar y Chupat, Coleg Prifysgol Bangor.

Edwin Cynrig Roberts, Mordaith Mr. Edwin Roberts o Gymru i Patagonia, Coleg Prifysgol Bangor.

Papurau ynglŷn â Welsh Patagonian Gold Fields Syndicate Ltd. 1891-2, LlGC.

W. Casnodyn Rhys, Pioneers of Patagonia, 1902, LlGC.

W. Casnodyn Rhys, Fifteen years in Patagonia, 1902, LlGC.

John Coslett Thomas, Hunangofiant, LlGC.

Saesneg

Evelyn K. Roberts Vandervelde, History of the family of John Kendrick Roberts and Edwyn Kendrick Roberts, 1867-98.

Government papers relating to the Welsh Colony in Patagonia, 1867-98, LlGC.

Sbaeneg

Fernando R. Coronato, El emplazamiento primitivo de Puerto Madryn.

Atodiad 1

Ariannin: yr etifeddiaeth

Ffydd, gobaith, cariad . . . a chyfoeth

Byth er dyddiau Isabel de Castilla a Fernando de Aragón, ennill eneidiau brodorion y cyfandir newydd i'r ffydd Gatholig a chyfoethogi'r Goron oedd amcanion pennaf ymgyrch fawr Sbaen ar ei thiroedd Americanaidd – yr holl ffordd o Fflorida yn y gogledd-ddwyrain i Galiffornia yn y gogledd-orllewin ac i lawr hyd at Tierra del Fuego – ac ymgyrchwyd i'r perwyl hwnnw gyda sêl eithriadol. Cyflawnwyd y cymal hwn yn ei haddewid yn fwyaf effeithiol, gonest a chadarnhaol gan frodyr Urdd Cymdeithas yr Iesu, mewn cyferbyniad trawiadol â'r enghreifftiau llawer rhy gyffredin o ddiffyg cariad brawdol tuag at y brodorion gan y mwyafrif o'u cyd-wladwyr. Ym mhob un o'r canolfannau cenhadol dan reolaeth yr Iesuwyr, hyfforddwyd brodorion yn y sgiliau a'r crefftau angenrheidiol i'w galluogi i fod yn hunangynhaliol a phroffidiol, i drin y tir a thyfu grawn a llysiau, i wehyddu a theilwra, yn ogystal ag i ddarllen ac ysgrifennu yn Sbaeneg a'r ieithoedd brodorol. Yn y rhanbarthau sy nawr yn perthyn i wladwriaethau Ariannin a Pharaguay, dysgwyd y Gwaranîs i ganu hefyd, ac i chwarae offerynnau, yn ddigon da i griw ohonynt dderbyn gwahoddiad i gynnal cyngerdd o gerddoriaeth glasurol gerbron uchelwyr Buenos Aires. Croesawodd yr 'Indiaid' eu hyfforddwyr, ynghyd â'u cred newydd ac estron, fel gwarcheidwaid rhag cyrchoedd eu gelynion lleol a rhysedd creulonaf eu concwerwyr gwyn.

Llwyddodd y grymoedd gwrth-Gatholig a wthiasai'r Urdd allan o Sbaen, Portiwgal a Ffrainc drwy ei chyhuddo o hereticiaeth ac o ddiffyg teyrngarwch i'r Goron, i'w hysgubo hefyd o Dde America cyn i'r ddeunawfed ganrif ddirwyn i ben. Chwaraewyd rhan allweddol yn y broses hon gan fudiad hynafol y Seiri Rhyddion a oedd, ar ôl y Dadeni a'r Diwygiad Protestannaidd, wedi cefnu ar ei wreiddiau Catholig canoloesol a phensaernïol i gofleidio Protestaniaeth – ac ym Mhrydain a'r gwledydd oedd o fewn cylch ei dylanwad, teyrngarwch i Goron Lloegr yn ogystal. Agorodd ei aelodaeth i fasnachwyr llewyrchus, uchelwyr a gwŷr parod i ddylanwadu dros fuddiannau eu 'brodyr', fel y galwent eu cyd-aelodau. Yn ninasoedd tiriogaethau Afon Arian, recriwtiwyd aelodau'n llwyddiannus ymhlith gwŷr ifanc uchelgeisiol a delfrydgar. Ystyrid mai cael gwared â disgyblion Ignacio de Loyola oedd y cam cyntaf tuag at ddifa arch-elyn grymus y mudiad, sef yr Eglwys Lân Rufeinig geidwadol a gormesol. Nid oedd lle, mwyach, i gaethiwed a thywyllwch Catholigiaeth, ac roedd yna wawr newydd ar fin torri a fyddai'n goleuo America fawr drwy agor llygaid ei phobloedd i fanteision addysg a rhyddid meddwl. '*Libertad, Igualdad y Fraternidad*' (Rhyddid, Cydraddoldeb a Brawdgarwch), cri croch y Chwyldro Ffrengig, oedd yr arwyddair a gofleidiwyd ganddynt â blys.

Rhaib a thwf

Wedi diflaniad dylanwad llesteiriol yr Iesuwyr, trefnwyd system ymerodrol tiriogaethau Afon Arian ar ffurf pyramid. Canolwyd grym llywodraeth yn nwylo dosbarth breintiedig o ddisgynyddion y gwladfawyr gwreiddiol a mewnfudwyr newydd o'r un tras – a ecsbloetiai'r brodorion a'u condemnio i dlodi bythol. Dosbarthwyd cyfoeth ar sail ethnig. Eiddo'r gwynion oedd y tir a'i gynnyrch, y da a gwaith y brodorion. Yn y canol, roedd haen o fasnachwyr a swyddogion taleithiol. Heb ragfur yr Iesuwyr i'w hamddiffyn, defnyddid y brodorion yn llafur rhad neu'n gaethweision, ac alltudiwyd llwythau cyfan droeon gannoedd o filltiroedd o'u broydd i ddiwallu anghenion amaethyddol a diwydiannol. Gwthiai pob ton o fewnlifiad Sbaenaidd y tlotaf o'r gwynion i swyddi is, gan wasgu'r brodorion ar waelod y pyramid i'r swyddi mwyaf distadl neu yn llwyr ddi-waith ac allan o'r dref. Crëwyd poblogaeth segur a chrwydrol – rhag-flaenwyr y *gauchos* – ac aneffeithiol fu pob ymgais i'w rhwydo a'u rheoli. Y nod oedd eu clymu hwy hefyd wrth y gadwyn drethiannol a fodolai yn unig i ddargyfeirio cyllid y gwladfeydd i goffrau Coron Sbaen.

Ym 1776 sefydlwyd Rhaglawiaeth Afon Arian, mewn ymgais i gryfhau rheolaeth y Goron ar ei thiriogaethau mwyaf deheuol. Canolwyd y grym masnachol a llywodraethol yn Buenos Aires, gan ddwysáu'r tensiynau a fodolai rhwng y ddinas a'r trefi eraill oedd eisoes yn eiddigeddus o'i statws uwch. Nid oedd methiant parhaus y famwlad i hwylio'i llynges fasnachol heibio i longau rhyfel a môr-ladron Prydain a Ffrainc yn gymorth i hyrwyddo'i pherthynas â'i deiliaid yng Nghanol a De America, a gwnaeth llywodraeth Sbaen gamgymeriad tactegol enfawr drwy gefnogi ymgais lwyddiannus Unol Daleithiau Gogledd America i ennill annibyniaeth ar Brydain Fawr. Yng ngolwg y Goron Brydeinig roedd hynny'n cyfiawnhau ei hymdrechion i danseilio rheolaeth Sbaen ar ei thiriogaethau Americanaidd (a oedd wedi denu sylw gwleidyddol a masnachol Lloegr) ac i ledaenu'r dylanwad Prydeinig yno.

Lloegr yn llygadu Buenos Aires

Ym Mehefin 1806 dargyfeiriwyd llongau – a anfonasid yn wreiddiol i gludo milwyr a gwladfawyr i Dde Affrica – tua De America. Credai'r Comodôr Popham mai menter haws a mwy buddiol na chynllun y morlys fyddai concro Buenos Aires, a threchwyd amddiffyn egwan y ddinas gan y Cadfridog Beresford a'i fil saith cant o filwyr. Ond casglwyd lluoedd lleol ynghyd yn frysiog dan arweinyddiaeth Santiago de Liniers, a gorchfygwyd y goresgynwyr yn gymharol

ddidrafferth yn ystod mis Awst. Collodd tri chant o ddynion Beresford eu bywydau yn y cyrch, a daliwyd deuddeg cant yn garcharorion rhyfel. Eithr sefydlwyd perthynas gyfeillgar rhwng y swyddogion Prydeinig a'r arweinyddion dinesig pan ddarganfuwyd bod yn y naill wersyll a'r llall nifer o aelodau brawdoliaeth y Seiri Rhyddion. Yn ystod eu carchariad goleuodd y brodyr gorchfygedig eu concwerwyr parthed manteision annibyniaeth. Cadarnhawyd – os oedd angen hynny o gwbl – teimladau Martin de Álzaga, masnachwr dylanwadol, Maer Buenos Aires ac ysgogydd pennaf y symudiadau i ryddhau'r ddinas, fod tiriogaethau Sbaen yn Ne America yn aeddfed i'w hamddiffyn a'u rheoli eu hunain. Teimlai sawl un arall yr un modd.

Gyda chymorth masoniaid, llwyddodd Beresford i ffoi liw nos ar draws afon Arian i Montevideo ac i Lundain, lle y canfu nad oedd ei fethiant ar faes y gad cyn bwysiced â'i gamp yn ennill cysylltiadau cyfeillgar, a ystyrid yn gyfraniad gwerthfawr yn y frwydr dactegol yn erbyn Sbaen.

Derbyniodd Popham bob anrhydedd pan ddychwelodd i Loegr yn gynnar y flwyddyn ganlynol yn cludo holl gyfoeth trysordy'r Rhaglawiaeth (a gipiwyd i'w longau cyn i Beresford golli'r dydd). Ymhen ychydig fisoedd, anfonwyd y Brigadydd Crawford ar flaen ugain llong rhyfel a naw deg llong gludiant i adennill Buenos Aires, ac ymosodwyd ar y ddinas ym Mehefin 1807. Y Cadfridog John Whitelocke a arweiniai'r llu grymus o un fil ar ddeg o wŷr arfog, ond erbyn 13 Gorffennaf, yn wyneb gwrthwynebiad ffyrnig milwyr Buenos Aires, a chymorth egnïol ei thrigolion, roedd y goresgynwyr yn troi tuag adref yn aflwyddiannus unwaith eto.

Er i Whitelocke sicrhau cytundeb i ryddhau nid yn unig ei filwyr ei hun ond hefyd y rhai a adawyd gan Beresford, dewisodd rhai o'r morwyr cyffredin herio llid eu swyddogion ac aros yn Buenos Aires – yn eu plith, y Cymro ifanc Henry Libanus Jones a fyddai, ymhen y rhawg, yn tyfu'n ddyn busnes dylanwadol ac yn priodi â merch Álzaga. Ym 1853, ac yntau dros ei drigain oed, byddai'n arwain ymgais aflwyddiannus i sefydlu canolfan fasnachol ar lan ogleddol afon Chupat ym Mhatagonia, i hela gwartheg gwylltion a gwerthu eu crwyn yn Buenos Aires. Cododd gaer fechan nid nepell o geg yr afon i gadw'r Indiaid draw – adeilad y bu ei adfail, dros ddegawd wedi i Jones ddychwelyd i Buenos Aires, yn lloches dros dro i'r fintai gyntaf o wladfawyr. Cyfeiriai Lewis Jones ati fel yr 'hen amddiffynfa'.

Gwyddai'r Arglwydd Castlereagh, Gweinidog Rhyfel Prydain Fawr, na fyddai'r colledion annisgwyl ar lannau afon Arian yn niweidio'i uchelgais am ddyrchafiad yn *'primus inter pares'*[1]. Gorfu i'w gyd-weinidogion gydnabod nad mewn concwest filwrol – fel y dymunai rhai o swyddogion y morlys yn eu hawch am antur ac am oruchafiaeth Lloegr dros gefnforoedd a chyfandiroedd – y cipiai Prydain Dde America o gylch dylanwad Madrid, ond trwy reoli masnach yn y rhanbarth. Tanseiliodd y llynges fasnachol Brydeinig fonopoli Sbaen ar afon Arian drwy ddadlwytho'i chargo anghyfreithlon yn ddirwystr a di-dreth, er budd masnachwyr Seisnig Buenos Aires os nad i'r diwydiannau lleol, a thrwy hynny sefydlu dibyniaeth economaidd sydd wedi para hyd heddiw. Llifai ffrwd newydd yn rhydd rhwng Llundain a Buenos Aires, gyda chymorth gweithredol aelodau'r Seiri Rhyddion, mawr eu niferoedd a'u dylanwad ymhlith masnachwyr y naill ddinas a'r llall, yn Swyddfa Dramor George Canning, ac ymhlith llywodraethwyr Buenos Aires.

Y Seiri Rhyddion yn Ariannin

Dywed John Hamill yn *The History of English Freemasonry* mai ym 1853 y cyflwynwyd y cyfryw saeryddiaeth yn Ariannin. Eithr cyfarfu'r Seiri Seisnig yn Buenos Aires cyn dyddiau annibyniaeth, a honnir bod dwy gyfrinfa Seisnig yn weithredol er 1806[2]. Croesawai canghennau

niferus aelodau di-Saesneg – meibion dysgedig y teuluoedd cyfoethocaf ac academyddion disglair, rhai newydd ddychwelyd o'u cyrsiau yn Ewrop ac eisoes yn gyflawn aelodau o'r Logia Lautaro. Cyfrinfa newydd, holl-Americanaidd ei haelodaeth, oedd yr un a sefydlwyd yn Gibraltar ac a fu'n drwm ei dylanwad ar y ddrama fawr fyddai'n cau'r llen ar reolaeth Sbaen yn Ne'r Iwerydd. Cyflwynodd ddarpar arweinyddion gwledydd newydd De America i syniadau a dulliau gweithredu'r masoniaid. Drwy gymorth aelodau'r gyfrinfa hon y llwyddodd Jose de San Martin – cadfridog hirben a diymhongar ac arwr pennaf ymgyrch annibyniaeth De America – i adael Sbaen, gyda'r bwriad ymddangosiadol o ymweld â Lloegr, cyn croesi'r Iwerydd i ryddhau taleithiau deheuol De America.

Y frwydr am annibyniaeth

Ym 1810 teimlai arweinyddion dinesig Buenos Aires yn ddigon hyderus, er gwaethaf y rhaniadau mawr yn eu plith, i hawlio annibyniaeth ar weinyddiaeth Coron Sbaen. Erbyn 1816, ynghanol ymgyrchoedd gwaedlyd fyddai'n para hyd ganol wyth degau'r ganrif, ac yn dilyn llawer o gynllwynio (gan gynnwys o leiaf un ymgais a ysgogwyd gan aelodau'r frawdoliaeth ffrancmasonaidd i gynnig teyrngarwch bythol y taleithiau newydd i Goron Lloegr), cyhoeddwyd annibyniaeth wleidyddol Taleithiau Unedig Afon Arian. Manteisiodd Prydain ar y datblygiad i hyrwyddo'i hachosion masnachol a gwleidyddol yn Ne'r Iwerydd ac i reoli drwy rannu. Am flynyddoedd wedyn, ei pholisi tuag at yr egin-wladwriaeth oedd hybu pob anghydfod ymhlith ei harweinyddion, creu anhrefn a chynnen ymhlith y taleithiau, a'u gwahanu oddi wrth ei gilydd (gan lwyddo i wneud hynny yn derfynol yn achos Paraguay, Bolivia a'r Banda Oriental del Uruguay).

---

[1]Ni wireddwyd ei uchelgais.

[2]Ymhen y rhawg, byddai o leiaf ddwy gyfrinfa wedi'u darparu ar gyfer croesawu Cymry Buenos Aires: Trefor Mold a St. David's.

Honnir bod y polisi wedi llwyddo oherwydd mai masoniaid oedd llawer o aelodau llywodraethau cyntaf y taleithiau annibynnol a bod llawer o'u penderfyniadau wedi'u gwneud nid er budd yr egin-wladwriaeth ond er lles masnach Prydain a'r masnachwyr lleol a'r arweinyddion a berthynai i'r mudiad.

Yn ystod cyfnodau o ansefydlogrwydd, rhaniadau a chyrchoedd arfog rhwng a) yr Unitarios (cyn-gefnogwyr brenhiniaeth), a blediai achos un llywodraeth ganolog gref, a'r Federales (hen bledwyr y system weriniaethol) a gredai mewn grym datganoledig i'w taleithiau; a b) llywodraeth Talaith Buenos Aires ac arweinyddion y taleithiau 'mewnol' bach ac egwan, a wrthwynebai oruchafiaeth y dalaith fawr drostynt, gwnaed sawl ymdrech i uno'r wladwriaeth o dan un llywodraeth genedlaethol, heb lwyddo i wneud hynny'n derfynol hyd 1862, proses y bu i aelodau'r Seiri Rhyddion ran bwysig yn ei hyrwyddo.

Yn ôl J. C. Christensen, arwyddodd hierarchaeth masoniaid De America – a oedd yn ddarostyngedig i'w brodyr Seisnig – gyfamod cyfeillgarwch a heddwch â hwy ym 1860 a fyddai'n dal mewn grym dros ganrif yn ddiweddarach, cyfamod na fyddai, mwyach, yn hawlio teyrngarwch gwleidyddol i Orsedd Lloegr. Dywed, yn ogystal, mai masoniaid oedd pedwar o'r pum llywodraethwr cyntaf i gael eu cydnabod fel arlywyddion Gweriniaeth Ariannin – yn eu plith, Bartolomé Mitre (1862-68). Honnir hefyd fod llawer o aelodau'r cabinet yn Seiri Rhyddion. Byddai aelod o'r cabinet hwnnw, y Gweinidog Cartref, y meddyg o dras Wyddelig, Dr Guillermo Rawson, yn chwarae rhan allweddol yn hanes Gwladychfa Gymreig Patagonia, ac yn cydweithio'n glòs â Lewis Jones.

Mwy o waed

O ddiwedd 1829 hyd Chwefror 1853 rheolid Talaith Buenos Aires (ynghyd â nifer amrywiol o daleithiau'r Conffederasiwn ar wahanol adegau) yn llawdrwm a gwaedlyd, yn ogystal ag yn flaengar, gan Juan Manuel de Rosas – 'Caligula afon Arian' i rai sylwebyddion (y masoniaid, a ddioddefodd ei erledigaeth enbyd, yn eu plith). Parhau i fod yn ansefydlog iawn fu'r 'egin-Weriniaeth' er gwaethaf grym Rosas, nad oedd mewn gwirionedd nemor mwy na rhaglaw taleithiol arall – rhaglaw'r dalaith fwyaf, mae'n wir, ond rhaglaw, ac nid arlywydd. Machludodd ei deyrnasiad pan drechwyd ef ym mrwydr Caseros yn Chwefror 1853 gan raglaw Entre Ríos, y Cadfridog Justo José de Urquiza. Yn dilyn cytundeb ar gyfansoddiad ysgrifenedig newydd a ffederal ym 1853, urddwyd Urquiza yn Arlywydd cyntaf Conffederasiwn Ariannin ym 1854 yn wyneb gwrthwynebiad arweinyddion Buenos Aires, yn arbennig pan leolwyd y llywodraeth ym mhrifddinas newydd y Conffederasiwn, sef Paraná (prifddinas Talaith Entre Ríos tan hynny). Mewn ymgais i gryfhau'r economi, ymdrechwyd yn llwyddiannus i ddenu nifer mawr o weithwyr amaethyddol yn gyson o wledydd Ewrop. Anfonodd Hugh Hughes (Cadfan Gwynedd) gais at y Conffederasiwn am hawl dros eangdiroedd Patagonia er mwyn sefydlu gwladfa Gymreig. Pe bai'r cais wedi cyrraedd pen ei daith mewn pryd, ni fyddai gan y llywodraeth y gallu ymarferol i ymateb yn gadarnhaol iddo, a heriai Talaith Buenos Aires hefyd ei hawl dros y tir.

Ymgiprys am bŵer

Hyd at Dachwedd 1861 bu dwy lywodraeth mewn dau bencadlys gwahanol (Paraná a Buenos Aires) yn honni eu bod yn rheoli Taleithiau Unedig Afon Arian (hawliai Buenos Aires holl ehangder Patagonia yn ogystal, yn estyniad naturiol o'i thiriogaeth). Ni fynnai Buenos Aires gydnabod llywodraeth Urquiza nac ildio'r safle breintiedig a etifeddasai oddi wrth lywodraeth Sbaen, ac ystyriwyd cynlluniau fyddai yn ei gwahanu'n llwyr ac yn derfynol oddi wrth y Conffederasiwn. Awgrym a gafodd gryn sylw oedd yr un a leisiwyd gan seren ddisglair iawn ar ffurfafen wleidyddol a militaraidd Buenos Aires, y Cadfridog Bartolomé Mitre, sef creu Gweriniaeth Afon Arian, gwladwriaeth fyddai'n gyfan gwbl annibynnol ar y Conffederasiwn, yn seiliedig ar Dalaith Buenos Aires ac yn ymestyn yr holl ffordd i'r de ar draws Patagonia hyd at – ac yn cynnwys – ynys Tir y Tân.

Ym Mai 1860 etholwyd Mitre yn Rhaglaw Talaith Buenos Aires, ac ym Medi'r flwyddyn ganlynol, yn anesboniadwy, trechwyd lluoedd cryfach y Conffederasiwn dan arweinyddiaeth Urquiza ym mrwydr Pavón gan fyddin y Rhaglaw newydd. Unwyd y taleithiau oll am y tro cyntaf (i wireddu proffwydoliaeth fygythiol un o arweinyddion yr Unitarios: 'haremos la unidad a palos' – 'Fe golbiwn ni'r wlad i undod') a gorseddwyd Buenos Aires yn brifddinas gwladwriaeth newydd Gweriniaeth Ariannin. Yng Ngorffennaf 1862, etholwyd Bartolomé Mitre yn Arlywydd cyntaf y wlad unedig ac urddwyd ef ym mis Hydref. Eithr ni fyddai undod cyfansoddiadol a gwleidyddol yn rym digonol i atal ymraniadau nac i rwystro rhag i waed lifo'n rhydd dros rannau eang o'r weriniaeth ifanc am flynyddoedd lawer. I'r pair hwn y disgynnodd Lewis Jones a Parry Madryn – ddeufis wedi gorseddu Mitre – i fargeinio am wladfa. Tybed a oedd, yn yr anhrefn, obaith i wireddu'r freuddwyd am Gymru Newydd rydd o bob ymyrraeth?[3]

---

[3]Seiliwyd y nodiadau uchod yn bennaf ar *Argentina, 1516-1987*, David Rock a *Historia Argentina sin mitos*, Juan Carlos Christensen (gweler Ffynonellau).

Atodiad 2

Y fintai gyntaf (mintai'r *Mimosa*) 1865 (oedrannau ar ddydd y glanio).
(Seiliwyd ar restr Abraham Matthews, gydag ychwanegiadau a godwyd o nodiadau Richard Jones Berwyn am 1865-1866 yn Restriadau'r Cofrestrydd)

O gymoedd Morgannwg a Gwent
Aberpennar:

1. John Jones	(61)	Ailbriododd â Catherine Hughes, Biwmares, 07.05.70.
2. Elizabeth (Betsan) Jones	(53)	Bu farw 17.04.69.
3. Ann Jones	(18)	Priododd ag Edwin Cynrig Roberts.
4. Margaret Jones	(14)	Priododd ag Aaron Jenkins 12.09.68.
5. Richard Jones	(21)	Priododd â Hannah Davies.
6. John Jones (ieu)	(28)	Priododd â Mary Morgan yng Nghymru.
7. Mary (Morgan) Jones	(27)	Ymfudodd gyda'i gŵr i Batagones.
8. Daniel Evans	(28)	Adeiladydd simne gyntaf y wladychfa. Brodor o Bont Henri
9. Mary (Jones) Evans	(23)	Chwaer hynaf Ann a Margaret.
10. John Daniel Evans	(3)	Tyfodd i fod yn un o arloeswyr enwocaf Chubut.
11. Elizabeth Evans	(5)	Priododd â Robert Williams.
12. William Awstin	(14)	Y gwladfäwr ieuengaf i arwyddo dogfen sefydlu'r wladychfa.
13. Thomas Tegai Awstin	(11)	Priododd â Mary Williams, Cefn Gwyn.
14. Thomas Harries Jones	(16)	Ymfudodd gyda theulu John Jones, Aberpennar.
15. Sicilia/Cecilia Davies	(26)	Ailbriododd â Thomas Thomas.
16. John E. Davies	(30)	Boddodd yn Afon Camwy 25.10.66.
17. Aaron Jenkins	(37)	Ailbriododd â Margaret Jones. Llofruddiwyd ym 1879.
18. Rachel Jenkins	(35)	Bu farw 15.07.68.
19. James Jenkins	(2)	Bu farw ar y *Mimosa* 10.06.65.
20. Richard Jenkins	(4)	Ymsefydlodd yng Nghwm Hyfryd.
21. James Jones	(27)	Bu farw pan suddodd y *Denby* yn Chwefror 1868.
22. Sarah Jones	(24)	Ailbriododd â Thomas Jones, Glan Camwy, 18.01.70.
23. Thomas Jenkins	(23)	Priododd â Mary Jones 18.08.65 ym Madryn –
24. Mary Jones		priodas gyntaf Patagonia rhwng Ewropeaid.
25. Mary Lewis		
26. William Jenkins	(18)	Gadawodd yn Nhachwedd 1865 gyda Lewis Jones.
27. Elizabeth Jones		
28. John Davies (Ioan Dafydd)	(18)	Gadawodd yn Nhachwedd 1865 gyda Lewis Jones.
29. Mary Williams	(55)	Bu farw yng Nghaer Antur 5 Hydref 1865.
30. Thomas Williams	(60)	Bu farw yng Nghaer Antur, Rhagfyr 1865.
31. William Richards	(19)	Gadawodd gyda Lewis Jones yn Nhachwedd 1865.

32. David John	(31)	Gadawodd gyda Joseph Seth Jones yn 1867.
33. Thomas Harris	(31)	
34. Sarah Harris	(31)	
35. William Harris	(11)	
36. John Harris	(9)	
37. Thomas Harris (ieu)	(5)	
38. Daniel Harris	(baban)	Tad Sarah Jane Harries de Humphreys,Trelew.
39. Thomas Thomas	(26)	Priododd â Cecilia Davies 19.03.66.

Aberdâr:

40. Abraham Matthews	(32)	Gweinidog ac arweinydd y blaid symudol.
41. Gwenllïan Matthews	(23)	Ei wraig. Chwaer John Murray Thomas.
42. Mary Annie Matthews	(8 mis)	Eu merch
43. Thomas Davies	(40)	Un o aelodau Pwyllgor Cenedlaethol Michael D. Jones.
44. Eleanor Davies	(38)	Evans, gynt, a gweddw Dafydd Jones, 'y teiliwr'.
45. Evan Jones	(19)	Priododd â Lisa Davies ac ymsefydlodd yn y Triangl.
46. Thomas Jones	(15)	Priododd â Sarah, gweddw James Jones 18.01.70.
47. David Jones	(13)	Priododd â Rachel Williams, Cefn Gwyn.
48. Elizabeth (Lisa) Jones	(12)	Priododd â Richard Huws, Charles Lynn ac Edward Owen a chael wyth o blant cyn marw yn 32 oed.
49. David Davies	(18)	Bu farw pan suddodd y *Denby*.
50. Hannah Davies	(16)	Priododd â Richard Jones, Glyn Du 19.04.66.
51. Ann Davies	(7)	Priododd â William Jones, Kansas 16.07.75.
52. Elizabeth (Lisa) Davies	(11)	Priododd ag Evan Jones, Triangl 22.01.70.
53. Mary Ann John	(24)	Priododd â John Humphreys 20.03.66.
54. Joshua Jones, Cwmaman	(22)	Priododd â Catherine Hughes, Penbedw.
55. Evan Davies, Aberaman	(25)	Aberporth gynt. Nid yw Abraham Matthews yn cofnodi enw eu merch Margaret Ann (15 mis) fu farw ym Madryn 06.08.65.
56. Ann Davies, Aberaman	(30)	

Brynaman (onid **Brynmawr**?):

57. James Davies	(21)	Iago Dafydd – enw barddol: Iago Mawrfryn. Aeth ar goll ar y paith yn Chwefror 1866 yn ystod taith o Fadryn i'r dyffryn. Ni chanfuwyd ei weddillion.

Pen-y-bont ar Ogwr:

58. John Thomas	(17)	Gadawodd gyda Lewis Jones yn Nhachwedd 1865 ond dychwelodd, i fod yn fasnachwr ac arloeswr blaenllaw, a'r cyfenw Murray fel enw canol.

O Wynedd:
Ynys Môn:

59. William Hughes	(32)
60. Jane Hughes	(32)

214

61. Jane Hughes (ieu)

62. Elizabeth Pritchard   (20)   Caergybi a Bangor. Priododd â Thomas Pennant Evans (Twmi Dimol) ac, yn dilyn suddo'r *Denby*, â Richard Jones Berwyn.

Bangor:

63. Robert Thomas   (29)   Daeth ag organ ar y fordaith.

64. Mary Thomas   (30)   Ei wraig

65. Mary Thomas (ieu)   (5½)   Eu merch

66. Catherine Jane Thomas   (2)   Bu farw ar y *Mimosa* 09.06.65. Bedyddiwyd chwaer iddi a aned 30.12.66 â'r un enw.

67. Amos Williams   (25)   Morwr, ac un o gogyddion y *Mimosa*.

68. Eleanor Williams   (24)   Ei wraig.

69. Elizabeth Williams   Eu merch.

Bethesda:

70. Grace Roberts   (25)   Priododd â James Berry Rhys 03.07.68.

Llanfairfechan:

71. Robert Meirion Williams   (51)   Dychwelodd i Gymru yn Awst 1867.

72. Richard Howell Williams   (18)   Priododd â Jane Huws 15.06.67.

Caernarfon:

73. Richard Hughes   (20)   Priododd â Lisa Jones 10.01.72.

74. Stephen Jones   (18)   Gadawodd gyda Lewis Jones yn Nhachwedd 1866.

O Feirionnydd:
Y Bala:

75. William R. Jones   (31)   Rhieni Mary Ann a Jane.

76. Catherine Jones   (31)

77. Mary Ann Jones   (3)   Bu farw ar y *Mimosa* yn nyfroedd y bae (3 oed namyn wythnos) 27.07.65. Claddwyd ym Madryn. (Elizabeth oedd ei henw ar restr R. J. Berwyn.)

78. Jane Jones   (16 mis)   Bu farw 22.08.65. Claddwyd ym Madryn.

Ganllwyd:

79. Maurice Humphreys   (27)   Rhieni cyntaf-anedig y Wladfa.

80. Elizabeth Harriet (Adams) Humphreys   (21)

81. Lewis Humphreys   (27)   Athro ysgol cyntaf y Wladfa hyd nes iddo ddychwelyd i Gymru i adfer ei iechyd ym 1867. Dychwelodd i'r Wladfa ym 1886. Efaill i Maurice.

82. John Humphreys   (22)   Priododd â Mary Ann John, Aberdâr 20.03.66.

Llandrillo:

83. Robert Davies	(40)	Bu farw 03.05.68.
84. Catherine Davies	(38)	Bu farw ym Madryn 20.08.65.
85. William Davies	(8)	Bu farw'n 15 oed 13.09.72.
86. Henry Davies	(7)	Ymfudodd i Ganada.

Ffestiniog:

87. Griffith Price	(27)	
88. James Benjamin Rees	(23)	James Berry Rhys, yn wreiddiol o Rhymni, yw enw cywir y gŵr hwn. Priododd â Grace Roberts 03.07.1868.
89. Griffith Solomon	(23)	Ymfudasant i Batagones. Yn dilyn marwolaethau anhymig Edward a Martha Price, rhoes y pâr gartref i'w merched, Martha ac Ellen.
90. Elizabeth Solomon	(30)	
91. Elizabeth Solomon	(13 mis)	Bu farw 17.07.65 ar y *Mimosa*.
92. John Moelwyn Roberts	(20)	Priododd ag Elizabeth Roberts, Bangor)
93. John Roberts	(27)	Ymfudasant i Santa Fe
94. Mary Roberts	(27)	Ei wraig
95. Mary Roberts (ieu)		Eu merch
96. John Roberts (ieu)		Bu farw 06.03.66 yn 10 mis oed. Ganed mab arall, a fedyddiwyd â'r un enw, 05.12.66.

O Glwyd:
Dinbych/Abergele:

97. Joseph Seth Jones	(20)	Dychwelodd i Gymru ynghyd â David John ym 1867.

Rhosllanerchrugog:

98. John Hughes	(30)	Bu farw 13.03.66 o effaith croesi'r paith mewn niwl a glaw yn tywys defaid o Fadryn i Gaer Antur
99. Elizabeth Hughes	(39)	Ei wraig.
100. William John Hughes	(10)	Eu mab.
101. John Samuel Hughes	(2)	Eu mab. Ymsefydlodd ar fferm Glyn Llifon.
102. Myfanwy Mary Hughes	(4)	Elizabeth, ar restr R. J. Berwyn! Bu farw 16.11.65.
103. Griffith Hughes (brawd John)	(36)	Gwrthododd roi ei wenith i'r Cyngor oherwydd ei brofiad o ddioddef newyn yng Nghymru. Yr 'heddlu' yn amgylchynu ei dŷ nes iddo ildio.
104. Mary Hughes	(36)	Ei wraig
105. Jane Hughes	(11)	Eu merch
106. Griffith Edward Hughes	(9)	(Ai'r Griffith G. Hughes g. 1855 ac a gladdwyd yn Nhrelew? Ai Matthews/Berwyn sy wedi cam gofnodi'r ail enw ynteu a oedd plentyn arall tua 9 neu 10 oed o'r Rhos ar y *Mimosa*?
107. David Hughes	(6)	Eu mab

O Faldwyn.
Llanfechain:

108. Richard Ellis	(27)	Ymfudasant i Batagones ac Uruguay cyn ymsefydlu yn Rosario, Talaith Santa Fe.
109. Frances Ellis	(27)	

O Geredigion:
Aberystwyth:

110. Lewis Davies	(24)	Brawd Thomas Davies, Aberystwyth, a ymfudodd yn ddiweddarach ac a fu'n allweddol yn y broses o sefydlu rheilffordd Madryn-Trelew.
111. Rachel Davies	(28)	Ei wraig.
112. Thomas Davies	(3)	Eu mab.
113. David Williams	(21)	Y crydd o Aberystwyth. 36 oed yn ôl W. R. Jones.
114. John Morgan	(29)	Fferm Pwll-glas, Pen-y-garn. Ymfudodd i Santa Fe.

O'r Taleithiau Unedig:
Efrog Newydd:

115. Richard Jones Berwyn	(27)	Glan Dyfrdwy gynt. Priododd ag Elizabeth Pritchard, gweddw Twmi Dimol, yn dilyn damwain y *Denby*.

O Loegr:
Lerpwl:

116. George Jones	(16)	Bu farw pan suddodd y *Denby*.
117. David Jones	(18)	Bu farw pan suddodd y *Denby*.
118. Hugh Hughes (Cadfan)	(41)	Un o arweinyddion y mudiad gwladfaol.
119. Jane Hughes	(20)	Ei ferch.
120. David Hughes	(6)	Ei fab.
121. Llewelyn Hughes	(4)	Ei fab ieuengaf.
122. Jane Williams	(24)	Llysferch Cadfan. Priododd â William Rhys, Tre gethin 04.06.67.
123. Edward Price	(41)	Ymfudodd i Batagones, lle'i llofruddiwyd.
124. Martha Price	(38)	Ei wraig. Bu farw'n fuan wedi gadael y Wladfa.
125. Edward Price	16)	Priododd â Ruth Williams, Cefn Gwyn.
126. Martha Price	(2)	Elinor, yn ôl un o lythyrau ei thad. Ai Martha Elinor?
127. William Davies	(36)	Pensaer. Ail Lywydd y Wladfa. Ymfudodd i Santa Fe.
128. Thomas Greene	(21)	Ymfudodd i Montevideo.
129. William Williams	(20)	Gadawodd yn Nhachwedd 1865 gyda Lewis Jones.
130. Eleanor Jones		
131. Thomas Ellis		Fferyllydd a meddyg y Wladfa. Ymfudodd i Santa Fe.
132. John Ellis	(38)	Ei frawd.
133. Ann Owen		

134. Elizabeth Wood	(11)	Morwyn Ellen Jones. Arhosodd yn y Wladfa pan adawodd ei chyflogwyr yn Nhachwedd 1865.

Penbedw:

135. John Williams	(36)	Saer ac, ynghyd â Rhydderch Huws a Thomas Ellis, un o 'feddygon' y Wladfa.
136. Elizabeth Williams	(31)	Ei wraig.
137. Elizabeth Williams	(2)	Eu merch.
138. John Williams (ieu)	(4)	Eu mab.
139. Watkin William Pritchard Williams	(33)	Brodor o'r Bermo ac aelod o Bwyllgor Cenedlaethol y Wladychfa Gymreig.
140. Watkin Wesley Williams	(27)	Ei frawd.
141. Elizabeth Louiza Williams	(30)	Eu chwaer. Priododd â'r Parchedig Ddr G. Humble, Patagones.
142. Catherine Williams		
143. Catherine Hughes	(24)	Priododd â Joshua Jones, Cwmaman 08.06.67.
144. Robert Nagle	(22)	Bu farw pan suddodd y *Denby*.

Seecombe:

145. William Roberts	(17)	Gadawodd gyda Lewis Jones yn Nhachwedd 1865.

Manceinion:

146. Rhydderch Huws	(33)	Ail briododd ag Ann Jones, Bethesda 05.02.66.
147. Sarah Huws	(37)	Bu farw yng Nghaer Antur 09.11.65.
148. Meurig Huws	(4)	Eu mab.
149. Jane Huws	(17)	Eu merch.
150. Thomas Pennant Evans	(29)	Llysenw: Twmi Dimol. Brodor o Bennant Melangell. Priododd ag Elizabeth Pritchard 30.03.66. Bu farw pan suddodd y *Denby* Chwefror 1868.

Ar y *Mimosa* ond heb fod ar restr Matthews.
Oedolion
Abergynolwyn:

151. William Hughes	(33)	Priodasant ar fwrdd y *Mimosa* 01.06.65
152. Anne Lewis	(35)	Eu merch, Ann, oedd y plentyn cyntaf i'w geni yng Nghaer Antur 29.12.65.

Bangor:

153. Elizabeth Roberts	(19)	Priododd â John Moelwyn Roberts, Ffestiniog 29.01.66.

Bethesda

154. Anne Jones		Priododd â Rhydderch Huws 05.02.66.

Tregethin
155. William Thomas Rees/Rhys (25)   Y Bedyddiwr cyntaf i gael ei 'drochi' yn Afon Camwy.

Lerpwl:
156. Elizabeth Hughes   (40)   Gwraig Hugh Hughes, Cadfan Gwynedd.

Plant
Aberpennar:
157. James Jones   (baban)   Mab James a Sarah. Bu farw yng Nghaer Antur 12.10.65 yn flwydd oed.
158. Mary Anne Jones   (baban)   Merch James a Sarah. Bu farw yng Nghaer Antur 22.11.65 yn dair oed.

Aberdâr
159. Margaret Ann Davies   (baban)   Merch Evan ac Ann. Bu farw ym Madryn 06.08.65 yn 15 mis.
160. Thomas Roberts   (baban)   Mab John a Mary Roberts, Ffestiniog.

Llandrillo
161. John Davies   (baban)   Mab Robert a Catherine. Bu farw 27.06.65 ar y *Mimosa* yn 11 mis oed.

Rhosllannerchrugog
162. Henry Hughes   (baban)   Mab John ac Elizabeth (Betsi) Hughes. Bu farw ym Madryn 05.08.1865 yn 17 mis oed.

Ganed ar y *Mimosa*
163. Morgan Jones   (baban)   Mab i John a Mary Jones.
164. Rachel Jenkins.   (baban)   Merch Aaron a Rachel Jenkins. Ganwyd 26.06.65. Bu farw 22.09.65 yng Nghaer Antur.

Yn rhagflaenu'r *Mimosa*.
O Lerpwl
165. Lewis Jones   (28)   Ar restr Matthews.
166. Ellen Jones   (25)   Heb fod ar restr Matthews.

O Wisconsin (Nannerch a Wigan wedi hynny):
167. Edwin Cynrig Roberts   (27)   Ar restr Matthews.

Crynodeb

Rhifau'r taid

Dywed traddodiad fod 153 o Wladfawyr ar fwrdd y *Mimosa*. Seiliwyd y gred hon ar restr Abraham Matthews – sy'n enwi 152 – er ei fod yntau yn cydnabod ei bod yn anghyflawn. Cynhwysodd Matthews hefyd enwau Lewis ac Edwin (nad oeddynt ar y llong), sy'n gostwng y nifer i 150. Eithr gwelir chwe oedolyn a chwe phlentyn ychwanegol ar restri R. J. Berwyn (gweler uchod), sy'n codi cyfanswm y rhai oedd yn gadael Lerpwl i 162.

Yn ystod y daith bu farw pedwar plentyn a ganed dau, gan wneud nifer y rhai gyrhaeddodd ddyfroedd y Bae Newydd yn 160. Bu farw Mary Ann Jones wrth i'r *Mimosa* fwrw angor, a glaniodd 159 o ymfudwyr. Yn aros amdanynt, roedd Lewis Jones ac Edwin Roberts, gan chwyddo'r nifer i 161, a byddai Ellen Jones yn cyrraedd o Batagones i wneud y cyfanswm yn 162. Yn dilyn y pedair marwolaeth ym Madryn a diflaniad Dafydd Williams, gostyngodd nifer y rhai fyddai'n cyrraedd Caer Antur i 157. (Nid yw'r cyfanswm hwn yn cynnwys Mary Humphreys, a aned ar ôl y glanio.)

Mae dau ddirgelwch arall ar ôl i'w datrys. Martha yw enw gwraig a merch Edward Preis ar restr Abraham Matthews ond Ellen yw'r ddwy ar restr Berwyn (Martha Ellen, efallai?). Ar y llaw arall, mae Preis ei hun yn cyfeirio at Elinor, a dywed Berwyn bod gan y teulu ddwy ferch (Martha Ellen ac Elinor?). Pe bai hynny'n gywir, byddai cyfanswm y rhai oedd yn cychwyn y daith yn 163, 160 yn glanio, a 158 yn cyrraedd pen y siwrne.

Rhifau'r ŵyr

Honnai Matthew Henry Jones bod 164 o ymfudwyr ar y fordaith. Gwyddai bod ei daid wedi anghofio nodi'r enwau uchod yn ogystal ag enw un plentyn arall. Bu farw John, baban John E. a Cecilia Davies yn Lerpwl, cyn codi angor y *Mimosa* ond ar ôl ei gofrestru yn un o'r teithwyr. Tybed ai hwnnw oedd ganddo mewn golwg wrth gyfri'r enwau, ynteu a oes enw arall i'w ychwanegu at y rhestr i chwyddo'r ffigurau i 164, 161 a 159? Tybed a fydd y dirgelwch yn cael ei ddatrys yng nghyfrolau 3, 4 a 5 o *Trelew, Un Desafío Patagónico*, sy'n cael eu cyhoeddi tua'r un adeg â'r gyfrol hon?

ATODIAD 3:

Y prif gymeriadau

Lewis Jones

Argraffydd a ddatblygodd yn un o brif arweinyddion mudiad gwladfaol Michael Daniel Jones. Ynghyd â Parry Madryn, archwiliodd yr ardal wrth geg yr afon a fedyddiodd yn Camwy. Cynhaliodd drafodaethau gyda Guillermo Rawson, Gweinidog y Fewnwlad, ac ar sail yr adroddiadau, clustnodwyd y dyffryn ar gyfer sefydlu'r Wladfa Gymreig. Ef oedd llywydd cyntaf y wladychfa (hyd at yr anghytundeb a'i dygodd oddi yno am bum mlynedd) a'i chynrychiolydd dygn gerbron llywodraeth Ariannin. Dychwelodd ym 1871 ac ymsefydlu gyda'i deulu ar hen ddyddyn ei gyfaill Edwin Roberts, Plas Hedd. O hynny ymlaen, chwaraeodd ran amlwg yng ngweinyddiaeth y wladychfa. Brwydrodd dros hawliau'r gwladfawyr yn erbyn agwedd rhodresgar swyddogion apwyntiedig y llywodraeth ganolog, a rhoddodd oes o wasanaeth ymroddedig i'r Wladfa y gweithiodd mor galed i'w sefydlu.

Abraham Matthews

Cyn-ddisgybl i Michael D. Jones a gweinidog yr efengyl gydag enwad yr Annibynwyr – unig arweinydd crefyddol y Wladfa am gyfnod hir. Datblygodd yn arweinydd y blaid ymfudol a geisiai symud y wladychfa i dalaith Santa Fe, a safodd yn gryf yn erbyn Lewis Jones a'i brif gefnogwyr, R. J. Berwyn ac Edwin Cynrig Roberts, arweinyddion y blaid wladfaol. Serch hynny, enillodd ei le gyda'r tri arall (Pedwar Gŵr Mawr y Wladfa) oherwydd ei ran yn cadw'r gwladfawyr ym Mhatagonia drwy wrthwynebu iddynt wasgaru ledled y weriniaeth i droi'n 'baganiaid'. Wedi'i 'dröedigaeth', cyfrannodd yn hael tuag at hyrwyddo'r achos gwladfaol ac arweiniodd ymgyrch recriwtio lwyddiannus yng Nghymru ym 1874. Gwasanaethodd gapeli'r Wladfa hyd ei farwolaeth.

John Jones, (Glyn Coch a Phatagones)

Mab hynaf John ac Elizabeth (Betsan) Jones, Aberpennar, a brawd i Mary Daniel Evans, Ann Cynrig Roberts, Margaret Aaron Jenkins a Richard Jones, Glyn Du. Fe'i denwyd gan Edwin i weithredu fel ysgrifennydd Cymdeithas Wladychfaol Aberpennar ac ymgyrchodd yn frwd dros ymfudo i Batagonia. Archwiliodd y fewnwlad ac ysgrifennodd adroddiadau eang eu rhychwant am diroedd y Chupat ac arferion y Wladfa gynnar. Arweinydd carfan wrthwynebus i Lewis Jones. Ymsefydlodd yng Ngheg yr Hirdaith (Boca de la Travesía) ar lan afon Curu Leuvú (afon Ddu), a denodd nifer o ymfudwyr o Gymru i'w wladfa newydd. Dioddefodd ymosodiadau niferus gan Indiaid oedd ar eu ffordd i ysbeilio Patagones. Perchid ei fywyd oherwydd ei fod yn Gymro ond cymerid ei nwyddau a'i holl ddillad. Collodd yr hawl ar ei diroedd pan sefydlwyd Rhaglawiaeth Patagonia dan reolaeth Cyrnol Vintter. Cadwodd mewn cysylltiad â'i deulu ac ymwelodd â hwy unwaith, ond ni ddychwelodd i'r Chubut.

Richard Jones Berwyn

Y mwyaf amryddawn o'r arweinyddion gwladfaol. Fe'i hyfforddwyd yn athro ysgol, ac roedd yn forwr trwyddedig. Treuliodd rai blynyddoedd mewn amrywiol swyddi yn Llundain ac ysgrifennai i'r wasg yn rheolaidd ar destun ymfudiaeth i Batagonia. Cynigiwyd swydd ddysgu iddo ym Mharis ond dewisodd hwylio i'r Unol Daleithiau lle'r ymunodd â'r ymgyrch dros y Wladfa Gymreig. Ym 1865, ymunodd â menter Michael D. Jones, a gweithiodd fel cyfrifydd i dalu ei gludiant ar y *Mimosa*. Ymhlith ei aml gyfrifoldebau yn y wladfa newydd, gellir rhestru'r swyddi canlynol y bu ef y cyntaf i'w llenwi: cofrestrydd genedigaethau, priodasau a marwolaethau, trengholydd, ceidwad y porthladd, prif weinyddwr y llythyrdy, rheolwr swyddfa'r tywydd, golygydd *Y Brut*, a melinydd. Yn ystod helyntion 1867, olynodd Thomas Ellis fel ail ysgrifennydd y Cyngor a'r Llys Rhaith. Ef hefyd oedd awdur y llyfrau dysgu cyntaf i'w cyhoeddi yn y Wladfa drwy gyfrwng y Gymraeg. Efallai mai oherwydd hyn y cofir amdano fel yr athro cyntaf, eithr rhagflaenwyd ef yn y swydd honno gan y Parchedigion Lewis Humphreys a Robert Meirion Williams. Ailagorodd ei ysgol ym 1868 wedi methiant ymgais Matthews i ailymfudo. Cynhelid y gwersi yn yr awyr agored hyd nes y symudwyd caban y llong *Unión* (a suddodd ym 1871) o'r traeth sy'n cario'i henw, i Rawson. Yn gefnogwr brwd i Lewis Jones, chwaraeodd ran allweddol yn y broses o'i ailorseddu. Carcharwyd ef ynghyd â hwnnw o ganlyniad i anghydfod rhwng y gwladfawyr a swyddog lleol y wladwriaeth. Collwyd ei gofnodion a'i ysgrifau hanesyddol yn llifogydd difaol 1899. Fe'i cofir gyda pharch am ei gyfraniad i lwyddiant y fenter, ac fel gŵr galluog, rhadlon a bonheddig.

Hugh Hughes, Cadfan

Saer coed, wrth ei alwedigaeth, ac ysgrifennydd pwyllgor gwladfaol Lerpwl. Chwaraeodd ran allweddol yn y broses o hyrwyddo trafodaethau'r pwyllgor hwnnw â llywodraeth Gweriniaeth Ariannin ac yn y penderfyniad terfynol i anfon y fintai gyntaf. Cyhoeddwyd nifer o'i lythyrau at ei deulu yn *Y Faner* a'r *Herald Cymraeg* a chofnododd ei atgofion mewn ysgrifau yn *Y Drafod*. Ef oedd y cyntaf o deithwyr y *Mimosa* i roi ei droed – a'i wefusau – yn orfoleddus ar dir gwlad yr addewid, ond siomwyd ef gan helyntion cynnar y wladychfa. Gwrthwynebodd ymdrechion Abraham Matthews i drawsblannu'r Wladfa ond dichon iddo gadw hyd braich oddi wrth arweinyddiaeth y 'blaid wladfaol' yn dilyn rhwyg 1867. Yn ddiweddarach cyhuddwyd ef o fod yn bennaf cyfrifol am fethiant y gwladfawyr i ymateb i ymgais Lewis Jones, R. J. Berwyn, Edwin Roberts, Thomas Davies ac eraill i ad-dalu'u dyled i'r Gymdeithas Wladychfaol a Michael D. Jones am bris y fordaith. Bu farw 7 Mawrth 1888 yn bedair a thrigain mlwydd oed. Gorchmynnodd Rhaglaw Tiriogaeth Genedlaethol Chubut, Dr Eugenio Tello, bod dydd ei angladd i fod yn ddiwrnod galar ledled y diriogaeth, ac i'r heddlu orymdeithio yn eu lifrai y tu ôl i'w weddillion. Dyma'r unig dro i Lywodraeth Chubut anrhydeddu un o'r 'hen wladfawyr' yn y modd hwn, sy'n arwydd o'r parch mawr oedd iddo ac yn gydnabyddiaeth haeddiannol i'w rôl allweddol fel ysbrydolwr mawr y mudiad gwladfaol ac fel Llywydd olaf y Wladfa.

ATODIAD 4

EDWIN CYNRIG ROBERTS – Teyrngedau

'Yr oedd yn ddyn ar ei ben ei hun', meddai Abraham Matthews. 'Nid oedd neb yr un fath ag ef nac yn debyg iddo ychwaith. Maent yn dweud nad oes dau ohonom yr un fath yn union, ond yr oedd mwy o wahaniaeth na hynny rhwng Edwin Cynrig Roberts a dynion cyffredin . . . Credai yn ei genedl – yn y Cymry. Ni ddywedwyd erioed dim eithafol gan unrhyw un am Gymru nad oedd ef yn ei gredu, ac yr oedd ynddo allu rhyfeddol i ymhelaethu yn ei feddwl ei hun ar bob peth a ddarllenai ac a glywai ar y pwnc hwn . . . yr oedd ynddo allu anghyffredin i greu . . . Gallai roddi gwedd a lliw ffeithiau ar bethau nad oeddynt ond ffrwyth ei ddychymyg ef, yn enwedig ynglŷn â'r Wladfa a phethau Cymreig. Yr oedd ei gred mor fawr yn llwyddiant y Wladfa fel y byddai yn breuddwydio ei llwyddiant ynghwsg ac effro. Yn wir, byddem bron â chredu weithiau ei fod yn cael gweledigaethau eglur iawn o ddyfodol y sefydliad. Byddai yn proffwydo am bethau da i ddyfod pan nad oedd neb arall yn gweled dim ond anfanteision a rhwystrau ac, fel rheol, byddai ei holl rhagfynegiadau yn dod i ben. Onid dyma nod-brawf y gwir broffwyd?' (AM *Y Celt*)

Dywedodd Abraham Matthews amdano yn ei angladd ac yna mewn teyrnged yn *Gwalia*: 'Yr oedd ei gred yn llwyddiant y Wladfa mor fawr nes y gwelai y datblygiad a oedd ymlaen pan nad oedd eraill yn gweld dim ond rhwystrau a methiantau. Fel hyn y bu byw ac fel hyn y bu farw, ynghanol ei obeithion a'i gynlluniau . . . Ym mlynyddoedd cyntaf y sefydliad, pan nad oedd neb yn gwybod beth a allai ddigwydd nac ychwaith wedi adnabod yr Indiaid oedd oddeutu, bu ef yn gefn ac yn galondid mawr i'r ofnus am ei fod . . . wedi cael prawf . . . o fywyd gwlad newydd a hefyd, am ei fod yn wastad mor galonnog.'

Ychwanegodd D. S. Davies: 'Buasai yn weddus iawn i'n golwg ni pe cawsai y gwron didwyll hwn ei gladdu yng ngweryd ei wlad fabwysiedig; a gwn y buasai yn dda gan y Gwladfawyr i'w feddrod fod yn y wlad y gwnaeth efe gymaint ar ei rhan. Ond er mor hoff fuasai ganddynt gael y cyfleustra i ddangos bedd y Cymro anturiaethus i'w plant ac adrodd hanes ei anturiaethau a'i aberthau iddynt . . . ond . . . fel arall y gwelodd Rhagluniaeth yn dda i drefnu pethau. Yn ei Hen Wlad annwyl yr arfaethwyd i'r Cymro gwrol a hawddgar derfynu ei yrfa ar y ddaear.'

Ebe'r Parchedig J. C. Evans, yn *Y Darfod* ym 1897: 'Nid wyf yn meddwl fod yna gymaint ag un, ac eithrio fy hen gyfaill Edwin C. Roberts, a'i ffydd wladfaol yn ddigon cref a chlir i sylweddoli sefyllfa bresennol y Wladfa, heb geisio maentumio pa beth fydd ei diwyg yn mhen ugain mlynedd eto i ddyfod. Cafodd Edwin, druan, lawer sen am ei ddywediadau proffwydoliaethol am ddyfodol y Wladfa. Ond tebyg y cydnebydd y rhan liosocaf o sefydlwyr y Camwy heddyw, ei fod yn nes i'w le nag y rhai hynny a'i dirmygodd ef, gan regi y Wladfa, a diau pan gymera ryw Thomas Carlyle tua'r flwyddyn ddwy fil o oed ein Harglwydd, ac elfennau y gwahanol gymeriadau mewn cysylltiad â'r Wladfa Gymreig, y gwelid yn ddigon amlwg y pryd hwnnw mai y Br. o Brynantur ydoedd Esaiah y Mudiad Gwladfaol.'

Addfwynder ei bersonoliaeth a apeliai at John Coslett Thomas, un o'i gymdeithion yn antur yr aur:

'Nid oedd yn natur Edwin ddyrchafu ei hun na darostwng arall; ond yr oedd rhagrith a malais y casaf bethau yn ei olwg. Cafodd lawer o'i wrthwynebu pan oedd yn darlithio dros y Wladfa

. . . [Ef] oedd y goreuafydd (optimist) mwyaf a welais erioed. Pan ofynid iddo sut y byddai, ei ateb yn wastad fyddai "Campus i'r byd mawr!" . . . Yr oedd ei bresenoldeb ym mhob man ar bob adeg yn adloniant ac yn adeiladaeth – yn lân ei fuchedd a'i arawd, a thymer ei galon tuag at bawb a phopeth byw.'

Ac meddai R. Bryn Williams:

'Anturiodd i'r anialwch, lle mae dyffryn ffrwythlon yn tystio i'w lafur. Anturiodd i'r paith, a rhoi ei enw ar ffordd newydd yn y diffaethwch. Anturiodd i'r Andes, a rhoi ei enw i Fynydd Edwin. Rhoes ei galon i'r Wladfa ac, er marw ymhell ohoni, nis anghofir yno. Arloeswr mawr, daw plant y Wladfa, fel finnau, ar bererindod at dy fedd, a bydd dy gofio yn ysbrydiaeth iddynt mewn oriau duon.'

Bu'r newyddion yn hir yn cyrraedd y Wladfa, lle'i derbyniwyd mewn anghrediniaeth gyffredinol. Onid hwn oedd y dyn iach, cryf, cellweirus a hwyliog oedd wedi gweithio mor egnïol dros y wladychfa

ac wedi cadw pawb rhag digalonni â'i agwedd gadarnhaol?

Neilltuwyd gofod ar dudalen flaen pedwar rhifyn olynol o'r *Drafod* i adrodd am y golled ac i ysgrifennu teyrngedau iddo: 'Marwolaeth yr Hen Wladfawr' (23 Tachwedd); 'Claddedigaeth y Bonwr Edwyn C. Roberts'; 'Edwyn Cynric Roberts, Patagonia' (Abraham Matthews), a llythyr gan Ann Roberts at y Parchedig Hugh Davies (30 Tachwedd); 'Edwyn Roberts Wedi Marw' yw pennawd dolefus ysgrif hiraethus Lewis Jones (7 Rhagfyr); ac 'Edwyn Cynric Roberts, Patagonia' (Abraham Matthews eto). Ac ysgrifennodd Berwyn ysgrif fanwl i'w goffáu, flynyddoedd yn ddiweddarach.

Lewis Jones, ei gydymaith agosaf yn yr antur fawr, a'r un, y tu allan i'w deulu, i deimlo'r golled fwyaf, gaiff y gair olaf:

'Edwyn, Edwyn: ti a gefaist fwy . . . na golud yr Andes . . . dihangaist yn swta o gyfyngderau bach tipyn helbulon byd, i froydd mwy cydnaws â'th anianawd; yno i weled dy freuddwydion yn ymlunio, ac i fod yn angel gwarcheidiol dros yr Hen Wladfa annwyl, Edwyn Bach.'

'Ein heiddo ni fel cenedl yw America Fawr, De a Gogledd. Gan mai perthyn i ni y mae, teg a chyfiawn onide, yw i ni fel cenedl gael meddiant bach o wlad oedd gynt yn feddiant i'n tadau . . . Os bydd amgylchiadau, gyfaill, yn dy yrru o'th hen wlad, cymer galon; dos dros y môr i Batagonia, gwlad y mae'th frodyr wedi ei dal drwy y tew a'r tenau am dros chwarter canrif.' (ECR)

BALED BERWYN

Gyrrai gwr i lawr y dyffryn
Gan ddangos ddirfawr frys;
Gymaint oedd ei ddwys deimladau
Nes gwelwai dan ei chwys.
Pobl rhedent i'w gyfarfod
Gan holi: 'Beth sy'n bod?'
Yntau'n ofnus a'u hatebai:
Mae'r Indiaid wedi dod!'

Byrdwn:
Roedd llawer un yn crynu
Gan ofn oherwydd fod
Yr Indiaid – Cewri cedyrn Patagonia
O'r diwedd wedi dod!

Nid oedd neb yn disgwyl gweled
Brodorion yn ein plith,
Gan i wyth o deithwyr enwog
Ein sicrhau heb rith
Na ddôi brodor i Dre Rawson
Nes byddai'r bryniau mawr
Sydd tu hwnt i'r dyffryn uchaf
Yn wastad gyda'r llawr.

Trechwyd ofnau gan chwilfrydedd,
Aeth pawb yn ddigon hy',
Chwilient wisg, a dull ac agwedd
'R ymwelwyr melyn-ddu;
Cyn bo hir fe aed i'w cyfrif,
Ond nid oedd eisiau sg'laig.
Dau yn unig oedd ohonynt,
Sef un hen ŵr a gwraig.

Nid oedd neb ag awydd holi,
Aeth pawb yn eithaf mud;
Oll yn disgwyl gweld yr Indiaid
Yn dyfod gyda'u clud.
Gyda hynny ymddangosent
Gan beri dirfawr fraw,
Ond yn lle cyhoeddi rhyfel
Yn rhydd ysgydwent law!

Cyn bo hir daeth llu o Tweltiaid,
A'r Pampas mawr eu sŵn,
A minteioedd o geffylau
A heidiau mawr o gŵn;
Gwerthent gig am dorth o fara,
A cheffyl braf am dair,
Nid oedd neb o'r fintai'n cofio
Y fath gyfnewid mewn un ffair.

Dyma fel y canodd Berwyn :—

DOH **G.** *Bywiog.*

|d :-.r |m .r :d .m, |f, :— |l, :l, |s, :m |m :d |r :— |—" :— |
Gy - rai gwr i lawr y dy - ffryn, Ac ar - no ddir- fawr frys,

|d :-.r |m .r :d .m, |f, :— |l, :l, |s, :m |m :r |d :— |— :— |
Cym-aint oedd ei ddwys deimladau Nes gwel- wai dan ei chwys;

|m :-.f |m .r :d .r |m :— |d :t, |l, :t, |d :de |r :— |— :— |
Po - bl redent i'w gyfar - fod Gan o - fyn beth sy'n bod ?

|m :-.f |m .r :d .r |m :— |d :l, |s, :m |m :r |d :— |— :— |
Yn - tau'n ofnus a'u ateb - ai, Mae'r In - diaid wed-i dod.

CYDGAN.

|:d |f :f |l, :l, |d :— |s, :s, |m :-.r |d :m |r :f |m :r |
Roedd llawer un yn cryn - u— Ac ofn o- her-wydd fod yr In-diaid—

|d :-.r |m .r :d .m, |f, :— |l, :l, |s, :m |m :r |d :— |— ||
Cewr - i Cedyrn Patagon - ia O'r di - wedd wed-i dod.